U0217252

「十三五」国家重点出版物出版规划项目

国家出版基金项目
NATIONAL PUBLICATION FOUNDATION

中国中药资源大典

中国中药资源大典

资源大典

河北卷

1

黄璐琦 / 总主编

郑玉光　裴　林 / 主　编

北京科学技术出版社

图书在版编目（CIP）数据

中国中药资源大典．河北卷．1 / 郑玉光，裴林主编
. — 北京：北京科学技术出版社，2023.9
 ISBN 978-7-5714-2810-5

Ⅰ . ①中… Ⅱ . ①郑… ②裴… Ⅲ . ①中药资源－资
源调查－河北 Ⅳ . ①R281.4

中国版本图书馆 CIP 数据核字（2022）第 253403 号

责任编辑：侍　伟　李兆弟　吕　慧　庞璐璐
责任校对：贾　荣
图文制作：樊润琴
责任印制：李　茗
出 版 人：曾庆宇
出版发行：北京科学技术出版社
社　　　址：北京西直门南大街16号
邮政编码：100035
电　　　话：0086-10-66135495（总编室）　 0086-10-66113227（发行部）
网　　　址：www.bkydw.cn
印　　　刷：北京博海升彩色印刷有限公司
开　　　本：889 mm × 1 194 mm　　　1/16
字　　　数：1 087千字
印　　　张：49
版　　　次：2023年9月第1版
印　　　次：2023年9月第1次印刷
审 图 号：GS京（2023）1758号
ISBN 978-7-5714-2810-5

定　　价：490.00元

《中国中药资源大典·河北卷》

编写委员会

总主编 黄璐琦

主 编 段云波 姜建明 王 洪 孔祥骊 高维娟 裴 林 郑玉光

副主编（按姓氏笔画排序）

王 旗 孔增科 田学卒 田艳勋 孙宝惠 杨忠来 赵建成 胡永平

曹东义 韩同彪 谢晓亮

编 委（按姓氏笔画排序）

马春英 马晓莉 马淑兰 王 洪 王 旗 王志文 王僧虎 孔祥骊

孔增科 田 伟 田学卒 田春雨 田艳勋 叩根来 付正良 刘 钊

闫国强 孙国强 孙宝惠 严玉平 苏春燕 李 世 李 琳 李 磊

李永民 李继安 杨太新 杨忠来 杨福林 何 培 张 丹 张一昕

张文娜 张建涛 张晓峰 郑开颜 郑玉光 房慧勇 赵建成 赵春颖

郝 蕾 胡永平 段云波 段吉平 段绪红 姜建明 高维娟 郭 龙

黄璐琦 曹东义 韩同彪 景永帅 温春秀 谢晓亮 裴 林

《中国中药资源大典·河北卷 1》

编写人员

总 主 编 黄璐琦

主 编 郑玉光 裴 林

副 主 编 赵建成 严玉平 谢晓亮

编 委（按姓氏笔画排序）

马春英 马晓莉 王 浩 王 蕾 王僧虎 孔增科 石 硕 田艳勋

付正良 包雪英 邢路军 刘 钊 刘 佳 刘真一 刘爱朋 闫国强

孙国强 孙宝惠 严玉平 苏春燕 苏淑欣 李 世 李 英 李 敏

李 琳 李 磊 杨福林 吴兰芳 何 培 冷子琪 宋军娜 张 昱

张 晟 张一昕 张天天 张文娜 郑开颜 郑玉光 赵建成 郝 蕾

秦 梦 郭 龙 黄璐琦 梁 兴 景永帅 谢晓亮 裴 林 薛紫鲸

资料收集（按姓氏笔画排序）

王成彬 王晓松 白宁宁 李文俊 李明松 杨金鑫 陈俊杰 董 冰

韩世诚 韩宏伟

摄 影（按姓氏笔画排序）

于海龙 王志民 邢路军 李 世 李文海 杨福林 吴 萌 何健威

陈 光

主编简介

>> 郑玉光

教授，博士生导师，河北化工医药职业技术学院党委副书记、院长，全国中药炮制技术传承基地（河北省）负责人，孙宝惠全国名老中医药专家传承工作室负责人，国家级一流课程（中药鉴定学）负责人，河北省中药炮制技术创新中心负责人，河北省中药材产业技术研究体系岗位专家。兼任国家科学技术奖励评审专家，国家中医药管理局项目评审专家，中华中医药学会中药鉴定分会委员，《中国中药杂志》特约审稿人，《中国现代中药》编委。担任河北省第四次中药资源普查工作专家组主任委员，指导开展了河北省第四次中药资源普查工作。作为河北省中药材产业技术研究体系岗位专家，他主要负责河北省道地中药材产地无硫加工的指导及加工规范的制订，为河北省中药材产业的发展提供了技术支撑。

他毕业于黑龙江中医学院（现黑龙江中医药大学）中药资源专业，多年来一直从事中药鉴定及中药资源学领域的教学、科研工作，主要研究方向为中药材规格等级质量标准研究、道地中药材生产区划研究、中药材产地采收及无硫加工技术研究。主持国家级及省部级课题 11 项，发表学术论文 60 余篇，主编、副主编学术专著 6 部及规划教材 5 部，获得专利 9 项，制定国家级中药材商品规格标准 28 项。

主编简介

>> 裴林

医学博士，主任医师，教授，博士生导师，曾任河北省中医药科学院院长兼党总支书记、河北省中医药科学院附属医院院长，全国老中医药专家学术经验继承工作指导老师，全国优秀中医临床人才，享受国务院政府特殊津贴专家，国家中医药管理局"十二五"重点专科学术带头人。河北省省管优秀专家，河北省名中医，河北省有突出贡献中青年专家，河北省中医药学会副会长，河北省中医药学会心身医学专业委员会主任委员，河北省浊毒证重点实验室主任。第四次全国中药资源普查试点（河北省）项目工作负责人之一，国家中医药管理局中药资源普查专家技术委员会成员，国家稀缺中药材种子种苗繁育基地（河北省）项目负责人，河北省中药原料质量监测与技术服务中心主任。

他主要从事中药资源保护与开发、中药药理学领域的教学和研究工作。承担中央财政公共卫生专项、国家重点研发专项、河北省重点研发专项等多项研究课题，获得省部级科学技术进步奖二等奖 2 项、三等奖 3 项，发表学术论文 40 余篇，出版学术专著 15 部。

序 言

习近平在中国共产党第二十次全国代表大会上的报告，把促进中医药传承创新发展作为推进健康中国建设的重要内容之一。中医药是中华民族的伟大创造，为中华民族繁衍生息做出了巨大贡献，对世界文明的进步产生了积极影响。中医药产业是我国医药产业的重要组成部分，肩负着维护人民健康、提高民众身体素质的重要任务。中药资源是中医药产业发展的物质基础，是我国重要的战略资源，关系到中医药事业的健康可持续发展。国家高度重视中药资源保护和可持续利用工作。随着世界各地对中医药医疗保健服务需求的不断增加及中医药相关产业的蓬勃发展，中药的需求量也在不断增加，但与20世纪相比，我国中药资源状况却发生了巨大变化。因此，自2011年开始，国家中医药管理局组织开展了第四次全国中药资源普查工作，以求摸清中药资源家底，为促进中药资源的保护、开发和合理利用奠定基础。

河北省地处华北平原，东临渤海，内环京津，西为太行山，南为平原，北为燕山，以燕山为界，南北温差较大，地形复杂，高原、平原、山地、丘陵、盆地、湿地、海滨等纵横交错，是中药资源蕴藏大省及中医药产业大省。河北省安国市古称祁州，是我国北方最大的药材集散地，有着上千年的药业历史，中药文化底蕴深厚，素有"天下第一药市"之称，被国务院命名为"中国中药材之乡"。中医药事业的发展在河北省"十三五""十四五"发展规划中都有着极为重要的地位，而河北省第四次中药资源普查工作的开展，对河北省中药产业的健康发展、中医药强省的建设具有十分重要的现实意义。

  作为我国第二批启动中药资源普查工作的 15 个试点省份之一，河北省于 2013 年正式启动中药资源普查试点工作。试点工作初步对 40 个县（市、区）进行了中药资源普查，积累了丰富的经验和数据。2017 年，河北省开始启动正式普查工作。前后历经近 10 年，完成了河北省的中药资源普查工作，探明了河北省 112 个县（市、区）的野生药用植物及栽培植物的种类、生境分布、蕴藏量、资源变化趋势、形态特征、药材性状等信息，并采集、保存了中药材腊叶标本、药材标本、种质标本等资料，基本摸清了河北省中药资源现状，为河北省中药资源的可持续利用提供了数据支持和技术保障。

中国工程院院士

国家中医药管理局副局长

中国中医科学院院长

第四次全国中药资源普查技术指导专家组组长

2023 年 1 月

前　言

　　河北省地处华北平原，东临渤海，内环京津，西为太行山，南为平原，北为燕山，以燕山为界，南北温差较大，地形复杂，高原、平原、山地、丘陵、盆地、湿地、海滨等纵横交错。坝上高原属内蒙古高原的一部分，平均海拔 1 200~1 500 m，占全省总面积的 8.5%；燕山和太行山（包括丘陵和盆地）海拔多在 2 000 m 以下，占全省总面积的 48.1%；河北平原是华北平原的一部分，海拔多在 50 m 以下，占全省总面积的 43.4%。

　　河北省年平均日照时数 2 400 ~ 3 100 小时；平均年降水量 300 ~ 800 mm；全省年平均气温为 4 ~ 13 ℃，1 月的气温为 -4 ~ 2 ℃，7 月的气温为 20 ~ 27 ℃，大体西北高、东南低，各地的气温年较差、日较差都较大；全年无霜期 110 ~ 220 天。全省平均年降水量分布很不均匀，年降水变率也很大。河北省地质、土壤、气候类型丰富，适宜各种药用植物生长。在悠久的药材生产经营历史中，河北省各地形成了一批质量优良、品质稳定、具有区域性的特色药材，这些药材远销海外。

　　河北省安国市是我国北方最大的药材集散地，该地有着上千年的药业传统，中药文化底蕴深厚，素有"天下第一药市"之称，被国务院命名为"中国中药材之乡"。安国药市规模大，经营品种多，贸易辐射 20 多个国家或地区，对河北省中药材资源和产业的发展起到了重要作用。

　　中药资源是我国重要的战略资源之一，随着近年来中药产业的快速发展，我国的中药资源在种类、分布、蕴藏量和质量等方面发生了巨大的变化。截至 2010 年，我国共开展了 3 次全国性的中药资源普查工作，最近一次为 1983—1987 年的第三次全国中药资源普查，距今已近 40 年。在中药资源家底不清、中药资源信息不流通、中药相关技术资源匮乏等问题突出的背景下，开展第四次全国中药资源普查迫在眉睫。在这种情况下，为促进中药资源的保护、开发和合理利用，国家中医药管理局自 2011 年开始，陆续组织、开展了全国范围内的中药资源普查试点工作。

作为全国第二批启动中药资源普查工作的 15 个试点省份之一，河北省于 2013 年 3 月启动了 40 个县（市、区）的中药资源普查工作，2017 年启动了 24 个县（市、区）的中药资源普查工作，2018 年启动了 24 个县（市、区）的中药资源普查工作，2019 年启动了 24 个县（市、区）的中药资源普查工作。普查内容包括调查野生药用植物及栽培植物的种类、分布、蕴藏量、资源变化趋势等，并采集与保存中药材腊叶标本、药材标本、种质标本。

在本书的撰写过程中，编委会数次召开编写会议，探讨《中国中药资源大典·河北卷》编写的相关事项，包括编写的名录、分工及体例等。本书中每个物种的编写内容包括植物名、药材名（药用部位、别名）、形态特征、生境分布、资源情况、采收加工、药材性状、功能主治、用法用量、附注等，同时附有植物、药材等的照片。编委完成撰写后，省普查办聘请相关专家进行横向及纵向校稿。本书分为上篇、中篇、下篇 3 篇，共 4 册。上篇为河北省中药资源总论，收录于第 1 册；中篇介绍了黄芩、金莲花、酸枣仁、金银花、地骨皮、王不留行、知母、款冬花、远志、柴胡、连翘、北苍术等 12 种河北省道地、大宗药材，收录于第 1 册；下篇分述了 142 科、1 053 种药用植物，包括大型真菌、苔藓植物、蕨类植物、裸子植物和被子植物等，收录于第 1 册至第 4 册。

本书的编撰得到了国家中医药管理局中药资源普查办公室的指导，得到了国家出版基金的资助，得到了各普查队的大力支持，在此，向有关领导、专家、学者表示衷心的感谢。

本书仅是对河北省中药资源普查工作的阶段性总结，由于编者水平有限，时间仓促，难免存在差错与疏漏之处，敬请广大读者不吝指正，以便编者在今后的工作中不断改进和完善。

编　者

2022 年 12 月

凡 例

（1）本书共收录河北省中药资源1065种，撰写过程中主要参考了《中华人民共和国药典》《中国植物志》《中药材商品规格等级标准汇编》等。

（2）本书分为上篇、中篇、下篇，共4册。上篇为"河北省中药资源总论"，是河北省第四次中药资源普查成果的集中展示；中篇为"河北省道地、大宗中药资源"，详细介绍了12种河北省道地、大宗、特色中药资源；下篇为"河北省中药资源各论"，共收录河北省药用资源1053种，介绍了大型真菌、苔藓植物、蕨类植物、裸子植物、被子植物等中药资源。为了方便叙述，本书中篇、下篇的内容除篇名外，凡行政区域的名称均省略级别，如"河北省"简称"河北"。为检索方便，本书在第1册正文前收录1～4册总目录，在页码前均标注了其所在册数（如"[1]"），同时，本书还于第4册正文后附有1～4册所录中药资源的中文拼音索引、拉丁学名索引。

（3）本书下篇"河北省中药资源各论"在介绍每种中药资源时，以中药资源名为条目名，下设植物别名、药材名、形态特征、生境分布、资源情况、采收加工、药材性状、功能主治、用法用量、附注项。每种中药资源下各项的编写原则简述如下。

1）植物别名。记述物种的别名。未查到别名的物种，该项内容从略。

2）药材名。记述物种的药材名、药用部位、药材别名。同一物种作为多种药材的来源时，分别列出药材名、药用部位、药材别名。未查到药材别名的物种，该内容从略。

3）形态特征。记述物种的形态，突出其鉴别特征，并附以反映其形态特征的原色照片。其中，药用植物资源形态特征的描述顺序为习性、营养器官、繁殖器官。

4）生境分布。记述物种分布区域的海拔高度、地形地貌、周围植被、土壤等生境信息，同时记述其在河北省的主要分布区域（具体到市级或县级行政区域）。

5）资源情况。记述物种的野生、栽培情况和其药材来源情况。若该物种在河北省无野生资源，则其野生资源情况从略。同样，若该物种在河北省无栽培资源，则其栽培资源情况从略。资源情况用"丰富""较丰富""一般""较少""稀少"描述，如"野生资源丰富，栽培资源较少"。药材来源用"野生"或"栽培"描述，如"药材主要来源于野生"。

6）采收加工、药材性状、功能主治、用法用量。记述药材的采收时间、采收方式、加工方法、性状特征、性味、归经、毒性、功能、主治病证、用法、用量。当相应内容在文献记载中缺失时，其内容从略。

7）附注。记述物种与相近物种、易混淆物种的鉴别要点，濒危物种的濒危情况等相关信息。

目 录
Contents

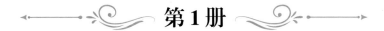

第 1 册

上 篇

河北省中药资源总论

中 篇

河北省道地、大宗中药资源

下 篇

河北省中药资源各论

第 2 册

第 3 册

第4册

上 篇

河北省中药
资源总论

第一章

河北省自然环境

一、地形地貌、土地资源

河北省位于华北地区腹心地带，北京、天津两市的外围，自古即是京畿要地。河北省地处北纬 36°05′ ~ 42°40′，东经 113°27′ ~ 119°50′。河北省地势西北高、东南低，自西北向东南呈半环状逐级下降，高度差别大，西北部的山地和高原海拔多超过 1 000 m，如小五台山海拔 2 882 m，为河北省最高峰，东南部的平原大部分海拔不足 50 m。河北省高原、山地、丘陵、盆地、平原类型齐全，这在全国来说是独一无二的。河北省自西北向东南依次为坝上高原、燕山和太行山山地、河北平原三大地貌单元。坝上高原属内蒙古高原的南缘，面积约 1.60 万 km²，其面积占河北省总面积的 8.5%，地形以丘陵为主，湖泊点缀其间。河北省的山地主要由燕山和太行山两大山脉组成，总面积约为 9.01 万 km²。燕山分布于河北省北部，是滦河、潮白河等多条河流的发源地和汇流处，河北省的天然森林、天然草场大部分集中在此地，素有"九山半水半分田"之称；太行山绵延于河北省西部，其地形复杂多样，山体植被以喜暖灌木草丛为主。河北平原是华北平原的一部分，面积约 8.15 万 km²，主要由山麓平原、中部平原和滨海平原组成，海河流域贯穿全境。

截至 2018 年年末，河北省共有农用地 1 306.14 万 hm²，其中耕地有 652.36 万 hm²，园地有 82.78 万 hm²，林地有 459.27 万 hm²，牧草地有 40.07 万 hm²。

二、气候条件

河北省地处中纬度欧亚大陆东岸，属温带大陆性季风气候，特点是冬季寒冷少雪，夏季炎热多雨，春多风沙，秋高气爽。

河北省年平均日照时数 2 400 ~ 3 100 小时，全省各地均属日照条件较好的地区。冀北山区和渤海沿岸是稳定的多日照区，年平均日照时数为 2 800 ~ 3 070 小时；燕山南麓和太行山中北部地区日照时间次之，年平均日照时数为 2 700 ~ 2 900 小时；山麓平原、低平原及太行山南部日照时间最少，年平均日照时数为 2 400 ~ 2 700 小时。

河北省年平均气温为 4 ~ 13 ℃，气温西北高、东南低，各地的气温年较差、日较差都较大，全年无霜期 110 ~ 220 天。全省年极端最高气温多出现在 6 月，长城以南地区最高气温可超过 40 ℃；年极端最低气温主要出现在坝上高原，该地区最低气温可达 −30 ℃以下。

河北省平均年降水量分布很不均匀，年降水变率也很大，总的趋势是东南部多于西北部，一般平均年降水量为 300 ~ 800 mm。坝上高原和新乐、藁城、宁晋一带为少雨区，两地区年降水量不足 500 mm；燕山南麓和太行山东侧为两个多雨区，两地区年降水量在 600 mm 以上。

河北省总体气候条件较好，温度适宜，日照充沛，雨热同季，故这里孕育了极其丰富的药用植物资源。

三、森林植被资源、自然保护区

河北省湿地资源丰富，类型众多，既有浅海、滩涂，又有陆地、河流、水库、湖泊及洼地。全省共建立各级各类自然保护区 46 个，包括雾灵山国家级自然保护区、茅荆坝国家级自然保护区、塞罕坝国家级自然保护区、小五台山国家级自然保护区、驼梁国家级自然保护区等，自然保护区总面积 71.02 万 hm^2（占全省总面积的 3.78%）。

雾灵山国家级自然保护区位于河北省承德市兴隆县境内。该保护区属暖温带大陆性季风气候区，雨量充沛，空气湿润，适宜植物生长。

茅荆坝国家级自然保护区位于河北省承德市隆化县境内，地处阴山山脉与燕山山脉交汇处，是冀北山地和内蒙古高原的过渡地带。该保护区植被类型丰富。

塞罕坝国家级自然保护区位于河北省承德市围场满族蒙古族自治县境内。该保护区内天然植被群落完好，森林草甸植被和湿地沼泽基本处于原生状态，集中了塞罕坝地区特殊的、稀有的野生生物物种，是塞罕坝地区各种原生性生态系统保存最完好、生物多样性最丰富、生物地理区系交错带最典型的区域，是塞罕坝地区的生物基因库，也是河北省最有保护价值的保护区之一。

小五台山国家级自然保护区位于河北省张家口市蔚县、涿鹿县境内，地处冀西北山地，东与北京市门头沟区及河北省保定市涞水县接壤。该保护区内植被类型垂直变化明显，形成典型的垂直分布带谱，植物种类繁多，是华北地区植物种类最丰富的地区之一，具有重要的保护价值。

驼梁国家级自然保护区位于河北省石家庄市平山县西北部、河北省与山西省的交界处，因山顶酷似驼峰而得名，总面积 158 km^2。该保护区内有国家级保护植物及珍稀濒危植物 29 种，常见的有野大豆、核桃楸、黄檗、刺五加、穿龙薯蓣等，河北省特有种有河北柳、河北乌头、多歧沙参等。

第二章

河北省中药资源现状及规划

一、河北省中药资源现状

河北省植物种类繁多，其中：蕨类植物有 21 科，占全国蕨类植物总数的 40.4%；裸子植物有 7 科，占全国裸子植物总数的 70%；被子植物有 144 科，占全国被子植物总数的 49.5%。河北省是药用植物资源大省，20 世纪 70 年代普查结果显示，河北省有药用植物 1 000 余种，80% 以上为野生植物，这些植物主要分布在北部山区和西部山区。河北省承德市的药用植物资源蕴藏量占全省药用植物资源蕴藏总量的 32%，张家口市的药用植物资源蕴藏量占全省药用植物资源蕴藏总量的 24%。河北省收购量较大的野生药材有酸枣仁、山楂、杏仁、知母、柴胡、黄芩、槐米、金莲花、穿山龙、远志、秦艽等。人工栽培的药用植物约有 200 种，其中大宗品种 40 余种，多集中在中部和南部丘陵、平原地区，总面积 20 余万亩①，产量较大的品种有板蓝根、黄芪、菊花、北沙参、丹参、白芷、紫菀、黄芩、甘草、天花粉、柴胡、防风、金银花、白术等。

河北省北有燕山，西有太行，东临渤海，中有安国药市，广袤的土地孕育着丰富的中药资源。河北省地处华北地区的核心地带，环绕京津，地理条件适宜中药材的生长与栽培，是传统中药材的道地产区。北部山区和西部山区野生药材较多，蕴藏量大。承德市燕山山地丘陵所产的黄芩因质量优良而闻名于世，被称为"热河黄芩"。河北省邢台地区野生酸枣分布广，所产酸枣仁粒大、饱满、油润、外皮色红棕，被称为"邢枣仁"。

河北省中药资源丰富，据《河北高等植物名录》记载，河北省有高等植物 3 071 种，这些植物分属 213 科 1 002 属，其中已被利用的药用植物有 800 多种，主要有黄芩、柴胡、防风、知母、酸枣、白芷、枸杞、远志、桔梗、党参、薄荷、甘草、大黄、麻黄等。第三次全国中药资源普查（1983—1987 年）结果显示，河北省有中药资源 1 716 种，其中药用植物有 1 442 种，分属 201 科；药用动物有 244 种，分属 119 科；药用矿物有 30 种。

河北省中药材栽培历史悠久，有大宗栽培药材 40 余种，其中栽培面积达万亩以上的品种有 27 个。2017 年河北省农业厅统计结果显示，全省人工栽培药材有 100 余种，药材种植面积达 233.8 万亩，药材野生抚育面积约 100 万亩，药材总产量达 100 万 t 以上，产值达 100 亿元以上，形成了巨鹿、安国、承德三大药材集中产区，太行山、燕山特色药材产业带及坝上高原药材产业区。河北省中药材的产量较大，其中，酸枣仁、天花粉、王不留行、金银花、祁紫菀和苦杏仁的产量分别占该药材全国总产量的 60%，柴胡、苍术等的产量分别约占该药材全国总产量的 33%。栽培药材集中在中部和南部丘陵平原，其中保定地区栽培药材年产量占全省栽培药材总产量的 40%，保定市的安国市不仅是传统的药材集散地，也是传统的药材栽培区。产量较大的栽

---

① 亩为中国传统土地面积单位，1 亩约等于 667 m²。在中药材生产实践中，亩为常用面积单位，本书未作换算。

培药材有板蓝根、黄芪、菊花、北沙参、丹参、白芷、山药、紫菀、天花粉、枸杞子等。

目前河北省实现规范化栽培的道地、大宗中药材品种主要有黄芩、知母、北柴胡、北沙参、穿山龙、板蓝根、金银花、金莲花、连翘、丹参、荆芥、菊花、紫菀、白芷、瓜蒌等，大宗中药材的种植面积占全省中药材种植总面积的 92%。药材种植历史悠久、种植面积集中的县（市）主要是安国市和巨鹿县。安国市常年药材种植面积约 13 万亩，主要品种为祁紫菀、祁薏苡仁、祁荆芥穗、祁白芷、祁山药、祁菊花、祁天花粉、祁北沙参，这 8 种药被称为"八大祁药"；巨鹿县常年药材种植面积约 16 万亩，主要品种为金银花、枸杞。

河北省安国市是我国北方最大的药材集散地，该地有上千年的药业传统，中药文化底蕴深厚，素有"天下第一药市"之称，被国务院命名为"中国中药材之乡"。

安国药市主体——东方药城，是全国规模最大的中药材专业市场。药城内经营药材 2 000 余种，辐射东南亚、日韩等 20 多个国家或地区，年出口额达 7 000 余万美元。"草到安国方成药，药经祁州始生香"，2006 年，安国药市经国务院批准，列入第一批国家级非物质文化遗产代表性项目名录。

近 10 年来，河北省内新建了铁路、高速公路及乡村公路，大大加强了河北省与外界的联系，有利于中药材的运输和中药资源的合理利用。

当前国家大力扶持中医药事业，我们应借助省内有利的自然环境和人文环境，使河北省中药资源得到更合理的利用。

二、河北省中药材资源面临的主要问题

（一）野生资源破坏严重

河北省共有药用植物 1 442 种，有关专家认为，目前能普查到的不足 1 000 种。现已开始人工栽培的药用植物仅有 200 余种，河北省药用植物资源的 80% 仍处于野生状态。当前不断增长的国内外市场需求，对野生中药材资源造成的压力越来越大，滥采滥挖野生药材现象严重，这使越来越多的中药材资源面临枯竭的境地。1998 年，丰宁县穿山薯蓣年采挖量达 1 000 t 以上，围场满族蒙古族自治县金莲花采摘量达 200 t 以上，至 2000 年，穿山薯蓣收购量下降到不足 300 t，金莲花收购量下降到不足 100 t；20 世纪 80 年代，口防风、秦艽、远志、黑柴胡等药材的年收购量为 500~1 000 t，目前这些药材资源严重枯竭。河北省药材资源缩减速度惊人，很多品种几近灭绝。

（二）药材种植盲目，基地分散，规模较小

河北省药材种植分散，规模较小，农民信息不通，多是跟风种植，未对市场和种植结构进行分析，生产盲目性较大，加上农业结构调整，农民缺乏对环境的综合评价和整体分析论证。

（三）种子和药材无标准

无标准、无规程是目前野生中药材和家种品种的生产现状。药材种子无专业基地生产，种子无标准、无分级，种子品质低劣，发芽率普遍偏低，不少市售药材种子发芽率不足 10%。不少道地药材无质量控制标准，人们只是通过外观判断其质量，无法做到科学控制药材质量。

（四）缺乏统一规划，区域道地性混乱

由于历史上传统的种植习惯及经营体制等原因，我国大部分中药材生产还没有摆脱千家万户分散种植、经营的生产方式，集约化、规范化程度低，再加上环境气候对药材质量的影响，导致区域道地性混乱。

三、关于河北省中药材资源现状的几点建议

（一）加强野生药材资源的保护，保证资源的永续利用

中药材资源是中医药生存和发展的物质基础，要加强对不可再生的野生药材资源的保护，组织人力对河北省内的中药资源进行系统调查，建立中药资源数据库，通过对各类资源的蕴藏量、历史产量、国内外需求量、可供生产及发展的数量等的软科学研究，制订出河北省统一的中药材发展规划。野生植物的人工驯化是解决中药材供应不足问题和保护野生资源的一条重要途径，应重视对省内分布的名贵中药材、道地药材野生资源的保护，为中药材栽培、优良品种的选育和组织培养提供基因稳定的品系。

（二）在野生药材采收和家种药材栽培技术上实现规范化

中药材是一种特殊的农作物，其品质检验标准正在从过去单纯外观观测向外观、含量、图谱等多重检验标准过渡。应建立相关标准，以规范市场、确保野生药材采收质量。对于栽培品种来说，加强中药材生产质量管理规范（GAP）建设是中药资源开发利用的重要途径和发展方向。

（三）加强中药材深加工，重视综合开发利用

中药材资源的开发应以药物利用为中心，进行多方面、多用途的研究开发，如进行保健食品、化妆品、天然香料、天然甜味剂、中兽药、中药饲料添加剂等方面的开发，以充分利用药用资源，为提高人类生活水平做贡献，同时可以有效提高中药材的经济价值。

（四）扶植中药龙头企业，鼓励企业建立中药材生产基地

各级政府应对中药产业化龙头企业给予扶持和政策倾斜，保护企业发展河北省道地药材的热情；鼓励各企业建立生产基地，这样既能保证企业自身原料供应，又可为全国提供优质的中药材。

第三章

河北省第四次中药资源普查情况

一、河北省第四次中药资源普查工作概况

根据国家中医药管理局第四次全国中药资源普查试点工作办公室及河北省中药资源普查试点工作领导小组的总体部署，河北省于 2013 年 3 月正式启动中药资源普查试点工作，至 2019 年共启动了 4 批 112 个县（市、区）的中药资源普查工作。河北省第一批中药资源普查县（市、区）有 40 个，于 2017 年通过国家验收。自 2017 年起，河北省又陆续开展了 3 个批次、72 个普查县（市、区）的中药资源普查工作，这 72 个县（市、区）相继于 2021 年 8 月 13 日、2021 年 12 月 23 日通过省级验收。截至 2022 年 6 月，河北省第四次中药资源普查工作已全部完成。

河北省本次中药资源普查工作共实地调查代表区域 410 个，样地 2 723 个，样方套 13 602 个，完成率达 99.9%。调查药用植物 1 910 种（拟公布药用植物目录，数据库收集药用植物 2 883 种，其中记录个体数 2 235 种），有蕴藏量的药用植物 695 种，有病虫害的药用植物 633 种；调查重点品种 695 种；调查栽培药材品种 177 种，市场调查 456 种；调查中医药传统知识 2 195 项。上交腊叶标本 2 304 种、24 352 份，药材标本 643 种、7 274 份，种子 1 087 种、7 046 份，种苗 22 种。拍摄照片 666 034 张。发现省级新分布和新记录种 24 种。

二、河北省第四次中药资源普查工作的目的、任务及主要考核指标

（一）目的

（1）调查河北省 112 个普查县（市、区）野生药材及栽培药材的种类、分布、蕴藏量、资源变化情况等，采集、保存中药材资源标本，了解中药材加工技术及中药材供求状况。

（2）摸清中药材资源基本家底，初步建立河北省中药资源数据库、动态监测网络和预警体系，为中药产业的可持续发展提供依据。

（3）更加全面、宏观地掌握河北省中药资源整体情况，为河北省中药产业发展规划的制订提供科学依据，为河北省道地药材种植、加工的一体化布局提供技术支撑，为河北省的招商引资提供新的亮点。

（4）分析中药资源减少与濒危的原因，为制定中药资源保护措施提供客观依据，为建立中药资源保护区提供数据支持。

（5）整理、出版河北省中药资源普查系列丛书，建立河北省药用植物腊叶标本馆、河北省中药材标本馆、河北省中药材种质资源库。

（二）任务及主要考核指标

（1）完成全省 112 个普查县（市、区）的中药资源调查。

（2）腊叶标本：每个普查县（市、区）每种药材来源的腊叶标本采集 3 份。

（3）药材样品：重点调查品种必须采集药材样品，每个普查县（市、区）每种药材采集并上交 1 份；一般调查品种的药材样品，遇到可采。

（4）种质资源：重点调查品种必须采集种子样品，每个品种采集并上交种子 1 份，每份种子样品 50 ~ 500 g。

（5）必须提供采集标本的全球定位系统（GPS）数据、制作影像资料，并将所有信息及资源数据录入数据库系统。

（6）调查单元为样地，重点调查品种依据国家技术规范选取样方数量，以样地为基本单元，对调查记录表进行装订保存。

（7）与普查县（市、区）的有关单位共同制定传统知识调查方案，培训有关人员，完成中医药传统知识数据采集并上传数据库，撰写普查县（市、区）物种资源状况评估和保护价值报告。

（8）提供动态监测平台数据。

（9）撰写普查县（市、区）中药资源普查专题报告、中药资源保护利用发展规划等。

（10）完成国家稀缺中药材种子种苗繁育基地（安国、滦平、内丘）建设。

（11）建设河北省省级中药原料质量监测与技术服务中心、安国监测站、巨鹿监测站。

三、河北省第四次中药资源普查组织管理工作

（一）成立中药资源普查组织管理机构

1. 省级组织管理机构

作为第四次全国中药资源普查第二批试点省份，河北省于 2013 年成立了河北省第四次中药资源普查试点工作领导小组，由原副省长、省政府特邀咨询孙士彬同志担任组长，成员包括省卫生厅、财政厅、教育厅、科学技术厅、农业厅、林业厅、食品药品监督管理局、民族宗教事务厅等 12 个部门和相关县（市、区）政府的主管领导。领导小组的主要职责是统筹协调、研究解决河北省中药资源普查工作中的重大事项。领导小组下设办公室，由河北省中医药管理局主管局长任办公室主任。领导小组办公室设在河北省中医药科学院，具体负责协调推进各项工作的落实。河北中医学院（现河北中医药大学）为技术牵头单位。

2. 县级组织管理机构

2013 年启动试点工作的 40 个普查县（市、区）均成立了县级中药资源普查试点工作领导小组，以各县（市、区）主管副县（市、区）长为组长，并设领导小组办公室。各领导小组主要负

责制定普查实施方案，审定代表区域和样地设置、原有中药资源名录、重点调查品种及普查工作进度安排。

2017—2019 年启动普查工作的 72 个普查县（市、区）由普查队长全面负责普查工作，普查队长与各普查县（市、区）联系，共同研讨、制定普查实施方案，并严格按照实施方案执行与验收。

（二）成立中药资源普查专业技术队伍

由河北省中医药科学院、河北中医学院（现河北中医药大学）、河北师范大学、河北省农林科学院等单位的中药资源学、中药鉴定学、植物学、中药栽培学等专业的 45 位专家组成河北省第四次中药资源普查试点工作技术专家指导委员会。同时聘任具有第三次中药资源普查工作经验的元老级专家作为技术顾问，确保本次普查工作的质量。技术专家指导委员会遴选出河北省 112 个普查县（市、区）和 107 个重点调查品种。技术专家指导委员会的专家分别担任各普查小组的组长，以保证普查工作的质量。

（三）成立中药资源普查小组

1. 外业普查小组

河北中医学院（现河北中医药大学）、河北师范大学、河北省农林科学院、河北省中医药科学院、河北大学、河北农业大学、华北理工大学、河北北方学院、承德医学院、河北旅游职业学院、河北科技大学、邢台学院、石家庄学院、邯郸市卫生健康委员会、河北省沧州中西医结合医院共15 所单位作为技术依托单位，先后组建了 20 个外业普查小组。每组由 10 名固定人员组成，同时吸纳在校本科生参与普查工作，承担 1 ～ 7 个普查县的外业调查工作。普查小组组长作为普查工作负责人，与技术依托单位签订合同，全面负责该组的中药资源普查工作，确保普查工作的落实。

2. 内业整理小组

依据单位专业方向与特长，河北省中医药科学院、河北中医学院（现河北中医药大学）、河北师范大学、河北省农林科学院等技术依托单位分别承担省级内业整理与专项工作，并组建内业整理小组。各内业整理小组负责对填报的数据、提交的实物进行核查、验收。

内业整理分为腊叶标本组、药材标本及种子种苗组、市场调查组、中医药传统知识调查组及普查数据资料审核汇总组 5 个专题组。河北师范大学赵建成教授团队（2013 年、2017 年、2018 年）和河北中医学院（现河北中医药大学）王乾老师团队（2019 年）负责进行腊叶标本鉴定、整理及制作；河北省农林科学院谢晓亮教授团队负责进行药材标本及种子种苗的鉴定整理；河北中医学院（现河北中医药大学）郑玉光教授团队负责市场调查；河北省中医药科学院曹东义教授团队负责搜集整理中医药传统知识；河北省中医药科学院裴林教授团队负责普查数据资料审核汇总，并将所有数据、照片资料以及合格实物上缴国家。

四、河北省第四次中药资源普查工作完成情况

（一）中药资源总体情况

河北省北有燕山，西有太行山，东临渤海，中有安国药市，广袤的土地孕育着丰富的中药资源。河北省地处华北地区的核心地带，环绕京津，具有山区、半山区、丘陵、平原四大地形，适宜中药材的生长与栽培，是传统中药材的道地产区。野生中药材以北部山区和西部山区较多，蕴藏量大，河北省承德市的药用植物资源蕴藏量占全省药用植物资源蕴藏总量的32%，张家口市的药用植物资源蕴藏量占全省药用植物资源蕴藏总量的24%。野生中药材中，酸枣仁、知母、柴胡、黄芩、槐米、金莲花、远志等为主要收购品种。野生黄芩主要分布在燕山、太行山和坝上，尤其是承德市燕山山地丘陵区所产的黄芩，以质量优良而闻名于世，被称作"热河黄芩"。河北省邢台地区野生酸枣分布广、质量优，酸枣仁粒大、饱满、油润、外皮色红棕，被称为"邢枣仁"。

河北省中药资源丰富，据《河北高等植物名录》记载，河北省有高等植物3 071种，分属213科1 002属，已被利用的药用植物有800余种，主要有黄芩、柴胡、防风、知母、酸枣、白芷、枸杞、远志、桔梗、党参、薄荷、甘草、大黄、麻黄等。据第三次全国中药资源普查（1983—1987年）结果，河北省有中药资源1 716种，其中药用植物1 442种，分属201科；药用动物244种，分属119科；药用矿物30种。

（二）中药资源调查

1. 一般调查

河北省第四次中药资源普查共启动了112个普查县（市、区）的中药资源调查工作，其中33个普查县（市、区）区域面积不大，植被类型单一，系统未生成样地或生成样地不足10个，不具备重点调查条件，无法开展重点调查，故在普查核查系统中未生成样地，依据国家技术规范要求及河北省实际情况，经普查县（市、区）普查小组请示、专家组论证确认、省普查领导小组办公室同意，该部分普查县（市、区）未做重点调查，其他79个普查县（市、区）均开展了野外样地样方调查。数据库统计结果显示，截至2022年6月，河北省实地调查代表区域410个，代表区域面积达82 349.05 km²，调查样地2 723个，样方套13 602个，完成率达99.9%。调查药用植物1 910种（拟公布药用植物目录，数据库收集药用植物2 883种，其中记录个体数2 235种），有蕴藏量的药用植物695种。拍摄照片666 034张。同时，发现省级新分布和新记录种24种。

2. 重点调查

河北省第四次中药资源普查遴选野外重点调查品种107种，数据库中实际记录重量的品种有808种，计算蕴藏量的品种有803种，共涉及695种基原植物，重点品种实际调查数量远超实施方案中要求的数量。其中地榆、白茅根、黄芩、苍术、艾叶、白莲蒿等23个重点品种的蕴藏量都在10万t以上。

3. 栽培药用植物调查

河北省是中药材产业大省，中药材产业是河北省的传统优势产业，河北省的中药材产业在全国具有重要的地位和影响。河北省常年种植中药材 120 种，其中道地药材 30 余种，主要有安国"八大祁药"及金银花、柴胡、连翘、酸枣仁、黄芩、苍术等。近年来，河北省委、省政府高度重视并大力推动中药材产业发展，将中药材产业作为乡村振兴的重要产业。目前，河北省已创建千亩以上的中药材示范园 396 个，万亩以上的现代园区 15 个，十万亩以上的产业大县 10 个；巨鹿县、内丘县、平泉市、围场满族蒙古族自治县和安国市分别成为全国最大的金银花、酸枣仁、苦杏仁、桔梗和瓜蒌单品生产集散地，酸枣仁、天花粉、王不留行、金银花、祁紫菀和苦杏仁的产量分别占该药材全国总产量的 60%，柴胡、苍术等的产量分别约占该药材全国总产量的 33%。

据河北省中药资源普查试点工作领导小组办公室汇总的河北省 112 个普查县（市、区）的普查数据，河北省栽培中药材有 194 种，涉及 177 种基原植物，其中山药、艾、黄芩、枸杞等的栽培面积均超过 2 万亩，栽培面积千亩以上的品种有 40 个，全省栽培面积共计 37.47 万亩，中药材总产量 20.05 万 t。

4. 中药材市场调查

（1）安国中药材市场

通过对安国中药材市场药材品种进行调查，我们发现常用中药材品种有 446 种，其中，野生中药材 157 种，以野生为主的中药材 71 种，野生、种养均有的中药材 13 种，种养中药材 139 种，以种养为主的中药材 66 种，野生及以野生为主的中药材品种约占常用中药材品种的 51.1%；通过对产销量进行调查，我们发现年产销量 1 000 t 及以上的品种有 108 种，这 108 种药材的总产销量为 1 156 500 t，约占中药材总产销量的 80%。在这 108 种药材中，野生中药材 17 种，产销量 58 200 t；以野生为主的中药材 10 种，产销量 94 500 t。

（2）普查县（市、区）中药材市场

河北省 112 个普查县（市、区）除安国市外均没有专业的中药材市场，因此市场调查对象以中药材生产企业、合作社及中药材收购商等为主。根据数据库信息，本次普查共调查市场主流品种 456 种，企业品种 591 种，饮片 377 种，中成药 170 种，其他 43 种，保健品 1 种，收购品种 135 种，共涉及基原植物 345 种；中药材年收购量 34 797.78 t，其中年收购量大于 100 t 的中药材有 68 种；进口中药材品种 2 种，总进口量 1 105 t；出口中药材品种 137 种，总出口量 7.75 万 t。

5. 普查数据收集与上交

据普查核查系统统计，112 个普查县（市、区）共录入数据库普查数据 729 181 条。所有普查数据均汇交至国家数据终端，并得到国家普查办认可。

6. 普查实物收集与上交

河北省腊叶标本、药材标本和种质资源由各普查小组在资源调查过程中采集，经过初步鉴定和整理，由腊叶标本组和药材标本及种子种苗组进行进一步鉴定、整理和标本制作。为此，河北省有关部分专门制定了质量控制规范、内业整理规范、植物标本采集要求、合格植物标本标准等相应规范与实施细则。这些规范与实施细则为野外标本的规范采集、记录、管理及内业标本的收集、鉴定、整理等提供了具体可行的规范，为河北省中药资源普查后续相关工作的开展奠定了基础。

河北省 112 个普查县（市、区）共采集腊叶标本 93 533 份，上交 2 304 种、24 352 份；上交药材标本 643 种、7 274 份，总重量 1 688.72 kg；上交种子 1 087 种、7 046 份，总重量 441.91 kg；上交种苗 22 种。

（三）传统知识调查

1. 传统知识调查概况

河北省第四次中药资源普查工作共收集中医药传统知识 2 195 项，大部分为民间中药验方或制剂，也有民间医生使用的经典方剂或偏方。本次传统知识调查涉及中药材 562 种，其中，根及根茎类 168 种，果实种子类 118 种，全草类 110 种，叶类 34 种，茎木类 33 种，花类 31 种，皮类 27 种，藻类、真菌类、地衣类 5 种，其他类 36 种。

河北省本次普查收集的 2 195 项传统知识中，涉及汉族 1 729 项、满族 33 项、蒙古族 3 项、回族 2 项、毛南族 1 项，其余为汉族与各少数民族共同使用。

2. 具有潜在价值和独特功效的传统知识

河北省非常重视中医药传统知识的收集、整理、研究工作，建立了河北省中医药传统知识保护研究中心，将民间中医药信息档案电子化，建立了省级中医药传统知识数据库；出版了《杏林寻宝——保护中医》一书，填补了改革开放后河北省中医药系统挖掘整理民间中医药传统知识的空白。

结合传统知识保护研究项目，中医药传统知识调查组走访了河北省 11 个地级市，调查、挖掘、整理了传承 3 代、确有疗效、仍在使用的民间医药知识 487 项，其中，民间验方类 271 项，诊疗技术类 152 项，中药炮制技艺类 11 项，传统制剂方法类 32 项，养生类 2 项，其他类 19 项。

3. 民间习用的方药技术

（1）隆尧老隆平膏药

老隆平膏药为纯手工熬制的膏药，其黑似漆，热则软，凉则硬，贴之即粘，拔之即起，具有通经活络、祛风散寒、化瘀止痛的功效，被列入《河北省第二批"燕赵老字号"保护名录》。

（2）永平生肌膏

永平生肌膏以中药知识药性理论为基础研制而成，主药为黄柏、蓖麻子，辅以十余种草药，诸药以一定的比例充分混合，加工制成膏剂，涂于白布上，用时加热贴于创面，无刺激、无痛感，贴半小时以上就有明显的止痛效果，对 I 度及 II 度烧伤疗效显著；还具有行气、消肿、泻下通滞、祛瘀生新的功效，可改善血液循环，促进新陈代谢。此方传承至今已有 4 代，在当地具有良好的口碑。

（四）中药原料质量监测与技术服务体系建设

1. 概况

河北省中药原料质量监测与技术服务中心（以下简称河北省级中心）挂靠在河北省中医药科学院，负责安国、巨鹿监测站的各项技术工作，基础设施、办公设备齐全，检验检测区面积 1 000 m²。该中心有主任 1 名、秘书 1 名，专职信息与技术人员齐全，能够保障中心工作的持续运行。安国监测站由安国市伊康药业有限公司代管，巨鹿监测站由巨鹿县中医院代管。

2. 建设情况

河北省级中心及安国、巨鹿监测站自 2014 年开始进行软、硬件及人员队伍建设，按照国家要求，河北省级中心配备高效液相色谱仪、气相色谱仪等必备仪器设备 32 台，监测站配备相应办公设施。2015 年年底，河北省级中心和监测站建成并试运行，2016 年下半年正式运行，2018 年年底河北省级中心通过国家验收，目前各项工作均有序开展。

3. 运行情况

河北省实行"省级中心 + 监测站 + 基地"的管理模式和运行机制。组建河北省级中心专家指导委员会，由郑玉光担任主任委员，谢晓亮担任副主任委员，聘请本省植物、环保、药品检验、药材种植及生产加工等方面的专家担任委员。河北省级中心在及时填报监测数据的基础上，组织专家定期对监测站和繁育基地进行技术支持和指导，开展基地建设和种子种苗繁育科研工作。

除了中央财政专项资金资助外，河北省级中心、监测站的运行主要依托项目课题。

4. 中药监测

河北省级中心以河北省中药材供应保障网为基础，建立了由 1 个中心、2 个监测站、3 个繁育基地、35 个定制药园、300 个中药材种植示范园组成的"1-2-3-35-300"中药原料质量监测与技术服务联动模式，初步建成河北省中药原料质量监测体系与预警机制。

安国监测站选定荆芥、菊花、白芷、紫菀、苦地丁、知母、射干、北沙参、天花粉、山药 10 个地产中药材品种作为日常调查任务品种，主要进行药材市场调查、产地调查、药材流通量调查以及安国中药材市场 100 个中药材品种的价格调查，将上述调查信息及时、准确地上报至中药原料质量监测与技术服务中心监测系统。截至 2021 年 12 月，已上报调查数据 10 052 条，安国中药材市场 100 个中药材品种的价格调查表 70 份。巨鹿监测站选定金银花、枸杞 2 个地产中药材，对其进行不同规格等级、产地的日常监测。截至 2021 年 12 月，已上报调查数据 2 474 条。

中心网络及预警机制的建立，将带动河北省中药原料质量监测与技术服务体系的逐步完善，对河北省中药材产业化发展，乃至对国家掌握中药材价格市场变化、产业行情及发展方向都具有积极意义。

5. 对外服务

河北省级中心积极与河北省农业农村厅特色产业处及农业特色产业技术指导总站对接，了解各县（市、区）的中药材种植基地情况，将具有一定规模的 40 家中药材种植基地纳入中药材供应保障网，及时掌握中药材种植和销售动态。

河北省级中心采取面对面问答、调查问卷、邮件调查、电话调查等多种调查方式，对药商、种植户、中药房（店）进行访问调查。自 2018 年以来，河北省级中心共进行 1.2 万人次的咨询服务，发放调查问卷 9 800 份，收回 6 100 份。

河北省级中心组织专家编写技术资料，进行中药材栽培技术推广；开展中药材栽培技术培训，培训形式分为网络培训和田间地头实地培训。河北省农林科学院温春秀研究员、贾海民研究员及河北中医学院（现河北中医药大学）郑玉光教授等多位专家，对药农、技术员进行金银花、枸杞等中药材的种植技术、病虫害防治、田间管理、产地加工等培训。截至 2021 年年底，河北省级中心累计组织培训 13 200 人次，推广栽培技术 56 项，发放培训材料上万册。

6. 取得成果

（1）出版著作、发表论文

河北省级中心组织编写并出版了《中药材无公害生产技术》《中草药主要病虫害原色图谱》等 5 部著作，发表相关论文 12 篇。

（2）组织编写并发布标准

河北省级中心制定发布了 28 个中药材商品规格等级标准，包括酸枣仁、紫菀、柴胡、天花粉、瓜蒌、款冬花、板蓝根、苦杏仁、大青叶、王不留行、地骨皮、龙骨、莱菔子、蒲公英、火麻仁、谷芽、紫苏梗、紫苏子、紫苏叶、葶苈子、女贞子、墨旱莲、狗脊、防己、神曲、白果、赤小豆、玫瑰花。

（3）组织制定生产技术规程和标准

河北省级中心与河北省农林科学院经济作物研究所、承德医学院、邢台学院等高校及科研院所合作，起草、制定地方标准和规程 28 项，包括《无公害射干田间生产技术规程》《中药材种苗质量标准　西陵知母》《地理标志产品　涉县柴胡》《地理标志产品　涉县连翘》《酸枣种子》《地理标志产品　涉县柴胡栽培技术规程》《野生酸枣抚育技术规程》《药用酸枣栽培技术规程》《中药材种子种苗质量标准　北苍术》《热河黄芩种子种苗质量标准》《蒙古黄芪种子种苗质量标准》《苦参种子种苗质量标准》《北防风种子种苗质量标准》《北苍术种子种苗质量标准》《热河黄芩良种选育技术规程》《蒙古黄芪良种选育技术规程》《苦参良种选育技术规程》《北防风良种选育技术规程》《北苍术良种选育技术规程》《山药芦头种苗质量标准》《山药零余子种苗质量标准》《中药材种苗质量标准　祁菊》《中药材种子质量　祁薏苡》《中药材种子质量标准　祁沙参》《祁沙参种子生产技术规程》《祁薏苡种子生产技术规程》《祁荆芥种子生产技术规程》《祁白芷种子生产技术规程》。

（4）参与科研项目

参与 2017 年科技部重点研发专项课题 "太行山高品质道地药材连翘、酸枣、黄芩规模化种植及精准扶贫示范研究"、2017 年科技部重点研发专项课题 "天花粉、沙参、山药生态循环种植模式的研究与应用"、2019 年河北省重点研发专项课题 "河北省药用植物资源平台建设及关键技术研究"。

（五）种质资源保护

1. 中药材种子种苗繁育基地建设

河北省自 2015 年起先后完成了安国、滦平、内丘 3 个国家稀缺中药材种子种苗繁育基地建设，进行连翘、黄芩等 20 个品种的种苗繁育示范推广，年产优质种子 8.33 万 kg，优质种苗 1 103 万株，示范面积 1.5 万亩，推广面积 15.2 万亩，且均已通过省级验收。

2. 药用植物重点物种保存圃建设

按照国家发布的建设目标和要求，河北省积极落实建设用地，并开展品种选定工作，分别在河北中医学院（现河北中医药大学）及安国药博园建立了共计 150 亩的药用植物重点物种保存圃。

3. 种质资源库建设

河北省中药材种质资源库位于河北省农林科学院经济作物研究所药用植物研究中心院内，库内建设面积为 24 m²。目前，该资源库共收集 108 科、516 种、2 489 份药用植物种子，其中珍稀濒危和重点保护药用植物种子 30 科、53 种、351 份，种子保存在 −20 ～ −18 ℃的低温种质库中。中药材种质资源的系统收集、保存，搭建了河北省中药材资源保护、应用和系统研究的公共平台，为中药材资源保护、种质鉴定、基因保存、新品种选育等系统研究奠定了基础。

（六）中药材资源变化情况

1987 年 9 月，河北省第三次中药资源普查试点工作领导小组办公室编写出了《河北省中药资源名录》，该书记载河北省有野生药用植物 1 442 种，药用动物 244 种，药用矿物 30 种。截至 2022 年 6 月，河北省第四次中药资源普查共发现药用植物 2 883 种（数据库统计），经专家委员会筛选审核，最终确定河北省第四次中药资源普查发现药用植物 1 910 种。

河北省第四次中药资源普查发现省级新分布和新记录种 24 种（已发表论文）。此外，河北省邯郸市普查队在普查工作中发现了 17 种新分布种，分别为刺梨（单瓣缫丝花）、华中五味子、中华金腰、林金腰、小药八旦子（图 3-1）、弓茎悬钩子（图 3-2）、湖南黄花稔、太行花（图 3-3）、野老鹳草、膀胱果、全缘叶栾树、络石（图 3-4）、单花荵、白英（千年不烂心）（图 3-5）、长叶车前（图 3-6）、苦糖果（图 3-7）、鸡矢藤，均已发表在网络媒体或报刊。

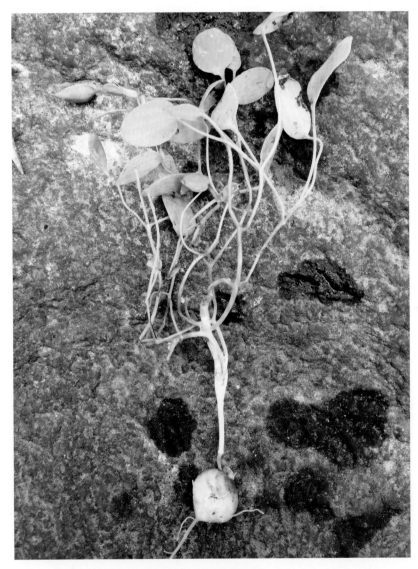

图 3-1　小药八旦子

图 3-2　弓茎悬钩子

图 3-3　太行花

图 3-4　络石

图 3-5　白英（千年不烂心）

图 3-6 长叶车前

图 3-7 苦糖果

相关文献记载分布于河北省的白木通、新疆紫草（软紫草）、内蒙古紫草（黄花软紫草）、川党参、川牛膝、朝鲜淫羊藿、柔毛淫羊藿、箭叶淫羊藿（三枝九叶草）、宿柱白蜡树（宿柱梣）、条叶龙胆、滇龙胆草（贵州龙胆）、麻花艽、胀果甘草、宽叶羌活、紫花前胡、滇黄精、天葵等野生药用植物，本次普查均未发现。

五、河北省第四次中药资源普查主要成果及应用

（一）编志修典，促进中药资源保护和中药产业可持续发展

自 2013 年河北省启动中药资源普查工作以来，各普查小组总计发表论文 177 篇；出版著作 36 部，待出版（已签订出版合同）著作 9 部；授权专利 34 项，申请获得软件著作权 2 项；起草完成地方标准规程 42 项，团体标准 33 项，国际标准 2 项；完成学士论文 133 篇，硕士论文 25 篇；拍摄专题片 3 部。

河北省各普查小组组织撰写了《邯郸道地药材》《涉县中药志》《滦平县中药资源研究与图谱》《河北小五台山种子植物检索表》《河北省本草图鉴》《孙宝惠中药鉴定经验图典》等地方性中药资源类著作，这些著作反映了当地的中药资源整体情况，填补了当地在植物志及资源图谱方面的空白，同时为今后开展中药资源研究、制定中药产业发展政策等奠定了基础。

河北省组织专家编写了《河北珍稀濒危药用植物资源》一书，该书以从河北省中药资源普查试点工作中获得的第一手资料及编者多年野外采集、研究鉴定标本的经验为基础，对河北省珍稀濒危药用植物进行调查分析及评估，明确了河北省现有野生珍稀濒危药用植物的生存现状，为进一步提出保护方法等提供了科学依据；组织专家撰写了《河北省野生重点药用植物潜在分布区预测及其生态适宜性评价》及《河北中药资源区划》（待出版）2 本书，这 2 本书对河北省野生药用植物资源潜在分布区进行了预测，对其生态适宜性进行了系统评价，对药用植物资源多样性的保护和开发利用提供了理论支持，也为河北省野生药用植物的分布区划、野生抚育提供了科学依据，为建设规模化和规范化药用植物栽培基地、促进河北省中药产业化发展、发展山区特色经济做出了贡献，对生态文明建设、植被恢复和经济发展均具有十分重要的现实意义。

以中药资源普查数据为依据，河北省出台了《河北省中医药发展"十三五"规划》《河北省中医药条例》《中共河北省委关于制定国民经济和社会发展第十四个五年规划和二〇三五年远景目标的建议》《河北省人民政府办公厅关于加快中药材产业发展的实施意见》《河北省中医药发展"十四五"规划》多项政策文件，有力地促进了中药资源保护和中药产业发展。

河北省级中心组织专家开展了道地大宗中药材的种苗质量标准、种植技术规范、产地加工标准、商品规格等级标准等标准的制定，这些标准已应用于国家种苗繁育基地的示范与推广，示范基地的药材质量均符合《中华人民共和国药典》（以下简称《中国药典》）的要求。

（二）普查方法和技术创新

1. 普查方法创新

相较于前三次中药资源普查，河北省第四次中药资源普查将空间技术融入调查工作中，应用了全新的技术方法。各普查队应用 GPS 技术以获取中药资源经度、纬度等空间信息。GPS 技术可精确定位样方、确定样地面积，提高了调查结果的精度，拓展了数据资料适用范围的广度，使蕴藏量的计算方法更加科学、准确，为准确掌握河北省代表性区域中药资源的分布、现状及中药资源的可持续利用提供了可靠数据。

普查数据管理机构应用地理信息系统（GIS）技术将普查数据空间化，实现空间数据的管理、分析、信息发布等；应用中低分辨率遥感图像，确定调查区域范围信息；应用中高分辨率遥感图像，获取大面积、成片分布的中药资源信息及群落信息。该技术为大数据普查管理、研究提供了先进的手段和方法。

2. 普查技术创新

在河北省第四次中药资源普查过程中，普查队员集思广益，按照国家普查技术要求，结合野外普查特点，改进、发明了普查工具，并在各普查队推广，提高了普查工作的效率和质量。普查队改进了样方杆与杆的连接线（缠绕金属丝），自制了连接线与样方杆连接头用钥匙扣、样方杆布袋等普查工具，获得了一种样方内中药材蕴藏量统计测算的样方绳（ZL201821241133.8）、一种中药材采集用掘根器（ZL201821241134.2）2 种实用新型专利。

在本次中药资源普查过程中，河北省中药资源普查队善于总结、乐于创新，在工作实践中汲取经验，创新方法与技术，提高工作效率与质量，为日后的科研、教学工作提供了方法与思路。

3. 平台建设

河北省高度重视中药资源的保护与可持续利用，自第四次中药资源普查工作开展以来，相继建设了 8 个相关科研与开发平台，为后续中药材产业化发展提供了技术支撑。

（1）河北省药用植物腊叶标本馆

依托第四次全国中药资源普查河北省试点工作项目，河北省建立了河北省药用植物腊叶标本馆，标本馆坐落于河北师范大学。标本室面积 170 m²，配有金属密集柜 1 套、标本冷冻柜 1 台，用于保存河北省中药资源普查所采集的腊叶标本。除按照要求上交国家中药资源中心（中国中医科学院中药资源中心）的腊叶标本外，标本馆还保存了制作完成的腊叶标本 13 240 份、用于分子实验的分子标本 6 526 份。所有标本按照恩格勒系统的科序排列，同种标本按照各普查县的代码排列。

（2）河北省中药材标本馆

河北省中药材标本馆位于河北中医学院（现河北中医药大学），收集不同规格、等级的中药材标本 1 465 份，为中国中医科学院中药资源中心提供了 26 种河北省道地药材不同规格、等级的模式标本 104 份。

（3）河北省中药材种质资源库

河北省农林科学院药用植物研究中心建立了种质资源库和药材标本库。种质资源库设计温度 −25 ℃，使用温度 −20 ℃，收集药用植物种子 108 科、516 种、2 489 份，其中珍稀濒危和重点保护植物种子 30 科、53 种、351 份。本次普查通过搭建河北省药用植物资源保护、应用和系统研究的公共平台，为资源保护、种质鉴定、基因保存、新品种选育等系统研究奠定了基础。

（4）河北省中药材种质资源保存圃

河北省中药材种质资源保存圃占地面积约 150 亩，分别位于河北中医学院（现河北中医药大学）和安国药博园，分为河北省道地药材区、河北省优质药材区、河北省珍稀濒危药材区。针对河北省珍稀濒危、道地药材及普查中发现的新物种和新记录种等，河北省建设了中药材重点物种保存圃，保存圃采用活体保存方式，保存中药材种质资源 300 余种，引种总数超过河北省中药资源普查工作掌握的该区域种类总数的 10%。

（5）河北省中药资源数据库

以搜集、整理、保存的 112 个县（市、区）的中药资源普查基本数据为基础，河北省在河北省中医药科学院建立了中药资源数据库，这为河北省的中药材产业发展提供了数据支持。

（6）河北省级中心

河北省级中心挂靠在河北省中医药科学院，紧密依靠专家团队，结合 2 个监测站、3 个种子种苗繁育基地及河北省 300 个中药材种植示范园进行技术支持和服务，对河北省中药原料质量保障、中药资源保护利用与发展起到了促进作用。

（7）河北省中医药科学院中药资源中心

2015 年，河北省中医药管理局批准成立了河北省中医药科学院中药资源中心。河北省 30 多位专家学者被聘为中心专家，从不同角度开展中药资源保护、利用、开发方面的研究。该中心聘请郑玉光、赵建成、谢晓亮等担任指导专家，专家涉及药用植物、中药材生产种植技术、中药化学、中药药理学、中药制剂研发等专业。中心现承担国家重点研发专项课题 2 项、中央公共卫生专项课题 3 项、河北省重点研发项目 2 项，为河北省中药产业的可持续发展提供了技术支持与保障。

（8）河北省中医药传统知识保护研究中心

2015 年，河北省中医药管理局批准成立了河北省中医药传统知识保护研究中心。该中心主要针对分布于河北省广大乡镇、市区的中医药传统知识进行抢救性调查、挖掘和整理，全面掌握河北省中医药传统知识状况。

（三）助力脱贫攻坚和乡村振兴，促进区域经济和中药材产业发展

河北省中药资源普查专家进行普查成果推广，助力产业扶贫、脱贫攻坚，促进中药材产业发展。

1. 成果支持，政策引领，产业扶贫

2019 年 3 月，河北省委办公厅、省政府办公厅联合印发了《关于加快推进中医药产业发展的

实施意见》，强调"加快中药材产业扶贫"。2019 年 6 月，河北省农业农村厅、河北省中医药管理局联合印发了《2019 年河北省中药材产业发展指导意见》，提出布局中药材种植"两带三区"，即燕山产业带、太行山产业带及冀中平原产区、冀南平原产区、坝上高原产区，优势产区总规模发展到 101 万亩。这些政策的出台促进了河北省各县域中药材种植业的发展，也为中药材产业扶贫指明了方向。

2. 普查数据，科学区划，精准扶贫

河北省的贫困地区多集中在燕山、太行山一带，这些地区具有药用植物资源优势、环境条件优势、岗坡山地优势，具备生产高品质药材和打造中药材特色产业的先决条件。普查专家深入全省 62 个贫困县，结合中药资源普查成果，在县域中药资源区域规划数据的基础上，结合县域特点，提出贫困县区域种植规划，如太行山北部种植北柴胡、中部种植酸枣，燕山扶贫区域种植北苍术等；推行一村一品，规模种植，使涉县柴胡、内丘酸枣、滦平黄芩、灵寿丹参、安国祁山药等一批县域特色中药材逐步发展起来。

3. 上下联动，多措并举，力求实效

（1）扶贫工作形式多样

河北省级中心与监测站、基地联合，结合县域特点，总结出了以"政府职能部门＋科研院校＋专合组织＋农户＋龙头企业"为主的中药材产业扶贫模式；开展多种形式的技术培训，帮助农民掌握生产技能，提高创收能力。多种模式结合，使扶贫工作能够落到实处，扎实开展。

（2）指导药农合理种植

河北省级中心组织专家帮扶药农走出大山，开阔视野，了解行情。中药材扶贫行动的实施，使受惠药农亩产增收 300 ～ 1 500 元，对农民增产脱贫、巩固扶贫成果起到了积极作用。

4. 脱贫攻坚，成效显著

（1）种植面积不断扩大

相关项目的实施促进了贫困县中药材生产向道地优势区域集中的转变，使多县成为种植面积超过 10 万亩的种植大县。种植大县既促进了当地的经济发展，也带动了周边县中药材种植的积极性。截至 2022 年，河北省中药材产业大县已超过 10 个。

（2）一区一品，区域种植

以涉县为例，涉县中药材种植面积超过 5 万亩的品种为连翘、柴胡，此 2 种的种植面积占项目区中药材总面积的 49.6%，部分地区还实现一区一品或一园一品。柴胡、连翘等均获得国家地理标志认证，道地药材品牌效应明显增强，药材品种多、乱、杂的现象得到改善。

5. 河北省贫困地区药材种植面积、产量

2017 年，保定市阜平县、涞源县、望都县和涞水县的中药材种植面积均超过 1 万亩。阜平县和涞水县种植的中药材主要为黄芩，黄芩的种植面积分别达到 4.95 万亩、1.5 万亩；涞源县种植的中药材主要为黄芩和柴胡；望都县荆芥的种植面积最大，达到了 1.3 万亩。

邢台市内丘县立足县域资源特色，将中医药产业作为强县、富民、脱贫的支柱产业，全力打造中医药产业发展新高地。2018 年，内丘县中药材种植面积超过 10 万亩，形成了以五郭店乡山凹村为中心的王不留行、金银花、黄芩、连翘、猪苓、天麻等 10 个中药材种植基地，种植区覆盖全县一半以上乡镇，年产中药材 14 万 t，产值达 20 亿元。2020 年，内丘县中药材产业产值突破 25 亿元，冀中南地区中药材种植面积超过 100 万亩，中药材产业产值突破 100 亿元，中药材产业真正成为强县、富民、脱贫的支柱产业。

秦皇岛市青龙满族自治县采用"公司 + 基地 + 农户"的方式发展中药材种植，中药材种植面积达 11 万亩，年产值 3 亿元，带动全县 7 000 余户贫困户实现增收。

（四）中药资源学科建设与发展

截至 2021 年，河北省内开设中药学本科专业的高校有河北中医学院（现河北中医药大学）、河北大学、承德医学院、河北医科大学、河北农业大学和河北北方学院；河北中医学院（现河北中医药大学）还开设有中药资源与开发、中药制药和中草药栽培与鉴定 3 个专业；河北中医学院（现河北中医药大学）、河北大学、承德医学院还设有中药学硕士学位点。从学科建设来看，河北中医学院（现河北中医药大学）和承德医学院 2 所高校已将中药学作为重点学科进行打造，承德医学院中药学学科在 2001 年被列为河北省高校重点发展学科，同年"中药研究与开发实验室"正式挂牌成为河北省省级重点实验室；河北中医学院（现河北中医药大学）的中药学学科设立于 1991 年，是全国"双一流"建设学科，现拥有国家中医药管理局中药炮制技术传承基地 1 个，中药材品质评价与标准化省级工程研究中心 1 个，中药配方颗粒、中药炮制、中药组方制剂省级技术创新中心 3 个，中药资源利用与质量评价省级国际合作基地 1 个，中药分析学、中药炮制学省局共建中医药重点学科 2 个，中药药理学国家中医药管理局科研二级实验室 1 个，孙宝惠、刘保和全国名老中医药专家传承工作室 2 个。

从科研机构来看，河北省中医药科学院创建于 1956 年，建设有河北省中医药管理局中药资源学重点学科，拥有稀缺中药材种子种苗基地、中药资源中心、中医药传统知识保护研究中心及省级中心等平台。从河北省中药学科的高校布局和科研单位的平台建设现状来看，河北省已初步形成"学 – 研 – 产"一体化格局，且在中药学科人才建设及平台管理方面具有较为完善的发展机制，这为河北省中药产业的科技创新提供了充足的人才储备和成熟的垂直体系平台架构。

（五）中药资源专门人才培育

河北省有 10 个高校 110 余名本科生、硕士生参加了第四次中药资源普查工作。在此过程中，年轻教师野外带教水平有所提升，中药资源相关专业学生的实际操作能力也得到了明显提高，这为中药资源学科团队建设打下了良好基础。

通过本次普查，河北省建立了覆盖全省的中药资源普查与科研团队，培养了具有一定专业基础知识的中药资源与普查人才，普查小组成员考取硕士研究生、博士研究生的有 52 人，晋升高级职称的有 21 人，获得国家级或省级人才称号的有 9 人，这为河北省中药资源与开发储备了一定的人才实力。

（六）生态效益显著

1. 指导思想

当前对药用植物资源的需求日益增加，而中药材资源却十分有限。基于此，河北省遵循可持续发展、保护和利用并重的原则，在坚持生物多样性保护的前提下提高中药材资源的生态效益。坚持"绿水青山就是金山银山"的理念，扩大生态保护规模和生态种植面积，从而提高药用植物资源的经济效益和生态效益，促进中药材产业的可持续发展。

2. 就地保护

随着国家一系列保护生物多样性特别是保护生态环境政策的颁布实施，河北省药用植物资源的就地保护工作也积极开展并初步取得了一定成效。河北省 46 个自然保护区保存了大部分的药用植物资源，据初步统计，就地保护的药用植物资源种类数达到本次调查种类数的 93%。目前河北省有省级以上自然保护区 35 个。

3. 迁地保护和人工栽培、繁育

通过本次中药资源普查，河北省建立和扩大了一批药用植物种质资源圃，特别是对于河北省道地药材、珍稀濒危药材，更加大了种质资源保存力度。人工栽培和繁育减少了对野生资源的破坏，客观上保护了野生药用植物资源，也保护了生态环境和生物多样性，提高了生态效益。

4. 改善环境，因地制宜

通过本次中药资源普查，河北省加大了对药用植物资源的保护力度。在太行山区发展的中药材种植生产的特点是不与粮棉油菜争地，药材种植基地位于荒山、荒坡、荒滩、林下和梯田等，种植基地土壤瘠薄，水浇条件差，种植其他大田作物产量低、效益差。因地制宜发展中药材种植可改善生态环境，防止水土流失，增加农民收入，成为广大山区农民脱贫致富的优先选择。

5. 种植技术推广

仿野生栽培技术、野生抚育技术、生态栽培技术的推广应用促进了岗坡山地连翘、柴胡等中药材的产业化发展，形成了太行山岗坡山地中药材资源性产业，增加了岗坡山地的植被，具有涵养水源、固土护坡、减少水土流失等生态作用。

中 篇

河北省道地、
大宗中药资源

……

唇形科 Lamiaceae　黄芩属 *Scutellaria*

黄芩
Scutellaria baicalensis Georgi

| 药 材 名 | 黄芩（药用部位：根。别名：山茶根、土金茶根、元芩）。

| 形态特征 | 多年生草本。根茎肥厚，肉质，直径达 2 cm，伸长而分枝。茎基部伏地，多分枝上升，高 15 ~ 120 cm，基部直径 2.5 ~ 3 mm，钝四棱形，具细条纹，近无毛或被微柔毛，绿色或带紫色。叶坚纸质，披针形或线状披针形，长 1.5 ~ 4.5 cm，宽 0.3 ~ 1.2 cm，先端钝，基部圆形，全缘，上面暗绿色，无毛或疏被微柔毛，下面色较淡，无毛或沿中脉疏被微柔毛，密被下陷的腺点，侧脉 4 对，与中脉在上面下陷，在下面凸出；叶柄短，被微柔毛。总状花序长 7 ~ 15 cm，多数在茎顶聚成圆锥花序；花梗长 3 mm，与花序轴均被微柔毛；下部苞片似叶，上部苞片较小，卵圆状披针形至披针形，近无毛；花萼开花时长 4 mm，盾片高 1.5 mm，外面密被微柔毛，内面无毛，果时花萼稍增长，盾片高 4 mm；花冠

紫色、紫红色至蓝色，长 2.3 ~ 3 cm，外面密被具腺的短柔毛；花冠筒近基部明显膝曲，中部直径 1.5 mm，至喉部宽达 6 mm；冠檐二唇形，上唇盔状，先端微缺，下唇中裂片三角状卵圆形，宽 7.5 mm，两侧裂片向上唇靠合；雄蕊 4，稍露出，前对较长，具半药，退化半药不明显，后对较短，具全药，花丝扁平，中部以下被小疏柔毛；花柱细长，先端锐尖，微裂，花盘环状，前方稍增大，后方延伸成极短的子房柄，子房褐色，无毛。小坚果黑褐色，卵球形，直径约 1 mm，具瘤。花期 7 ~ 8 月，果期 8 ~ 9 月。

| 野生资源 |　一、生长环境

黄芩生于海拔 60 ～ 1 300（1 700 ～ 2 000）m 山顶、山坡、林缘、路旁等向阳较干燥的地方。喜温暖，耐严寒，成年植株地下部分在 −35 ℃低温下仍能安全越冬，35 ℃高温不致枯死，但不能经受 40 ℃以上的连续高温天气。

二、分布区域

黄芩的道地产区主要是河北承德。野生黄芩主要分布于河北承德（围场、隆化、丰宁）等。

三、蕴藏量

黄芩蕴藏量为 34.83 万 t。

| 栽培资源 |　一、栽培区域

栽培黄芩主要分布于河北安国。

二、栽培技术

（一）繁殖方法

1. 种子繁殖

以直播法为主。直播黄芩根系直，根叉少，商品外观品质好，同时节省劳动力。直播多于春季进行，一般播种于地下 5 cm 处，地温稳定在 12 ～ 15 ℃时播种，北方地区多在 4 月上中旬前后。

2. 扦插繁殖

扦插法虽可繁殖黄芩，但实际生产中很少采用。扦插成败的关键在于扦插季节

和插条的选择。5 ~ 6 月扦插成活率高。插条应选择茎尖半木质化的幼嫩部分，扦插成活率可达 90%。

3. 分根繁殖

挖取未萌发的三年生黄芩的根茎，切取主根留作药用，然后根据根茎的形状分切成若干块，每块根茎有 2 ~ 3 个芽眼即可。分根繁殖的黄芩虽然生长快，但繁殖系数较低。

（二）田间管理

1. 间苗定苗

采取种子直播繁殖时，当幼苗长至高 4 cm 时，除去过密和瘦弱的小苗，按株距 10 cm 定苗。育苗地可不间苗。

2. 追肥浇水

苗高 10 ~ 15 cm 时，追肥 1 次，每亩用人畜粪水 1 500 ~ 2 000 kg。6 月底至 7 月初，每亩追施过磷酸钙 20 kg、尿素 5 kg，行间开沟施下，覆土后浇水。翌年收获的植株，待其枯萎后于行间开沟，每亩追施腐熟厩肥 2 000 kg、过磷酸钙 20 kg、尿素 5 kg、草木灰 150 kg，然后覆土盖平。

黄芩耐旱，怕涝，雨季需注意排水，田间不可积水，否则易烂根。遇严重干旱或追肥后，可适当浇水。

3. 摘除花蕾

在黄芩抽出花序前，将花梗剪掉，可减少养分消耗，促使根系生长，提高黄芩产量。

| **采收加工** | 黄芩生长 2 ~ 3 年可采挖，但三年生黄芩鲜根和干根的产量均比二年生黄芩多 1 倍左右，商品根产量高出 2 ~ 3 倍，且主要有效成分黄芩苷的含量也较高，故以生长 3 年为收获最佳期，采收时间以 9 月中、下旬为佳。黄芩根系深长，根易断，采收时需要深挖。取根，除去残茎，晒至半干后剥去外皮，捆成小把，晒干或烘干。在晾晒过程中，要避免暴晒过度，暴晒易导致黄芩发红；同时防止遇水，黄芩遇水会变绿，最后发黑影响质量。内部充实的新根、幼根称为"条芩"，又称"枝芩""子芩"；枯老腐朽的老根和破头块片根称为"枯芩"。

| **药材性状** | 条芩：本品呈圆锥形，扭曲，长 8 ~ 25 cm，直径 1 ~ 3 cm。表面棕黄色或深黄色，有稀疏的疣状细根痕，上部较粗糙，有扭曲的纵皱纹或不规则的网纹，下部有顺纹和细皱纹。质硬而脆，易折断，断面黄色，中心红棕色。

枯芩：本品性状同条芩，但老根中心呈枯朽状或中空，暗棕色或棕黑色。

全国中药资源普查标本采集记录表

河北省康保县

采 集 号	13072319071809BLY	采集人	第五普查队
采集日期	2019年07月18日	海 拔(m)	1421.0
采集地点		河北省康保县康保镇张庄村	
经 度	114°31'26.2"	纬 度	41°52'03.99"
植被类型	草原	生活型	多年生草本植物
水分生态类型	中生植物	光生态类型	阳性植物
土壤生态类型	沙土植物	温度生态类型	中温植物
资源类型	野生植物	地被多度	少
株高(cm)	18	直径(cm)	0.3
根		茎(树皮)	茎基部丛状枝
叶	披针形至线状披针形	芽	
花	花冠紫、紫红	果实和种子	小坚果卵球形
植物名	黄芩	科 名	唇形科
学 名	Scutellaria baicalensis Georgi		
药材名		药材别名	
药用部位		标本类型	腊叶标本
用 途			
备 注			

标本鉴定签

采集号:	13072319071809LY	科名:	唇形科
学 名:	Scutellaria baicalensis Georgi		
种中文名:	黄芩		
鉴定人:	王进勖	鉴定时间:	2019年07月29日

第四次全国中药资源普查

| 品质评价 | 以条长、质坚实、色黄者为佳。

| 功能主治 | 苦，寒。归肺、胆、脾、大肠、小肠经。清热燥湿，泻火解毒，止血，安胎。用于湿温、暑湿，胸闷呕恶，湿热痞满，泻痢，黄疸，肺热咳嗽，高热烦渴，血热吐衄，痈肿疮毒，胎动不安。

| 用法用量 | 内服煎汤，3 ~ 10 g；或入丸、散剂。

| 腊叶标本 | 一、采集信息
采集号：130723190718098LY
采集人：第四次全国中药资源普查河北省第五普查队
采集时间：2019 年 7 月 18 日
采集地点：河北张家口康保县康保镇剃头庄村
二、鉴定信息
科名：唇形科
拉丁学名：*Scutellaria baicalensis* Georgi
中文名：黄芩
鉴定人：王继鹏
鉴定时间：2019 年 7 月 29 日

| 附　注 | 一、道地沿革
黄芩始载于《神农本草经》，位列中品，该书记载黄芩"生川谷"。《名医别录》记载黄芩"生秭归川谷及冤句"，秭归即今湖北宜昌秭归，冤句即今山东菏泽。南北朝时期的《神农本草经集注》记载"今第一出彭城，郁州亦有之"，彭城即今江苏徐州，郁州即今江苏连云港云台山一带，这与《神农本草经》记载的"生川谷"的生境相合。
至唐宋时期，黄芩的道地产区和主产区发生迁移。《新修本草》记载"今出宜州、鄜州、泾州者佳，兖州者大实亦好"，宜州即今四川、重庆全境和陕西南部、云南西北部地区，鄜州即今陕西富县，泾州即今甘肃平凉一带，兖州即今山东西部、河南东北部、河北东南部地区。这说明唐代黄芩以山东、河南、河北产者为佳。该书指出产于山东与河南的黄芩根大饱满，品质较好。宋代《本草图经》记载黄芩"生秭归山谷及冤句，今川蜀、河东、陕西近郡皆有之"，川蜀即今四川一带，河东即今山西。
明清时期，对于黄芩产地的记载较为统一。《本草蒙筌》载"所产尚彭城，属山东"。《植物名实图考》称"黄芩生秭归山，滇南亦有"。从历代本草对黄芩产地的记载来看，湖北、山东、河北、江苏、四川、陕西、甘肃、云南等省均有生产，目前，多以河北北部为黄芩的道地产区，华东地区则以产自山东半岛的黄芩为道地正品。

《药物出产辨》记载："山西、直隶、热河一带均有出。"直隶即今河北中南部及北京、天津等地，热河指河北承德燕山山地丘陵，该书明确指出黄芩产地主要为河北。《中国药材资源地图集》记载："黄芩质量以河北承德地区和内蒙古赤峰一带所产为地道，产品根条粗长、体质坚实、内色鲜黄，素有'热河黄芩'之称。"

二、传统知识

黄芩为常用中药，河北民间用黄芩治疗上呼吸道感染、肺热咳嗽或鼻出血，取黄芩 18 g，煎汤内服；治疗急性肠炎、急性细菌性痢疾，用黄芩 12 g、赤芍 9 g、生甘草 6 g，煎汤内服；治疗因发热引起的胎动不安，用黄芩 6 g、白术 9 g，煎汤内服。

三、市场信息

（一）商品规格

表黄芩 – 1 黄芩商品规格等级划分

规格	等级	性状描述			
		共同点	区别点		
			形状	直径	长度
栽培	选货 一等	本品呈圆锥形。上部皮较粗糙，有明显的网纹及扭曲的纵皱纹；下部皮细有顺纹或皱纹。表面棕黄色或深黄色。质坚脆，断面黄色或浅黄色。气微，味苦。去净粗皮	上端中央有黄绿色、暗棕色或棕褐色枯心	≥ 1.5 cm	≥ 10 cm
	选货 二等		—	1.0 ~ 1.5 cm	≥ 10 cm
	选货 三等		—	0.7 ~ 1.0 cm	5 ~ 10 cm
	统货 —	性状同选货。不分大小			
野生	统货 —	本品多为枯芩。表面较粗糙，棕黄色或深黄色。中心多呈暗棕色或棕黑色，枯朽状或多中空。气微，味苦。去净粗皮			

（二）价格信息

黄芩为我国常用中药材，曾经主要依靠野生资源供给，并基本保持产销平衡。2013—2014 年黄芩价格稳定在 18 元①左右，2015—2016 年黄芩价格急剧下降，降至 8 元左右。因 2015 年黄芩的"烂市"现象，黄芩种植面积急剧减少，但黄芩的需求量依然不小，2016 年黄芩价格出现回转。目前家种统个黄芩的价格稳定在 22 元左右。

（三）易混（伪）品

1. 白花黄芩

本品为黄芩属黄芩的变种白花黄芩 *Scutellaria spectabilis* Pax et Limp. et Hoffm. 的根；华北地区有产；与黄芩同供药用。

2. 滇黄芩

本品为黄芩属植物滇黄芩 *Scutellaria amoena* C. H. Wright 的根茎；分布于云南中南部、中部至西北部，四川南部及贵州西北部等。《滇南本草》记载滇黄芩多用于热症；云南作黄芩代用品。

3. 粘毛黄芩

本品为黄芩属植物粘毛黄芩 *Scutellaria viscidula* Bunge 的根，又名黄花黄芩；分布于山西、内蒙古、甘肃、吉林、山东等；河北、山西等地将其作为黄芩习用品。

4. 甘肃黄芩

本品为黄芩属植物甘肃黄芩 *Scutellaria rehderiana* Diels 的根及根茎；分布于甘肃、陕西、山西等；甘肃地区将其作为黄芩习用品。

5. 川黄芩

本品为黄芩属连翘叶黄芩 *Scutellaria hypcricifolia* Lévl. 的根，在四川又被称为"黄芩""魁芩""条芩""子芩"；分布于四川西部。

四、资源利用与可持续发展

黄芩是我国常用大宗中药材之一，具有广泛的药理作用和重要的临床价值，开发应用前景广阔。黄芩对上呼吸道感染、急性支气管炎、急性胃肠炎、肺炎所致的咳嗽均有疗效，少量服用还可健胃。另外，有研究表明黄芩可治疗高血压、动脉硬化、植物神经功能症，外用还可抗微生物感染，用于治疗病毒性眼病、皮肤真菌感染。

近年来，由于黄芩药材的需求量增加，有限的野生资源遭受了掠夺式采挖，野

---

① 本篇中的药材价格均为千克价。

生资源破坏严重，有些地区的野生黄芩濒临灭绝。河北承德等黄芩的道地产区也由于过度采挖，野生资源正逐渐减少。野生资源的破坏和药材质量不稳定是目前黄芩资源面临的两大问题。

【参考文献】

[1] 国家药典委员会. 中华人民共和国药典：一部 [M]. 北京：中国医药科技出版社，2020：314.

[2] 尚志钧. 神农本草经校点 [M]. 芜湖：皖南医学院科研处，1981：197.

[3] 陶弘景. 本草经集注 [M]. 尚志钧，尚元胜辑校. 北京：人民卫生出版社，1994：264.

[4] 苏敬. 唐·新修本草 [M]. 尚志钧辑校. 合肥：安徽科学技术出版社，1981：204.

[5] 苏颂. 图经本草 [M]. 胡乃长，王致谱辑注. 福州：福建科学技术出版社，1988：144.

[6] 陶弘景. 名医别录 [M]. 尚志钧辑校. 北京：人民卫生出版社，1986：115.

[7] 吴其濬. 植物名实图考 [M]. 上海：商务印书馆，1933：155.

[8] 陈仁山. 药物出产辨 [M]. 广州：广东中医药学校，1930：24.

[9] 李子，郝近大. 黄芩本草考证 [J]. 中药材，2008，31（10）：1584-1585.

[10] 王惠清. 中药材产销 [M]. 成都：四川科学技术出版社，2007：80.

毛茛科 Ranunculaceae 金莲花属 Trollius

金莲花 *Trollius chinensis* Bunge

| 药 材 名 | 金莲花（药用部位：花。别名：旱金莲、金梅草、旱地莲）。

| 形态特征 | 多年生草本，植株全体无毛。须根长达 7 cm。茎高 30 ~ 70 cm，不分枝，疏生 2 ~ 4 叶。基生叶 1 ~ 4，长 16 ~ 36 cm，有长柄，叶片五角形，长 3.8 ~ 6.8 cm，宽 6.8 ~ 12.5 cm，基部心形，3 全裂，中央全裂片菱形，先端急尖，再 3 裂达中部或稍超过中部，边缘密生三角形锐锯齿，侧全裂片斜扇形，2 深裂至近基部，上面深裂片与中央全裂片相似，下面深裂片较小，斜菱形；叶柄长 12 ~ 30 cm，基部具狭鞘；茎生叶与基生叶相似，向上渐小，叶柄渐短至无柄。花单生或 2 ~ 3 组成聚伞花序，直径 3.8 ~ 5.5 cm；花梗长 5 ~ 9 cm；苞片 3 裂；萼片 6 ~ 19，金黄色，干时不变绿色，椭圆状倒卵形或倒卵形，最外层萼片先端疏生三角形牙齿，间或生 3 小裂片，其他萼片先端圆形，生不明显的小牙齿；

花瓣 18 ～ 21，与萼片等长或较萼片稍长，稀比萼片稍短，狭线形，长 1.8 ～ 2.2 cm，宽 1.2 ～ 1.5 mm；雄蕊多数；心皮 20 ～ 30。蓇葖果长 1 ～ 1.2 cm，宽约 3 mm，具喙；种子倒卵状近球形，黑色，光滑，具 4 ～ 5 棱角。6 ～ 7 月开花，8 ～ 9 月结果。

| 野生资源 |　一、生长环境

金莲花生于海拔 1 000 ～ 2 200 m 的山地、草坡或疏林下，耐寒，忌湿热。

二、分布区域

金莲花主要分布于河北蔚县、沽源、赤城、滦平、易县、围场等。

三、蕴藏量

金莲花蕴藏量为 954.97 t。

| 栽培资源 | 一、栽培区域

栽培金莲花主要分布在河北北部的坝上地区，因河北承德所产金莲花黄酮含量最高，故承德坝上地区为金莲花的道地产区。

二、栽培技术

（一）选地整地

根据野生金莲花分布区域，选择其周边地区作为引种栽培和野生抚育区，以保证人工栽培的金莲花质量不变。选择土壤为疏松、肥沃的砂壤土（如棕壤、褐土和草甸土等）且排水良好的缓坡地，确保土壤无污染，重金属、有毒元素及水质等指标符合国家标准。选好适宜区后即可整地，先施足基肥，每亩用腐熟有机肥 2 000 ~ 3 500 kg，也可加入生物肥料，均匀撒于地面，耕地深 20 ~ 30 cm。直播地需充分耙细整平，育苗地还需作平畦，畦宽 1.2 m，长 10 m，畦埂高 15 cm，整平畦面后播种。

（二）繁殖方法

1. 种子繁殖

金莲花种子有低温休眠的特性，需在 0 ~ 5 ℃下沙藏 2 ~ 3 个月才能发芽，种

子的形态后熟和生理后熟 2 个发育阶段都可以在低温下完成，通常随着沙藏时间的延长，发芽率也会提高。研究表明，新采收的金莲花种子在 5 ~ 6 ℃下沙藏 75 天、胚率达 47% 左右即可发芽；在室温下干藏 6 ~ 9 个月的种子需经 1 个月的低温沙藏处理才可打破休眠并发芽；干藏 1 年左右的种子则完全丧失发芽能力。

播种方法：播种前 2 ~ 3 天将育苗地浇透水，待地面稍干后耙平整细，作成平畦苗床。如用干籽秋播，播种时应掺 5 ~ 10 倍的细沙拌匀，然后播种；如为春播，应取沙藏处理后带细沙的种子播种。在畦面上按行距 10 cm 条播或撒播，播后覆盖 3 ~ 5 mm 厚的细沙或细土，上面再盖 1 层约 5 cm 厚的稻草并浇足水保湿。秋播于翌年早春出苗，春播于播后 15 ~ 20 天出苗。在寒冷或风大的地区，播种后应用铁棍、木棍或土压草，避免盖草被风吹散。春季可再加农膜拱棚，保湿保温防寒，以提早出苗。

2. 分根繁殖

9 ~ 10 月植株枯萎时，挖取野生或栽培的种苗，或者在早春土地解冻后 4 月挖取未出苗种株的根茎进行分根繁殖。分株时，每株应有 1 ~ 2 芽，剪去过长的须根，栽种的株行距为 30 cm × 20 cm，栽后浇水。在生长季节也可移栽，但成活率较低，生长状况也较差。

3. 育苗移栽

播种期：可秋播，也可春播。秋播于种子采收后及时播种，使种子在地下经自然低温打破休眠。春播可在早春土地解冻后，及时用经低温沙藏处理的种子播种育苗。一般采用春播，春播便于管理，节约种子，出苗率高。

幼苗管理：出苗后若气温较高，应破膜放风、降温，当苗基本出齐后，逐层揭去盖草，并注意拔除杂草，保持畦面无杂草。金莲花幼苗根系较浅，不耐旱，应经常浇水保湿。当幼苗长出 3 ~ 4 真叶时，每亩撒施尿素 3 ~ 5 kg，撒匀后用细树枝轻轻敲打幼苗叶片，使化肥颗粒落下，避免烧苗，并浇水 1 次，15 天后可再追施 1 次，使幼苗生长健壮。幼苗生长 1 年后，于翌年早春萌芽前移栽，按行株距 30 cm × 20 cm 定植于大田，栽后浇水。育苗栽培成活率最高可达 100%。

4. 直播栽培

大田直播，应把地整平耙细，播种期和播种方法同育苗移栽，播种行距为 30 ~ 40 cm。以春播为宜，抢墒播种，播后盖膜，否则出苗率低。因金莲花种子细小，直播栽培技术难度较高，保苗难，一般不用，生产上以育苗移栽为主。

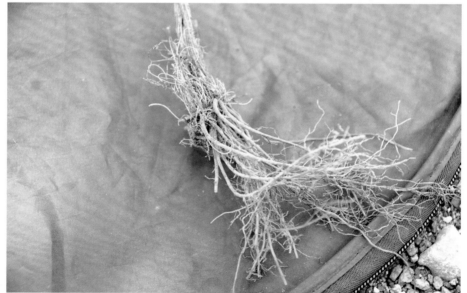

（三）田间管理

1. 补苗

金莲花栽培成活后，须全面检查，发现死苗或缺苗应及时用同龄苗移栽补苗，保证全苗生长。

2. 中耕除草

金莲花生长前期应常除草松土，保持畦内无杂草。因为金莲花幼苗生长缓慢，如不及时除草，杂草会很快把幼苗埋没，再除草时会误拔幼苗致缺苗。7 月植株基本封垄，为避免伤苗就不再松土。

3. 追肥

若播种前施足基肥，一般前 1 ~ 2 年可不再追肥，但第 3 年应适当追肥。最好于每年冬季或早春追肥，将肥料撒施于畦上，然后浅锄，使肥料与表土拌匀，再盖约 2 cm 厚的土，每亩用腐熟有机肥 2 000 ~ 3 000 kg。

4. 浇水

每年浇水 3 ~ 5 次。二阴地不需要浇水。

（四）病虫害防治

1. 病害

（1）白斑病

白斑病先侵害嫩叶。叶片两面皆出现白色粉状物，后逐渐变黄。被害植株矮小，不茂盛，叶子凹凸不平或卷曲。防治方法：加强田间管理，使植株健壮，提高抗病能力；发病初期，嫩叶、嫩芽用25% 粉锈宁 1 000 ~ 1 500 倍液进行喷雾防治，也可喷施粉锈灵 1 000 倍液或 50% 胶体硫 150 ~ 200 倍液。

（2）花叶病

感病叶片上出现黄绿色与深绿色相间的原花叶型症状，叶变小，整株看上去有些萎缩。防治方法：及时拔除并烧毁病株；喷洒杀虫剂防治传毒蚜虫。

（3）环斑病

病株的汁液能传毒，种子不传毒。桃蚜、豆蚜是金莲花环斑病毒的传毒介体，作非持久性传毒。防治方法：常用 50% 马拉硫磷乳油 1 000 倍液防治蚜虫。

2. 虫害

（1）地下害虫

蝼蛄、金针虫等地下害虫咬食金莲花的地下根状茎，造成断苗。春季蝼蛄拱土串根比较严重，常造成大量幼苗死亡。防治方法：可将 1 kg 50% 敌百虫乳油 30 倍液与 50 kg 炒香的麸皮拌湿，于傍晚撒于畦面诱杀；施用的有机肥一定要充分腐熟。

（2）浅叶蛾

该种的幼虫危害植株的新梢、嫩叶，在上下表皮的夹层内形成迂回曲折的虫道，使新梢、叶片不能舒展，脱落；严重时，可使新梢全部枯黄。防治方法：结合冬季修剪，剪除被害枝叶并烧毁，以杜绝虫源；成虫羽化期和低龄幼虫期是防治的最佳时期，防治成虫可在傍晚进行，防治幼虫宜在晴天的午后，可喷施10%的二氯苯醚菊酯 2 000 ~ 3 000 倍液，或2.5%的溴氰菊酯 2 500 倍液，每 7 ~ 10 天喷 1 次，连续喷 3 ~ 4 次。

河北万全县

| 采收加工 | 种子繁殖的金莲花在第 2 年只有很少的植株开花，第 3 年以后才会大批量开花；分根繁殖的金莲花当年就可以开花。在植株开花的季节，及时采摘鲜花，晒干。 |

| 药材性状 | 本品形状不规则，通常带有灰绿色的花梗。萼片与花瓣呈金黄色，花瓣线状。雄蕊黄白色，多数。气浓香，味微苦。 |

| 品质评价 | 以完整、色金黄、香气浓者为佳。 |

| 功能主治 | 苦，微寒。归肺、肝、胆经。清热解毒。用于急、慢性扁桃体炎，急性中耳炎，急性鼓膜炎，急性结膜炎，急性淋巴管炎。 |

| 用法用量 | 内服煎汤，3 ~ 6 g。 |

| 腊叶标本 | 一、采集信息
采集号：130729180727160LY
采集人：张慧康
采集时间：2019 年 7 月 27 日
采集地点：河北张家口万全区高庙堡乡侯其庄村
二、鉴定信息
科名：毛茛科
拉丁学名：*Trollius chinensis* Bunge
中文名：金莲花
鉴定人：薛紫鲸
鉴定时间：2019 年 9 月 26 日 |

| 附 注 | 一、道地沿革
金莲花药用历史悠久，始载于清代赵学敏所著《本草纲目拾遗》。《本草纲目拾遗》记载金莲花"治口疮喉肿，浮热牙宣，耳疼目痛""明目，解岚瘴"。《山海草函》记载金莲花用于"疗疮大毒，诸风"。此外，《广群方谱》《植物名实图考》等书中均记载有金莲花。金莲花在承德已有较长的栽培历史，主要生长在水资源充足、光照条件好的草原、沼泽、草甸等坝上地区。在诸多产地中，承德所产金莲花药材的黄酮含量最高。
二、传统知识
金莲花是我国传统中药材。河北民间认为金莲花可清热解毒，治疗慢性扁桃体 |

炎，用金莲花 3 g，沸水泡，代茶饮并含漱；治疗急性扁桃体炎，用量加倍，或再加鸭跖草等；治疗急性中耳炎、急性鼓膜炎、急性结膜炎、急性淋巴管炎，用金莲花、菊花各 9 g、生甘草 3 g，煎汤内服。

三、市场信息

（一）商品规格

表金莲花 -1　金莲花商品规格等级划分

等级	性状描述
一等	本品为开花盛期、开放 2 ～ 3 天采收的花，总黄酮含量 10.5% 以上，花朵整齐，呈金黄色，无杂质、虫蛀、霉变
二等	本品为花蕾膨大期含苞欲放时采收的花，总黄酮含量 9.5% 以上，保持现蕾膨大时的颜色，无杂质、虫蛀、霉变
三等	本品为开花初期采收的花，总黄酮含量 8.0% 以上，无虫蛀、霉变

（二）价格信息

20 世纪 90 年代之前，金莲花销售渠道单一，且需求量较小，全国需求量不足 500 t，产销基本平衡，市场行情较为平稳，价格不见大起大落。21 世纪后，我国医药行业和饮料食品行业快速发展，产品层出不穷，金莲花用途拓宽，在医药、保健、饮品、食品等诸多领域大显身手，市场份额增加，金莲花的需求量连年增长。由于野生金莲花资源日趋枯竭，加之市场用量增长，产不足需，促进金莲花价格逐年上涨，金莲花成为市场走红品种之一。2020 年初，市场药用金莲花统货价格在 120 元左右，茶用金莲花售价在 150 元上下。

四、资源利用与可持续发展

金莲花不仅具有观赏价值，还具有食用和药用价值，是一种重要的可开发利用的经济作物。金莲花具有滋阴败火、清热解毒、消炎杀菌的作用，对葡萄球菌、志贺菌属、链球菌、铜绿假单胞菌等都有显著的抑制作用；对慢性咽炎、扁桃体炎、喉炎、结膜炎、急性中耳炎及上呼吸道感染等炎症，也有预防、治疗的功效；对感冒、咳嗽、恶疮肿毒、高热急症等有清热凉血、消炎解毒的功效。金莲清热颗粒自上市以来，一直是供不应求。

近几年，人们对金莲花观赏及药用价值的认识不断加深，随着金莲花更深入的开发利用，其野生资源遭到人为破坏。过度采摘、过度放牧、开荒耕作以及旅游业的发展已经严重影响了金莲花的种群分布。同时，有一部分种子被人为采摘或虫害啃食，这限制了金莲花的繁殖，使金莲花种群数量减少，降低了金莲花种群稳定性，甚至在个别地方金莲花资源已消失。上述种种不仅降低了一些区域野生花卉景观的可观赏性，还使金莲花的开发与利用面临严峻问题。因此，对野生金莲花资源的保护迫在眉睫，需要制订相应的政策法规，加强野生金莲花资源的保护，使资源得到合理开发和持续利用。首先，要做好野生金莲花资源保护的宣传教育工作；其次，要加强和推广金莲花人工栽培，使金莲花的开发由完全依靠野生采摘变为以人工规模种植为主，以此来满足市场需求，杜绝对野生金莲花的无序采摘，从根本上解决野生金莲花资源的保护问题。

【参考文献】

[1] 国家药典委员会. 中华人民共和国药典：一部 [M]. 北京：中国医药科技出版社，2020：1160-1163.

[2] 赵学敏. 本草纲目拾遗 [M]. 北京：中国中医药出版社，2007：239.

[3] 丁万隆，杨春清，张泽印，等. 金莲花生产标准操作规程（SOP）[J]. 现代中药研究与实践，2006，20（5）：12-15.

[4] 赵泓翔，商亚珍. 浅议承德地区道地药材的发展现状与对策 [J]. 承德医学院学报，2015，32（2）：175-176.

[5] 李晓丽. 金莲花的开发利用价值与栽培技术 [J]. 中国农业文摘·农业工程，2017，29（4）：73-74.

[6] 苏有志，周香梅. 大通地区金莲花栽培技术及开发利用 [J]. 北方园艺，2008（2）：247-248.

[7] 李永宁，程旭，于泊，等. 冀北山地金莲花生境类型与分布特征研究 [J]. 河北林果研究，2009，24（1）：51-52.

鼠李科 Rhamnaceae 枣属 Ziziphus

酸枣
Ziziphus jujuba Mill. var. *spinosa* (Bunge) Hu ex H. F. Chow.

| 药 材 名 | 酸枣仁（药用部位：种子。别名：邢枣仁、枣仁、酸枣核）。

| 形态特征 | 落叶灌木或小乔木，高 1 ~ 3 m。枝褐色，幼枝绿色，枝上有刺；刺二型，一种为针形刺，长约 2 cm，另一种为反曲刺，长约 5 mm。叶互生；叶柄极短；托叶细长，针状；叶片椭圆形至卵状披针形，长 2 ~ 5 cm，宽 1 ~ 3 cm，先端短尖而钝，基部偏斜，边缘有细锯齿，主脉 3。花 2 ~ 3 簇生于叶腋，花小，黄绿色，5 基数；花梗极短；萼片卵状三角形；花瓣小，与萼片互生；雄蕊与花瓣对生，比花瓣稍长；子房椭圆形，具 2 室，埋于花盘中，花柱短，柱头 2 裂。核果近球形，直径 1 ~ 1.4 cm，先端钝圆，成熟时暗红褐色，味酸。花期 4 ~ 5 月，果期 9 ~ 10 月。

| 野生资源 | 一、生长环境
酸枣生于海拔 1 700 m 以下的山区、丘陵地区，一般在陡峭的山坡上比较常见。

喜阳，喜欢温暖干燥的环境，耐碱、耐寒、耐旱、耐瘠薄，不耐涝，适应性强。在山区、丘陵、平原均能生长。

二、分布区域

酸枣在河北各地均有分布，主产于河北邢台、邯郸、承德等。道地产区为河北邢台内丘，所产酸枣仁习称"邢枣仁"。

三、蕴藏量

酸枣仁蕴藏量为 3.79 万 t。

| 栽培资源 | 一、栽培区域

栽培酸枣主要分布于河北邢台内丘、信都。

二、栽培技术

（一）繁殖方法

1. 种子繁殖

9 月采收成熟果实，堆积，沤烂果肉，取种子，洗净。春播的种子须进行沙藏处理，在地面解冻后进行播种。秋播在 10 月中、下旬进行。按行距 33 cm 开沟，沟深 7 ~ 10 cm，每隔 7 ~ 10 cm 播种 1 粒，覆土厚 2 ~ 3 cm，浇水保湿。育苗 1 ~ 2 年即可定植，按（2 ~ 3）m × 1 m 开穴，穴深、宽均为 30 cm，每穴栽 1 株，培土一半时，边踩边提苗，再培土踩实，浇水。

2. 分株繁殖

在春季发芽前和秋季落叶后，将老株根部发出的新株连根劈下，栽种方法同定植。

（二）田间管理

育苗田在苗出齐后浅锄松土，冬至前要进行 2 ~ 3 次除草。苗高 6 ~ 10 cm，每公顷追施硫酸铵 225 kg，苗高 30 cm 时每公顷追施过磷酸钙 180 ~ 225 kg。为提高酸枣坐果率，春季须进行合理的整形修剪或树形改造，锯去距地面 1 m 以上的主干，使酸枣树抽生多个侧枝，形成树冠；也可在 6 月上中旬（初花期）进行环状剥皮，在距地面 10 cm 处的主干上环切 1 圈，切口深达木质部，向上隔 0.5 ~ 0.6 cm 再环切 1 圈，剥去 2 圈间的树皮即可，20 天左右伤口开始愈合，

1 个月后伤口愈合面达 70%。酸枣环剥树皮可以抑制当年新梢的营养生长，促进生殖生长，有利于花芽的形成从而提高坐果率。

（三）病虫害防治

1. 病害

病害为枣疯病。防治方法：嫁接时选择无病虫害的砧木与接穗，清除嫁接区周围的带病酸枣与大枣单株。

2. 虫害

（1）黄刺蛾

在幼虫期可喷青虫菌粉 500 倍液，也可使用无公害的生物制剂或具有杀菌灭虫功效的植物制剂来达到防治虫害的目的。

（2）桃小食心虫

在 7 月上旬至 8 月下旬，每 15 天喷 1 次 70% 桃小灵 2 000 倍液或"速灭杀丁"（氰戊菊酯）2 000 倍液，喷 2 ~ 3 次。

| 采收加工 |　9 ~ 10 月果实呈红色时，采摘果实，搓去果肉，捞出果核，碾破核壳，取种子，晒干。

| 药材性状 |　本品呈扁圆形或扁椭圆形，长 5 ~ 9 mm，宽 5 ~ 7 mm，厚约 3 mm。表面紫红色或紫褐色，平滑，有光泽，有的有裂纹。有的两面均呈圆隆状凸起；有的一面较平坦，中间有一隆起的纵线纹，另一面稍凸起。一端凹陷，可见线形种脐；另一端有细小、凸起的合点。种皮较脆，胚乳白色，子叶 2，浅黄色，富油性。气微，味淡。

河北万全县

全国中药资源普查标本采集记录表

采集号	130729180721018LY	采集人	全显丰
采集日期	2018年07月21日	海拔(m)	1059.0
采集地点	河北省张家口万全区万力全镇水口村		
经度	114°45′39.96″	纬度	40°54′25.74″
植被类型	草丛	生活型	灌木
水分生态类型	中生植物	光生态类型	阳生植物
土壤生态类型	沙土植物	温度生态类型	中温植物
资源类型	野生植物	出现多度	一般
株高(cm)	120	直径(cm)	
根		茎(树皮)	
叶		芽	
花		果实和种子	
植物名	酸枣	科名	鼠李科
学名	Ziziphus jujuba Mill.var.spinosa (Bunge) Hu ex H.F.Chow		
药材名	酸枣仁	药材别名	
药用部位	果实和种子类	标本类型	腊叶标本
用途			
备注			
条形码			

130729LY0543

第四次全国中药资源普查(HB)

采集号：130729180721018LY

名称：酸枣

标本鉴定签

采集号：	130729180721018LY	科名：	鼠李科
学名：	Ziziphus jujuba Mill. var. spinosa (Bunge) Hu ex H. F. Chow		
种中文名：	酸枣		
鉴定人：	薛紫鲸	鉴定时间：	2018年09月02日

第四次全国中药资源普查

| 品质评价 | 以粒大、饱满、外皮紫红色且光滑油润、种仁黄白色、无核壳及杂质者为佳。

| 功能主治 | 甘、酸，平。归肝、胆、心经。养心补肝，宁心安神，敛汗，生津。用于虚烦不眠，惊悸多梦，体虚多汗，津伤口渴。

| 用法用量 | 内服煎汤，10 ~ 15 g。

| 腊叶标本 | 一、采集信息

采集号：130729180721018LY

采集人：张慧康

采集时间：2018 年 7 月 21 日

采集地点：河北张家口万全区万全镇水关村

二、鉴定信息

科名：鼠李科

拉丁学名：*Ziziphus jujuba* Mill. var. *spinosa* (Bunge) Hu ex H. F. Chow.

中文名：酸枣

鉴定人：薛紫鲸

鉴定时间：2018 年 9 月 2 日

| 附　　注 | 一、道地沿革

酸枣始载于《神农本草经》，该书记载"酸枣，味酸，平……生川泽"，将之列为上品。《名医别录》曰"生河东。八月采实，阴干，卅日成"。《蜀本图经》记载酸枣"今河东及滑州，以其木为车轴及匙著等，木甚细理而硬，所在有之。八月采实，日干"。《本草图经》记载"酸枣，生河东川泽。今近京及西北州郡皆有之，野生多在坡坂及城垒间。似枣木而皮细，其木心赤色，茎、叶俱青，花似枣花。八月结实，紫红色，似枣而圆小，味酸。当月采实，取核中仁，阴干，四十日成"。《本草蒙筌》中有酸枣"生河东川泽，秋采实阴干"的记录。《本草崇原集说》对酸枣的记录甚为详细，"酸枣始出河东川泽，今近汴洛及西北州郡皆有之……其树枝有刺，实形似枣而圆小，其味酸，其色红紫。八月采实，只取核中之仁，仁皮赤，仁肉黄白……酸枣肉味酸，其仁味甘而不酸。今既云酸枣仁，又云气味酸平，讹也，当改正"，河东即今山西、河北等地。酸枣仁主产于河北太行山地区，素以邢台内丘所产"邢枣仁"为道地药材。

二、传统知识

据河北民间记载，嫩时采摘酸枣的叶及针，炒茶，晾干，治失眠；治疗神经衰弱、心烦、心悸、失眠、多汗、头晕、眼花，用炒酸枣仁25 g，知母、茯苓各15 g，川芎、甘草各10 g，煎汤内服；治疗健忘、多梦、饮食减少、疲劳无力，用炒酸枣仁20 g，炙远志、菖蒲各10 g，党参、茯苓各15 g，甘草5 g，煎汤内服；治疗结核病或其他原因引起的下午低热、失眠，用炒酸枣仁、干地黄各25 g，小米50 g，煎汤内服。

三、市场信息

（一）商品规格

表酸枣 -1　酸枣仁商品规格等级划分

规格	等级	性状描述	
		共同点	区别点
选货	一等	干货。本品呈扁圆形或扁椭圆形。表面紫红色或紫褐色，平滑有光泽，有的有裂纹。有的两面均呈圆隆状突起；有的一面较平坦，中间有一隆起的纵线纹，另一面稍凸起。一端凹陷，可见线形种脐；另一端有细小凸起的合点。种皮较脆，胚乳白色，子叶2，浅黄色，富油性。气微，味淡	饱满。核壳≤ 2%，碎仁≤ 2%。无黑仁
	二等		较饱满。核壳≤ 5%，碎仁≤ 5%
统货	—	干货。本品呈扁圆形或扁椭圆形，饱满度、碎仁率不一，核壳≤ 5%	

（二）价格信息

酸枣仁为我国常用的传统药材。酸枣耐旱、耐贫瘠，广泛分布于我国北方低山丘陵地带，自然繁殖力较强。过去酸枣仁商品主要依靠野生资源供应，20世纪60—70年代，逐渐开始栽培酸枣，酸枣仁销量逐渐增长，货源偏紧，年交易量达到150万 kg 左右。但随后产大于销，酸枣仁出现滞销现象，至1985年，年交易量下降至50万 kg 左右。因为酸枣仁是常用的治疗失眠的药物，在现代快节奏城市生活下，失眠发病率渐高，所以酸枣仁的需求量和价格也连年上涨。目前，酸枣仁年产销量在250万 kg 左右。酸枣仁产新旺季之时，货源充足，统货售价在200元左右。

（三）易混（伪）品

1. 滇刺枣仁

本品为鼠李科植物滇刺枣 *Ziziphus mauritiana* Lam. 的种子，又名理枣仁。呈扁圆形或椭圆形，长4 ～ 10 mm，宽5 ～ 8 mm，厚1 ～ 3 mm；表面红棕色或黄棕色，有光泽，有的具淡黄棕色斑点状花纹；一面平坦，中央无纵线纹，另一面隆起；种皮脆，内含黄白色种仁，富油性；气微，味微酸。

2. 枳椇子

本品为鼠李科植物北枳椇 *Hovenia dulcis* Thunb. 的种子，又名拐枣仁。呈扁平圆形，背面隆起，腹面较平坦，直径 3 ~ 5 mm，厚 1 ~ 1.5 mm；表面红棕色、棕黑色或绿棕色，平滑，具光泽，光泽较正品酸枣仁亮，于放大镜下观察，可见散在凹点；基部凹陷处有点状淡色种脐，先端有微凹的合点，腹面有一纵行隆起的种脊；种皮坚硬，厚约 1 mm，胚乳乳白色，油质，内包有 2 肥厚的子叶，呈淡黄色至草绿色；气微，味微苦而涩。

3. 兵豆

本品为豆科植物兵豆 *Lens culinaris* Medic. 的种子。呈扁圆形或近扁圆形，直径 4 ~ 5 mm，厚约 2 mm；表面褐色，无光泽，中间向边缘渐薄；种脐线形，黑色，在边缘线上，长 2 mm，合点为 1 黑色圆点，距种脐 1 mm；种皮脆，无胚乳，子叶 2，浅褐色，无油性；气微，具豆香味。

4. 紫荆子

本品为豆科植物紫荆 *Cercis chinensis* Bunge 的种子。呈扁椭圆形或扁卵圆形，长 4 ~ 5 mm，宽 3.5 ~ 4 mm，厚约 2 mm；表面棕褐色或紫褐色，平滑，有光泽，两面微隆起，先端有细小、凸起的合点，下端有微凹陷的圆形种脐，种脊位于边缘一侧；种皮坚硬，胚乳白色，子叶浅黄色，油润，基部有短小的胚根。气微，味淡，嚼之有豆腥气。

四、资源利用与可持续发展

酸枣仁是中医临床常用的安神药物，主要用于神经衰弱、失眠、多梦、以情绪或神志障碍为主要表现的精神系统疾病的治疗，现已开发的成方制剂主要有安神胶囊、安神宝颗粒、复方枣仁胶囊等。酸枣仁也是药食同源的品种，常用于开发具有提高睡眠质量、增强学习记忆能力等功能的食品。酸枣果肉营养丰富，目前常以酸枣汁、果酒、果醋等形式应用于食品领域。此外，本草记载酸枣果肉可用于治疗出血、腹泻等，酸枣花可用于治疗金疮内漏、目昏不明，酸枣叶可用于治疗臁疮，酸枣刺可用于治疗痈肿、喉痹、尿血、腹痛等，酸枣树皮可用于治疗烫火伤、外伤出血，酸枣根可用于治疗失眠、神经衰弱等。

为了充分利用酸枣资源，把酸枣产业做大做强，并使其尽快在西部生态经济性防护林建设中发挥更大的作用，建议采取以下措施。①各级政府要高度重视酸枣产业发展，多设专项促进酸枣开发，加快酸枣基地建设。同时鼓励林农联办、独办酸枣栽植，扶持培育、采集、加工、销售环节的公司，逐步形成"产、采、运、加、销"一条龙的酸枣加工体系。②调动研究所、高校等单位的积极性，引导其从事良种选育、科学管理水平提升、采集加工工艺改进等研究工作，还可以不断借鉴和推广国内外先进技术，使产品开发利用上规模、上档次、占市场、创效益。③将酸枣造林纳入退耕还林、三北防护林等林业生态工程中，按工程造林有关政策给予补助，保证技术、资金、措施到位。

【参考文献】

[1] 国家药典委员会. 中华人民共和国药典：一部 [M]. 北京：中国医药科技出版社，2020：382.

[2] 尚志钧. 神农本草经校点 [M]. 芜湖：皖南医学院科研处，1981：58.

[3] 苏颂. 图经本草 [M]. 胡乃长，王致谱辑注. 福州：福建科学技术出版社，1988：319.

[4] 陶弘景. 名医别录 [M]. 尚志钧辑校. 北京：人民卫生出版社，1986：42.

[5] 仲昴庭. 本草崇原集说 [M]. 孙多善点校. 北京：人民卫生出版社，1997：7-8.

[6] 侯晓华. 酸枣资源的开发利用 [J]. 陕西林业，2005（2）：38.

[7] 雷敩. 雷公炮炙论 [M]. 王兴法辑校. 上海：上海中医学院出版社，1986：33.

[8] 陈嘉谟. 本草蒙筌 [M]. 王淑民，陈湘萍，周超凡点校. 北京：人民卫生出版社，1988：236.

忍冬科 Caprifoliaceae 忍冬属 *Lonicera*

忍冬 *Lonicera japonica* Thunb.

| 药 材 名 |

金银花（药用部位：花蕾或带初开的花。别名：双花、银花、忍冬花）。

| 形态特征 |

半常绿藤本。幼枝红褐色，密被黄褐色硬直糙毛、腺毛和短柔毛，下部常无毛。叶纸质，卵形、矩圆状卵形至卵状披针形，稀倒卵形，极少有 1 至数个钝缺刻，长 3 ~ 9.5 cm，先端尖或渐尖，稀钝、圆或微凹缺，基部近心形，有糙缘毛，上面深绿色，下面淡绿色，枝顶叶通常两面密被短糙毛；叶柄密被短柔毛。总花梗通常单生于小枝上部叶腋，与叶柄等长或较叶柄稍短；苞片长 2 ~ 3 cm，叶状，卵形至椭圆形，两面均有短柔毛或无毛；小苞片长约 1 mm，有短糙毛和腺毛；萼筒长约 2 mm，无毛，萼齿卵状三角形或长三角形，外面和边缘都有密毛；花冠长 2 ~ 6 cm，白色，有时基部向阳面呈微红色，后变黄色，唇形，花冠筒稍长于唇瓣，外被糙毛和长腺毛，上唇裂片先端钝形，下唇带状而反曲；雄蕊和花柱均高出花冠。果实圆形，直径 6 ~ 7 mm，成熟时蓝黑色，有光泽；种子卵圆形或椭圆形，褐色，中部有一凸起的脊。花期 4 ~ 6 月（秋季亦常开花），果熟期 10 ~ 11 月。

| 野生资源 |　　一、生长环境

忍冬生于海拔 1 500 m 以下的山坡灌丛或疏林中、乱石堆、山足路旁及村庄篱笆边。喜温暖湿润、阳光充足的气候，适应性很强，耐寒、耐旱、耐瘠薄、耐涝。忍冬对土壤和气候的要求并不严格，以土层较厚的砂壤土为佳。

二、分布区域

忍冬分布于河北行唐、井陉、内丘、灵寿、滦平等。河北巨鹿为金银花道地产区，也是全国最大的金银花道地药材产区。

三、蕴藏量

金银花蕴藏量为 1.63 万 t。

| 栽培资源 |　　一、栽培区域

栽培忍冬主要分布于河北巨鹿。

二、栽培技术

（一）选地整地

忍冬对土壤要求不严，抗逆性较强。为便于管理，以平整且便于浇水、排水的地块较好。移栽前每亩施腐熟的有机肥 3 000 ~ 5 000 kg，深翻或穴施均可，耙耱、踏实。

（二）繁殖育苗

种子繁殖：4 月播种，将种子在 35 ~ 40 ℃温水中浸泡 24 小时，用 2 ~ 3 倍湿沙催芽，等裂口率达 30% 左右时播种。在畦上按行距 21 ~ 22 cm 开沟播种，覆 1 cm 厚的土，每 2 天喷水 1 次，10 余天即可出苗。秋后或第 2 年春季移栽，每公顷用种子 15 kg 左右。

扦插繁殖：一般在雨季进行扦插。在夏、秋季阴雨天时，选健壮无病虫害的 1 ~ 2 年生枝条截成长 30 ~ 35 cm 的段，摘去下部叶子。在选好的土地上，按行距 1.6 m、株距 1.5 m 挖穴，穴深 16 ~ 18 cm，每穴 5 ~ 6 根插条，分散形斜立着埋于土内，地上露出 7 ~ 10 cm 左右，填土压实。扦插育苗：在 7 ~ 8 月，按行距 23 ~ 26 cm，开深 16 cm 左右的沟，株距 2 cm，把插条斜立着放到沟里，填土压实，栽后浇 1 次水。干旱时，每 2 天浇水 1 次，15 天左右即能生根，第 2 年春季或秋季移栽。

（三）田间管理

每年 2 ~ 3 月和秋后封冻前，要进行松土、培土工作。每年施肥 1 ~ 2 次，与培土同时进行，可混合使用土杂肥和化肥。每次采花后追肥 1 次，以尿素为主，以增加采花次数。合理修剪整形是提高产量的有效措施，可根据品种、墩龄、枝条类型等进行修剪，如鸡爪花主干明显，枝多不着地，冠幅 80 ~ 120 cm，剪枝要去顶，清脚丛，打内膛，修剪过长枝、病弱枝、枯枝、向下延伸枝，使枝条成丛直立，主干粗壮，分枝疏密均匀，花墩呈伞形。剪枝：一是冬剪，12 月至翌年 2 月下旬均可进行；二是生长期剪枝，在每次采花后进行，头茬花后剪夏梢，9 月上旬三茬花后剪秋梢，以轻剪为主。在寒冷地区种植的忍冬，越冬时要保护老枝条。一般在地封冻前，将老枝平卧于地上，盖 6 ~ 7 cm 厚的蒿草，草上再盖泥土，翌年春季发芽前去掉覆盖物。

（四）病虫害防治

1. 虫害

（1）蚜虫类

蚜虫类虫害主要是中华忍冬圆尾蚜和胡萝卜微管蚜。幼虫刺吸叶片汁液，危害叶片，造成叶片卷曲发黄，花蕾畸形，产量降低。可在 4 月初蚜虫危害猖獗时，选用 10% 吡虫啉（蚜虱净）可湿性粉剂 5 000 倍液、1.8% 阿维菌素乳油（虫螨克）6 000 倍液，每隔 7 ~ 10 天用药 1 次，喷施 1 ~ 2 次。但采花前 15 ~ 20 天应停止用药。

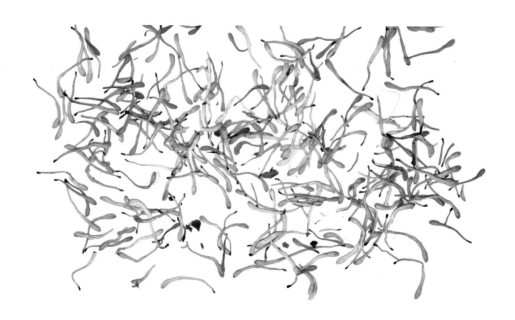

（2）忍冬细蛾

该虫的幼虫潜入叶内，取食叶肉组织，严重影响光合作用，使金银花产量和品质降低。可在1、2代成虫和幼虫前进行防治，用25%灭幼脲3号3 000倍液喷雾，在各代卵孵盛期用1.8%阿维菌素2 000～2 500倍液喷雾。

（3）棉铃虫

该虫主要取食忍冬花蕾，每只棉铃虫幼虫一生可取食10～100个花蕾，不仅影响药材质量，而且容易导致花蕾脱落，严重影响金银花产量。该虫每年繁殖4代，以蛹的形态在地下5～15 cm处越冬。防治重点是1、2代幼虫，防治时期是幼虫3龄以前，第1代幼虫数量直接影响以后各代的数量，因而在第1代幼虫盛发期前（5月初），用生物杀虫剂、氰戊菊酯、千虫克、烟碱、苦参碱等防治该虫。

（4）铜绿丽金龟

该虫的幼虫称为蛴螬，主要咬食忍冬的根系，造成植株营养不良，使植株衰退或枯萎而死。成虫则以花、叶为食。该虫一年繁殖1代，以幼虫越冬。可用蛴螬专用型白僵菌2～3 kg/亩，拌50 kg细土，于初春或7月中旬，开沟埋入根系周围。

2. 病害

（1）白粉病

白粉病主要危害叶片、茎、花。叶片上病斑初为白色小点，后扩展为白色粉状斑，严重时叶片发黄变形甚至脱落。忍冬在温暖湿润或株间郁闭的环境中易发病，施氮肥过多也易发病。防治方法为发病初期喷施 15% 三唑酮可湿性粉剂 2 000 倍液。

（2）枯萎病

叶片不变色而萎蔫下垂，全株青干枯死或一枝干枯或半边萎蔫干枯，刨开病干可见导管变成深褐色。防治方法为建立无病苗圃移栽幼苗时用农抗 120 的 500 倍液灌根，发病初期用农抗 120 的 500 倍液灌根。

| 采收加工 | 适时采摘是提高产量和质量的关键。最适宜的采摘时间为花蕾由绿色变白色、上白下绿、上部膨胀、尚未开放时，这时的花蕾处于二白期、大白期。河北巨鹿一般在 5 月中下旬采摘第 1 茬花，后每隔 1 个月陆续采摘第 2、3、4 茬花。一般按先外后内、自下而上的顺序采摘。一天中以上午 9 时前采摘的花蕾质量最好，一定要适时采收，否则下午 4 ~ 5 时花蕾将开放，药材质量下降；但也不能过早采摘，否则花蕾嫩小，产量低，质量差。采摘时注意不要折断枝条，以免影响下茬花的产量。河北巨鹿已研制出金银花采摘机，每天能采摘 50 多 kg，显著提高了采摘效率。目前，金银花初加工一般采用晒干法和烤房烘干法。①晒干法。将采回的鲜花均匀地撒在晾盘或编制的工具（如条筐、苇席）上，不要直接撒在泥土地面上，防止花蕾受潮变黑。摊晒的花蕾在未干前不能触动，可晒于盛具内的，傍晚后收回房内或棚下。花蕾晒至握之有声、一搓即碎、一折即断即可。②烤房烘干法。小型烤房一般能烘 500 kg 左右的鲜花，大型烤房一般能烘 1 000 kg 左右的鲜花，每平方米摊放花蕾 2.5 kg，厚 1 cm，可铺架 14 ~ 18 层。在烤房中架好花架后送入热风，然后经过塌架、缩身、干燥 3 个阶段，温度由 40 ℃逐渐升至 70 ℃，同时利用轴流风机进行通风除湿处理，整个干燥过程历时 16 ~ 20 小时。

| 药材性状 | 本品呈棒状，上粗下细，略弯曲，长 2 ~ 3 cm，上部直径约 3 mm，下部直径约 1.5 mm。表面黄白色或绿白色（贮久色渐深），密被短柔毛。偶见叶状苞片。花萼绿色，先端 5 裂，裂片有毛，长约 2 mm。开放者花冠筒状，先端二唇形；雄蕊 5，附于筒壁，黄色；雌蕊 1，子房无毛。气清香，味淡、微苦。

| 品质评价 | 以花蕾为佳，混入开放的花或梗叶杂质者质量较逊。花蕾以肥大、色青白、握之干净者为佳。

| 功能主治 | 甘，寒。归肺、心、胃经。清热解毒，疏散风热。用于痈肿疔疮，喉痹，丹毒，热毒血痢，风热感冒，温病发热。

| **用法用量** | 内服煎汤，6～15 g；或入丸、散剂。外用适量，捣敷。

| **腊叶标本** | 一、采集信息

采集号：130281180822011LY

采集人：李继安

采集时间：2018 年 8 月 22 日

采集地点：河北唐山遵化市娘娘庄乡芦各寨西山村

二、鉴定信息

科名：忍冬科

拉丁学名：*Lonicera japonica* Thunb.

中文名：忍冬

鉴定人：田春雨

鉴定时间：2018 年 8 月 26 日

| **附　　注** | 一、道地沿革

历代本草中对金银花产地的记载较为简单，多用"处处有之"等概括性词语。南北朝的《本草经集注》记载"今处处皆有"；北宋《墨庄漫录》"傍水依山，处处有之"，《苏沈内翰良方》记载"生田野篱落，处处有之"；明《救荒本草》记载"旧不载所出州土，今辉县山野中亦有之"，《本草纲目》记载"忍冬在处有之"，《本草乘雅半偈》记载"在处有之"；《本草述钩元》记载"在处有之"等。可见，古代本草中记载的金银花产地为包括河南在内的我国大部分地区。至民国时期，《增订伪药条辨》对金银花的产地与品质进行了更为翔实的描述："金银花，产河南淮庆者为淮密，色黄白，软糯而净，朵粗长，有细毛者为最佳。禹州产者曰禹密，花朵较小，无细毛，易于变色，亦佳。济南出者为济银，色深黄，朵碎者次。亳州出者，朵小性梗，更次。湖北、广东出者，色黄黑，梗多屑重，气味俱浊，不堪入药。"1995 年出版的《中国中药区划》记载："山东省是我国金银花主要传统产地之一，栽培历史近 200 年。"目前河北巨鹿也成为金银花的主产区之一，该地区自 1973 年才开始试种，虽然栽培历史不长，但该地区金银花产业发展迅速，栽培面积已达 5 200 hm²。

二、传统知识

河北民间记载金银花可治疗普通感冒或流行性感冒初起引起的发热、头痛、口渴、咽痛，用金银花 12 g，连翘、淡竹叶各 9 g，鲜芦根 18 g，牛蒡子、桔梗、荆芥穗、薄荷（后下）6 g，生甘草 3 g，煎汤内服；治疗痈肿、疮疖、急性咽炎，用金银花 5 g、野菊花 9 g、生甘草 6 g，煎汤内服；治疗急性乳腺炎、乳房红肿热痛，用金银花 15 g，蒲公英 12 g，土贝母 9 g，生甘草 6 g，煎汤内服；治疗急性细菌性痢疾、大便脓血，用金银花 15 g，黄芩、赤芍各 9 g，生甘草 6 g，煎汤内服。

三、市场信息

（一）商品规格

表忍冬 -1　金银花商品规格等级划分

规格	等级	性状	颜色	开放花率（%）	枝叶率（%）	黑头黑条率（%）	其他
晒货	一等	花蕾肥壮饱满、匀整	黄白色	0	0	0	无破碎
	二等	花蕾饱满、较匀整	浅黄色	≤ 1	≤ 1	≤ 1	—
	三等	欠匀整	色泽不分	2	≤ 1.5	≤ 1.5	—
烘货	一等	花蕾肥壮饱满、匀整	青绿色	0	0	0	无破碎
	二等	花蕾饱满、较匀整	绿白色	≤ 1	≤ 1	≤ 1	—
	三等	欠匀整	色泽不分	2	≤ 1.5	≤ 1.5	—

（二）价格信息

金银花是清热解毒类中药材品种中的当家品种，也是治疗各种疫病的首选清热解毒药。2003 年"非典"时期，金银花的价格在短短数日内由几十元暴涨为 400 元左右。"非典"过后，金银花的价格一度落入低谷，但不久后，南方凉茶"王老吉"的开发上市，直接拉动了金银花的食用需求，使金银花的价格再度走出低谷。由于金银花易变色走油，易掺假，易受疫情影响，易受旱情影响等，常出现脱销、紧俏、积压的问题，导致金银花价格波动较大。"中药材天地网"中安国药市近 5 年的价格信息表明，金银花价格总体呈上涨趋势。2020 年初，金银花的价格为 240 元。总体上看，金银花在药品、保健食品、香料、化妆品等许多领域市场前景广阔。

（三）易混（伪）品

金银花的易混品为山银花。山银花为菰腺忍冬 *Lonicera hypoglauca* Miq.、灰毡毛忍冬 *Lonicera macranthoides* Hand.-Mazz.、华南忍冬 *Lonicera confusa* (Sweet)

全国中药资源普查标本采集记录表

采 集 号:	130281180822011LY	采 集 人:	李继安
采集日期:	2018年08月22日	海 拔(m):	102.3
采集地点:	河北省遵化县娘娘庄镇芦各寨西山村		
经 度:	118°04′30″	纬 度:	40°07′09″
植被类型:	草丛	生 活 型:	藤本植物
水分生态类型:	中生植物	光生态类型:	阳性植物
土壤生态类型:	沙土植物	温度生态类型:	中温植物
资源类型:	野生植物	出现多度:	一般
株高(cm):	170	直径(cm):	12
根:	直根系	茎 (树 皮):	直立茎
叶:	纸质	芽:	
花:	扇形花冠	果实和种子:	圆形
植物名:	忍冬	科 名:	忍冬科
学 名:	Lonicera japonica Thunb.		
药 材 名:	金银花	药材别名:	
药用部位:	花类	标本类型:	腊叶标本
用 途:	清热解毒		
备 注:			
条形码:			

130281LY0404

第四次全国中药资源普查(HB)

采集号: 130281180822011LY

名 称: 忍冬

标本鉴定签

采集号:	130281180822011LY	科名:	忍冬科
学 名:	Lonicera japonica Thunb.		
种中文名:	忍冬		
鉴定人:	田春雨	鉴定时间:	2018年08月26日

第四次全国中药资源普查

DC. 或黄褐毛忍冬 *Lonicera fulvotomentosa* Hsu et S. C. Cheng 的花蕾或带初开的花。山银花的野生资源相对丰富，且其在外观性状上不易与金银花区分，许多不法商贩在销售时用山银花代替金银花。山银花与金银花在原植物来源上不同，有效成分也不同，金银花的有效成分以木犀草苷为主，山银花则以绿原酸为主，因此二者入药后的效果也有差别。

四、资源利用与可持续发展

金银花为大宗常用中药材，除临床调剂使用外，以金银花为主药的中成药广泛用于治疗流行性感冒、上呼吸道感染或急性咽炎、急性扁桃体炎等。如银菊感冒片、银柴合剂、复方金银花颗粒、双黄连口服液、银黄颗粒、金银花胶囊、清胰利胆颗粒、小儿解表颗粒等。

绿原酸在制药、医疗等领域均有广泛的应用，国外大多从生咖啡豆中提取绿原酸，研究表明，金银花中绿原酸含量与生咖啡豆接近，可作为提取绿原酸的植物资源之一。

【参考文献】

[1] 国家药典委员会. 中华人民共和国药典：一部 [M]. 北京：中国医药科技出版社，2020：230.

[2] 陶弘景. 本草经集注 [M]. 尚志钧，尚元胜辑校. 北京：人民卫生出版社，1994：238.

[3] 李时珍. 新校注本《本草纲目》[M]. 刘衡如，刘山永校注. 4 版. 北京：华夏出版社，2011：907.

[4] 葛洪. 肘后备急方 [M]. 王均宁点校. 天津：天津科学技术出版社，2005.

[5] 杨金平，严军，曲永胜，等. 金银花产销趋势分析 [J]. 中国现代中药，2013，15（8）：704-706.

[6] 陆锦锐，杨建宇. 金银花的研究回顾 [J]. 中国中医药现代远程教育. 2012，10（18）：112-115.

[7] 和顺琴，胡秋芬，杨光宇. 忍冬科植物金银花的研究现状 [J]. 云南化工，2010，37（3）：72-75.

茄科 Solanaceae 枸杞属 *Lycium*

枸杞
Lycium chinense Miller

| 药 材 名 | 地骨皮（药用部位：根皮。别名：枸杞皮、地骨、地辅）。

| 形态特征 | 多分枝灌木，高 0.5 ~ 1 m，栽培者可达 2 m。枝条细弱，弓状弯曲或俯垂，淡灰色，有纵条纹，棘刺长 0.5 ~ 2 cm，生叶和花的棘刺较长，小枝先端锐尖成棘刺状。叶纸质，栽培者稍厚，单叶互生或 2 ~ 4 叶簇生，卵形至卵状披针形，先端急尖，基部楔形，长 1.5 ~ 5 cm，宽 0.5 ~ 2.5 cm，栽培者长可达 10 cm，宽达 4 cm；叶柄长 0.4 ~ 1 cm。花在长枝上单生或双生于叶腋，在短枝上与叶簇生；花梗长 1 ~ 2 cm，向先端渐增粗；花萼长 3 ~ 4 mm，通常 3 中裂或 4 ~ 5 齿裂，有缘毛；花冠漏斗状，长 9 ~ 12 mm，淡紫色，筒部向上骤然扩大，5 深裂，裂片卵形，先端圆钝，边缘有缘毛，基部耳显著；雄蕊较花冠稍短，花丝近基部密生 1 圈呈椭圆状的毛丛，花冠筒内壁密生 1 环绒毛；花柱稍长于

雄蕊，柱头绿色。浆果红色，卵状，长 7 ～ 15 mm，栽培者果实呈长矩圆状或长椭圆状，长可达 2.2 cm，直径 5 ～ 8 mm；种子扁肾形，黄色。花果期 6 ～ 11 月。

| 野生资源 | 一、生长环境

枸杞生于山坡、荒地、丘陵、盐碱地、路旁及村边宅旁。枸杞为长日照植物，全年日照时数 2 600 ～ 3 100 小时，为强阳性树种，忌荫蔽。通风透光是枸杞高产的重要因素之一。枸杞耐寒，耐旱，耐瘠薄，喜湿润，怕涝，土壤含水量保持在 18% ～ 22% 为宜。枸杞主要分布在北纬 35° ～ 45°，年平均气温 5.4 ～ 12.7 ℃、10 ℃以上年积温 2 900 ～ 3 500 ℃、降水量 110 ～ 180 mm 的地区均适宜枸杞生长。秋季降霜后地上部分停止生长。枸杞能在 -30 ℃的低

温下安全越冬。花能经受微霜而不致受害。植株生长和分枝孕蕾期需较高的气温，一般 12 ~ 22 ℃较为适宜，气温超过 25 ℃时叶片开始脱落。果熟期以 20 ~ 25 ℃为最适温度。

二、分布区域

枸杞在河北大部分地区均有分布，如磁县、定州、沽源、行唐等。现以邢台巨鹿产量最大。

三、蕴藏量

枸杞蕴藏量为 176.59 t。

| **栽培资源** | 一、栽培区域

栽培枸杞主要分布于邢台巨鹿及坝上高原。

二、栽培技术

（一）选地整地

枸杞对土壤要求不严，土壤有机质含量 1% 以上、含盐量 0.5% 以下、pH8 左右、有效土层厚 30 cm 以上即可栽植。但以地势平坦，有排灌条件，地下水位 1 ~ 1.5 m，土壤较肥沃的砂壤土、轻壤土、中壤土为宜。土壤经辛硫磷拌土撒施处理可防治以金龟子幼虫（蛴螬）为主要种群的地下害虫。建园时依据园地大小、地势、水渠灌溉能力等划分地条，设置农机路。栽植前一年秋季需平整土地，平整高差小于 5 cm，深耕 25 cm，耙糖，然后按 0.5 ~ 1 亩划分小区，做好隔水埂。定植前按一定的株行距挖坑，每穴施腐熟的有机肥 1 kg，将肥料与土拌匀后栽苗。栽植完毕及时浇水。

（二）繁殖方法

苗圃地应选择地势平坦，排灌方便，土层深 30 cm 以上，土壤 pH7.5 ~ 8.5，含盐量 0.2% 以下的轻壤土、中壤土、砂壤土。结合翻地每亩施腐熟的厩肥 3 000 ~ 5 000 kg。硬枝扦插按 30 ~ 60 m² 为小畦；嫩枝扦插以 1 m×5 m 的规格做高床，上铺 3 cm 厚的经过杀菌消毒的细河沙。

育苗以插条育苗为主，春、夏、秋季插条均可。选择生长旺盛、芽体饱满、直径超过 0.6 cm 的一年生健壮且无病虫害的枝条，剪成长 16 ~ 18 cm 的插条，剪口上口平、下口呈马蹄形，剪口距第 1 芽 1 cm，插条插前用 100 mg/L 的 ABT 生根粉 1 号溶液浸泡 12 小时，以促进生根。铲沟深 20 cm 的缝，将枝条顺缝插进，按照株行距 8 cm×50 cm 扦插，条顶与地面齐平，用脚踩实，浇足水。苗期应注意追肥浇水，促进苗的生长。

秋末入冬前或春季枸杞萌发前进行移栽定植。选择生长健壮且无虫害的一、二

级枸杞苗木进行移栽，亩栽 330 株，株行距为 1 m×2 m，挖 30 cm×30 cm 的坑，每坑施 1 kg 腐熟的农家肥，与土拌匀，填湿土，向上轻提苗木，分层填土。定植后浇透水。

（三）田间管理

插条发芽长出长 20 cm 左右的新枝时，选择生长健壮、长势良好、端正直立的枝条留做主干，其余枝条全部剪去。苗木高达 80 cm 时要及时摘心，封顶。注意追肥浇水和病虫害防治。

1. 中耕除草

3 月上旬至 4 月上旬浅翻药园，耕翻深度 10 ~ 15 cm。5 ~ 8 月浇水后各进行 1 次中耕，中耕深度 8 ~ 10 cm。8 月下旬至 10 月中旬翻晒秋园，耕翻深度

20 ~ 25 cm，树冠下需浅翻，以免伤根。

2. 追肥

10 月中旬至 11 月上旬灌冬水前或春季土地解冻后进行追肥。沿树冠外缘下方开半环状或条状施肥沟，沟深 20 ~ 30 cm。成年树每亩施腐熟的优质农家肥 3 000 ~ 5 000 kg，1 ~ 3 年树龄的幼树施肥量为成年树的 1/3 ~ 1/2。一般锰、锌等微肥也作基肥施用。成年树每株全年追施氮肥 100 g、磷肥 50 g、钾肥 75 g，分为 3 次追施，第 1 次追施在 4 月中下旬，施肥量占全年施肥量的 40% 左右；第 2 次追施在 6 月中旬，施肥量占全年施肥量的 30% 左右；第 3 次追施在 7 月中下旬，施肥量占全年施肥量的 30% 左右。另外，结果期在叶面喷施 0.5% 尿素和 0.3% 磷酸二氢钾混合溶液，可达到良好的增产效果。

3. 浇水

每次追肥后应及时浇水。底墒水和冻水量要大，灌水量为每亩 60 ~ 80 m³，生长期每亩灌水量以 40 ~ 50 m³ 为宜。水源充足地区可全园畦灌，缺水地区可喷灌、滴灌。

（四）病虫害防治

1. 病害

（1）黑果病

病原菌可在病果内越冬，也可以分生孢子的形态在黑果表面越冬。病原菌主要通过风和雨水传播到附近的健康花、果、蕾等部位，侵染寄主，产生危害，故 6 ~ 9 月雨水较多时黑果病发病严重，温度上升也会加重枸杞发病。初期，日平均气温 17 ℃以上、相对湿度 60% 左右、每旬有 2 ~ 3 天降雨时，田间可发病；盛期，日平均气温为 17.8 ~ 28.5 ℃、每旬至少有 4 天降雨、连续 2 旬的平均湿度在 80% 以上，发病率会猛增；后期，旬平均气温 9.2 ~ 14.6 ℃，田间只要有超过 1 天的雨日，仍会有较重的病害。果实染病时，首先表面会出现小黑点或网状纹黑斑；阴雨天时，病斑迅速扩大，果实变黑，并长出橘红色的分生孢子堆；晴天病斑发展慢，病斑变黑，未发病部位仍可变为红色。花染病后，首先花瓣出现黑斑，轻者花冠脱落后仍能结果，重者花变成黑色，子房干瘪，不能结果。花蕾染病后，初期出现小黑点或黑斑，严重时花蕾变成黑色，不能开放。枝和叶染病后，出现小黑点或黑斑。防治方法：关注天气预报，有连续阴雨天时，提前喷施 50% 托布津 1 000 倍液，全园预防或发病初期用农抗 120 乳油 1 000 倍液喷雾；雨后开沟排水，降低田间湿度，减轻危害；发病初期，摘除病叶、病果，再喷洒 1 遍百菌清或绿得保 800 倍液。

（2）流胶病

流胶病尚未分离出致病菌。此病多在夏季发生，秋季停止流出胶液。受害植株树干皮层开裂，从中流出泡沫状白色液体，液体有腥臭味，常有黑色金龟子和苍蝇吮吸液体。树干被害处皮层呈黑色，同木质部分离，树体逐渐衰弱，然后死亡。发病率为1%左右。防治方法：田间作业避免碰伤枝干皮层，修剪时剪口应剪平整。一旦发现伤口或皮层破裂，立即涂刷石硫合剂。

（3）根腐病

根腐病发生普遍，危害严重，每年因根腐病死亡植株在3%～5%，给枸杞生产造成很大损失。该病有2种类型。①根朽型：根颈部发生不同程度的腐朽、剥落，茎维管束变成褐色，潮湿时在发病部位长出白色或粉红色霉层。该类型造成植株落叶，严重时全株枯死。该类型多发生在春季。②腐烂型：根颈部或枝干的皮层发生褐色或黑色腐烂，维管束变为褐色。叶尖开始变黄色，逐渐枯焦，向上反卷，当腐烂皮层环绕树干时，发病部位以上叶片全部脱落，树干枯死；有的则是叶片突然萎蔫枯死，枯叶仍挂在树上。该类型多发生在夏季。田间积水是发病率增高的重要原因。防治方法：保持园地平整，不积水、不漏灌，发现病斑立即用灭病威500倍液、20%抗枯宁水剂600倍液、15%混合氨基酸锌镁水剂500倍液灌根，每7～15天灌1次，连续3～4次。

2. 虫害

（1）枸杞蚜虫

每年4月枸杞发芽时枸杞蚜虫开始危害枸杞嫩梢叶，严重时每个枝条均有蚜虫密集。枸杞蚜虫会使叶片变形萎缩，树势衰弱。可持续危害至10月上旬，一年繁殖19～21代，发育起点温度为8.9℃，每完成1个世代需有效积温为88.36日度。防治方法：枸杞展叶、抽梢期每个枝条有5头蚜虫时使用2.5%扑虱蚜3 500倍液对树冠喷雾，开花坐果期使用1.5%苦参素1 200倍液、5%绿得宝（藜芦碱）1 000倍液对树冠喷雾。此外，还可通过人工饲养瓢虫进行生物防治。

（2）枸杞木虱

枸杞木虱以成虫在枸杞园土块、树干及附近墙缝间、树上枯叶中越冬，4月初于枝条、叶片上产卵，卵为黄色。该虫6～7月间盛发危害枸杞枝叶。成虫、若虫均以吸收口器插入叶组织内吮吸汁液，使树势衰弱。枸杞木虱每年繁殖3～4代，发育起点温度为8.4℃，每完成1个世代需有效积温为547.6日度。防治方法：成虫出蛰期使用40%辛硫磷乳油500倍液喷洒园地后浅耙，喷洒时，连同园地周围的沟渠路一并喷施；若虫发生期使用1.5%苦参素1 200倍液或2.5%

鱼藤酮乳油 500 ～ 1 000 倍液进行树冠喷雾；秋末冬初及春季 4 月以前，浇水翻土以消灭越冬成虫。

（3）枸杞瘿螨

枸杞瘿螨以成虫在冬芽的鳞片内或枝干皮缝中越冬。4 月中、下旬芽苞开放时，越冬虫即迁移到新展的嫩叶上，6 月上旬和 8 月下旬至 9 月间达到危害高峰，该虫在叶片背面刺伤表皮吮吸汁液，损毁组织，使之渐呈凹陷状，表面愈合后，成虫潜居凹陷内，产卵发育，繁殖为害，此时虫瘿在叶的正面隆起，虫瘿由绿色变为赤褐色最后变为紫色，使树势衰弱，脱果落叶，严重影响生产。防治方法：冬季前可以用石硫合剂对枝条缝隙内的越冬成虫进行防治，成虫转移期，虫体暴露，可用 1% 阿维菌素 2 000 ～ 3 000 倍液对树冠及地面进行喷雾防治，并及时摘除有虫瘿的枝条带出园外处理。

（4）枸杞锈螨

枸杞锈螨又名枸杞刺皮瘿螨。该虫一年繁殖 17 代，以成虫在枝条皮缝、芽眼、叶痕等隐蔽处越冬，常数虫挤在一起。枸杞发芽后该虫出蛰爬到新芽上为害并产卵繁殖，使叶面密布螨体。被害叶片变厚，质脆，呈锈褐色而早落。 防治方法：成虫期选用硫磺胶悬剂 600 ～ 800 倍、若虫期选用 1% 阿维菌素 2 000 ～ 3 000 倍液在树冠处喷雾防治。

（5）枸杞红瘿蚊

枸杞红瘿蚊每年繁殖 6 代，以老熟幼虫在土中作土茧越冬。翌年春季幼虫化蛹，约 5 月间成虫羽化。羽化时，蛹钻出土表外，此时枸杞幼蕾正陆续出现，成虫用较长的产卵管从幼蕾端部插入，产卵于直径为 1.5 ～ 2 mm 的幼蕾内，每蕾中可容纳 10 余粒卵；幼虫孵化后钻蛀到子房基部周围，蛀食正在发育的子房，形成虫瘿，造成花蕾和幼果脱落。防治方法：采用覆盖隔离物理防治，在 4 月 10 日前后枸杞红瘿蚊越冬待羽化的成虫出土时覆膜，覆膜材料以 120 cm 宽的普通地膜、农膜和微膜为宜，以树行为中心在树体两侧覆膜，宽度应超出树冠投影面积 15 ～ 20 cm，5 月 15 日前后成虫羽化结束时撤膜。

（6）枸杞负泥虫

每年夏、秋季成虫和幼虫均危害叶片。成虫常栖息于叶片上，产卵于叶面或叶背，卵排列成"人"字形。幼虫会背负着自己的排泄物，故称"负泥虫"。被害叶片的边缘有大缺刻或叶面有孔洞，严重时，全叶被吃光。幼虫老熟后入土吐白丝黏合土粒结成土茧，化蛹于土中。该虫每年繁殖 3 ～ 4 代，发育起点温度为 7.7 ℃，每完成 1 个世代需有效积温为 526.8 日度。 防治方法：成虫期选用 1.5% 苦参素 1 200 倍液或 2.5% 鱼藤酮乳油 500 ～ 1 000 倍液进行树冠喷雾防治。

| **采收加工** | 春初或秋后采挖根部，洗净，剥取根皮，晒干。采收时先用铁锨将枸杞树挖出，然后向下挖掘，挖出土壤中的根。根可深扎到枸杞树地下 30 ～ 100 cm 处，根系面积 1 m² 左右。将根挖出后，立即洗净，剪去须根，用机器剥皮取根，干燥。

| **药材性状** | 本品呈筒状或槽状，长 3 ～ 10 cm，宽 0.5 ～ 1.5 cm，厚 0.1 ～ 0.3 cm。外表面灰黄色至棕黄色，粗糙，有不规则纵裂纹，易呈鳞片状剥落。内表面黄白色至灰黄色，较平坦，有细纵纹。体轻，质脆，易折断，断面不平坦，外层黄棕色，内层灰白色。气微，味微甘而后苦。

| **品质评价** | 以块大、肉厚、无木心者为佳。

| **功能主治** | 甘，寒。归肺、肝、肾经。凉血除蒸，清肺降火。用于阴虚潮热，骨蒸盗汗，肺热咳嗽，咯血，衄血，内热消渴。

| **用法用量** | 内服煎汤，9 ～ 15 g。

| **腊叶标本** | 一、采集信息
采集号：130632180728009LY
采集人：第四次全国中药资源普查河北省第十一普查队
采集时间：2018 年 7 月 28 日
采集地点：河北保定安新县三台镇高公堤村
二、鉴定信息
科名：茄科
拉丁学名：*Lycium chinense* Miller
中文名：枸杞
鉴定人：唐宏亮
鉴定时间：2019 年 4 月 20 日

| **附　注** | 一、道地沿革
枸杞始载于《神农本草经》，位列上品。该书记载"枸杞，味苦，寒……一名杞根，一名地骨……生平泽"。《名医别录》云"生常山及诸丘陵阪岸上。冬采根，春夏采叶，秋采茎实，阴干"。《本草图经》中记载"枸杞，生常山平

泽及丘陵阪岸。今处处有之……其根名地骨。春夏采叶，秋采茎、实，冬采根"。《本草纲目》中也有关于枸杞产地的记载，"古者枸杞、地骨取常山者为上，其他丘陵阪岸者皆可用"，常山即今河北元氏。据明崇祯本和清乾隆本《祁州志》中土产条载，祁州（即今河北安国）种植枸杞。《祁州中药志》记载枸杞子"在安国种植历史悠久……根皮（地骨皮）亦可供药用"。现河北巨鹿有枸杞栽培，主要出产地骨皮。

二、传统知识

地骨皮为枸杞的根皮。关于地骨皮的功效，李杲记载："治在表无定之风邪，传尸有汗之骨蒸。"据河北民间记载，地骨皮可治疗气管炎、低热、咳嗽、气喘，用地骨皮、桑白皮各 9 g，生甘草 6 g，大米（或小米）15 g，煎汤内服；治疗肺结核病、下午低热、夜眠出汗，用地骨皮、银柴胡、秦艽、知母各 9 g，生甘草 6 g，煎汤内服。

三、市场信息

（一）商品规格

表枸杞 –1　地骨皮商品规格等级划分

规格	等级	性状描述	
		共同点	区别点
地骨皮	一等	干货。本品呈筒状或槽状，外表面粗糙（甜地骨皮外表面呈棕黄色，咸地骨皮外表面呈灰黄色），有不规则纵裂纹，易呈鳞片状剥落。内表面黄白色至灰黄色，较平坦，有细纵纹。体轻，质脆，易折断；断面不平坦，外层黄棕色，内层灰白色。气微，味微甘而后苦	长度 ≤ 8 cm，未抽芯率 ≤ 3%，0.5 cm 以下的碎块灰渣重量占比 ≤ 3%
	二等		长度 ≥ 6 cm，未抽芯率 ≤ 5%，0.5 cm 以下的碎块灰渣重量占比 ≤ 10%
	三等		长度 ≥ 3 cm，未抽芯率 ≤ 10%，0.5 cm 以下的碎块灰渣重量占比 ≤ 15%

注：根据基原不同，地骨皮分为"甜地骨皮"和"咸地骨皮"。

（二）价格信息

地骨皮资源虽遍布全国，但数量不多，货源较少。地骨皮原包货价格约 40 元，过筛货售价为 50 ～ 55 元。

（三）易混（伪）品

1. 黑果枸杞根皮

本品为茄科植物黑果枸杞 *Lycium ruthenicum* Murray 的根皮。呈筒状或槽状，长

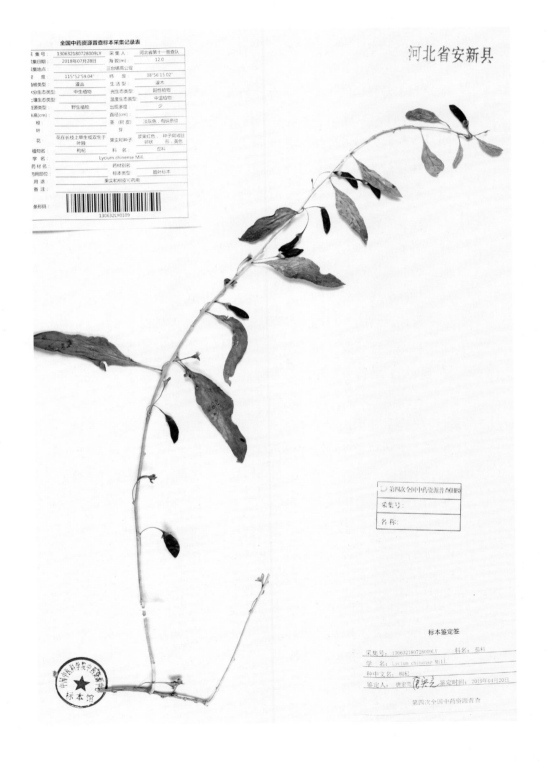

全国中药资源普查标本采集记录表

采集号	130632180728009LY	采集人	河北省第十一普查队
采集日期	2018年07月28日	海拔(m)	12 0
采集地点	三台镇南公堤		
经度	115°52'59.04"	纬度	38°56'15.02"

河北省安新县

标本鉴定签

采集号：130632180728009LY　科名：茄科
学　名：Lycium chinense Mill.
种中文名：枸杞
鉴定人：　　　鉴定时间：2019年01月20日

第四次全国中药资源普查

2 ~ 13 cm，宽 0.6 ~ 2.5 cm，厚 0.2 ~ 0.5 cm；外表面灰黄白色至土黄色，部分表面被灰白色析出物，粗糙，有不规则裂纹，栓皮易剥落，剥落处呈淡黄棕色；内表面灰白色至淡黄褐色，有细纵纹；体轻，质脆，易折断，断面不平坦，外层黄棕色至棕褐色，内层灰白色；气特异，味咸而后苦。

2. 茎皮

本品为木樨科植物黄素馨 *Jasminum giraldii* Diels 的根皮。外表面灰黄色或淡黄褐色，有不规则纵裂，裂纹处有黄色粉状物；气微香，味微苦而涩。

四、资源利用与可持续发展

《名医别录》"枸杞"项下记载："根大寒……主治风湿，下胸胁气，客热头痛，补内伤，大劳、嘘吸，坚筋骨，强阴，利大小肠。久服耐寒暑。"地骨皮之名始见于唐代《外台秘要》的山瘴疟方，地骨皮常用于阴虚潮热、骨蒸盗汗、肺热咳嗽、咯血、衄血等，为地骨皮散、泻白散、枸杞散等经典名方的主要组成药物。北方枸杞、黄果枸杞、截萼枸杞、云南枸杞的根皮在不同地区或民族药中均有应用，功效同地骨皮。灰色枸杞为南非、博茨瓦纳的药用植物，根内服治胃痛。肖氏枸杞为索马里、以色列的药用植物，根煎汤内服治疗感冒，直接置患处治疗牙痛。现代研究显示，地骨皮具有调节血压、血糖、血脂以及解热等作用。地骨皮为现代成方制剂十味降糖颗粒、地骨降糖胶囊、养血退热丸等的主要组成药物。除药用外，地骨皮多用于辅助降血糖保健食品的开发。以地骨皮为主要原料制成的地骨皮露具有凉营血、解肌热的功能，常用于体虚骨蒸、虚热口渴等证的辅助治疗。以地骨皮为主要原料开发的产品还有地骨皮配方颗粒、地骨皮茶、地骨皮口服液、地骨皮含片等。地骨皮中含有生物碱类、酰胺类、有机酸类、黄酮类等多种活性物质。地骨皮中的酚酸类物质为抑制促炎转录因子细胞核因子西乙蛋白的主要成分；脂肪酸类物质为作用于过氧化物酶体增殖物激活受体 γ（PPAR γ）的主要成分；糖苷类及木脂素酰胺类物质能够发挥调节血脂的作用，降低总胆固醇含量，这表明该类物质具有研发为抗高血脂及其相关疾病药物的潜力。地骨皮提取物乙酸乙酯萃取部位可通过抗氧化、抗炎、抑制胃酸分泌和抗细胞凋亡等方式起到胃保护作用，具有开发为相关药物及保健品的潜力。

枸杞产业发展初期，在供不应求的情况下，劳动力和土地成为产业发展的关键要素。随着供求关系的转换，人们的需求日益多元化、高端化、个性化。创新将成为枸杞产业可持续发展的新动力。创新包括 2 个方面：一是技术创新，主要包括枸杞病虫害防治、机械采摘、保鲜运输、加工提取、高效加工控制系统、自动分级系统等新技术的研发与运用；二是产品创新，根据市场需求，开发黑枸杞等珍稀品种，开发、推广鲜食枸杞、叶用枸杞等功能性枸杞，推出独特风味的时尚枸杞食品，开发新型功能的医药保健品；三是营销创新，改变"重生产、轻流通"的传统观念，更加注重市场创新，通过形象专卖店、网络营销等方式，突出区域品牌与个性设计，树立区域品牌形象。

【参考文献】

[1] 国家药典委员会. 中华人民共和国药典：一部 [M]. 北京：中国医药科技出版社，2015：249.

[2] 尚志钧. 神农本草经校点 [M]. 芜湖：皖南医学院科研处，1981：59.

[3] 苏颂. 图经本草 [M]. 胡乃长，王致谱辑注. 福州：福建科学技术出版社，1988：322-323.

[4] 陶弘景. 名医别录 [M]. 尚志钧辑校. 北京：人民卫生出版社，1986：44.

[5] 杨见瑞. 祁州中药志 [M]. 石家庄：河北科学技术出版社，1987：7.

[6] 闻小艳，苗国秀. 张掖市优质枸杞种植的气象条件分析 [J]. 现代农业科技，2018（12）：98-99.

[7] 朱俊儒，丁永辉，罗兴平，等. 地骨皮混伪品——黑果枸杞根皮的鉴别 [J]. 中药材，1993，16（3）：24-25.

[8] 卢有媛，郭盛，张芳，等. 枸杞属药用植物资源系统利用与产业化开发 [J]. 中国现代中药，2019，21（1）：29-36.

石竹科 Caryophyllaceae 石头花属 Gypsophila

麦蓝菜 *Gypsophila vaccaria* (L.) Sm.

| **药 材 名** | 王不留行（药用部位：种子。别名：麦蓝子、奶米、王不留）。

| **形态特征** | 一年生或二年生草本，全株无毛，微被白粉。根为主根系。茎单生，圆柱形，直立，节处稍膨大，上部呈二叉状分枝。叶对生，卵状披针形或披针形，长 3 ~ 9 cm，宽 1.5 ~ 4 cm，基部圆形或近心形，微抱茎，全缘，基出脉 3。伞房花序稀疏；花梗细长；苞片着生于花梗中上部，披针形；花萼卵状圆锥形，后期微膨大成棱状球形，萼齿短小，三角形，先端急尖，边缘膜质；花瓣 5，分离，淡红色，瓣片狭倒卵形，先端有不整齐的小牙齿；雄蕊 10，不等长；雌雄蕊柄极短。蒴果宽卵形或近圆球形，包在萼筒内，长 8 ~ 10 mm；种子近圆球形，直径约 2 mm，红褐色至黑色。花期 5 ~ 7 月，果期 6 ~ 8 月。

| 野生资源 |　一、生长环境

麦蓝菜生于山坡、路旁，尤以麦田中最多。喜温暖湿润气候，耐旱，对土壤的要求不严，以疏松肥沃、排水良好的砂壤土为宜。

二、分布区域

麦蓝菜主要分布于河北灵寿、平泉、迁安、内丘、涉县、蔚县等。

三、蕴藏量

麦蓝菜蕴藏量为 174.72 t。

| 栽培资源 |　一、栽培区域

河北内丘麦蓝菜种植面积和产量最大。

二、栽培技术

（一）选种

应选择籽粒饱满、有光泽的黑色成熟种子，晒干贮藏。播种的时间应在秋季作物起茬后的 9 月中下旬至 10 月上旬。也可春种夏收。

（二）选地整地

选择土壤疏松肥沃、排水良好的夹砂土进行种植。地选好后，结合整地，每亩施腐熟的厩肥或堆肥 2 500 kg 作基肥，然后充分整细整平，开宽 1.3 m 的高畦，四周挖好排水沟。

（三）播种方法

王不留行可点播或条播。①点播。在整好的畦面上按行株距 25 cm×20 cm 挖穴，穴深 3 ～ 5 cm；按每亩用种量 1 kg，将种子与草木灰、人畜粪水混合拌匀，制成种子灰，均匀地撒入穴中，播后覆盖细肥土，肥土厚 1 ～ 2 cm。②条播。在整好的畦面上按行距 25 ～ 30 cm 开浅沟，沟深 3 cm 左右；按每亩用种量 1.5 kg 左右备制种子灰，将种子灰均匀地撒入沟内，播后覆厚 1.5 ～ 2 cm 的细土。

（四）田间管理

1. 中耕除草

苗高 7 ～ 10 cm 时，进行第 1 次中耕除草，此次中耕除草宜浅松土，避免伤根，杂草用手拔除，拔下来的壮苗用于补苗。结合中耕除草进行间苗和补苗，每次留 4 ～ 5 株壮苗；条播的地块，按株距 15 cm 间苗。第 2 次中耕除草结合定苗于第 2 年春季 2 ～ 3 月进行。条播的地块按株距 25 cm 定苗。视杂草滋生情况，再进行 1 次中耕除草，保持土壤疏松和田间无杂草。

2. 追肥

追肥一般进行 2 ～ 3 次。第 1 次在苗高 7 ～ 10 cm 时，中耕除草后每亩施入稀薄人畜粪水 1 500 kg 或尿素 5 kg。第 2 年春季中耕除草后，每亩施入较浓的人畜粪水 2 000 kg、过磷酸钙 20 kg，或用 0.2% 磷酸二氢钾根外追肥 1 ～ 2 次。

（五）病虫害防治

1. 病害

（1）叶斑病

该病危害叶片，病叶出现枯死斑点，发病后期在潮湿的环境下还会长出灰色霉状物。防治方法：增施磷钾肥或在叶面喷施 0.2% 磷酸二氢钾，增强植株抗病

力；发病初期喷 65% 代森锌 500 ～ 600 倍液，或 50% 多菌灵 800 ～ 1 000 倍液或 1 : 1 : 100 波尔多液，每 7 ～ 10 天喷 1 次，连喷 2 ～ 3 次。

（2）黑斑病

该病 4 月始发，危害叶片。防治方法：发病初期喷施 40% 多菌灵 800 倍液或 20% 甲基托布津 100 倍液。

2. 虫害

（1）红蜘蛛

该虫 5 ～ 6 月危害叶片。防治方法：喷施 20% 双甲脒乳油 1 000 倍液。

（2）食心虫

该虫的幼虫危害果实。防治方法：用 90% 敌百虫 1 000 倍液或 80% 敌敌畏 1 000 倍液喷杀。

| **采收加工** | 秋播后第 2 年 4 ～ 5 月采收。一般当麦蓝菜种子多数变黄褐色、少数变黑色时，将地上部分齐地面割下，过迟种子容易脱落，难以收集。割回后，置通风干燥处后熟 5 ～ 7 天，待种子全部变黑色时，晒干，脱粒，扬去杂质，再晒至全干。

| **药材性状** | 本品呈球形，直径约 2 mm。表面黑色，少数红棕色，略有光泽，有细密颗粒状突起，一侧有一凹陷的纵沟。质硬。胚乳白色，胚弯曲成环，子叶 2。气微，味微涩、苦。

| **品质评价** | 以颗粒均匀、籽粒饱满、色黑者为佳。

| **功能主治** | 苦，平。归肝、胃经。活血通经，下乳消肿，利尿通淋。用于闭经，痛经，乳汁不下，乳痈肿痛，淋证涩痛。

| 用法用量 | 内服煎汤，5 ～ 10 g。

| 腊叶标本 | 一、采集信息

采集号：130637190713047LY

采集人：第四次全国中药资源普查河北省第五普查队

采集时间：2019 年 7 月 13 日

采集地点：河北保定博野县博野镇屯庄营村

二、鉴定信息

科名：石竹科

拉丁学名：*Gypsophila vaccaria* (L.) Sm.

中文名：麦蓝菜

鉴定人：郎静杰

鉴定时间：2019 年 8 月 2 日

| 附　注 | 一、道地沿革

王不留行始载于《神农本草经》，该书记载"王不留行，味苦，平……生山谷"，将之列为上品。宋代以后开始出现王不留行的产地记载，宋代《本草图经》中录有"生泰山山谷，今江、浙及并河近处皆有之"，并河即今山西、河南、河北一带。明代《本草品汇精要》记载："道地成德军、江宁府。"该书明确了王不留行的道地产区为河北（成德军即今河北正定）和江苏。明代以后，本草多载为"处处有之"，王不留行来源争议减少。现今除华南地区外，我国各地均有分布，主产于河北邢台、保定，辽宁凤城、海城、绥中，山东商河、长清、梁山，黑龙江依兰、依安、绥棱，山西翼城，湖北襄阳等地，尤以河北所产的王不留行量大质优，为道地药材。

二、传统知识

河北民间记载，王不留行可治疗闭经、小肚子痛，用王不留行、当归、川芎各15 g，煎汤内服；治疗奶汁不下或奶汁不多，用王不留行25 g、猪蹄一只，同煮，吃猪蹄喝汤；治疗闪腰腰痛、腰扭伤，用王不留行200 g，炒后研细末，每服 7.5 g，黄酒或开水送服，每天 2 次。

三、市场信息

（一）商品规格

王不留行药材商品均为统货。

河北省博野县

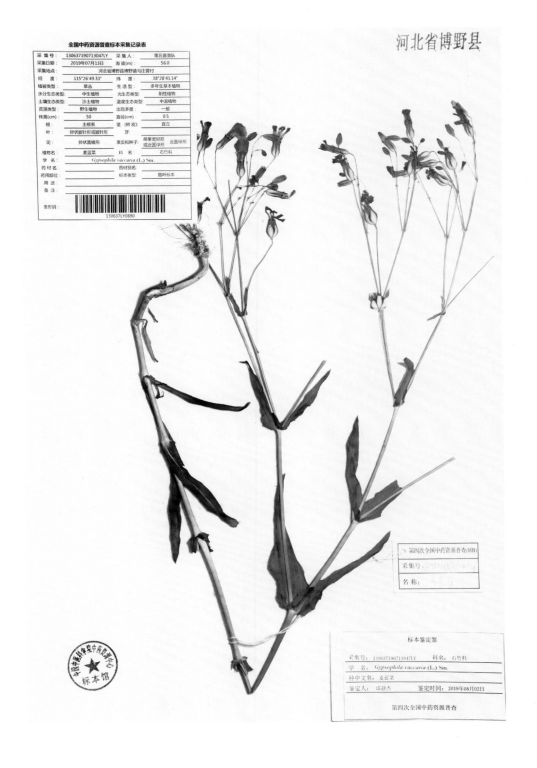

全国中药资源普查标本采集记录表

采集号：	13063719071304 7LY	采集人：	第五普查队
采集日期：	2019年07月13日	海拔(m)：	56.0
采集地点：	河北省博野县博野镇屯庄营村		
经　度：	115°26'49.33"	纬　度：	38°28'41.14"
植被类型：	草丛	生活型：	多年生草本植物
水分生态类型：	中生植物	光生态类型：	阳性植物
土壤生态类型：	沙土植物	温度生态类型：	中温植物
资源类型：	野生植物	出现多度：	一般
株高(cm)：	50	喜径(cm)：	0.5
根：	主根系	茎（树皮)：	直立
叶：	卵状披针形或披针形	芽：	
花：	卵状圆锥形	果实和种子：	蒴果变卵形 或近圆球形　近圆球形
植物名：	麦蓝菜	科　名：	石竹科
学　名：	*Gypsophila vaccaria* (L.) Sm.		
药材名：		药材别名：	
药用部位：		标本类型：	蜡叶标本
用　途：			
备　注：			
条形码：			

130637LY0890

第四次全国中药资源普查(HB)

采集号：

名　称：

标本鉴定签

采集号：	130637190713047LY	科名：	石竹科
学　名：	*Gypsophila vaccaria* (L.) Sm.		
种中文名：	麦蓝菜		
鉴定人：	邵静杰	鉴定时间：	2019年08月02日

第四次全国中药资源普查

（二）价格信息

王不留行是我国传统中药材。20世纪80年代之前，王不留行基本来源于野生。随着土地资源的开发利用，野生资源遭到破坏。90年代中期，药材出现了严重短缺。1996年，药农开始进行野生变家种，而且种植面积较大，这导致了1997—1998年王不留行产量激增，但因市场需求并未同步增长，王不留行价格狂跌至2元左右。1999—2000年，各地药农减少种植，市场所需完全靠2～3年前的库存。随后，随着王不留行用途的拓宽，市场需求连年增加，库存薄弱，导致我国各地药材市场难寻大货，王不留行严重短缺，价格开始回升。2001—2004年，王不留行市场产销大体平衡，价格基本在3～4元波动。2002年我国的王不留行用量为1 200 t。随着对王不留行药用价值的深入挖掘，用王不留行开发的中成药达到近百种，这些药物投入市场后颇受用户的青睐；加之畜牧专家用王不留行开发了大量母畜饲料添加剂，以及市场多元化的需求，王不留行的需求量不断增加。2010年王不留行价格迅速增涨，产地成交价最高时为11元。2011年秋季市场开始疲软，但农民信息滞后，加之在河南、河北开始种植王不留行时，其产地价格仍维持在9～10元，高价刺激农民再次大量扩种，致使全国产新总量达5 300～5 599 t。目前，王不留行基本供大于求，价格在2元左右。

（三）易混（伪）品

芸苔子为十字花科植物芸薹 *Brassica campestris* L. 的种子。本品近球形，直径1.5～2 mm。表面红褐色或黑褐色，显微镜下观察可见微细网状纹理；一端具点状种脐，色较深；一侧有一微凹陷的浅沟，沟中央有一凸起的棱线。除去种皮可见2子叶，子叶淡黄色，沿中脉相对摺，胚根位于二对摺的子叶之间。气微，味淡，有油腻感。

【参考文献】

[1] 国家药典委员会. 中华人民共和国药典：一部 [M]. 北京：中国医药科技出版社，2020：54.
[2] 尚志钧. 神农本草经校点 [M]. 芜湖：皖南医学院科研处，1981：65.
[3] 苏颂. 图经本草 [M]. 胡乃长，王致谱辑注. 福州：福建科学技术出版社，1988：122.
[4] 刘文泰. 本草品汇精要 [M]. 陆拯校点. 北京：中国中医药出版社，2013.
[5] 李时珍. 新校注本《本草纲目》[M]. 刘衡如，刘山永校注. 4版. 北京：华夏出版社，2011：733.
[6] 韩保昇. 蜀本草 [M]. 尚志钧辑复. 合肥：安徽科学技术出版社，2005：49.
[7] 王英杰. 王不留行的种植技术 [J]. 北京农业，2002（10）：14.
[8] 刘红卫. 王不留行产销分析 [J]. 中国现代中药，2012，14（8）：65.
[9] 丁立威，丁乡. 王不留行的市场现状及后市浅析 [J]. 中国中医药信息杂志，2005，12（9）：106-107.
[10] 徐忠银，肖浦生. 王不留行的本草学研究 [J]. 基层中药杂志，1993，7（1）：26-28.
[11] 蔡少青，李军. 常用中药材品种整理和质量研究：北方编：第五册 [M]. 北京：北京医科大学出版社，2001.

百合科 Liliaceae 知母属 *Anemarrhena*

知母
Anemarrhena asphodeloides Bunge

| 药 材 名 | 知母（药用部位：根茎。别名：地参、羊胡子根）。

| 形态特征 | 多年生草本。根茎直径 0.5 ~ 1.5 cm，被残存的叶鞘覆盖。叶长 15 ~ 60 cm，宽 1.5 ~ 11 mm，向先端渐尖成丝状，基部渐宽成鞘状，平行脉，无明显的中脉。花葶远长于叶；总状花序长可达 20 ~ 50 cm；苞片小，卵圆形，先端渐尖；花呈粉红色、淡紫色至白色；花被片条形，长 5 ~ 10 mm，中央具 3 脉，宿存。蒴果狭椭圆形，长 8 ~ 13 mm，宽 5 ~ 6 mm，先端有短喙；种子长 7 ~ 10 mm。花果期 6 ~ 9 月。

| 野生资源 | 一、生长环境
知母生于海拔 1 450 m 以下的山坡、草地、杂草丛或路旁较干燥的向阳处。耐

寒，可在北方田间越冬，喜温暖，耐干旱，除幼苗期须适当浇水外，生长期不宜过多浇水，特别在高温期间，如土壤水分过多，根茎容易腐烂，致生长不良，故土壤以疏松的腐殖土为宜，低洼积水处不宜栽种。

二、分布区域

知母主要分布于河北易县、涞源、赤城、张北、尚义、万全、怀来、蔚县、阳原、涞水等。河北为知母的道地产区，河北燕山以北产的知母称为"北山

知母"，河北易县产的知母质量最优，称为"西陵知母"。

三、蕴藏量

知母蕴藏量为 5.22 万 t。

| 栽培资源 |　一、栽培区域

河北涉县、尚义、万全、邢台等有少量栽培。

二、栽培技术

（一）选地整地

选择排水良好的砂壤土和富含腐殖质的中性土壤作为栽培用地，土地深耕 25～30 cm，耙细整平，做宽 1.2 m 的畦，挖排水沟。每亩施厩肥 1 500 kg。

（二）繁殖方法

家种知母一般用秧苗繁殖，移栽后生长期为 2 年。

（三）田间管理

1. 间苗

当幼苗高 2～3 cm 时，间去弱苗和密苗；当苗高 6 cm 左右时，按株距 10 cm 左右定苗。

2. 中耕除草

当幼苗高 3 cm 左右时，及时拔除杂草、松土，生长期保持地内土壤疏松无杂草，以利于幼苗生长。

3. 追肥

苗期以追施氮肥为主，每亩追施人畜粪水 1 500 kg 或尿素 6 kg，施后浇 1 遍水。后期追肥以氮肥、钾肥为主，每亩追施尿素 10 kg、氯化钾 7 kg 或施复合肥 20 kg。

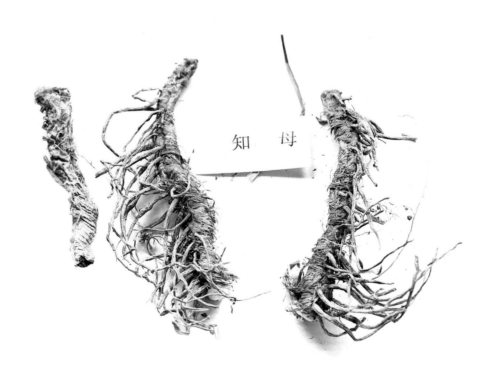

4.打薹

知母抽薹开花后，养分消耗多，影响地下茎的生长，因此，除留种地之外，及时剪去花薹，促进地下茎增粗生长。打薹是知母增产的重要措施之一。

（四）病虫害防治

1.病害

（1）病毒病

该病为全株性病害，多由病毒引起。发病时，叶片表面黄绿色相间，凹凸不平，并有黑色病斑。该病造成叶片早期枯萎，植株生长矮小，严重时全株枯死，无性繁殖的植株发病重。防治方法：选用抗病品种，选择无病母株留种，及时喷药，消灭传毒昆虫（蚜虫、种蝇等）；增施磷肥、钾肥，促进植株健壮生长，增强抗病能力。

（2）叶斑病

该病主要危害茎、叶。叶片出现圆形病斑，微下陷，随着分生孢子的大量出现，病斑变为深褐色或黑色，严重时叶片枯萎。茎部出现病斑后，茎秆变细，严重可致植株死亡，高温时发病严重。防治方法：选无病根状茎作种，种前根状茎用新洁尔灭或福尔马林消毒，及时疏沟排水，降低田间湿度，保持通风透光，增强植株抗病力；发病前后，喷 1 ∶ 1 的波尔多液，或 65% 代森锰锌 500 倍液，每 7 天喷 1 次，连喷 3 ~ 4 次。

（3）软腐病

该病主要危害根茎。发病初，根茎出现褐色水渍状斑块，其后变黑，病变部位逐渐软化而腐烂，患处有灰色脓状黏液产生，伴有特殊臭味。该病在高温、高湿和通风不良的环境中易发。防治方法：选择健壮无病的种球繁殖，雨季注意清沟排渍，降低水位，播种前用 50% 多菌灵 500 ~ 600 倍液浸种 20 ~ 30 分钟，晾干后下种，采收和装运时，尽可能不要碰伤根茎，种用根茎贮藏期间，应注意通风和降温。

2.虫害

虫害为蛴螬。该虫的幼虫咬断知母苗或咬食根茎，造成断苗或根茎部空洞。可浇施 50% 马拉松乳剂 800 ~ 1 000 倍液进行防治。

| 采收加工 | 春、秋季采挖，除去须根和泥沙，不去外皮直接晒干者习称"毛知母"，除去外皮后晒干者习称"知母肉"。

| 药材性状 | 本品毛知母呈长条状，微弯曲，略扁，偶有分枝，长 3 ~ 5 cm，直径 0.8 ~

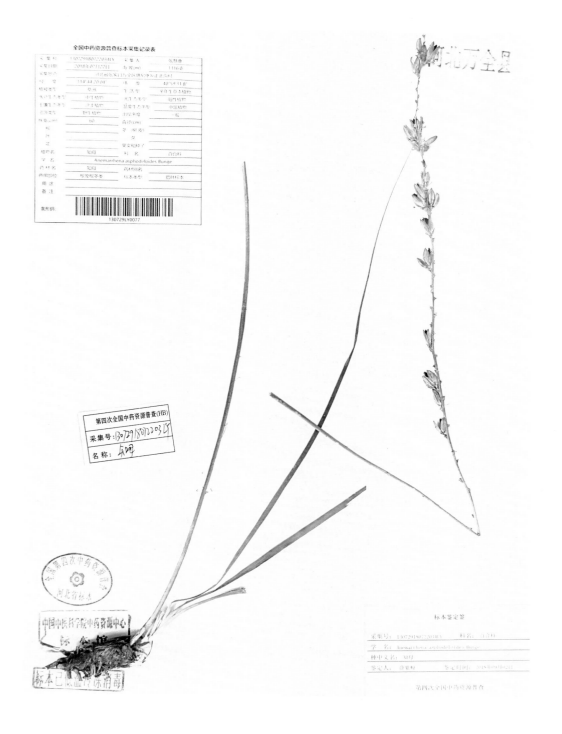

1.5 cm，一端有浅黄色的茎叶残痕。表面黄棕色至棕色，上面有 1 凹沟，具紧密排列的环状节，节上密生黄棕色残存叶基，由两侧向根茎上方生长；下面隆起而略皱缩，并有凹陷或凸起的点状根痕。质硬，易折断，断面黄白色。气微，味微甜、略苦，嚼之带黏性。知母肉大部分外皮已被刮去，表面黄白色或淡黄白色，上端有扭曲的纵沟纹，背面隆起，有的可见叶痕和散生的须根痕。其他性状与毛知母相同。

| 品质评价 | 以条肥大、质硬、断面黄白色、味苦、嚼之发黏者为佳。

| 功能主治 | 苦、甘，寒。归肺、胃、肾经。清热泻火，滋阴润燥。用于外感热病，高热烦渴，肺热燥咳，骨蒸潮热，内热消渴，肠燥便秘。

| 用法用量 | 内服煎汤，6 ~ 12 g；或入丸、散剂。

| 腊叶标本 | 一、采集信息
采集号：130729180722034LY
采集人：张慧康
采集时间：2018 年 7 月 22 日
采集地点：河北张家口万全区膳房堡乡正北沟村
二、鉴定信息
科名：百合科
拉丁学名：*Anemarrhena asphodeloides* Bunge
中文名：知母
鉴定人：薛紫鲸
鉴定时间：2018 年 9 月 2 日

| 附　注 | 一、道地沿革
知母始载于《神农本草经》，位列中品。汉末南北朝时期就有知母道地产区的记载，《名医别录》中载"生河内"，河内即今山西或河北西北部或太行山南的河南一带；《本草经集注》中亦云"今出彭城"，彭城即今江苏徐州一带。至唐宋时期，对于知母道地产区的记载更为详尽，唐代《千金翼方》"药出州土"中记载知母在河北道相州、幽州有分布，相州、幽州分别为今河北临漳西部、河北北部及辽宁一带。宋代《本草图经》记载"生河内川谷。今瀍河诸郡及解州、滁州亦有之"，瀍河诸郡及解州、滁州即今河南沁阳、武陟、卫辉、汝南，

山东德州，山西西南部，安徽滁州。《大观本草》《开宝本草》均记载知母"生河内川谷"。明清时期《本草蒙筌》记载"多生徐解二州，并属南直隶"，徐、解二州即今江苏徐州及山西西南部。《本草原始》记载"始生河内川谷，今濒河诸州郡及解州、滁州亦有之"，这说明知母的产地已经扩大，从原来的山西、河北、河南扩展到安徽、江苏等省。至1930年，《药物出产辨》中记载"产直隶、东陵、西陵等"，东陵、西陵分别为今河北遵化东陵满族乡、河北易县西陵镇。现代多以河北易县所产知母为优。

二、传统知识

知母始载于《神农本草经》，具有清热泻火、滋阴润燥之功效，在中医临床中使用广泛，为重要的传统大宗药用品种之一。知母广泛分布，河北易县所产"西陵知母"最为有名，有"根条肥大、毛色金黄、质坚而柔润、内碴黄白油亮、无朽头、黏性大"的特点。知母可治疗急性传染病引起的高热、有汗、身体壮热、口渴、多饮，用知母20 g、生石膏50 g（先煎）、生甘草10 g、大米（或小米）25 g，煎汤内服；治疗肺结核病、咳嗽有痰，用知母、贝母各15 g，煎汤内服，或上述药材各150 g，研末，每服10 g，开水送服，每天2次；治疗肺结核病、下午发热、夜眠出汗，用知母15 g、黄柏10 g、熟地黄20 g，煎汤内服；治疗慢性肾炎、下肢浮肿、小便少而黄，用知母、黄柏各100 g，肉桂5 g，做蜜丸，每服15 g，开水送服，每天2次。

三、市场信息

（一）商品规格

表知母-1　知母商品规格等级划分

规格	等级	性状描述	
		共同点	区别点
毛知母	统货	干货。本品呈长条状，微弯曲，略扁，偶有分枝，长3～5 cm，直径0.8～1.5 cm。质硬，易折断，断面黄白色。气微，味微甜，略苦，嚼之带黏性	一端有浅黄色的叶痕。表面黄棕色至棕色，上面有1凹沟，具紧密排列的环状节，节上密生黄棕色的残存叶基；下面隆起而略皱缩，并有凹陷或凸起的点状根痕
知母肉	统货		无外皮。表面黄色或黄白色，偶有凹陷或凸起的点状根痕

（二）价格信息

知母为常用药材，也是我国特有的出口商品。在20世纪50年代就已经开展知母家种栽培，但因知母种植经济效益较低没有推广。目前，知母商品主要来源于野生资源，资源广布于华北和东北地区，产大于销。知母在治疗消渴方面有独特的疗效，随着消渴的发病率逐年增高，知母的需求量不断增加，其产销量逐年稳定上升，目前年产销量在 100 万 kg 左右。据"中药材天地网"统计，近 5 年家种知母的价格略有上涨，但涨幅不大，价格稳定在 25 元左右。

（三）易混（伪）品

土知母为鸢尾科植物鸢尾 *Iris tectorum* Maxim. 的根茎，别名蓝蝴蝶、土射干。土知母常冒充知母在市场上销售，应当注意加以区别。

四、资源利用与可持续发展

因知母价格便宜、种植时间较长、加工程序繁杂，愿意种植知母的药农越来越少；在经济落后的地区野生知母已采挖殆尽，经济发达的地区又无人愿意采挖。因此，知母药材呈短缺之势。因知母富含黏液质，完全晒干需要数月，晾晒期间知母极易霉腐变质，近年在产地兴起了趁鲜切片的方法，知母片晒干仅需 2 ~ 3 天，大大缩短了干燥时间。

【参考文献】

[1] 国家药典委员会. 中华人民共和国药典：一部 [M]. 北京：中国医药科技出版社，2020：222.

[2] 尚志钧. 神农本草经校点 [M]. 芜湖：皖南医学院科研处，1981：88.

[3] 陶弘景. 名医别录 [M]. 尚志钧辑校. 北京：人民卫生出版社，1986：122.

[4] 陶弘景. 本草经集注 [M]. 尚志钧，尚元胜辑校. 北京：人民卫生出版社，1994：272.

[5] 陈嘉谟. 本草蒙筌 [M]. 王淑民，陈湘萍，周超凡点校. 北京：人民卫生出版社，1988：52-53.

[6] 苏颂. 图经本草 [M]. 胡乃长，王致谱辑注. 福州：福建科学技术出版社，1988：153-154.

[7] 陈仁山. 药物出产辨 [M]. 广州：广东中医药学校，1930：24.

[8] 赵小勤，黄晓婧，许莉，等. 知母的本草考证和产地调研 [J]. 亚太传统医药，2019，15（4）：77-79.

菊科 Asteraceae 款冬属 Tussilago

款冬 *Tussilago farfara* L.

| **药 材 名** | 款冬花（药用部位：干蕾。别名：冬花、款花、看灯花）。

| **形态特征** | 多年生草本。根茎横生地下，褐色。早春花叶抽出数个花葶，花蕾高 5 ~ 10 cm，密被白色茸毛，有互生的鳞片状苞叶，淡紫色。基生叶阔心形，具长叶柄，叶片长 3 ~ 12 cm，宽 4 ~ 14 cm，边缘有波状、先端增厚的疏齿，掌状网脉，下面密被白色茸毛；叶柄长 5 ~ 15 cm，被白色棉毛。头状花序单生先端，直径 2.5 ~ 3 cm，初时直立，花后下垂；总苞片 1 ~ 2 层，钟状，结果时线形，先端钝，常带紫色，被白色柔毛后脱毛，有时具黑色腺毛，长 15 ~ 18 mm；边缘有多层雌花，舌状花冠黄色，子房下位，柱头 2 裂；中央有两性花少数，花冠管状，先端 5 裂，花药基部尾状，柱头头状，通常不结实。瘦果圆柱形，长 3 ~ 4 mm；冠毛白色，长 10 ~ 15 mm。

| **野生资源** | 一、生长环境

款冬常生于海拔 800 ~ 1 600 m 的河边、沙地、山涧、水沟旁、山谷河溪及渠沟畔沙地、林缘。性喜温暖湿润气候，夏季喜欢凉爽气候，适合在疏松肥沃、排水良好的砂壤土中生长。

二、分布区域

河北张家口蔚县是我国款冬花的三大主产区之一。

三、蕴藏量

款冬花蕴藏量为 12.01 t。

| **栽培资源** | 一、栽培区域

河北蔚县下元皂村最早实现了款冬野生变家种，有大面积的款冬栽培，逐渐形成了款冬花药材集散地。

二、栽培技术

（一）选地整地

应选择土壤肥沃、土质良好、保墒性能好的土地作为栽培地。河旁、渠边、泉眼及池塘附近、淤地坝附近等最为理想；山区则首选土壤疏松、杂草较少的阴坡、半阴坡。播前必须将栽培地深翻（30 cm）1 ~ 2 遍，做到耙糖平整、细碎、无杂草，结合整地每亩施农家肥 1 500 kg，瘠薄地块可酌情增施一定的氮肥。

（二）繁殖方法

1. 无性繁殖

早春土壤解冻后立即采挖根茎，将根茎剪成 5 ~ 10 cm 长的小节，边采挖，边剪切，边栽植，如采挖早、栽植迟，可将根茎埋于湿土中备用。

2. 种子直播

4 月采集当年成熟的种子，晒干。在有灌溉条件或遇连续阴雨天气时可考虑种子直播。由于款冬籽小苗弱，直播时一定要有遮阴植物和遮阴措施。遮阴植物可选用黄豆、荞麦等稀疏类型的植物（遮阴植物每亩用种量 1 ~ 2 kg 为宜），将款冬种子与遮阴植物的种子均匀地撒在新翻平整后的地表，然后用短齿耙横、竖各浅耙 2 ~ 3 遍。播后地表还需撒少许小麦等作物的秸秆，既保持地表潮湿，有利于种子发芽，又可为刚出土的幼苗遮阴。直播时每亩用种量（带伞毛）50 ~ 100 g，撒种时应和入一定量的细沙或细土，以保证撒种均匀。

3. 温棚育苗移栽

温棚育苗要求苗床水肥充足，地面平整。塑膜温棚应搭建在避风向阳处，面积可大可小，以小棚长 3 m，宽 1.5 m、高 1.5 m，大棚长 9 m，宽 3 m、高 2 m 为宜。撒种后覆盖厚 0.5 cm 左右的过筛细土，扣棚要严密，棚内温度保持在 25 ~ 35 ℃，相对湿度保持在 50% 以上。播后 1 周内出苗，出苗三四天后应及时放风，以防止烧苗。在苗高 5 ~ 10 cm、长出至少 5 片叶时，于 7 月雨季到来后移栽于大田中。

4. 栽植

栽植方法可分为平栽、畦栽、垄栽、穴栽、沟栽。栽植行距 30 cm 左右，沟深 5 ~ 6 cm，栽植密度以沟内根茎小节首尾相距 3 ~ 5 cm 为宜。育苗移栽时，应保证每穴 1 株。垄下栽培要求垄宽 30 cm、垄距 30 cm、垄高 10 cm，垄下栽植 2 行苗，有利于灌水，垄上土壤经中耕除草等活动，逐渐壅至垄下款冬根茎处，可减少花蕾暴露，提高款冬花质量。根茎栽培应在早春进行，秋季采收花蕾后，将根茎收集起来掩埋土中越冬，以备春用。

（三）田间管理

1. 中耕除草

款冬属于耐寒性植物，初春发芽较早，一般 3 月底至 4 月初出苗展叶，宜于 4 月下旬结合补苗进行第 1 次中耕除草，由于此时根系生长缓慢，应注意浅松土，避免伤根。如春季遇干旱天气影响出苗，应浇水 1 次，以促进款冬发芽和出苗，苗期杂草应及时拔除。第 2 次中耕除草在 6 ~ 7 月，此时苗叶已出齐，根系生长发育良好，中耕可适当加深，培土兼拔除高大杂草。

2. 追肥

可在降雨前后，于款冬行间开浅沟追施磷酸氢二铵，每亩施肥 20 kg。

3. 排灌

款冬既怕旱又怕涝，盛夏高温之际，干旱造成植株明显萎蔫时，可以考虑浇水；秋季多雨时，应及时挖沟排除积水，以防淹涝植株。

4. 疏叶通风

7 ~ 8 月为盛叶期，叶片过密不易通风透光，可用剪刀将枯黄或发病的烂叶剪掉，每株只留 3 ~ 5 片新叶即可。疏叶既能提高植株的抗病力，又能多产花蕾，增加产量。晚秋根茎处花蕾膨大时容易外露暴晒，应及时培土保护，以提高质量。

（四）病虫害防治

1. 病害

（1）锈病

7 月易感染锈病。病叶上出现明显的锈病孢子，呈褐色，边缘紫红色，严重时，叶背面密布成片的锈斑，叶片穿孔，植株逐渐萎蔫枯死。可于 6 月提前用 15% 粉锈宁 1 500 倍液和 70% 甲基托布津 800 倍液等药剂进行预防；发病后可拔除染病残株，集中烧毁，并次用上述药剂治疗。

（2）叶枯病

雨季叶枯病发病严重。病斑由叶缘向内扩展，严重时可危及叶柄，形成黑褐色、不规则的大斑，使叶片变脆干枯，最后萎蔫而死。发现植株患病后应及时剪除病叶，集中烧毁深埋，并用 10% 多氧霉素 1 000 ~ 2 000 倍液或 50% 扑海因 1 000 ~ 1 500 倍液等进行治疗。

2. 虫害

款冬的虫害分为地下和地上两类。地下虫害主要为蝼蛄，该虫危害根茎，容易造成缺苗断垄；可用 2.5% 美曲膦酯粉剂 1 kg 拌细土 15 kg，结合整地撒入土壤，进行防虫。地上虫害为食叶性软体虫或甲壳虫，可使用菊酯类杀虫剂防治。农药应首选生物制剂，尽量减少农药残留。

| 采收加工 | 采收时间为霜降至立冬期间，在土壤封冻之前、植株枯黄之后。采收方法为人工采挖。根据株丛位置，深挖 30 cm。挖出的植株及根茎平摊地面放置 2 ~ 3 天，待其萎蔫后，除去泥土，摘收花蕾。废弃植株根茎可结合秋翻施肥，及时

均匀地翻压在土壤中，以保证连续生产。采收的花蕾应轻拿轻放，置通风处阴干，严禁强光暴晒，摊晾厚度 1 ~ 2 cm，注意不要水洗、重压，尽量减少翻动，以免花蕾外鳞片掉落或碰伤变黑，影响药材产量和质量。

| 药材性状 | 本品呈长圆棒状，单生或 2 ~ 3 个基部连生，长 1 ~ 2.5 cm，直径 0.5 ~ 1 cm。上端较粗，下端渐细或带短梗，外面被多数鱼鳞状苞片。苞片外表面紫红色或淡红色，内表面密被白色絮状茸毛。体轻，撕开后可见白色茸毛。气香，味微苦而辛。

| 品质评价 | 以蕾大、肥壮、色紫红鲜艳、花梗短者为佳。

| 功能主治 | 辛、微苦，温。归肺经。润肺下气，止咳化痰。用于新久咳嗽，喘咳痰多，劳嗽咯血。

| 用法用量 | 内服煎汤，5 ~ 10 g。

| 附　　注 | 一、道地沿革
款冬始载于《楚辞》，《楚辞·九怀》"株昭"曰："款冬而生兮，凋彼叶柯。"以"款冬花"之名入药的记载最早见于秦汉时期的《神农本草经》，该书将其列为中品。魏晋时期《名医别录》对款冬花的记述有了扩展，曰："一名橐吾，一名颗东，一名虎须，一名兔奚，生常山（今河北正定）山谷。"明代《本草品汇精要》记载款冬花的道地产区为晋州（今河北石家庄）。由本草记载可推断，款冬花原产地为河北。目前款冬花主产区和道地产区发生了较大变化，现代文献记载的款冬花产地分布极广，主要分布于河北，河北张家口蔚县为款冬花主产区。陶弘景谓："第一出河北，其形如宿莼未舒者佳，其腹里有丝。"综合古今文献，确定款冬花道地产区为河北晋州地区。
二、传统知识
河北民间记载款冬花可治疗咳嗽、痰中带血，用款冬花、百合各200 g，做蜜丸，每服15 g，开水送服，每天2次；治疗慢性支气管炎、咳嗽不止，可取蜜炙款冬花适量，装入烟斗中，当烟吸。

三、市场信息

（1）商品规格

表款冬 -1　款冬花商品规格等级划分

规格	等级	性状描述	
		共同点	区别点
选货	一等	干货。本品长圆棒状。上端较粗，下端渐细，外面被多数鱼鳞状苞片，体轻，撕开可见絮状白色茸毛。气香，味微苦而辛	花蕾较大。无开头。黑头 ≤ 3%，总花梗长度 ≤ 0.5 cm
	二等		花蕾大小不均匀。开头 ≤ 3%，黑头 ≤ 3%，总花梗长度 ≤ 2 cm
统货	—	干货。本品长圆棒状，外面被鱼鳞状苞片，体轻，撕开可见絮状白色茸毛。味微苦而辛。花蕾大小不均匀，表面紫红色或紫褐色，间或白绿色。开头 ≤ 10%，黑头 ≤ 10%，总花梗长度 ≤ 2 cm	

（2）价格信息

款冬花作为小品种，通常是随产随销，库存较少。从统计数据来看，款冬花的年需求量呈稳步上升趋势，一旦遇到减产就很容易造成供不应求的情况，行情短期内就会有大幅波动。历史上款冬花曾出现过 2 次大级别行情，一次是 1995—1999 年，历时 4 年，款冬花价格从 12 元上涨至 160 元，暴涨约 13 倍；另一次是 2009—2011 年，历时 3 年，款冬花价格从 15 元上涨至 220 元，涨幅超过 14 倍。两次价格暴涨的内在因素相似，不论是 1995 年的种植面积缩减，还是 2009 年产新前的降雪天气、2010 年的夏旱，都是打破了原有供需平衡。目前市场主要流通的款冬花多为家种品种，野生资源已很少见到。受库存量影响，市场货源走销一般，行情在疲软中运行，现市场款冬花价格在 60 元左右。

（3）易混（伪）品

在我国陕西、青海等地，菊科植物蜂斗菜 *Petasites japonicus* (Sieb. et Zucc.) Maxim. 或毛裂蜂斗菜 *Petasites tricholobus* Franch. 的花蕾常误作款冬花使用。我国民间将蜂斗菜的全草或根茎捣烂外敷治疗毒蛇咬伤、跌打损伤等，但未见蜂斗菜其他部位的药用记载。在德国，蜂斗菜属植物白蜂斗叶 *Petasites albus* (L.) Gaertn. 和水蜂斗叶 *Petasites hybridus* (L.) Gaertn 与款冬分布交错，且叶形相似，其叶常被混入款冬叶中。德国民间称水蜂斗的叶为大叶款冬（英国则直称其为款冬），其叶也含有黏液，故亦用于治疗上呼吸道疾病，其根则用作治疗胃肠道痉挛的解痉药。此类伪品与款冬的不同之处在于伪品叶片阔大、圆肾形，花茎苞片鳞状披针形，较大，渐次伸长，头状花多数，呈伞房状排列，花雌雄异株，雌花白色，雄花黄色，均有冠毛。

四、资源利用与可持续发展

款冬为兼药用、食用、观赏为一体的品种。款冬花含有倍半萜类、三萜类、黄酮类、甾醇类、生物碱类、有机酸类和挥发油类等化学成分，具有止咳、平喘、祛痰、抗炎、降血糖、抗肿瘤等药理作用，目前以款冬花为原料的中成药有百花定喘丸、川贝雪梨膏、止咳青果丸、气管炎丸等。款冬花也常作为保健食品的辅料，配伍食物制成菜肴，或者泡水代茶饮用，能起到预防疾病的作用。款冬花因在冬天开花而得名，花色鲜艳，观赏性较好，管理简单，成本较低，因此常配合其他花卉，作为园林花卉栽培，供观赏使用。

20 世纪，款冬花的市场需求量不大，价格较低，药材主要来源于野生资源。

21 世纪以来，随着以款冬花为原料的新药、中成药和药材饮片的开发和大量生产，款冬花的需求量急剧增长，野生资源日益枯竭。尽管开始了大面积款冬人工栽培，但款冬花的价格仍然持续上涨。后来，因为盲目扩种，供大于求，造成滞销积压，款冬花的价格下降，种植面积也大幅减少。目前，据市场调查显示，由于栽培产量逐年减少，但市场对款冬花的需求一直上升，造成款冬花的市场供需出现缺口，并且缺口逐年扩大，几年内难以缓解供不应求的压力。

【参考文献】

[1] 国家药典委员会. 中华人民共和国药典：一部 [M]. 北京：中国医药科技出版社，2020：346.

[2] 尚志钧. 神农本草经校点 [M]. 芜湖：皖南医学院科研处，1981：135.

[3] 陶弘景. 名医别录 [M]. 尚志钧辑校. 北京：人民卫生出版社，1986：243.

[4] 刘文泰. 本草品汇精要 [M]. 陆拯校点. 北京：中国中医药出版社，2013：247.

[5] 款冬花行情将趋稳 [N]. 中国中医药报，2018-04-05（6）.

远志科 Polygalaceae 远志属 Polygala

远志 *Polygala tenuifolia* Willd.

| 药 材 名 |

远志（药用部位：根。别名：棘菀、葽绕、小鸡腿）。

| 形 态 特 征 |

多年生草本，高 15 ~ 50 cm。主根粗壮，长达 10 余 cm，韧皮部肉质，浅黄色。茎多数丛生，直立或倾斜，具纵棱槽，被短柔毛。单叶互生，叶片纸质，线形至线状披针形，长 1 ~ 3 cm，宽 0.5 ~ 1（~ 3）mm，先端渐尖，基部楔形，全缘，反卷，主脉在上面凹陷，在背面隆起，侧脉不明显，近无柄。总状花序扁侧状生于小枝先端，细弱，长 5 ~ 7 cm，略俯垂，花稀疏；苞片 3，披针形，早落；萼片 5，宿存，无毛，外面 3 萼片线状披针形，长约 2.5 mm，急尖，里面 2 萼片花瓣状，倒卵形或长圆形，长约 5 mm，宽约 2.5 mm，先端具短尖头，沿中脉绿色，周围膜质，带紫堇色，基部具爪；花瓣 3，紫色，侧瓣斜长圆形，长约 4 mm，基部与龙骨瓣合生，基部内侧具柔毛，龙骨瓣较侧瓣长，具流苏状附属物；雄蕊 8，花丝 3/4 以下合生成鞘，具缘毛，上部两侧各 3 枚合生，花药无柄，中间 2 花药分离，花丝丝状，具狭翅；子房扁圆形，先端微缺，

花柱弯曲，先端呈喇叭形，柱头内藏。蒴果圆形，直径约 4 mm，具狭翅，无缘毛；种子卵形，黑色，密被白色柔毛，具发达种阜。花果期 5 ～ 9 月。

| **野生资源** | 一、生长环境

远志生于草原、山坡草地、灌丛中以及杂木林下。喜冰凉气候，忌高温，耐干旱。

二、分布区域

远志主要分布于河北太行山及燕山浅山丘陵地带。河北新乐为远志的道地产区，所产远志有"伏远志"之称。

三、蕴藏量

远志蕴藏量为 3.95 万 t。

| **栽培资源** | 一、栽培区域

栽培远志主要分布于坝上高原的张家口及隆化等。

二、栽培技术

（一）选地整地

依据远志的生长习性，选择阳光充足、地势高、排水良好、土壤疏松的砂壤土栽种远志，也可以选择常规农田种植远志。因远志是多年生草本植物，翻地时须确保施足基肥，播种前要采取上翻下松的方法进行深耕，打破犁底层。每亩施完全腐熟好的厩肥 2 500 kg，深耕 30 cm，耕地时施过磷酸钙 50 kg，然后将地耙平整细。

（二）种植

远志播种期为 6 ~ 7 月，麦收后及时下种，此时播种出苗率高，苗全且壮。播种后种子覆土厚 1 cm，播前要浇足水；旱地播种应在雨季土壤水分充足时进行，秋播应在 9 月之前进行，间种、套种、直播均可；草荒的地块在播种前应先用除草剂处理。种植行距 20 cm，沟深 3 cm，沟宽 12 cm，沟底扒平，将种子均匀撒于沟内后轻压，使种子与土壤紧密结合；接着在地面撒盖麦秆为出土的幼苗遮阳保墒，以利于出苗。

（三）田间管理

1. 间苗补苗

在苗高 5 cm 时，按株距 4 ~ 6 cm 进行间苗，缺苗处及时补苗。

2. 中耕除草

远志植株矮小，苗期生长慢，应及时中耕除草。松土要浅，用耙子搂松地面，保持土表疏松湿润，尽量避免杂草掩盖植株。

3. 追肥浇水

远志喜干燥，除种子萌发期和幼苗期需适量浇水外，在生长后期不需经常浇水。每年的冬、春季以及 4 ~ 5 月各追肥 1 次，以磷肥为主，每公顷施过磷酸钙 300 kg。钾肥可增强远志的抗病能力，促进根部生长和膨大，进一步提高根部产量，故可进行根外追肥。每年 6 月中旬至 7 月中旬，每亩喷 1% 硫酸钾 60 kg，每隔 10 天施肥 1 次，每次施肥连喷 3 次，傍晚喷施效果最好。

（四）病虫害防治

1. 病害

（1）根腐病

在多雨季节发生根腐病，该病危害根部。防治方法：加强田间管理，发现病株及时拔除、烧毁，发病初期每隔 6 天喷洒 1 次 50% 多菌灵，连续喷洒 3 次。

（2）叶枯病

高温季节易发生叶枯病，该病危害叶片。防治方法：用代森锰锌 1 000 倍液或瑞毒霉素 800 倍液叶面喷洒 2 次。

2. 虫害

（1）蚜虫

用 40% 氧化乐果 1 500 倍液喷洒，每 7 天杀虫 1 次，每次杀虫连喷 2 次。

（2）豆元青

用 5 ~ 10 mg/L 的"敌杀死"喷杀，每隔 5 ~ 7 天喷 1 次，连喷 2 次，可将该虫全部杀死。

| 采收加工 | 种植第 2 年即可采收。秋季地上部分枯萎后采挖根，除去泥土和杂质，趁鲜选粗大整齐的根放在平板上来回搓至皮肉与木心分离，抽去木心，晒干，即为远志筒；较小的根用木棒敲打使其松软，抽去木心，晒干，因该种药材皮部不呈筒状，故名远志肉；过于细小、不能抽去木心的根称为远志根。

| 药材性状 | 本品呈圆柱形，略弯曲，长 3 ~ 15 cm，直径 0.3 ~ 0.8 cm。表面灰黄色至灰棕色，有较密并深陷的横皱纹、纵皱纹及裂纹，老根的横皱纹较密且更深陷，略呈结节状。质硬而脆，易折断，断面皮部棕黄色，木部黄白色，皮部易与木部剥离。气微，味苦、微辛，嚼之有刺喉感。

| 品质评价 | 以筒粗、肉厚、去净木心者为佳。

| 功能主治 | 苦、辛，温。归心、肾、肺经。安神益智，交通心肾，祛痰，消肿。用于心肾

不交引起的失眠多梦、健忘惊悸、神志恍惚，咳痰不爽，疮疡肿毒，乳房肿痛。

| **用法用量** | 内服煎汤，3 ~ 10 g。

| **腊叶标本** | 一、采集信息

采集号：130729180730043LY

采集人：张慧康

采集时间：2018 年 7 月 30 日

采集地点：河北张家口万全区北新屯乡北新屯村

二、鉴定信息

科名：远志科

拉丁学名：*Polygala tenuifolia* Willd.

中文名：远志

鉴定人：薛紫鲸

鉴定时间：2018 年 9 月 2 日

| **附　　注** | 一、道地沿革

远志始载于《神农本草经》，位列上品，该书记载远志"味苦，温。主咳逆，伤中，补不足，除邪气，利九窍，益智慧，耳目聪明，不忘，强志，倍力。久服轻身不老"。明代《本草纲目》记载："此草服之能益智强志，故有远志之称。"远志品种众多，在我国分布广泛。远志产地的记载最早见于魏晋时期的《名医别录》，该书记载远志"生太山及宛朐"，太山为今山东泰山，宛朐为今山东菏泽西南部黄河沿岸。南北朝时期的《本草经集注》中记载："生太山及宛朐川谷……宛朐县属衮州济阴郡，今犹从彭城北兰陵来。"衮州为今山东济宁，兰陵为今山东临沂。宋代的《本草图经》记载"远志，生泰山及宛句川谷，今河、陕、京西州郡亦有之……泗州出者花红，根、叶俱大于它处；商州者根又黑色"，泗州为今河南南阳，商州为今陕西商洛。明代《本草纲目》记载："《别录》曰，远志生太山及宛句川谷……弘景曰，宛句属兖州济阴郡，今此药犹从彭城北兰陵来……颂曰，今河、陕、洛西州郡亦有之。"清乾隆年间《祁州志》的药属条中即有种植远志的记载。"伏远志"为河北道地药材，相传为伏羲最早发现于河北新乐伏羲台，后因其药效良好，遂被带往各地繁殖，故名"伏远志"。

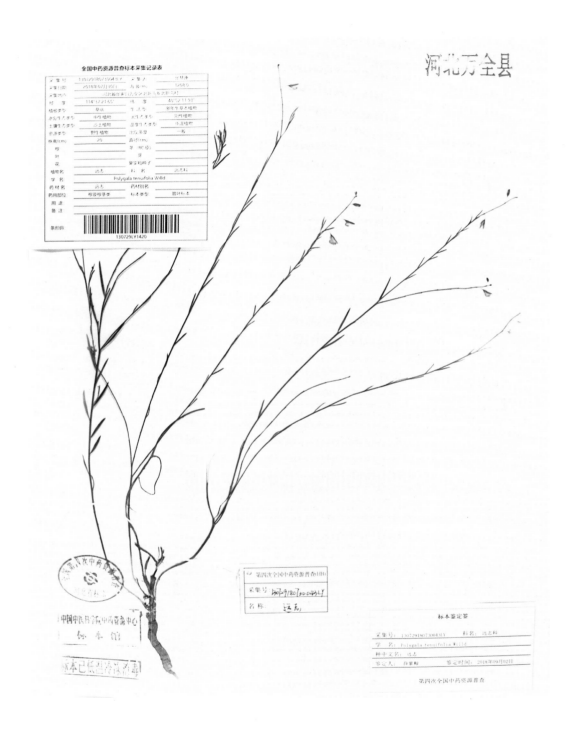

二、传统知识

河北民间有以远志、莲子、粳米为主要材料做成的远志莲粉粥，远志莲粉粥可补中、益心志、聪耳明目，适用于健忘、怔忡、失眠等症。《卫生易简方》记载远志、石菖蒲等分，煎汤常服，可治疗健忘。《种杏仙方》记载远志肉、酸枣仁（炒）、石莲肉等分，水煎服，可治疗不寐。

三、市场信息

（一）商品规格

表远志 -1　远志商品规格等级划分

规格	等级	性状相同点	性状差异点	直径 /mm	抽心率（%）	长度 /cm
远志筒	大筒	干货。本品表面灰黄色至灰棕色，有较密并深陷的横皱纹、纵皱纹及裂纹，老根的横皱纹较密更深陷，略呈结节状。质硬而脆，易折断，断面皮部棕黄色，木部黄白色，皮部易与木部剥离。气微、味苦、微辛，嚼之有刺喉感。无杂质、虫蛀、霉变	呈筒状，中空	≥ 4	≥ 95	≥ 3
	中筒			≥ 3	≥ 90	≥ 3
	统货			≥ 3	≥ 80	≥ 3
远志肉	统货		多为破碎断裂的肉质根皮，皮粗，肉厚薄不等	1 号筛通过率 ≤ 15%	≥ 80	不作要求
全远志	统货		圆柱状，有木心	≥ 3	不作要求	≥ 3

（二）价格信息

远志为我国传统中药材，是 42 种国家重点保护野生药材之一，保护等级为Ⅲ级。从 20 世纪 80 年代开始，远志的药用价值与经济价值逐渐显现出来，为众商所重视，其市场需求量呈逐年上升之势，价格也连年上涨。目前远志已成为药市上的热点品种之一。但是远志野生资源已近枯竭，人工栽培又发展缓慢，国内外市场供需缺口越来越大。

随着人们生活节奏的加快和工作压力的增大，失眠健忘患者正在急剧增加。而西药治疗这类慢性疾病又容易产生依赖性和副作用，中药远志凭借其在治疗失眠健忘以及神经衰弱等方面的独特疗效，以及长期服用没有明显毒副作用的优势，在国内外占有很大市场，年销量约为 2 000 t，尤其对韩国、日本、新加坡、马来西亚等地的出口量远远超过国内饮片的用量，随着远志药用价值的开发和其他功效用途的开拓，其需求量每年以 15% 的速度增长，社会库存消耗殆尽。

因此，发展远志栽培既可以保证国内市场需求，又是增加出口创汇的好选项。市场上的野生远志很少，野生远志一般不能抽出完整的筒，品相差，价格便宜。近几年远志市场价格持续增长，目前远志筒的市场价格为 150 元左右，远志肉的市场价格约为 100 元。

（三）易混（伪）品

1. 苦远志

本品为远志科植物苦远志 *Polygala sibirica* Linn. var. *megalopha* Franch. 的根。苦远志，是西伯利亚远志的变种，与原变种的主要区别在于苦远志植株矮小，分枝铺散；叶片亚革质，边缘反卷，侧脉在叶面凸起；鸡冠状附属物较大。本品圆柱形，长 3 ～ 5 cm，直径 1 ～ 2 cm；表面浅棕色或灰黑色，支根较少；质硬，不易折断，断面不平，皮薄；气微，味苦。苦远志主要分布于云南中部，根皮在当地作远志销售。

2. 瓜子金

本品为远志科植物瓜子金 *Polygala japonica* Houtt. 的全草。秋季采收，洗净，晒干。本品根呈圆柱形，稍弯曲，直径可达 4 mm，表面黄褐色，有纵皱纹；质硬，断面黄白色；茎少分枝，长 10 ～ 30 cm，淡棕色，被细柔毛；叶互生，展平后呈卵形或卵状披针形，长 1 ～ 3 cm，宽 0.5 ～ 1 cm，侧脉明显，先端短尖，基部圆形或楔形，全缘，灰绿色，叶柄短，有柔毛；总状花序腋生，最上的花序低于茎的先端，花蝶形；蒴果圆而扁，直径约 5 mm，边缘具膜质宽翅，无毛，萼片宿存；种子扁卵形，褐色，密被柔毛；气微，味微辛、苦。少数地区将瓜子金的根作远志使用。

3. 小扁豆

本品为远志科植物小扁豆 *Polygala tatarinowii* Regel 的根。小扁豆为一年生草本，植株矮小，高约 10 cm；叶宽卵圆形；花序顶生，花呈粉色。东北地区民间将本品作"小远志"使用。

四、资源利用与可持续发展

明代医药学家李时珍认为"此药服之能益智强志，故有远志之称"。唐代医学家孙思邈将远志列为益智药的第一味，晋代葛洪所著的《抱朴子·仙药篇》也曾记载："凌阳子仲服远志二十年……开书所视不忘。"远志含多种生物碱，这些生物碱能刺激胃黏膜，引起患者轻度恶心，故用量不宜过多。陈书坤在研究国产远志属植物的过程中，根据远志属植物的花、果实、种子、种阜及花粉粒形态和地理分布特征，将远志属分为 3 个亚属，其他远志属植物在临床上有广泛的应用，对远志属植物亲缘关系与地理分布之间相关性的研究，有助于更好地开发和利用我国的远志药用植物资源。

远志主产区的野生资源蕴藏量逐年锐减，有的地区已经很难找到野生远志，如果还不对远志野生资源加以保护，若干年后远志很有可能陷入濒临灭绝的境地。各级政府应当根据《野生药材资源保护管理条例》等法律法规，依法加强对远志野生资源的保护和管理，加大宣传力度，改变人们"资源无限，野生无主，谁采谁有"的错误观念，有条件的地区可与企业联合，加大投入，在远志的主产区建立自然保护区，实行轮封轮采，采育结合；尽快恢复远志野生资源，保障远志资源的可持续利用。

种质资源是中药材生产的源头，在药材优良品质形成过程中起着关键作用。虽然远志的各主产区均已有一定的栽培面积，但有些远志经过几代栽培后，产量降低，质量参差不齐，出现种质退化的现象。调查资料显示，不同产地以及同一产地的远志个体之间在植物形态上有较大差异，其根的形状、颜色差别也很大，这表明远志种内存在着丰富的遗传变异，如山西省农业科学院经济作物研究所远志试验田中的远志花有蓝紫色、淡蓝色之分，茎有青、紫2种颜色，在株高、株形、分枝数等生物学性状上也存在较大差异，因此学者可以根据远志种质的差异进行栽培远志的良种选育研究，筛选出适应不同生态环境且有效成分含量高的优良品种，为实现远志相关产业可持续发展提供有力保证。

【参考文献】

[1] 国家药典委员会. 中华人民共和国药典：一部 [M]. 北京：中国医药科技出版社，2020：163.

[2] 尚志钧. 神农本草经校点 [M]. 芜湖：皖南医学院科研处，1981：50.

[3] 李时珍. 新校注本《本草纲目》[M]. 刘衡如，刘山永校注. 4版. 北京：华夏出版社，2011：522.

[4] 陶弘景. 名医别录 [M]. 尚志钧辑校. 北京：人民卫生出版社，1986：24-25.

[5] 陶弘景. 本草经集注 [M]. 尚志钧，尚元胜辑校. 北京：人民卫生出版社，1994：201.

[6] 苏颂. 图经本草 [M]. 胡乃长，王致谱辑注. 福州：福建科学技术出版社，1988：79-81.

[7] 杨海. 远志的人工栽培和加工 [J]. 北京农业，2002（7）：15.

[8] 万德光，陈幼竹，刘友平，等. 远志掺伪品——麦冬须根 [J]. 成都中医药大学学报，1998，21（2）：48.

[9] 单建学. 远志的炮制及临床应用 [J]. 湖南中医药导报，2001，7（2）：89.

[10] 魏红国，关扎根，王玉龙，等. 远志的研究与开发利用 [J]. 安徽农业科学，2012，40（11）：6439-6441，6443.

[11] 丁乡，丁立威. 远志栽培前景看好 [J]. 特种经济动植物，2004（10）：17.

[12] 田洪岭，牛变花，王耀琴，等. 远志栽培现状及推广前景分析 [J]. 安徽农业科学，2016，44（15）：112-113.

[13] 赵云生，万德光，严铸云，等. 远志资源生产现状调查 [J]. 亚太传统医药，2014，10（14）：1-3.

伞形科 Umbelliferae 柴胡属 Bupleurum

北柴胡 *Bupleurum chinense* DC.

| **药 材 名** | 柴胡（药用部位：根。别名：北柴胡、茈胡）。

| **形态特征** | 多年生草本。主根较粗大，质坚硬。茎直立，单一或多数，上部略呈"之"字形弯曲。叶倒披针形，基生叶针形或狭椭圆形，先端渐尖，基部收缩成柄；茎中部叶广线状披针形，有 7～9 平行脉。复伞形花序，花序梗细，常水平伸出，形成疏松的圆锥状；总苞无或 2～3，甚小，狭披针形；花瓣鲜黄色，先端向内折，中肋隆起；花柱基深黄色。双悬果棕色，广椭圆形，左右略扁，棱狭翼状，每棱槽有油管 3，合生面有油管 4。花期 9 月，果期 10 月。

| **野生资源** | 一、生长环境
北柴胡生于向阳山坡、路边、岸旁或草丛中。喜温暖湿润气候，耐寒，耐旱，怕涝。

二、分布区域

北柴胡在我国各地均有分布，华北是其主产区，北柴胡主要分布于河北张家口
（赤城、蔚县）、保定（易县）、秦皇岛等，河北也曾是"津柴"的主要供应地。

三、蕴藏量

柴胡蕴藏量为 17.38 万 t。

| **栽培资源** | 一、栽培区域

宜选择土层深厚、土质疏松肥沃、富含腐殖质的砂壤土栽培，不宜在黏土和低
洼地栽种。北柴胡多种植在海拔 500 ~ 1 700 m 的地区，海拔 1 000 m 以上的山

地更宜，要求气候凉爽、昼夜温差 10 ℃以上、年平均气温在 3 ～ 14 ℃、年降雨量在 400 ～ 700 mm、无霜期 80 ～ 230 天。

二、栽培技术

（一）选地整地

选择砂壤土或腐殖质土的山坡梯田作为栽培用地，不宜选择黏土和易积水的地段。如果播种地为开垦的荒地，应清除田间的石块、树枝等。播种前施足基肥，每公顷施厩肥 22 500 kg 左右、过磷酸钙 75 kg，均匀撒入并翻耕 25 ～ 30 cm，而后仔细耙平，做宽 100 ～ 130 cm 的平畦或 30 cm 宽的高垄。

（二）繁殖方法

种子繁殖分为直播和育苗移栽。大面积生产多用直播的方式，种子发芽率约 50%，温度在 20 ℃左右，有足够的湿度，播种后 7 天即可出苗，如果温度低于 20℃，则需要十几天才能出苗。直播：冬季结冰前或春季播种。春播于 3 月下旬至 4 月上旬进行，播前应将地浇透水，待水渗下，坡地稍平时按行距 17 ～ 20 cm、沟深 1.8 cm 进行条播，均匀撒入种子，覆土厚 0.7 ～ 1 cm，每公顷用种子 22.5 kg 左右，保持土壤湿润，10 ～ 12 天即可出苗。育苗移栽：3 ～ 4 月播种，条播或均匀撒播。条播行距 10 cm，划小浅沟，将种子均匀撒入沟内，覆土盖严，稍镇压，用喷壶洒水，或者先向阳畦的畦床上灌水，待水渗下后再行播种。均匀撒完种子后，再用竹筛筛上一层细土覆盖畦面，播种畦上加盖塑料薄膜或草帘，以保温保湿，加速种子发芽出苗。待苗高 7 cm 时即可挖取带土块的秧苗定植到大田中，行距 17 ～ 20 cm，株距 7 ～ 10 cm，定植后要及时浇水，

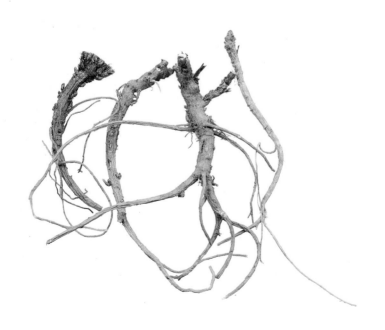

定植苗生出新芽，叶片开始扩展的时候，轻轻松土 1 次。做好保墒保苗是提高产量的关键。

（三）田间管理

北柴胡幼苗怕强光直射，因此北柴胡可以和玉米、芝麻、大豆、小麦等作物套种。春季或秋季，把北柴胡种子撒在小麦行间或田埂上，稍加覆土，小麦收获后再种玉米，玉米收获后，放倒茎秆，使北柴胡充分生长，第二年再种上矮科植物。出苗前应保持土壤湿润，出苗后要经常除草松土。在苗高 3 cm 时进行间苗。苗高 7 cm 时结合松土除草，并按 7 ~ 10 cm 的株距定苗。苗高 17 cm，每公顷追施过磷酸钙 225 kg、尿素 75 kg。在松土除草或追肥时，注意不要碰伤茎秆，以免影响产量。第 1 年北柴胡茎秆比较细弱，在雨季到来之前应进行中耕培土，以防止倒伏。无论是直播还是育苗定植的幼苗，第 1 年只生长基生叶，很少抽薹开花。第 2 年 7 ~ 9 月花期除留种外，还应及时打蕾。目前，野生的北柴胡不易收到种子。在人工栽培的场地最好留有采种圃，注意收集种子，以扩大种植面积。

（四）病虫害防治

1. 根腐病

根腐病多发生于高温多雨季节。发病初期，只是个别支根变褐色腐烂，后病变部位逐渐向主根扩展，主根发病后根部腐烂、只剩外皮，全株枯死。防治方法：增施磷肥、钾肥，以提高植物抗病力；积极防治地下害虫及线虫、真菌；雨季注意排水。

2. 蚜虫

蚜虫多发生在苗期和开花季节，危害叶片、花朵，常聚集在嫩叶上吸食汁液。防治方法：喷施 40% 乐果、"敌杀死"或"速灭杀丁"（氰戊菊酯）800 ~ 1 500 倍液。

| 采收加工 | 收获时，先割去地上部分，然后沿地边一侧犁地，顺犁地方向将北柴胡的根捡出，抖净泥土，除去毛须、侧根、残茎，留芦头 1 cm 以内，趁鲜理顺，按等级规格捆把，晒干。

| 药材性状 | 本品呈圆柱形或长圆锥形，长 6 ~ 15 cm，直径 0.3 ~ 0.8 cm。根头膨大，先端残留 3 ~ 15 茎基或短纤维状叶基，下部分枝。表面黑褐色或浅棕色，具纵皱纹、支根痕及皮孔。质硬而韧，不易折断，断面纤维性，皮部浅棕色，木部黄白色。气微香，味微苦。

| 品质评价 | 以根条粗长、皮细、支根少者为佳。

| 功能主治 | 辛、苦，微寒。归肝、胆、肺经。疏散退热，疏肝解郁，升举阳气。用于感冒发热，寒热往来，胸胁胀痛，月经不调，子宫脱垂，脱肛。

| 用法用量 | 内服煎汤，3 ~ 10 g；或入丸、散剂。外用适量，煎汤洗。

| 腊叶标本 | 一、采集信息

采集号：130826130815037

采集人：5 组

采集时间：2013 年 8 月 15 日

采集地点：河北承德丰宁南关乡黄土梁村

二、鉴定信息

科名：伞形科

拉丁学名：*Bupleurum chinense* DC.

中文名：北柴胡

| 附　　注 | 一、道地沿革

汉唐时期，柴胡以"茈胡""地薰"等名首载于《神农本草经》，位列上品。在《名医别录》中称"茈胡"，又名"山菜""茹草"，其叶称为"芸蒿"，该书记载柴胡"生洪农川谷及宛朐……今出近道"。《博物志》记载"芸蒿叶似邪蒿……长安及河内并有之"，河内即今陕西、河南、河北、山东一带。《雷公炮炙论》记载"出在平州平县，即今银州银县也"，经考证，其记载的柴胡为狭叶柴胡或其变种，其道地产区银州银县位于今陕西北部。《新修本草》记载"茈姜……根紫色，今太常用茈胡是也"，唐代所用正品柴胡应该是现今的银州柴胡。两宋时期，《本草图经》首次以"柴胡"之名收载，记载"柴胡，生洪农山谷及冤句，今关陕、江湖间近道皆有之，以银州者为胜"，由此可知宋代柴胡的道地产区主要分布于陕西一带，所用柴胡应是狭叶柴胡或其近缘品种银州柴胡。《本草别说》记载"谨按：柴胡，唯银夏者最良……然亦胜于他处者，盖银夏地多沙，同华亦沙苑所出也"，银夏即今陕西一带。《证类本草》附有 5 幅柴胡图谱，分别为淄州柴胡、江宁府柴胡、寿州柴胡、丹州柴胡、襄州柴胡，学者考证后发现，淄州（今山东淄博南部）柴胡与襄州（今湖北襄阳一带）柴胡分别为柴胡（北柴胡）的幼苗和成草；江宁府柴胡与今江苏、安徽一带使用的少花红柴胡（春柴胡）类似；寿州（今安徽凤台）柴胡可能为石竹

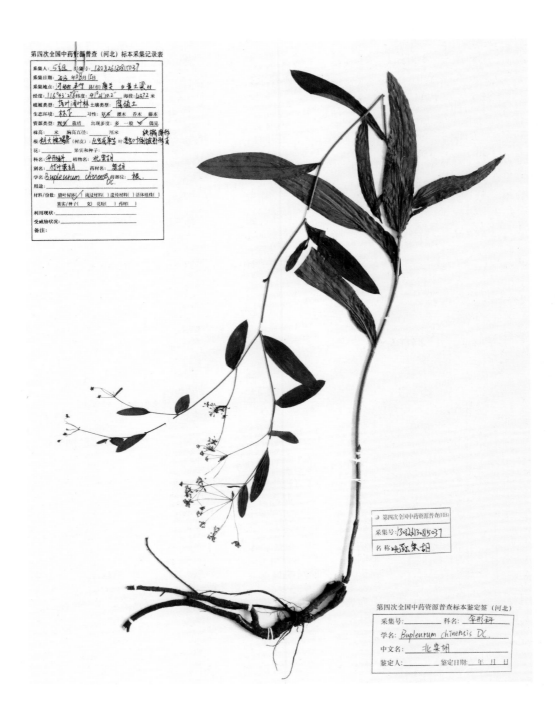

第四次全国中药资源普查（河北）标本采集记录表

采集人：5名 采集号：130826130815037
采集日期：2013 年08月15日
采集地点：河北省 丰宁 县(市) 康丰 乡/镇 土梁 村
经度：116°43′27.8″ 纬度：41°21′10.2″ 海拔：6272 米
植被类型：落叶阔叶林 土壤类型：腐殖土
生态环境：林下 习性：草本 灌木 乔木 藤本
资源类型：野生 栽培 出现多度：多 一般 偶见
株高：__米 胸高直径：__厘米
根：根大棕褐色（树皮）__须多或单生 叶黄绿叶披针形斜形或
花：伞形叶 果实和种子：
科名：伞形科 植物名：北柴胡
别名：竹叶柴胡 药材名：柴胡
学名：Bupleurum chinense DC. 药用部位：根
用途：
材料/份数：腊叶标本 液浸材料 遗传材料 活体植株
果实/种子 雌 花粉 药材
利用现状：
受威胁状况：
备注：

第四次全国中药资源普查出版
采集号：130826130815037
名称：北柴胡柴胡

第四次全国中药资源普查标本鉴定签（河北）

采集号：___ 科名：伞形科
学名：Bupleurum chinensis DC.
中文名：北柴胡
鉴定人：___ 鉴定日期：__年__月__日

科植物银柴胡；丹州（今陕西宜川）柴胡可能为狭叶柴胡或其近缘品种银州柴胡。据此看来，当时柴胡的品种多样，产地分布广泛。明清时期，《本草品汇精要》记载"道地银州、寿州、栾州者为佳"，银州、青州、栾州即今陕西、安徽、河北一带。《本草纲目》记载"银州即今延安府神木县，五原城是其废迹。所产柴胡长尺余而微白且软，不易得也。北地所产者，亦如前胡而软，今人谓之北柴胡是也，入药亦良。南土所产者，不似前胡，正如蒿根，强硬不堪使用。其苗有如韭叶者，竹叶者，以竹叶者为胜。其如邪蒿者最下也"，书中首次出现了"北柴胡""南柴胡""竹叶柴胡"的说法。《百草镜》记载"出陕西宁夏镇，二月采叶名芸蒿，长尺余微白，力弱于柴胡"，翁有良云："银柴胡，产银州者佳。"银州即今陕西一带。从以上文献可以看出，历代柴胡品种繁多，道地产区主要是西北及华北地区。

二、传统知识

柴胡用途广泛。河北民间记载柴胡可治疗慢性肝炎、胁痛、肋间神经痛，用柴胡、枳壳、白芍各 9 g。

三、市场信息

（一）商品规格

表柴胡 -1　柴胡商品规格等级划分

规格		性状描述	
		共同点	区别点
栽培	选货	干货。本品呈圆柱形或长圆锥形。上粗下细，顺直或弯曲，多分枝。头部膨大，呈疙瘩状。表面黑褐色至浅棕色，有纵皱纹。质硬而韧，断面黄白色，纤维性。微有香气，味微苦、辛。无须毛、杂质、虫蛀、霉变	中部直径 > 0.4 cm，无残茎
	统货		中部直径 > 0.3 cm，偶见残茎
野生	统货	干货。本品呈圆柱形或长圆锥形，上粗下细，顺直或弯曲，多分枝。头部膨大，呈疙瘩状，无残留茎苗。表面黑褐色，有纵皱纹、支根痕及皮孔。质硬而韧，不易折断，断面纤维性，皮部浅棕色，木部黄白色。气微香，味微苦、辛。无须毛、杂质、虫蛀、霉变	

（二）价格信息

柴胡古名茈胡，《神农本草经》将其列为上品。历史上我国各地使用的柴胡分为 3 种类型：软柴胡，指带苗叶的全株及根软的柴胡；硬柴胡，指略带残茎、根硬的柴胡；竹叶柴胡，指带根的全株或茎长叶茂的柴胡。20 世纪 70 年代后，我国除西南地区仍习用全株竹叶柴胡外，大多数地区改用柴胡根，不再使用苗叶。20世纪80年代后，为了改变过去柴胡使用多基原的情况，《中国药典》规定了柴胡与狭叶柴胡2个基原。但在商品流通中仍有异种夹入。柴胡分布广泛，主要为野生，栽培极少。20世纪60年代前，我国年产销量在100 kg左右，货源供销比较平稳；60年代后，柴胡销量逐渐上升，1965年年销量为147万kg，野生柴胡可以满足供应。20世纪70年代后，以柴胡为原料的中成药及柴胡注射液等新型成药进入市场，柴胡年需求量增长迅速，1978年年销量达447万kg，收购量达到523万kg。20世纪80年代，以柴胡为主料的口服液、针剂、片剂等新型成药发展迅速，柴胡十分畅销，1983年年产量达670万kg。由于柴胡是治疗性药材，柴胡制品的药厂生产技能级别要求较高，所以80—90年代，柴胡年销量维持在400万kg左右，目前靠野生资源尚能达到产销平衡，价格在97元左右。

（三）易混（伪）品

1. 竹叶柴胡

本品又称川柴胡，为伞形科植物竹叶柴胡 *Bupleurum marginatum* Wall. ex DC. 的带根全草或地上部分。本品长50 ~ 120 cm；茎绿色，硬直，茎基部紫红色，木质，有明显的节，茎上部小枝向外展开；叶革质或近革质，披针形或线形，有明显的白色软骨质边缘；根细长圆锥形，扭曲，木质化，外皮淡红棕色或棕褐色，质坚韧，不易折断，断面呈片状纤维性；气清香，味淡。本品为西南地区习用柴胡。

2. 银州柴胡

本品为伞形科植物银州柴胡 *Bupleurum yinchowense* Shan et Y. Li 的根。西北地区称该植物为红柴胡或软柴胡。本品呈长圆柱形或圆锥形，下端细长不分枝，较挺直，根先端残留暗紫色茎基3 ~ 5；表面淡红棕色或黄棕色，具明显的皮孔和点状凸起的支根痕；质坚韧，不易折断，断面片状，不平坦；气微香。本品在陕西、甘肃习用。陕西认为本品是优质柴胡。

3. 黑柴胡

本品为伞形科植物黑柴胡 *Bupleurum smithii* Wolff 及其变种小叶黑柴胡 *Bupleurum smithii* Wolff var. *parvifolium* Shan et Y. Li 的根。黑柴胡根圆柱形，粗短，挺直，根头部膨大，残留数个较粗的茎基，下部多分枝；表面粗糙，黑褐色或棕褐色，具纵皱纹；质坚韧或硬脆，断面片状，不平坦；气微香。小叶黑柴胡根较短小，略弯曲，根头部具绿色叶基；质松脆，易折断，断面较平坦；气微香。山西、宁夏、湖南等部分地区将本品作柴胡使用。

四、资源利用与可持续发展

野生的药用植物经受了各种灾害和恶劣环境的考验，抗逆性较强，是宝贵的物种基因库。有报道指出，目前野生柴胡蕴藏量比 30 年前减少了 1/2，所以应注意保护野生资源。无论是野生还是家种，柴胡都存在多品种、多来源的问题，对此，有学者认为北柴胡的近缘种及某些种质较优的柴胡属植物都可尝试作为柴胡的正品使用。

【参考文献】

[1] 国家药典委员会. 中华人民共和国药典：一部 [M]. 北京：中国医药科技出版社，2020：293.

[2] 唐慎微. 证类本草 [M]. 郭君双，金秀梅，赵益梅校注. 北京：中国医药科技出版社，2011：168.

[3] 刘文泰. 本草品汇精要 [M]. 陆拯校点. 北京：中国中医药出版社，2013：136-138.

[4] 李时珍. 新校注本《本草纲目》[M]. 刘衡如，刘山永校注. 4 版. 北京：华夏出版社，2011：547.

[5] 贺献林，李春杰，贾和田，等. 柴胡玉米间作套种高效种植技术 [J]. 现代农村科技，2014（1）：11.

[6] 王惠清. 中药材产销 [M]. 成都：四川科学技术出版社，2007：177-182.

[7] 刘灿坤，李文涛. 柴胡的本草研究 [J]. 时珍国医国药，1999，10（1）：45.

[8] 秦雪梅，王玉庆，岳建英. 栽培柴胡资源状况分析 [J]. 中药研究与信息，2005，7（8）：30.

[9] 梁镇标，刘力，晁志. 柴胡属植物资源及生产状况调查 [J]. 时珍国医国药，2012，23（8）：2011.

[10] 徐春波. 本草古籍常用道地药材考 [M]. 北京：人民卫生出版社，2007：64.

[11] 李晓伟，王玉庆，杜国军，等. 药用柴胡资源调查及市场现状分析 [C]// 中国自然资源学会天然药物资源专业委员会. 海峡两岸暨 CSNR 全国第十届中药及天然药物资源学术研讨会论文集. 2012：159-165.

木樨科 Oleaceae 连翘属 *Forsythia*

连翘 *Forsythia suspensa* (Thunb.) Vahl

| 药 材 名 |

连翘（药用部位：果实。别名：旱连子、大翘子、空翘）。

| 形 态 特 征 |

落叶灌木。枝开展或下垂，棕色、棕褐色或淡黄褐色；小枝土黄色或灰褐色，略呈四棱形，疏生皮孔，节间中空，节部具实心髓。叶通常为单叶，或 3 裂至三出复叶，叶片卵形、宽卵形或椭圆状卵形至椭圆形，长 2 ~ 10 cm，宽 1.5 ~ 5 cm，先端锐尖，基部圆形至楔形，叶缘具锐锯齿或粗锯齿，上面深绿色，下面淡黄绿色；叶柄长 0.8 ~ 1.5 cm。花通常单生或 2 至数朵着生于叶腋，先叶开放；花梗长 5 ~ 6 mm；花萼绿色，裂片长圆形或长圆状椭圆形，长（5 ~）6 ~ 7 mm，先端钝或锐尖，边缘具睫毛，与花冠管近等长；花冠黄色，裂片倒卵状长圆形或长圆形；不同枝上分别生长长花柱花（雌蕊明显长于雄蕊）和短花柱花（雄蕊明显长于雌蕊）。果实卵球形至长椭圆形，长 1.2 ~ 2.5 cm，宽 0.6 ~ 1.2 cm，先端喙状渐尖，表面疏生皮孔；果柄长 0.7 ~ 1.5 cm。花期 3 ~ 4 月，果期 7 ~ 9 月。

| **野生资源** |　一、生长环境

生于海拔 250 ～ 2 200 m 的山坡灌丛、林下、草丛中，或山谷、山沟疏林中。

二、分布区域

连翘主要分布于河北磁县、丰宁、灵寿、井陉等，其中太行山地区连翘分布最为密集。

三、蕴藏量

连翘蕴藏量为 3147.61 t。

| **栽培资源** | 一、栽培区域

河北涉县为栽培连翘的道地产区。

二、栽培技术

（一）选地整地

种子育苗最好选择土层深厚、疏松肥沃、排水良好的壤土或砂壤土；扦插育苗最好选择靠近水源的砂壤土，便于灌溉。种植地要选在背风向阳的山地或者缓坡地，成片栽培利于异株异花授粉，提高连翘结果率，一般采用挖穴的方式种植。亦可利用荒地、路旁、田边、地角、房前屋后、庭院空隙地零星种植。

播前或定植前，深翻土地，施足基肥，每亩施厩肥 3 000 kg，均匀地撒到地面上，深翻 30 cm 左右。若为丘陵地成片造林，可沿等高线作梯田栽植；山地采用梯田、鱼鳞坑等方式栽培。栽植穴要提前挖好，施足基肥后栽植。

（二）繁殖方法

繁殖方法分为种子繁殖、扦插繁殖、压条繁殖、分株繁殖 4 种，一般大面积生产主要采用种子育苗的方法，其次是扦插育苗，零星栽培也采用压条或分株育苗。

1. 种子繁殖

选择生长健壮、枝条节间短而粗壮、花果着生密而饱满、无病虫害的优良单株作采种母株。于 9 ~ 10 月采集成熟果实,薄摊于阴凉通风处后熟几天,阴干后脱粒,选取籽粒饱满的种子,沙藏。春播在清明前后进行,冬播在土壤封冻前进行(冬播的种子不用沙藏处理,第 2 年出苗)。在畦面上按行距 30 cm 开浅沟,沟深 3.5 ~ 5 cm,再将用凉水浸泡 1 ~ 2 天后稍晾干的种子均匀撒于沟内,覆 1 ~ 2 cm 厚的细土,略加镇压,再盖草,适当浇水,保持土壤湿润,15 ~ 20 天出苗,齐苗后揭去盖草。苗高 15 ~ 20 cm 时,追施尿素,促使植株旺盛生长,当年秋季或第 2 年早春即可定植于大田。

2. 扦插繁殖

秋季落叶后或春季发芽前,均可扦插,但以春季为好。选 1 ~ 2 年生的健壮嫩枝,剪成长 20 ~ 30 cm 的插穗,上端剪口离第 1 个节 0.8 cm,插条每段必须带 2 ~ 3 个节,将下端近节处削成平面。为提高扦插成活率,可将插穗 30 ~ 50 根扎成 1 捆,用 500 ppm ABT 生根粉或 500 ~ 1000 ppm 吲哚丁酸溶液浸泡插穗基部(1 ~ 2 cm)10 秒,取出晾干。

插条前,将苗床耙细整平,作高畦,畦宽 1.5 m,按行距 20 cm、株距 10 cm,斜插入畦中,插入土内深 18 ~ 20 cm,将枝条最上 1 节露出地面,然后埋土压实。干旱时保持土壤湿润,但不能太湿,否则插穗入土部分会发黑腐烂。扦插成活率可达 90%,秋后苗高可超过 50 cm。翌年春季即可挖穴定植。

3. 压条繁殖

在春季将连翘母株下垂的枝条弯曲划伤后压入土中,地上部分可用竹竿或木杈固定,覆上细肥土,踏实,连翘在划伤处生根而成为新株。当年冬季或第 2 年春季,将幼苗与母株截断,连根挖取,移栽定植。

4. 分株繁殖

连翘萌发力极强,秋季落叶后或春季萌芽前,可在连翘树旁,将萌发的幼苗带根挖出,另行定植。分株繁殖的连翘成活率达 99.5%。

(三)田间管理

1. 中耕除草

苗期要经常松土除草,定植后每年冬季进行中耕除草,植株周围的杂草可铲除也可用手拔除。

2. 追肥

苗期少量多次追肥,每亩施硫酸铵 10 ~ 15 kg,以促进茎、叶生长。定植后,每年冬季结合中耕除草施入腐熟厩肥、饼肥或土杂肥，幼树每株施肥量 2 kg，结果树每株施肥量 10 kg，采用在连翘株旁挖穴或开沟的方法施入，施后覆土，壅根培土，以促进幼树生长，多开花结果。有条件的地方，春季开花前可增加施肥 1 次，在连翘树修剪后，每株施火土灰 2 kg、过磷酸钙 200 g、饼肥 250 g、尿素 100 g，于树冠下开环状沟施入，施后盖土，培土保墒。

3. 辅助授粉

连翘的花芽全部在一年生以上枝上分化。花有 2 种：一种花柱长，称长花柱花；另一种花柱短，称短花柱花。这两种不同类型的花生长在不同植株上。研究表明，短花柱型连翘花粉比长花柱型发芽率高；2 种连翘花粉均在 15% 蔗糖 + 400 mg/L 硼酸的培养基上发芽率最高，花粉管长度最长。因此，在连翘盛花期喷施 15% 蔗糖 +400 mg/L 硼酸溶液能够有效提高坐果率。

4. 整形修剪

连翘每年春、夏、秋季各抽生 1 次新梢，且生长速度快，春梢营养枝生长 150 cm，夏梢营养枝生长 60 ～ 80 cm，秋梢营养枝生长近 20 cm。因此，连翘定植后 2 ～ 3 年，整形修剪是连翘综合管理中不可缺少的一项重要技术措施。整形修剪可调整树体结构，改善通风透光条件，调节养分和水分运输，减少病虫危害，提高开花量和坐果率。

5. 野生抚育

连翘结果较早，5 ～ 12 年为结果盛期，果实主要生长在三至五年生枝条上，5 龄以后每个短枝上的平均坐果数逐年降低，产量明显下降。树冠的不同部位结果量也不同；树冠上部多于中部，树冠下部几乎不结果；树冠阳面多于阴面；树冠内侧多于外侧。野生连翘需要进行人工抚育以更新复壮。针对野生连翘的分布特点和生境，主管部门可以建立野生老连翘更新复壮抚育区、人工补植抚育区、连翘优势群落抚育区等，加强管理，提高连翘的产量和质量。

（四）病虫害防治

连翘自身具有强烈的杀菌、杀虫能力，很少有病害和虫害发生，但是幼苗时期也会感染一些病菌。若幼苗期湿度大、温度过高，病菌繁殖较快，兼之幼苗抵抗能力较差，容易感染病虫害。

1. 病害

（1）猝倒病和枯梢症

连翘幼苗期易感染猝倒病和枯梢症。猝倒病多于 4 月中旬发生，5 月下旬至 6 月上旬是猝倒病发生的高峰期，随着苗木的生长壮大、木质化程度的增强、抗病能力的增加，症状逐渐消失，8 月初猝倒病则完全消失。枯梢症多于 5 月初发病，7 月中下旬则为发病的高潮，直到 9 月初病情逐渐减弱。猝倒病和枯梢症的发病与温度、湿度的变化呈正相关。防治方法：苗出齐后，可喷洒 0.3% ~ 0.5% 高锰酸钾溶液或 10% 硫酸亚铁溶液，喷药后立即清洗幼苗枝叶上的残液，以防药液伤苗；后期可选用 500 倍甲基托布津溶液，或 400 ~ 600 倍代森锌溶液；增加土壤酸度，降低空气相对湿度。

（2）叶斑病

该病是连翘的常见病，系半知菌类真菌侵染所致。病菌首先侵染叶缘，随着病情的发展逐步侵染叶中部，病变部区分明显，发病后期整个叶片枯萎。5 月中下旬开始发病，7 ~ 8 月为发病高峰期，高温高湿天气及密不通风的环境有利于病情传播。防治方法：一是要注意修剪，疏除冗杂枝和过密枝，使植株保持通风透光；二是要加强水肥管理，注意营养均衡，不可偏施氮肥；发病时可喷施 75% 百菌清可湿性颗粒 1 200 倍液或 50% 多菌灵可湿性颗粒 800 倍液，每 10 天喷施 1 次，连续喷 3 ~ 4 次。

2. 虫害

（1）钻心虫

该虫的幼虫钻入茎秆木质部髓心产生危害，严重时被害枝不能开花结果，甚至整枝枯死。防治方法：成虫期可灯光诱杀，及时剪除受害枝深埋，还可用扎针法直接扎危害虫孔杀虫；在幼虫孵化期未蛀入茎秆前，用植物源杀虫剂防治，以 0.36% 苦参碱乳剂 800 ～ 1 000 倍液、1.5% 天然除虫菊素 1 000 倍液、0.3% 印楝素 500 倍液，或 25% 多霉素悬浮剂 1 000 ～ 1 500 倍液喷雾。

（2）蜗牛

该虫主要危害花及幼果，4 月下旬至 5 月中旬转入药材田，危害幼芽、叶及嫩茎，叶片被啃食出缺口或孔洞，危害可持续到 7 月底，若 9 月以后潮湿多雨，仍可大量活动危害植物，10 月转入越冬状态。上年虫口基数大、当年苗期多雨、土壤湿润时，蜗牛可能大发生。防治方法：于傍晚、早晨或阴天蜗牛活动时，捕杀植株上的蜗牛；或用树枝、杂草、蔬菜叶等制作诱集堆，使蜗牛潜伏于诱集堆内，集中捕杀；彻底清除田间杂草、石块等可供蜗牛栖息的场所，在地头或行间撒宽 10 cm 左右的生石灰带，以阻止蜗牛扩散并杀死沾上生石灰的蜗牛；适时中耕，翻地松土，使虫卵及成虫暴露在土壤表面，促进蜗牛自然死亡。

| 采收加工 | 连翘定植 3 ～ 4 年后开花结实。药材分为"青翘""老翘"2 种。青翘在 9 月上旬果皮呈青色尚未成熟时采下，置沸水中稍煮片刻或放蒸笼内蒸约 0.5 小时，取出晒干。老翘在 10 月上旬果实熟透变黄、果壳裂开时采收，晒干，筛去种子及杂质。

| 药材性状 | 本品呈长卵形至卵形，稍扁，长 1.5 ～ 2.5 cm，直径 0.5 ～ 1.3 cm。表面有不规则的纵皱纹和多数凸起的小斑点，两面各有一明显的纵沟。先端锐尖，基部有小果柄或果柄已脱落。青翘多不开裂，表面绿褐色，凸起的灰白色小斑点较少；质硬；种子多数，黄绿色，细长，一侧有翅。老翘自先端开裂或裂成 2 瓣，表面黄棕色或红棕色，内表面多为浅黄棕色，平滑，具 1 纵隔；质脆；种子棕色，多已脱落。气微香，味苦。

| 品质评价 | 青翘以身干、不开裂、色较绿者为佳；老翘以身干、瓣大、壳厚、色较黄者为佳。

| 功能主治 | 苦，微寒。归肺、心、小肠经。清热解毒，消肿散结，疏散风热。用于痈疽，瘰疬，乳痈，丹毒，风热感冒，温病初起，温热入营，高热烦渴，神昏发斑，热淋涩痛。

| 用法用量 | 内服煎汤，6 ~ 15 g；或入丸、散剂。

| 腊叶标本 | 一、采集信息

采集号：130729180725024LY

采集人：张慧康

采集时间：2018 年 7 月 25 日

采集地点：河北张家口万全区高庙堡乡侯其庄村

二、鉴定信息

科名：木樨科

拉丁学名：*Forsythia suspensa* (Thunb.) Vahl

中文名：连翘

鉴定人：薛紫鲸

鉴定时间：2018 年 9 月 3 日

| 附　　注 | 一、道地沿革

《神农本草经》记载连翘"处处有，今用茎连花实也"。《本草图经》中记载，"连翘，生泰山山谷（即今山东），今近京（即今河北、河南）及河中（即今山西、河北太行山一带）、江宁府（即今江苏南京）、泽（即今山西晋城一带）、润（即今江苏镇江）、淄（即今山东淄博）、兖（即今山东兖州）、鼎（即今湖南常德）、岳（即今湖南岳阳）、利州（即今四川与陕西、甘肃交界的广元一带）、南康军（即今江西建昌镇一带）皆有之"。现连翘的主产区与古书中记载的地区相吻合。《本草品汇精要》也指出了连翘的形色，"泽州（即今山西）"说明其道地性；"八月取子壳"说明采收的时间；"阴干"说明采收的方法；"黄褐"指连翘的色泽；"香"指连翘的味。这些古籍的记载和连翘的道地产区在河北、山西、河南、陕西等基本一致。

二、传统知识

连翘叶属于地方习用药材，现代药理学研究表明，连翘叶具有较好的保健作用，河北等地民间将其制成保健茶饮，治疗痈肿、疮疖、丹毒、红肿热痛，用连翘 20 g，金银花、野菊花、蒲公英、地丁各 15 g，煎汤内服；治疗颈淋巴腺结结核，用连翘、黑芝麻各 200 g，研末，每服 10 g，开水送服，每天 2 次。

三、市场信息

（一）商品规格

表连翘 -1 连翘商品规格等级划分

规格		性状描述		
		共同点	区别点	
			果柄残留率	
青翘	选货	本品呈狭卵形至卵形，两端狭长，长 1.5 ~ 2.5 cm，直径 0.5 ~ 1.3 cm。表面有不规则的纵皱纹和凸起的灰白色小斑点，两面各有一明显的纵沟；多不开裂。表面青绿色或绿褐色。质坚硬，不皱缩。气芳香，味苦	< 10%	
	统货		不做要求	
老翘（黄翘）	统货	本品呈长卵形或卵形，两端狭尖，多分裂为 2 瓣，长 1.5 ~ 2.5 cm，直径 0.5 ~ 1.3 cm。表面有一明显的纵沟和不规则的纵皱纹及凸起的小斑点，间有残留果柄，表面黄棕色，内面浅黄棕色，平滑，内有纵隔。质坚脆。种子多已脱落。气微香，味苦		

（二）价格信息

连翘虽易储存，但也易变色走油，市场上有掺假现象，此外，连翘市场情况易受疫情、倒春寒、干旱影响。连翘生长期在 3 年以上，且种植、采挖、加工费工费时，2017—2019 年连续减产，库存也为近几年最少，价格稳定在 40 元左右。2020 年初受疫情影响，短期内连翘需求量增大，但货物运输不便，各方面成本增加，直接导致连翘价格上涨，2022 年连翘价格为 60 元左右。

（三）易混（伪）品

红旱莲为藤黄科植物黄海棠 *Hypericurm ascyron* L. 的地上部分。夏季果实近成熟时采割，晒干。本品微苦，寒，有平肝、凉血、止血、解毒、消肿的功效，常用于头痛、吐血、跌打损伤、疮疖等。

四、资源利用与可持续发展

连翘在我国应用历史悠久。在提倡绿色、回归自然、预防保健为主、治疗为辅的当今社会，连翘开发前景广阔。连翘在预防和治疗非典型病原体肺炎、禽流感、甲型 H1N1 流行性感冒，制备清热解毒等中成药、汤剂配方，生产抑菌化妆品、牙膏、香皂等方面应用广泛，需求量逐年增加，使连翘产业进入了一个快速发展的时期。近年来，在连翘野生抚育技术、规范化栽培技术、适宜收获期、产地加工方法等方面的研究取得了进展，如栽植方式、人工授粉、修剪、适期采收等措施，均可提高连翘的产量和质量。采用蒸法处理的连翘药材品质高于水煮等传统方法。研究连翘野生抚育技术、质量把控技术、产量提高技术及初加工创新，仍是今后连翘研究的主要方向。

【参考文献】

[1] 国家药典委员会. 中华人民共和国药典：一部 [M]. 北京：中国医药科技出版社，2020：177.

[2] 尚志钧. 神农本草经校点 [M]. 芜湖：皖南医学院科研处，1981：141.

[3] 苏颂. 图经本草 [M]. 胡乃长，王致谱辑注. 福州：福建科学技术出版社，1988：144.

[4] 刘文泰. 本草品汇精要 [M]. 陆拯校点. 北京：人民卫生出版社，1982：338-339.

[5] 牛云，张宏斌，杨秋香，等. 河西地区连翘栽培技术研究 [J]. 甘肃农业大学学报，2003，38（2）：234-237，253.

[6] 范圣此，张立伟. 连翘产业现状的分析及其相关问题的对策研究 [J]. 中国现代中药，2018，20（4）：371-376.

菊科 Asteraceae　苍术属 Atractylodes

北苍术

Atractylodes chinensis DC. Koidz.

| 药 材 名 | 苍术（药用部位：根茎。别名：华苍术、山刺儿菜、枪头菜）。

| 形态特征 | 多年生草本。根茎平卧或斜升，粗长或通常呈疙瘩状，生多数近等长的不定根。茎直立，高 15 ~ 100 cm，单生或少数茎簇生，不分枝或上部少分枝，全部茎枝被稀疏蛛丝状毛或无毛。基生叶花期脱落；中下部茎生叶长 8 ~ 12 cm，宽 5 ~ 8 cm，3 ~ 9 羽状深裂或半裂，基部楔形或宽楔形，几无柄，扩大半抱茎，或基部渐狭成长达 3.5 cm 的叶柄，顶裂片与侧裂片不等形或近等形，圆形、倒卵形、偏斜卵形、卵形或椭圆形，宽 1.5 ~ 4.5 cm，侧裂片 1 ~ 4 对，椭圆形或倒卵状长椭圆形，宽 0.5 ~ 2 cm；有时中下部茎生叶不分裂，或全部茎生叶不裂。全部叶质硬，硬纸质，上面深绿色，下面浅绿色，边缘或裂片边缘有针刺状缘毛或三角形刺齿或重刺齿。头状花序单生茎枝先端，但不形成明显的花序式排列，植株有 2 ~ 5 头状花序；总苞钟状，直径 1 ~ 1.5 mm，苞叶针刺

状羽状全裂或深裂，总苞片 5 ～ 8 层，覆瓦状排列，全部苞片先端钝或圆形，边缘有稀疏蛛丝毛，中内层或内层苞片上部有时变红紫色；小花白色，长约 9 mm，花稍宽钟状，两性或单性，多异株，瘦果倒卵圆状，被稠密的顺向贴伏的白色长直毛，有时变稀毛；刚毛褐色或污白色，长 7 ～ 8 mm，羽毛状，基部联合成环。花果期 6 ～ 10 月。

| **野生资源** | 一、生长环境
北苍术生于低山阴坡或半阴坡的疏林边缘、山坡岩石附近、灌丛中或草丛中。

喜凉爽、昼夜温差较大、光照充足的气候。适宜生长温度为 15 ～ 22 ℃，耐寒性强，生活力强，对土壤要求不高，荒山、坡地、瘠土均可生长。

二、分布区域

北苍术主要分布于河北隆化、武安、兴隆、北戴河、遵化、蔚县、涿鹿、阜平、平山、赞皇、涉县等。其中，河北青龙产的苍术"朱砂点密，香气浓郁"，为道地药材。

三、蕴藏量

根据我国野生药材资源普查统计资料显示，20 世纪 80 年代野生苍术蕴藏量约为 20 万 t，之后多种原因造成野生苍术逐年减少，减幅逐年增大，到 21 世纪初，野生苍术蕴藏量不足 1 万 t。第四次中药资源普查显示北苍术蕴藏量为 26.12 万 t。

| 栽培资源 |　一、栽培区域

栽培北苍术主要分布于燕山产业带、坝上高原。

二、栽培技术

（一）选地整地

选择土层深厚疏松、排水良好的地段，土壤以腐殖土和砂壤土为宜。前茬作物以禾本科植物为好，忌连作。河北北部地区多选择在半阴半阳的荒山或荒坡地种植北苍术。选好地块后，在 4 月上中旬进行整地施肥。每亩施腐熟的有机肥 3 000 ～ 4 000 kg 作为基肥。人工整地要求深翻 30 cm 以上，使基肥与土壤混合均匀，将地整平耙细，整平的土地按照高 15 ～ 25 cm、宽 140 cm，间距 40 cm 做畦，浇足底墒水。机械整地则用翻转犁深耕灭茬 45 cm 以上，翻耕后用旋耕机或圆盘耙对表层土壤进行细碎和平整处理，以达到地表平整，土壤细碎疏松、上实下虚，便于机械播种。深耕后用旋耕起垄施肥机均匀施入肥料，做到全层施肥，然后立即混土至高度 5 ～ 10 cm，做标准宽畦。

（二）播种移栽

春季播种在 4 月下旬至 5 月初进行，当地温稳定在 10 ℃以上时，应及时播种。在整好的畦面上开沟，行距 15 ～ 20 cm，开深 0.5 ～ 1 cm、宽 7 ～ 9 cm 的浅沟，每亩用种量为 5 ～ 6 kg，将种子均匀撒入沟内，覆土厚 0.5 ～ 1 cm，稍加镇压。覆盖薄膜或草毡保温，播种后温度保持在 18 ～ 22 ℃，20 ～ 25 天出苗，出苗后及时揭开薄膜或草毡，并保持土壤湿润，促进壮苗。

带须根的小根茎可直接移栽。大根茎挖出后切成长 5 cm 左右、带 2 ～ 3 个芽的小段，蘸草木灰消毒，然后移栽大田。栽种时行距 30 cm，株距 15 cm，栽种深度 15 ～ 17 cm。

（三）田间管理

1. 中耕除草

播种或移栽后，应及时进行中耕除草，严防草荒，做到畦内无杂草；移栽田待苗萌发出土后，要进行浅锄除草；当植株长到 40 cm 以上时，中耕略深些，以保持土壤良好的通气性。

2. 间苗、定苗、补苗

直播田或移栽田出苗后适当进行疏苗，发现缺苗地块要及时补苗，在苗高 6 cm 左右时要间苗、定苗。

3. 追肥

一般每次中耕后进行追肥，分 3 次进行。5 月中耕后进行第 1 次追肥，每亩施有机肥 1 000 kg，施后浇水，促进幼苗生长；第 2、3 次中耕后，可根据长势进行追施，每亩施有机肥 2 000 ~ 3 000 kg，施后浇水，保持土壤湿润。

4. 排灌

根据土壤墒情和天气情况来确定浇水程度，适时适量浇水。出苗前应保持土壤湿润，出苗后减少浇水次数。在雨水多发时，要及时除涝排洪，严防积水烂根。

5. 摘除花蕾

非留种田以生产根茎为主，为减少开花结果对养分的消耗，一般在第 2 年或第 3 年现蕾时，适当摘除部分花蕾，共摘 3 次。

6. 越冬田管理

秋季北苍术地上部分干枯，应及时割除，并清除枯枝落叶。同时，进行培土，使畦高保持在 20 cm 以上。

（四）病虫害防治

1. 根腐病

一般在雨季根腐病发病严重，在低洼积水地段易发生，危害根部。防治办法：进行轮作；选用无病种苗，用 50% 退菌特 100 倍液浸种 3 ~ 5 分钟后再栽种；生长期注意排水，防止积水和土壤板结；发病期用 50% 托布津 800 倍液进行浇灌。

2. 蚜虫

北苍术在整个生长发育过程中，均易受蚜虫危害，成虫和若虫吸食茎叶汁液。防治方法：清除枯枝和落叶并深埋或烧毁；可用市场出售的黄板诱杀，也可用 10% 吡虫啉可湿性粉剂 1 000 倍液、3% 啶虫脒乳油 1 500 倍液，或 2.5% 联苯菊酯乳油 3 000 倍液交替喷雾防治；在发生期可用 50% 的杀螟松 1 000 ~ 2 000

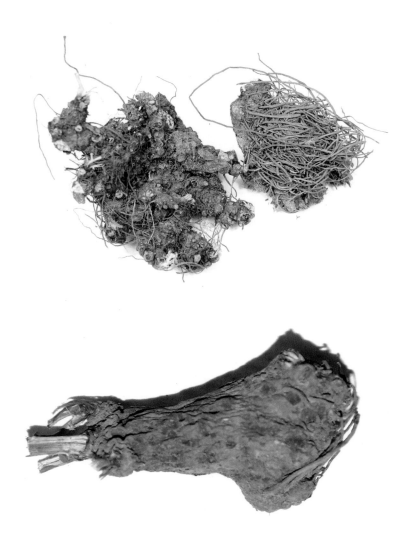

倍液或 40% 乐果乳油 1 500 ~ 2 000 倍液进行喷洒防治，每 7 天 1 次，连续喷洒至无蚜虫危害为止。

| **采收加工** | 家种苍术生长 3 年后采收，春、秋季皆可采收，以秋后至翌年初春苗未出土前采挖为好，采收时间为 10 月下旬至 11 月下旬；野生苍术春、夏、秋季均可采挖，以 8 月采收为好。采挖后，抖掉泥沙，除去残茎，晒至五成干时，撞掉须根，使表皮呈现黑褐色；再晒至七八成干，再次撞掉须根和表皮；晒至全干时，进行第 3 次撞击，使表皮呈黄褐色。

| **药材性状** | 本品呈疙瘩块状或结节状圆柱形，长 4 ~ 9 cm，直径 1 ~ 4 cm。表面黑棕色，除去外皮者黄棕色。质较疏松，断面散有黄棕色油室。香气较淡，味微甘、辛、苦。

| 品质评价 | 以个大、质坚实、断面朱砂点多、香气浓者为佳。

| 功能主治 | 辛、苦，温。归脾、胃、肝经。燥湿健脾，祛风散寒，明目。用于湿阻中焦，脘腹胀满，泄泻，水肿，脚气痿躄，风湿痹痛，风寒感冒，夜盲，眼目昏涩。

| 用法用量 | 内服煎汤，3～9g。

| 腊叶标本 | 一、采集信息

采集号：130637181002026LY

采集人：第四次全国中药资源普查河北省第五普查队

采集时间：2018 年 10 月 2 日

采集地点：河北保定博野县北杨镇北彦村

二、鉴定信息

科名：菊科

拉丁学名：*Atractylodes chinensis* (DC.) Koidz.

中文名：北苍术

鉴定人：景永帅

鉴定时间：2018 年 10 月 9 日

| 附　注 | 一、道地沿革

《神农本草经》以"术"之名首次记载了苍术，将其列为上品。《本草衍义》中明确将"术"分为苍术与白术，并谓"苍术其长如大拇指，肥实，皮色褐，气味辛烈……白术粗促，色微褐，气味亦微辛，苦而不烈"。《本草纲目》中将苍术与白术分条记述，并提到"术有赤、白二种，主治虽近，而性味止发不同"。由此可见，宋代以后临床上将苍术与白术分别应用。《中药志》记载北苍术主产于河北、陕西、山西。《常用中药材品种整理和质量研究》指出北苍术主要分布于河北承德。截至 2019 年，河北秦皇岛青龙北苍术良种繁育基地共有 13 个，面积达到 4 000 亩，并向国家商标总局申请了地理标志认证。

二、传统知识

河北民间记载北苍术可治疗慢性肠炎、腹泻，用苍术 15 g，陈皮、生甘草各 10 g，生姜三片，煎汤内服；治疗体虚浮肿，用苍术、茯苓各 150 g，做水丸，每服 15 g，开水送服，每天 2 次；治疗夜盲症，用苍术 15 g，煎汤内服，连服 3～5 天。

全国中药资源普查标本采集记录表

采集号:	130637181002026LY	采集人:	第五普查队
采集日期:	2018年10月02日	海拔(m):	25.0
采集地点:	河北省博野县北杨村乡北邸村		
经 度:	115°22'20.52"	纬 度:	38°29'38.95"
植被类型:	草丛	生活型:	多年生草本植物
水分生态类型:	中生植物	光生态类型:	阳性植物
土壤生态类型:	沙土植物	温度生态类型:	中温植物
资源类型:	栽培	出现多度:	一般
株高(cm):		高度(cm):	
根:	根状茎; 通常呈疙瘩状	茎 (树皮):	茎直立
叶:	硬纸质; 有针刺状缘毛	果:	
花:	总苞钟状, 头状花序	果实和种子:	瘦果
植物名:	北苍术	科 名:	菊科
学 名:	Atractylodes chinensis (DC.) Koidz.		
药材别名:			
药用部位:		标本类型:	腊叶标本
用 途:			
备 注:			

条形码

130637LY0598

第四次全国中药资源普查(HB)

采集号: _____

名 称: _____

标本鉴定签

采集号:	130637181002026LY	科名:	菊科
学 名:	Atractylodes chinensis (DC.) Koidz.		
种中文名:	北苍术		
鉴定人:	景永帅	鉴定时间:	2018年10月09日

第四次全国中药资源普查

三、市场信息

（一）商品规格

表北苍术 -1　苍术商品规格等级划分

规格		性状描述	
		共同点	区别点
苍术	选货	干货。本品呈不规则疙瘩状或结节状。表面黑棕色或黄棕色。质较疏松，断面黄白色或灰白色，散有黄棕色朱砂点。气香，味辛、苦。中部直径 1 cm 以上，无须根	无残留茎基及碎屑，每 500 g < 40 头
	统货		偶见残留茎基及碎屑，不分大小

（二）价格信息

苍术药材大多来源于野生，库存资源本就薄弱，且生产周期较长，"非典"爆发后，野生苍术被过度采挖，自然恢复速度远低于采挖速度，导致货源供不应求，价格连年增长。2012—2019 年，河北安国药市市场价格统计表明，苍术最低价为 29 元，到 2019 年价格涨至 120 元。现市场上苍术货源批量走销顺畅，行情表现坚挺，内蒙古产苍术半撞皮货售价在 90 ~ 95 元，全撞皮货售价在 105元上下；承德产苍术光货在 115 元左右。苍术野生资源消耗迅速，市场需求量巨大，且出口量逐年增加，近年来栽培品种逐渐成为主流。

（三）易混（伪）品

1. 关苍术

本品为菊科植物关苍术 *Atractylodes japonica* Koidz. ex Kitam. 的根茎。关苍术分布于黑龙江、吉林、辽宁各地山区、丘陵。关苍术与北苍术的不同点为关苍术下部叶有长柄，基生叶花期凋落；茎生叶 3 ~ 5 羽状全裂或单叶，裂片倒卵形或椭圆形，边缘具细刺状锯齿，无毛，有光泽；瘦果圆柱形，密生向上而呈银白色的柔毛。本品结节状圆柱形，长 4 ~ 12 cm，直径 1 ~ 2.5 cm；表面深棕色；质轻，断面不平，纤维性；香气特异，味辛、微苦。

2. 朝鲜苍术

本品为菊科植物朝鲜苍术 *Atractylodes koreana* (Nakai) Kitamura 的根茎。朝鲜苍术主产于朝鲜，我国辽宁、吉林鸭绿江一带及辽宁南部有少量分布。朝鲜族人民将本品作为地方用药。朝鲜苍术与北苍术的不同点为朝鲜苍术叶全缘，无明显的叶柄，叶片椭圆形或圆形。本品外形类似茅苍术，但苍术素的含量较高。本品呈连珠状圆柱形，粗细较均匀，多平直；表面灰棕色，横断面油室少但明显，几无香气。本品断面仅韧皮部显亮蓝色荧光，而茅苍术断面不显蓝色荧光，北苍术断面显亮蓝色荧光。

四、资源利用与可持续发展

苍术作为我国传统的大宗药材，是中药制剂、保健品、中成药的主要原料药之一。以苍术为主要原料的中成药多达 30 多种，如二妙丸、九圣散、九味羌活口服液、九味羌活丸等。2006 年国家卫生部把苍术列入《可用于保健食品的物品名单》，可用作食品添加剂，在饼干中按一定比例加入苍术粉或其提取物，有健胃的作用。苍术嫩茎叶含有丰富的胡萝卜素、纤维素、蛋白质、粗纤维等营养成分，可煲汤食用。

苍术具有燥湿健脾、祛风、散寒、明目之功效。燕山地区是苍术的道地产区，隆化和青龙是河北省北苍术种植大县。近年来，由于市场需求量不断增加，苍术价格一度登上顶峰，因此，河北省北苍术种植面积快速扩大。要开发利用资源，必须保护好资源，形成生态与发展共存的良性循环。因此，可以驯化野生北苍术，实现野生北苍术作物化，同时要注重产量的稳定性和品种的丰产性，使苍术资源走可持续发展之路。

【参考文献】

[1] 国家药典委员会. 中华人民共和国药典：一部 [M]. 北京：中国医药科技出版社，2020：168.

[2] 尚志钧. 神农本草经校点 [M]. 芜湖：皖南医学院科研处，1981：48.

[3] 寇宗奭. 本草衍义 [M]. 颜正华，常章富点校. 北京：人民卫生出版社，1990：45.

[4] 李时珍. 新校注本《本草纲目》[M]. 刘衡如，刘山永校注. 4 版. 北京：华夏出版社，2011：512.

[5] 蔡少青，李军. 常用中药材品种整理和质量研究 [M]. 北京：北京医科大学出版社，2001.

[6] 李云霞，李沈明，商春丽. 承德发展苍术种植的可行性分析 [J]. 中草药，2013，44（9）：1215-1218.

[7] 魏继新. 浅谈北苍术的生产与发展 [J]. 农民致富之友，2013（9）：21.

下 篇

河北省中药
资源各论

大型真菌

木耳科 Auriculariales 木耳属 Auricularia

木耳

Auricularia auricula (L. ex Hook.) Underw.

| 物种别名 | 黑木耳、木菌。

| 药材名 | 木耳（药用部位：子实体。别名：檽、木檽、桑上寄生）。

| 形态特征 | 子实体丛生，常呈覆瓦状叠生，耳状、叶状或近杯状，边缘波状，薄，宽 2 ~ 6 cm，最大者宽可达 12 cm，厚约 2 mm，以侧生的短柄或狭细的基部固着于基质上；初期呈柔软的胶质，黏而富弹性，以后稍带软骨质，干后强烈收缩，变为黑色、硬而脆的角质至近革质。背面呈弧形，紫褐色至暗青灰色，疏生短绒毛。绒毛基部褐色，向上渐尖，尖端几无色，（115 ~ 135）μm ×（5 ~ 6）μm。菌肉由锁状联合形成的次生菌丝组成，直径 2 ~ 3.5 μm。腹面凹入，平滑或稍有脉状皱纹，黑褐色至褐色，表面为子实层，由担子、担孢

子及侧丝组成。担子长 60 ~ 70 μm，直径约 6 μm，横隔明显。担孢子肾形，无色。无性生殖的分生孢子近球形至卵形，无色，不易萌发。

| **生境分布** | 寄生于阴湿、腐朽的树干上。河北大部分地区均有分布。

| **资源情况** | 野生资源丰富。药材来源于栽培。

| **采收加工** | 夏、秋季采收，采收后放到烘房中，烘干温度由 35 ℃ 逐渐升至 60 ℃，直至烘干。

| **药材性状** | 本品呈不规则块片状，多皱缩，大小不等，薄而有弹性，胶质，半透明，中间凹入。不孕面黑褐色或紫褐色，疏生极短绒毛；子实层表面色较淡。用水浸泡后膨胀，形似耳，厚约 2 mm，棕褐色，柔润，微透明，有滑润的黏液。气微香，味淡。

| **功能主治** | 甘，平。归肺、脾、大肠、肝经。补气养血，润肺止咳，止血，降血压，抗肿瘤。用于气虚血亏，肺虚久咳，咯血，衄血，血痢，痔疮出血，妇女崩漏，高血压，眼底出血，宫颈癌，阴道癌，跌打伤痛。

| **用法用量** | 内服煎汤，3 ~ 10 g；或炖汤；或烧存性，研末。外用研末，调敷。

多孔菌科 Polyporaceae 灵芝属 Ganoderma

树舌

Ganoderma applanatum (Pers. ex Wallr.) Pat.

| **物种别名** | 平盖灵芝、赤色老母菌。

| **药 材 名** | 树舌（药用部位：成熟子实体。别名：赤色老母菌、扁芝）。

| **形态特征** | 子实体多年生，侧生，无柄，木质或近木栓质。菌盖扁平，半圆形、扇形、扁山丘形至低马蹄形，（5 ~ 30）cm×（6 ~ 50）cm，厚 2 ~ 15 cm；盖面皮壳灰白色至灰褐色，常覆有 1 层褐色孢子粉，有明显的同心性环棱和环纹，常有大小不一的疣状突起，干后常有不规则的细裂纹；盖缘薄而锐，有时钝，全缘或波状。管口面初期白色，渐变为黄白色至灰褐色，受伤处立即变为褐色；管口圆形，每 1 mm 间 4 ~ 6；菌管多层，在各层菌管间夹有 1 层薄的菌丝层，老的菌管中充塞有白色粉末状菌丝。孢子卵圆形，一端有截头，壁双层，

外壁光滑，无色，内壁有刺状突起，褐色，（6.5 ~ 10）μm×（5 ~ 6.5）μm。

| 生境分布 | 生于多种阔叶树的树干上。分布于河北阜平、武安等。

| 资源情况 | 野生资源一般。药材主要来源于野生。

| 采收加工 | 夏、秋季采收，除去杂质，切片，晒干。

| 药材性状 | 本品无柄。菌盖半圆形，剖面扁半球形或扁平；表面灰色或褐色，有同心性环带及大小不等的瘤状突起，皮壳脆，边缘薄，圆钝。管口面污黄色或暗褐色，管口圆形，每 1 mm 间 4 ~ 6。纵切面可见 1 至多层菌管。木质或木栓质。气微，味淡。

| 功能主治 | 微苦，平。归脾、胃经。消炎，抗肿瘤。用于咽喉炎，食管癌，鼻咽癌。

| 用法用量 | 内服煎汤，10 ~ 30 g。

| 附　　注 | （1）在长白山地区，同属真菌树舌有柄变种 *Ganoderma applanatum* (Pers. ex Wallr.) Pat. var. *gibbosum* (Bl. et Nees.) Teng. 与树舌同等入药。
（2）在民间，本种药材作为抗癌药物，可用于食管癌。

多孔菌科 Polyporaceae 灵芝属 *Ganoderma*

灵芝 *Ganoderma lucidum* (Curtis) P. Karst

| 物种别名 | 林中灵、万年蕈。

| 药 材 名 | 灵芝（药用部位：成熟子实体。别名：灵芝草、菌灵芝）。

| 形态特征 | 担子果一年生，有柄，木栓质。菌盖半圆形或肾形，直径 10 ~ 20 cm，厚 1.5 ~ 2 cm；盖面褐黄色或红褐色，有同心性环纹，微皱或平滑，有亮漆状光泽；盖缘渐趋淡黄色，微钝。菌肉乳白色，近管处淡褐色。菌管长达 1 cm，每 1 mm 间 4 ~ 5；管口近圆形，初白色，后淡黄色或黄褐色。菌柄圆柱形，侧生或偏生，偶中生，长 10 ~ 19 cm，直径 1.5 ~ 4 cm，与菌盖色泽相似。皮壳部菌丝呈棒状，先端膨大。菌丝系统三体型，生殖菌丝透明，薄壁；骨架菌丝黄褐色，厚壁，近实心；联络菌丝无色，厚壁，弯曲，均分枝。孢

子卵形，双层壁，先端平截，外壁透明，内壁淡褐色，有小刺，（9 ~ 11）μm×（6 ~ 7）μm。

| **生境分布** | 生于植被密度大，光照少，土壤肥沃、潮湿、疏松处。分布于河北井陉、行唐、邱县等。

| **资源情况** | 野生资源稀少。药材主要来源于栽培。

| **采收加工** | 子实体开始释放孢子前可套袋收集孢子；菌盖不再生长、下面管孔开始向外喷射孢子时采收，从菌柄下端拧下整个子实体，晾干或烘干。

| **药材性状** | 本品呈伞形。菌盖（菌帽）坚硬木栓质，半圆形或肾形，宽 12 ~ 20 cm，厚约 2 cm，皮壳硬坚，初黄色，后变为红褐色，有光泽，具环状棱纹及辐射状皱纹，边缘薄而平截，常稍内卷。菌肉近白色至淡褐色；菌盖下表面均呈肉白色至浅棕色，由无数细密管状孔洞（菌管）构成，菌管内有担子器及担孢子。菌柄侧生，长达 19 cm，直径约 4 cm，表面红褐色至紫褐色，有漆样光泽。气微，味淡。

| **功能主治** | 甘，平。归肺、心、脾经。益气血，安心神，健脾胃。用于虚劳，心悸失眠，头晕，神疲乏力，久咳久喘，冠心病，硅肺，肿瘤。

| **用法用量** | 内服煎汤，10 ~ 15 g；或研末，2 ~ 6 g；或浸酒。

| **附　注** | 随着人们对灵芝药用价值认识的不断加深，深山老林中的野生灵芝资源不断减少，虽然一年生灵芝的繁殖力尚可，但人们多在其成熟、喷出孢子前就加以采收，阻碍了其繁殖。对此，我们在利用野生灵芝资源的同时应加强保护。近年来，研究发现灵芝孢子粉对免疫系统、神经系统、内分泌及代谢系统和心血管系统等均有调节作用。灵芝属于药食两用的药材，长期食用安全，无副作用。

多孔菌科 Polyporaceae 多孔菌属 Polyporus

猪苓

Polyporus umbellatus (Pers.) Fries.

| 物种别名 | 猪茯苓、朱苓、豕零。

| 药 材 名 | 猪苓（药用部位：菌核。别名：朱苓、豕零）。

| 形态特征 | 菌核形状不规则，呈大小不一的团块状，坚实，表面紫黑色，有多数凹凸不平的皱纹，内部白色，（3～5）cm×（3～20）cm。子实体从埋于地下的菌核上发出，有柄并多次分枝，形成 1 丛菌盖，总直径可达 20 cm。菌盖圆形，直径 1～4 cm，中部脐状，有淡黄色纤维鳞片，近白色至浅褐色，无环纹，边缘薄而锐，常内卷，肉质，干后硬而脆。菌肉薄，白色。菌管长约 2 mm，与菌肉同色，下延；管口圆形至多角形，每 1 mm 间 3～4。孢子无色，光滑，圆筒形，一端圆形，另一端有歪尖，（7～10）μm×（3～4.2）μm。

| 生境分布 | 生于海拔 1 000 ～ 2 000 m 的向阳山地、林下富含腐殖质的土壤中。分布于河北丰宁、阜平、武安等。 |

| 资源情况 | 野生资源一般。药材来源于栽培。 |

| 采收加工 | 春、秋季采挖，除去泥沙，干燥。 |

| 药材性状 | 本品呈条形、类圆形或扁块状，有的有分枝。表面黑色、灰黑色或棕黑色，皱缩或有瘤状突起。体轻，质硬，断面类白色或黄白色，略呈颗粒状。气微，味淡。 |

| 功能主治 | 甘、淡，平。归肾、膀胱经。利水渗湿。用于小便不利，水肿胀满，泄泻，淋浊，带下。 |

| 用法用量 | 内服煎汤，6 ～ 12 g。 |

| 附　注 | （1）自古以来，我国民间便用猪苓治疗癥瘕积聚。
（2）目前，猪苓的野生资源日渐稀少，而因其单产量低，收益少，导致药农栽培积极性不高，猪苓栽培面积小，栽培产业发展缓慢。因此，应切实加强猪苓资源保护工作，指导群众合理采挖；进一步加强科研工作，研究推广优质、高产的栽培技术，从而提高药农栽培积极性，扩大猪苓栽培面积，逐步形成生产基地，满足医药卫生事业日益发展的需要。 |

马勃科 Lycoperdaceae 秃马勃属 Calvatia

大马勃

Calvatia gigantea (Batsch ex Pers.) Lloyd

| 物种别名 | 马粪包、马屁包、马屁勃。

| 药材名 | 马勃（药用部位：成熟子实体。别名：马粪包、巨马勃）。

| 形态特征 | 子实体近圆球形，直径 15 ~ 25 cm，不孕基部无或很小。包被白色，后渐变成淡黄色或淡青黄色，由膜状的外包被和较厚的内包被组成；早期外包被外面有绒毛，后脱落而光滑；内包被由疏松的菌丝组成；成熟后包被裂开，呈残片状剥落，露出浅青褐色的孢体。造孢组织初白色，后青褐色。孢子粉状，球形，壁光滑或有时具细微小疣，淡青黄色，直径 3.8 ~ 4.7 μm。孢丝长，与孢子同色，少分枝，有稀少横隔，直径 2.5 ~ 6 μm。

| 生境分布 | 生于林地和竹林间及草原阴湿草丛内。分布于河北顺平、博野等。

| **资源情况** | 野生资源一般。药材来源于野生。 |

| **采收加工** | 夏、秋季子实体成熟时采收，除去泥沙，干燥。 |

| **药材性状** | 本品不孕基部小或无。残留的包被由黄棕色的膜状外包被和灰黄色的较厚的内包被组成，光滑；质硬而脆，呈残片状剥落。孢体浅青褐色，手捻有润滑感。 |

| **功能主治** | 辛，平。归肺经。清肺利咽，解毒止血。用于风热郁肺所致的咽痛，音哑，咳嗽；外用于鼻衄，创伤出血。 |

| **用法用量** | 内服煎汤，2 ~ 6 g。外用适量，敷患处。 |

苔藓植物

疣冠苔科 Aytoniaceae 石地钱属 Reboulia

石地钱

Reboulia hemisphaerica (L.) Raddi

| **植物别名** | 石蛤蟆。

| **药 材 名** | 石地钱（药用部位：叶状体。别名：石蛤蟆）。

| **形态特征** | 叶状体扁平，呈二歧分叉的带片状，长 1 ~ 4 cm，宽 0.3 ~ 0.7 cm，先端心形，背面深绿色，边缘与腹面呈紫红色，沿中肋沟处生多数假根。气孔单一型，凸出，孔边细胞 6 ~ 9，4 ~ 5 列。气室数层，无营养丝。鳞片覆瓦状排列，两侧各 1 列，紫红色，半月形。雌雄同株。雄托圆盘状，无柄，生于叶状体中部；雌托生于叶状体先端，柄长 1 ~ 2 cm，托顶半球形，绿色，4 瓣裂，每瓣腹面有 2 总苞片。孢蒴球形，黑色；孢子黄褐色，表面具网纹，直径 60 ~ 90 μm。弹丝长约 400 μm。

| **生境分布** | 生于石壁和土坡上。分布于河北高碑店、涿州等。

| **资源情况** | 野生资源丰富。药材主要来源于野生。

| **采收加工** | 夏、秋季采收，洗净，鲜用或晒干。

| **药材性状** | 本品扁平，呈分叉的片状，先端心形，背面深绿色，边缘与腹面呈紫红色，沿中肋沟处生多数假根。

| **功能主治** | 淡、涩，凉。清热解毒，消肿止血。用于疮疖肿毒，烫火伤，跌打肿痛，外伤出血。

| **用法用量** | 内服煎汤，12 ~ 15 g。外用适量，研末敷；或捣敷。

| **附　　注** | （1）本种在民间常用于疮疖肿毒、烫火伤等。
（2）石地钱属植物所含成分在肿瘤治疗领域具有巨大的药物开发价值。

蛇苔科 Conocephalaceae 蛇苔属 Conocephalum

蛇苔 Conocephalum conicum (L.) Dum.

| **植物别名** | 大蛇苔。

| **药 材 名** | 蛇地钱（药用部位：叶状体。别名：蛇皮苔、石皮斑、地皮斑）。

| **形态特征** | 叶状体深绿色，有光泽，长 5 ~ 10 cm，宽 1 ~ 2 cm，多回二歧分叉，腹面淡绿色，有假根，两侧各有 1 列深紫色鳞片，背面有六角形气孔，每室中央有 1 单一型气孔，孔边细胞 5 ~ 6 列。气室内有多数直立的营养丝，营养丝由 2 ~ 5 含大量叶绿体的细胞组成，先端细胞长梨形，有狭长尖。雌雄异株。雌托钝头圆锥形或蛇头形，褐黄色，托下生 5 ~ 8 总苞，每苞内具 1 梨形孢蒴；雄托椭圆盘状，紫色，无柄，贴生于叶状体背面。孢子褐黄色，直径 70 ~ 100 μm，表面密被细疣。

| **生境分布** | 生于溪边林下湿碎石和土上。分布于河北兴隆、阜平、武安等。 |

| **资源情况** | 野生资源丰富。药材主要来源于野生。 |

| **采收加工** | 夏、秋季采收，除去泥土、杂质，晒干或鲜用。 |

| **药材性状** | 本品卷缩成团块状，灰褐色。湿润展平后呈宽带状，革质，多回二歧分叉，长5～10 cm，宽1～2 cm，腹面两侧各有1列深紫色鳞片，背面有肉眼可见的菱形或六角形气室。雌雄异株。雌托呈圆锥形，柄长3～5 cm，着生于叶状体背面先端；雄托呈椭圆盘状，紫色，无柄，贴生于叶状体背面。气微，味淡。 |

| **功能主治** | 甘、辛，寒。清热解毒，消肿止痛。外用于疔疮痈肿，烫火伤，毒蛇咬伤，外伤骨折。 |

| **用法用量** | 外用适量，研末，麻油调敷；或鲜品捣敷。 |

| **附 注** | （1）本种的近似种小蛇苔叶状体卷缩成团块状，灰褐色。湿润展平后呈狭带状，多回二歧分叉，长2～3 cm，宽2～4 mm。革质，背面在放大镜下可见六角形或菱形气室。腹面中肋密生假根，两侧各生1列紫褐色鳞片。雌雄异株。雄托呈椭圆盘状，贴生于叶状体背面，无柄；雌托从叶状体先端生出，呈圆锥形，柄长2～3 cm。气微，味淡。
（2）民间将本种全草晒干，炒炭后研末，以植物油调敷婴儿湿疹处。 |

地钱科 Marchantiaceae 地钱属 Marchantia

地钱 *Marchantia polymorpha* L.

| 植物别名 | 地浮萍、一团云、巴骨龙。

| 药 材 名 | 黄地钱（药用部位：叶状体。别名：地浮萍、一团云、地梭罗）。

| 形态特征 | 叶状体暗绿色，宽带状，多回二歧分叉，长 5 ~ 10 cm，宽 1 ~ 2 cm，边缘微波状。背面具六角形、排列整齐的气室分隔，每室中央具1烟囱型气孔，孔边细胞 4 列。腹面鳞片紫色；假根平滑或带花纹。雌雄异株。雄托盘状，波状浅裂，精子器埋于托筋背面；雌托扁平，先端深裂成 9 ~ 11 指状裂瓣。孢蒴生于生殖托的指腋腹面。无性芽孢杯生于叶状体背面先端，内生胚芽，无性生殖。

| 生境分布 | 生于阴湿的土坡或湿石及潮湿的墙基。主要分布于河北阜平、灵

寿、内丘等。

| **资源情况** | 野生资源丰富。药材主要来源于野生。

| **采收加工** | 夏、秋季采收，洗净，鲜用或晒干。

| **药材性状** | 本品呈皱缩的片状或小团状；湿润后展开呈扁平阔带状，多回二歧分叉。表面暗褐绿色，可见明显的气孔和气孔区划；下面带褐色，有多数鳞片和成丛的假根。气微，味淡。

| **功能主治** | 淡，凉。归脾、肺经。解毒敛疮。用于湿热黄疸，疮痈肿毒，毒蛇咬伤，烫火伤，骨折，刀伤。

| **用法用量** | 内服煎汤，5～15 g；或入丸、散剂。外用适量，捣敷；或研末调敷。

葫芦藓科 Funariaceae 葫芦藓属 Funaria

葫芦藓 *Funaria hygrometrica* Hedw.

| 植物别名 | 石松毛。

| 药 材 名 | 葫芦藓（药用部位：全草。别名：石松毛、火堂须）。

| 形态特征 | 植物体矮小，淡绿色，直立，高 1 ～ 3 cm。茎单一或从基部稀疏分枝。叶簇生茎顶，长舌形，先端渐尖，全缘，中肋粗壮，消失于叶尖之下；叶细胞近长方形，壁薄。雌雄同株异苞。雄苞顶生，花蕾状；雌苞生于雄苞下的短侧枝上。蒴柄细长，黄褐色，长 2 ～ 5 cm，上部弯曲；孢蒴弯梨形，不对称，具明显台部，干时有纵沟槽；蒴齿 2 层；蒴帽兜形，具长喙，形似葫芦瓢。

| 生境分布 | 生于氮肥丰富的阴湿地上。分布于河北行唐、平泉、张北等。

| **资源情况** | 野生资源一般。药材来源于野生。

| **采收加工** | 夏季采收，洗净，鲜用或晒干。

| **药材性状** | 本品为皱缩的散株或数株丛集的团块，黄绿色，有光泽，单株长可达 3 cm。茎多单一，茎顶密集簇生多数皱缩小叶。叶湿润展平后呈长舌状，全缘，中肋较粗且不达叶尖。有的可见紫红色细长的蒴柄，上部弯曲，着生梨形、不对称的孢蒴。蒴帽兜形，有长喙。气微，味淡。

| **功能主治** | 淡，平。归肺、肝、肾经。祛风除湿，止痛，止血。用于风湿痹病，鼻窦炎，跌打损伤，劳伤吐血。

| **用法用量** | 内服煎汤，30 ～ 60 g。外用捣敷。

蕨类植物

卷柏科 Selaginellaceae 卷柏属 Selaginella

蔓出卷柏
Selaginella davidii Franch.

| 植物别名 | 澜沧卷柏。

| 药 材 名 | 小过江龙（药用部位：全草。别名：小过山龙、卷柏）。

| 形态特征 | 土生或石生草本，匍匐，长 5 ~ 15 cm，无横走根茎或游走茎。根托在主茎上断续着生，自主茎分叉处下方生出，长 0.5 ~ 5 cm，纤细，直径 0.1 ~ 0.2 mm；根多少分叉，被毛。主茎通体羽状分枝，不呈"之"字形，无关节，禾秆色，主茎下部直径 0.2 ~ 0.4 mm，茎近方形，具沟槽，无毛，维管束 1；侧枝 3 ~ 6 对，1 回羽状分枝，分枝稀疏，主茎上相邻分枝相距 1 ~ 2 cm，分枝无毛，背腹压扁，主茎在分枝部分中部连叶宽 4.4 ~ 5 mm，末回分枝连叶宽 3.6 ~ 4.2 mm。叶全部交互排列，二型，草质，表面光滑，具明显

白边，不分枝的主茎上的叶排列紧密，较分枝上的叶大，绿色或黄色，边缘具细齿；分枝上的腋叶对称或不对称，卵状披针形，长（1.2 ~ ）1.6 ~ 2 mm，宽0.6 ~ 1.2 mm，近全缘或具微齿；中叶不对称，主茎上的明显大于分枝上的，分枝上的斜卵形，长 1.2 ~ 1.6 mm，宽 0.5 ~ 0.8 mm，排列紧密或呈覆瓦状排列（小枝先端部分），背部不呈龙骨状，先端常向后弯曲，具芒，基部近心形，边缘具细齿或基部具短缘毛，略反卷；侧叶不对称，主茎上的明显大于分枝上的，分枝上的长圆状卵形（干后向后反卷），外展或略反折，长 1.6 ~ 2.2 mm，宽 1 ~ 1.6 mm，先端尖或钝，具微齿，上侧基部扩大，加宽，覆盖小枝，上侧基部近全缘，具微齿，下侧近全缘，具微齿。孢子叶穗紧密，四棱柱形，单生小枝末端，长 3 ~ 11 mm，宽 2.2 ~ 2.8 mm；孢子叶一型，卵圆形，边缘有细齿，具白边，先端具芒，锐龙骨状；仅在孢子叶穗基部的下侧有 1 大孢子叶，有时大、小孢子叶相间排列。大孢子白色；小孢子橘黄色。

| 生境分布 | 生于海拔 100 ~ 1 200 m 的灌丛阴处、潮湿地或干旱山坡。分布于河北北戴河、内丘、沙河等。

| 资源情况 | 野生资源丰富。药材来源于野生。

| 采收加工 | 秋季采收，洗净，晒干或鲜用。

| 药材性状 | 本品主茎多回分枝，各分枝基部生根，叶二型，在枝两侧及中间各 2 行，侧叶向两侧平展，卵状披针形，长 2 mm，宽约 0.8 mm，钝尖头，基部为不对称的心形，边缘膜质，白色，多少有睫毛状齿；中叶草质，指向枝顶，长卵形，长约 0.9 mm，宽约 0.4 mm，锐尖头或渐尖头。孢子囊穗生于小枝先端；孢子叶卵状三角形，长渐尖头，边缘有微齿，孢子囊圆形。孢子二型。

| 功能主治 | 苦、辛，寒。清热利湿，舒筋活络。用于肝炎，腹泻，风湿性关节炎，烫伤，外伤出血。

| 用法用量 | 内服煎汤，9 ~ 15 g；或浸酒 3 ~ 9 g。外用适量，煎汤洗；或捣敷。

| 附　　注 | 澜沧卷柏 *Selaginella davidii* Franch. subsp. *gebaueriana* (Hand.-Mazz.) X. C. Zhang 为本种的亚种，只有 1 大孢子叶位于孢子叶穗基部的下侧，其余均为小孢子叶，大孢子浅黄色，小孢子橘黄色。

卷柏科 Selaginellaceae 卷柏属 Selaginella

垫状卷柏
Selaginella pulvinata (Hook. et Grev.) Maxim.

| 植物别名 | 还魂草。

| 药 材 名 | 卷柏（药用部位：全草。别名：豹足、求股、神投时）。

| 形态特征 | 土生或石生草本，旱生复苏植物，呈垫状，无匍匐根茎或游走茎。根托仅生于茎的基部，长 2 ~ 4 cm，直径 0.2 ~ 0.4 mm；根多分叉，密被毛，和茎及分枝密集形成树状主干，高数厘米。主茎自近基部羽状分枝，不呈"之"字形，禾秆色或棕色，主茎下部直径 1 mm，不具沟槽，光滑，维管束 1；侧枝 4 ~ 7 对，2 ~ 3 回羽状分枝，小枝排列紧密，主茎上相邻分枝相距约 1 cm，分枝无毛，背腹压扁，主茎在分枝部分中部连叶宽 2.2 ~ 2.4 mm，末回分枝连叶宽 1.2 ~ 1.6 mm。叶全部交互排列，二型，质厚，表面光滑，不具白边，

主茎上的叶略大于分枝上的叶，相互重叠，绿色或棕色，斜升，边缘撕裂状；分枝上的腋叶对称，卵圆形至三角形，2.5 mm × 1 mm，边缘撕裂状并具睫毛，小枝上的叶斜卵形或三角形，（2.8 ~ 3.1）mm ×（0.9 ~ 1.2）mm，覆瓦状排列，背部不呈龙骨状，先端具芒，基部平截（具簇毛），边缘撕裂状并外卷；侧叶不对称，小枝上的叶矩圆形，略斜升，（2.9 ~ 3.2）mm ×（1.4 ~ 1.5）mm，先端具芒，全缘，基部上侧扩大，加宽，覆盖小枝，基部上侧边缘呈撕裂状，基部下侧不呈耳状，边缘呈撕裂状，下侧边缘内卷。孢子叶穗紧密，四棱柱形，单生小枝末端，（10 ~ 20）mm ×（1.5 ~ 2）mm；孢子叶一型，不具白边，边缘撕裂状，具睫毛；大孢子叶分布于孢子叶穗下部的下侧或中部的下侧或上部的下侧。大孢子黄白色或深褐色；小孢子浅黄色。

| **生境分布** | 生于向阳的干旱岩石缝中。分布于河北元氏、涿鹿、丰宁等。

| **资源情况** | 野生资源丰富。药材来源于野生。

| **采收加工** | 全年均可采收，除去须根和泥沙，晒干。

| **药材性状** | 本品须根多散生。中叶（腹叶）2 行，卵状披针形，直向上排列。叶片左右两侧不等，内缘较平直，外缘常因内折而加厚，呈全缘状。

| **功能主治** | 辛，平。归肝、心经。活血通经。用于闭经痛经，癥瘕痞块，跌扑损伤。

| **用法用量** | 内服煎汤，5 ~ 10 g。

| **附　　注** | 本种与卷柏 *Selaginella tamariscina* (P. Beauv.) Spring 的形态特征极为相近，两者的主要区别在于本种主茎有的从基部分枝，基部簇生须根，不呈棒状，小枝上的腹叶并行，指向上方，全缘；而卷柏主茎自中部开始羽状分枝或不等二叉分枝，基部簇生多数须根，呈棒状，小枝上的腹叶不并行，斜向上，边缘有微齿。

卷柏科 Selaginellaceae 卷柏属 *Selaginella*

中华卷柏 *Selaginella sinensis* (Desv.) Spring

| 植物别名 | 地柏。

| 药 材 名 | 中华卷柏（药用部位：全草。别名：地柏）。

| 形态特征 | 土生或旱生草本，匍匐，长15 cm或更长。根托在主茎上断续着生，自主茎分叉处下方生出，长25 cm，纤细，直径0.1 ~ 0.3 mm；根多分叉，光滑。主茎通体羽状分枝，不呈"之"字形，无关节，禾秆色，主茎下部直径0.4 ~ 0.6 mm，茎圆柱状，不具纵沟，光滑无毛，内具1维管束；侧枝多达10 ~ 20，1 ~ 2次或2 ~ 3次分叉，小枝稀疏，规则排列，主茎上相邻分枝相距1.5 ~ 3 cm，分枝无毛，背腹压扁，末回分枝连叶宽2 ~ 3 mm。叶全部交互排列，略二型，纸质，表面光滑，不为全缘，具白边；分枝上的腋叶对称，窄倒卵形，

（0.7 ~ 1.1）mm ×（0.17 ~ 0.55）mm，边缘睫毛状；中叶多少对称，小枝上的卵状椭圆形，（0.6 ~ 1.2）mm ×（0.3 ~ 0.7）mm，排列紧密，背部不呈龙骨状，先端急尖，基部楔形，边缘具长睫毛；侧叶多少对称，略上斜，在枝的先端呈覆瓦状排列，（1 ~ 1.5）mm ×（0.5 ~ 1）mm，先端尖或钝，基部上侧不扩大，不覆盖小枝，上侧边缘具长睫毛，下侧基部略呈耳状，基部具长睫毛。孢子叶穗紧密，四棱柱形，单个或成对生于小枝末端，（5 ~ 12）mm ×（1.5 ~ 1.8）mm；孢子叶一型，卵形，边缘具睫毛，有白边，先端急尖，龙骨状；仅有 1 大孢子叶位于孢子叶穗基部的下侧，其余均为小孢子叶。大孢子白色；小孢子橘红色。

| **生境分布** | 生于山坡阴处岩石上、山顶岩石上、向阳山坡石缝中、山坡灌丛下等。分布于河北昌黎、赤城、磁县等。

| **资源情况** | 野生资源一般。药材主要来源于野生。

| **采收加工** | 夏、秋季采收，晒干或鲜用。

| **药材性状** | 本品长 10 ~ 40 cm。主茎匍匐，禾秆色，多回分枝，各分枝处生根。叶二型，在枝两侧及中间各 2 行；侧叶阔圆形，长约 1.2 mm，宽约 0.8 mm，干后常向下反转，边缘膜质，有疏细齿；中叶长卵形，长 0.7 mm，宽 0.4 mm，有膜质白边和微齿。孢子囊穗单生枝顶，长 3 cm，四棱形，孢子叶阔卵形，先端锐尖，略有齿；孢子囊圆肾形，大孢子囊通常少数，位于孢子囊穗下部，小孢子囊多数，位于孢子囊中上部。孢子异型。

| **功能主治** | 苦，凉。清热利湿，止血。用于黄疸性肝炎，胆囊炎，肾炎，痢疾，下肢湿疹，烫火伤，外伤出血。

| **用法用量** | 内服煎汤，9 ~ 15 g，大剂量 30 ~ 60 g。外用适量，研末敷。

| **附　　注** | 本种的全草为民间常用草药，具有清热利尿、解毒散寒、消炎止血的功效，用于肝炎、胆囊炎、慢性支气管炎、慢性肾炎、湿疹、烫火伤等。

卷柏科　Selaginellaceae　卷柏属　*Selaginella*

卷柏 *Selaginella tamariscina* (P. Beauv.) Spring

| **植物别名** | 还魂草、九死还魂草。

| **药 材 名** | 卷柏（药用部位：全草。别名：豹足、求股、神投时）。

| **形态特征** | 土生或石生草本，复苏植物，呈垫状。根托仅生于茎的基部，长 0.5 ~ 3 cm，直径 0.3 ~ 1.8 mm；根多分叉，密被毛，和茎及分枝密集形成树状主干，有时高达数十厘米。主茎自中部开始羽状分枝或不等二叉分枝，不呈"之"字形，无关节，禾秆色或棕色，不分枝的主茎高 10 ~ 20（~ 35） cm，茎卵圆柱状，不具沟槽，光滑，维管束 1；侧枝 2 ~ 5 对，2 ~ 3 回羽状分枝，小枝稀疏，规则，分枝无毛，背腹压扁，末回分枝连叶宽 1.4 ~ 3.3 mm。叶全部交互排列，二型，叶质厚，表面光滑，不为全缘，具白边，主茎上的叶

较小枝上的叶略大，覆瓦状排列，绿色或棕色，边缘有细齿；分枝上的腋叶对称，卵形、卵状三角形或椭圆形，（0.8 ~ 2.6）mm ×（0.4 ~ 1.3）mm，边缘有细齿，黑褐色；中叶不对称，小枝上的中叶椭圆形，（1.5 ~ 2.5）mm ×（0.3 ~ 0.9）mm，覆瓦状排列，背部不呈龙骨状，先端具芒，外展或与轴平行，基部平截，边缘有细齿（基部有短睫毛），不外卷，不内卷；侧叶不对称，小枝上的侧叶卵形至三角形或矩圆状卵形，略斜升，相互重叠，（1.5 ~ 2.5）mm ×（0.5 ~ 1.2）mm，先端具芒，基部上侧扩大，加宽，覆盖小枝，基部上侧不为全缘，呈撕裂状或具细齿，下侧近全缘，基部有细齿或具睫毛，反卷。孢子叶穗紧密，四棱柱形，单生于小枝末端，（12 ~ 15）mm ×（1.2 ~ 2.6）mm；孢子叶一型，卵状三角形，边缘有细齿，具膜质的透明白边，先端有尖头或具芒；大孢子叶在孢子叶穗上下两面不规则排列。大孢子浅黄色；小孢子橘黄色。

| 生境分布 | 生于海拔（60 ~）500 ~ 1 500（~ 2 100）m 的石灰岩上。分布于河北宽城、涞源、沙河等。

| 资源情况 | 野生资源一般。药材来源于栽培。

| 采收加工 | 全年均可采收，除去须根和泥沙，晒干。

| 药材性状 | 本品卷缩似拳状，长 3 ~ 10 cm。枝丛生，扁而有分枝，绿色或棕黄色，向内卷曲，枝上密生鳞片状小叶，叶先端具长芒。中叶（腹叶）2 行，卵状矩圆形，斜向上排列，叶缘膜质，有不整齐的细锯齿；侧叶（背叶）背面的膜质边缘常呈棕黑色。基部残留棕色至棕褐色须根，散生或聚生成短干状。质脆，易折断。气微，味淡。

| 功能主治 | 辛，平。归肝、心经。活血通经。用于闭经痛经，癥瘕痞块，跌扑损伤。

| 用法用量 | 内服煎汤，5 ~ 10 g。

| 附　注 | 民间对本种的使用方法如下。全草烧灰，内服，可治疗各种出血症，或用菜油调敷，可治疗各种伤口。

旱生卷柏 *Selaginella stauntoniana* Spring

| **植物别名** | 还魂草、马溜手。

| **药 材 名** | 干蕨鸡（药用部位：全草。别名：金鸡尾）。

| **形态特征** | 石生或旱生草本，直立，高 15 ~ 35 cm，具一横走的地下根茎，其上生鳞片状的红褐色叶。根托仅生于横走茎上，长 0.5 ~ 1.5 cm，直径 0.3 ~ 0.5 mm；根多分叉，密被毛。主茎上部分枝或自下部开始分枝，不规则羽状分枝，不呈"之"字形，无关节，红色或褐色，不分枝的主茎高 5 ~ 28 cm，主茎下部直径 0.8 ~ 2 mm，茎卵圆柱状或圆柱状，不具沟槽，维管束 1；侧枝 3 ~ 5 对，2 ~ 3 回羽状分枝，小枝规则，主茎上相邻分枝相距 1.4 ~ 3.4 cm，分枝无毛，背腹压扁，末回分枝连叶宽 1.8 ~ 3.2 mm。叶交互排列（除不分枝

的主茎上的叶外），二型（除不分枝的主茎上的叶外），质厚，表面光滑，不为全缘，不具白边，不分枝的主茎上的叶排列紧密，不大于分枝上的叶，一型，棕色或红色，卵状披针形，鞘状，基部盾状，紧贴，边缘撕裂状；分枝上的腋叶略不对称，三角形，（1～1.7）mm×（0.4～0.9）mm，边缘膜质，撕裂状；中叶不对称，（1～1.7）mm×（0.4～0.9）mm，小枝上的中叶卵状椭圆形，（0.7～1.7）mm×（0.3～0.6）mm，覆瓦状排列，背部不呈龙骨状，先端与轴平行，具芒，基部平截，全缘或近全缘，略反卷；侧叶不对称，主茎上的侧叶大于分枝上的侧叶（气孔分布于近轴面的下半部分），分枝上的侧叶斜卵形或斜长圆形，略斜生，排列紧密，（1.4～2.2）mm×（0.6～1.2）mm，先端具芒，上侧基部圆形，覆盖茎枝，不为全缘，边缘透明膜质，具细齿，下侧全缘（仅基部有 1 睫毛）。孢子叶穗紧密，四棱柱形，单生小枝末端，（5～20）mm×（1.3～2）mm；孢子叶一型，卵状三角形，边缘膜质，撕裂或具撕裂状睫毛，透明，先端具长尖头至具芒，龙骨状；大孢子叶和小孢子叶在孢子叶穗上相间排列，或大孢子叶分布于中部的下侧，或散布于孢子叶穗的下侧。大孢子橘黄色；小孢子橘黄色或橘红色。

| 生境分布 | 生于海拔 500～2 500 m 的石灰岩石缝中。分布于河北井陉、平山、迁安等。

| 资源情况 | 野生资源丰富。药材来源于野生。

| 采收加工 | 全年均可采收，晒干。

| 功能主治 | 辛、涩，凉。散瘀止痛，凉血止血。用于跌打损伤，瘀血疼痛，便血，尿血，子宫出血。

| 用法用量 | 内服煎汤，9～15 g。外用适量，研末敷。

木贼科 Equisetaceae 木贼属 Equisetum

犬问荆 *Equisetum palustre* L.

药材名

骨节草（药用部位：地上部分）。

形态特征

中小型植物。根茎直立或横走，黑棕色，节和根光滑或具黄棕色长毛。地上枝当年枯萎。枝一型，高 20 ~ 50 cm，中部直径 1.5 ~ 2 mm，节间长 2 ~ 4 cm，绿色，但下部 1 ~ 2 节间黑棕色，无光泽，常在基部呈丛生状。主枝有 4 ~ 7 脊，脊的背部弧形，光滑或有小横纹；鞘筒狭长，下部灰绿色，上部淡棕色；鞘齿 4 ~ 7，黑棕色，披针形，先端渐尖，边缘膜质，鞘背上部有 1 浅纵沟，宿存。侧枝较粗，长达 20 cm，圆柱状至扁平状，有 4 ~ 6 脊，光滑或有浅色小横纹；鞘齿 4 ~ 6，披针形，薄革质，灰绿色，宿存。孢子囊穗椭圆形或圆柱状，长 0.6 ~ 2.5 cm，直径 4 ~ 6 mm，先端钝，成熟时柄伸长，柄长 0.8 ~ 1.2 cm。

生境分布

生于海拔 200 ~ 4 000 m 的针叶林、针阔叶混交林林下的湿地、沟旁及路边等处。分布于河北内丘、蔚县、武安等。

| **资源情况** | 野生资源丰富。药材主要来源于栽培。

| **采收加工** | 6 ~ 8 月采收，除去杂质，晒干。

| **功能主治** | 清热消炎，止血，利尿。用于风湿性关节炎，痛风，动脉粥样硬化，尿道炎，肠出血，痔疮出血，咯血。

| **用法用量** | 内服煎汤，10 ~ 25 g。

木贼科 Equisetaceae 木贼属 Equisetum

问荆

Equisetum arvense L.

| 植物别名 |

接续草。

| 药 材 名 |

问荆（药用部位：全草。别名：接续草、公母草、空心草）。

| 形态特征 |

中小型植物。根茎斜升，直立或横走，黑棕色，节和根密生黄棕色长毛或光滑无毛。地上枝当年枯萎。枝二型。能育枝春季先萌发，高 5 ~ 35 cm，中部直径 3 ~ 5 mm，节间长 2 ~ 6 cm，黄棕色，无轮生分枝，脊不明显，具密纵沟；鞘筒栗棕色或淡黄色，长约 0.8 cm；鞘齿 9 ~ 12，栗棕色，长 4 ~ 7 mm，狭三角形，鞘背仅上部有 1 浅纵沟，孢子散后能育枝枯萎。不育枝后萌发，高达 40 cm，主枝中部直径 1.5 ~ 3 mm，节间长 2 ~ 3 cm，绿色，轮生分枝多，主枝中部以下有分枝，脊的背部弧形，无棱，有横纹，无小瘤；鞘筒狭长，绿色；鞘齿三角形，5 ~ 6，中间黑棕色，边缘膜质，淡棕色，宿存。侧枝柔软纤细，扁平状，有 3 ~ 4 狭而高的脊，脊的背部有横纹；鞘齿 3 ~ 5，披针形，绿色，边缘膜质，宿存。孢子囊穗圆柱形，长 1.8 ~ 4 cm，直径 0.9 ~ 1 cm，先端钝，成熟时柄伸长，柄长 3 ~ 6 cm。

| 生境分布 | 生于潮湿的草地、沟渠旁、砂土地、山坡及草甸等处。分布于河北隆化、滦平、内丘等。

| 资源情况 | 野生资源一般。药材来源于栽培。

| 采收加工 | 夏、秋季采收，置通风处阴干，或鲜用。

| 药材性状 | 本品长约 30 cm，多干缩或枝节脱落。茎略呈扁圆形或圆形，淡绿色，有细纵沟，节间长，每节有退化的鳞片叶；鳞片叶鞘状，先端齿裂，硬膜质。小叶轮生，梢部渐细。基部有时带部分根，呈黑褐色。气微，味稍苦、涩。

| 功能主治 | 甘、苦，平。归肺、胃、肝经。止血，利尿，明目。用于鼻衄，吐血，咯血，便血，崩漏，外伤出血，淋证，目赤翳膜。

| 用法用量 | 内服煎汤，3 ~ 15 g。外用适量，鲜品捣敷；或干品研末撒。

| 附　注 | （1）本种的不育枝外形似犬问荆 *Equisetum palustre* L.，但本种的侧枝多而纤细柔软，且较长，仅有 3 ~ 4 狭而高的脊，脊背上有横纹。
（2）本品始载于《本草拾遗》，书中记载："生伊洛间州渚，苗似木贼，节节相接，亦名接续草。"书中所述应为木贼科植物问荆。

木贼科 Equisetaceae 木贼属 Equisetum

木贼
Equisetum hyemale L.

| 药 材 名 | 木贼（药用部位：地上部分。别名：木贼草、锉草、节节草）。

| 形态特征 | 大型植物。根茎横走或直立，黑棕色，节和根有黄棕色长毛。地上枝多年生。枝一型，高达 1 m 或更高，中部直径（3～）5～9 mm，节间长 5～8 cm，绿色，不分枝或基部有少数直立的侧枝。地上枝有 16～22 脊，脊的背部弧形或近方形，无明显小瘤或有 2 行小瘤；鞘筒 0.7～1 cm，黑棕色或顶部及基部各有 1 圈或仅顶部有 1 圈黑棕色；鞘齿 16～22，披针形，小，长 0.3～0.4 cm，先端的鞘齿淡棕色，膜质，芒状，早落，下部的鞘齿黑棕色，薄革质，基部的背面有 3～4 纵棱，宿存或同鞘筒一起早落。孢子囊穗卵状，长 1～1.5 cm，直径 0.5～0.7 cm，先端有小尖突，无柄。

| 生境分布 | 生于海拔 100 ~ 3 000 m 的山坡林下阴湿处，易生于河岸湿地、溪边或杂草地。分布于河北涞源、蠡县、灵寿等。

| 资源情况 | 野生资源一般。药材来源于栽培。

| 采收加工 | 夏、秋季采割，除去杂质，晒干或阴干。

| 药材性状 | 本品呈长管状，不分枝，长 40 ~ 60 cm，直径 0.2 ~ 0.7 cm。表面灰绿色或黄绿色，有 16 ~ 22 纵棱，棱上有多数细小、光亮的疣状突起；节明显，节间长 2.5 ~ 8 cm，节上着生筒状鳞叶，叶鞘基部和鞘齿黑棕色，中部淡棕黄色。体轻，质脆，易折断，断面中空，周边有多数圆形的小空腔。气微，味甘、淡、微涩，嚼之有沙粒感。

| 功能主治 | 甘、苦，平。归肺、肝经。疏散风热，明目退翳。用于风热目赤，迎风流泪，目生云翳。

| 用法用量 | 内服煎汤，3 ~ 9 g。

| 附　　注 | 木贼始载于宋代《嘉祐本草》，该书记载："木贼出秦、陇、华、成诸郡近水地，苗长尺许，丛生，每根一干，无花、叶，寸寸有节，色青，凌冬不凋，四月采用之。"《本草纲目》记载："木贼丛丛直上，长者二三尺，状似凫茈苗及粽心草，而中空有节，又似麻黄茎而稍粗，无枝叶。"根据上述记载考证，书中所述应为木贼科植物木贼。

木贼科 Equisetaceae 木贼属 *Equisetum*

草问荆
Equisetum pratense Ehrhart

| 药 材 名 |　草问荆（药用部位：全草。别名：马胡须）。

| 形态特征 |　中型植物。根茎直立或横走，黑棕色，节和根疏生黄棕色长毛或光滑。地上枝当年枯萎。枝二型，能育枝与不育枝同期萌发。能育枝高 15 ～ 25 cm，中部直径 2 ～ 2.5 mm，节间长 2 ～ 3 cm，禾秆色，最终能形成分枝，有 10 ～ 14 脊，脊上光滑；鞘筒灰绿色，长约 0.6 cm；鞘齿 10 ～ 14，淡棕色，长 4 ～ 6 mm，披针形，膜质，背面有浅纵沟；孢子散后能育枝存活。不育枝高 30 ～ 60 cm，中部直径 2 ～ 2.5 mm，节间长 2.2 ～ 2.8 cm，禾秆色或灰绿色，轮生分枝多，主枝中部以下无分枝，主枝有 14 ～ 22 脊，脊的背部弧形，每脊常有 1 行小瘤；鞘筒狭长，长约 3 mm，下部灰绿色，除上部有

1 圈为淡棕色外，其余部分为灰绿色，鞘背有 2 棱；鞘齿 14 ~ 22，披针形，膜质，淡棕色，但中间 1 线为黑棕色，宿存。侧枝柔软，纤细，扁平状，有 3 ~ 4 狭而高的脊，脊的背部光滑；鞘齿不呈张开状。孢子囊穗椭圆柱状，长 1 ~ 2.2 cm，直径 3 ~ 7 mm，先端钝，成熟时柄伸长，柄长 1.7 ~ 4.5 cm。

| **生境分布** | 生于海拔 500 ~ 2 800 m 的地区。分布于河北武安、阜平、行唐等。

| **资源情况** | 野生资源一般。药材主要来源于栽培。

| **采收加工** | 夏季采挖，洗净，晒干或鲜用。

| **药材性状** | 本品干缩，枝常脱落。茎有多数轮生的细长分枝。叶鞘齿分离，长三角形，先端尖，中部棕褐色，边缘白色，膜质。气微，味淡。

| **功能主治** | 苦，平。活血，利尿，驱虫。用于动脉粥样硬化，小便涩痛不利，肠道寄生虫病。

| **用法用量** | 内服煎汤，5 ~ 10 g，鲜品 30 ~ 60 g。

乌蕨 *Odontosoria chinensis* J. Sm.

植物别名

乌韭。

药材名

乌韭（药用部位：全草）。

形态特征

多年生常绿蕨类植物，高达 65 cm。根茎短而横走，粗壮，密被赤褐色钻状鳞片。叶近生；叶柄长达 25 cm，禾秆色至褐禾秆色，有光泽，直径 2 mm，圆柱形，上面有沟，除基部外通体光滑；叶片披针形，长 20 ~ 40 cm，宽 5 ~ 12 cm，先端渐尖，基部不变狭，四回羽状；羽片 15 ~ 20 对，互生，密接，下部的相距 4 ~ 5 cm，有短柄，斜展，卵状披针形，长 5 ~ 10 cm，宽 2 ~ 5 cm，先端渐尖，基部楔形，下部三回羽状；一回小羽片在一回羽状的顶部下有 10 ~ 15 对，连接，有短柄，近菱形，长 1.5 ~ 3 cm，先端钝，基部不对称，楔形，上先出，一回羽状或基部二回羽状；二回（或末回）小羽片小，倒披针形，先端截形，有牙齿，基部楔形，下延，其下部小羽片常再分裂成具有 1 ~ 2 细脉的短而同形的裂片。叶脉在上面不显，在下面明显，在小裂片上为二叉分枝。叶坚草质，干后棕褐色，通体光滑。孢子囊群边缘着生，每裂片上 1 或 2，顶生于 1 ～ 2 细脉上；囊群盖灰棕色，革质，半杯形，宽，与叶缘等长，近全缘或多少啮蚀，宿存。

| **生境分布** | 生于海拔 200 ～ 1 900 m 的林下或灌丛中阴湿地。分布于河北阜平、武安等。

| **资源情况** | 野生资源丰富。药材主要来源于野生。

| **采收加工** | 夏、秋季采挖，除净泥土，晒干或鲜用。

| **药材性状** | 本品根茎粗壮，长 2 ～ 7 cm；表面密被赤褐色鳞片，上方近生多数叶，下方有众多紫褐色须根。叶柄长 10 ～ 25 cm，直径约 2 mm，呈不规则的细圆柱形；表面光滑，禾秆色或基部红棕色，有数条角棱及 1 凹沟；叶片披针形，3 ～ 4 回羽状分裂，略折皱，棕褐色至深褐色，小裂片楔形，先端平截或 1 ～ 2 浅裂。孢子囊群 1 ～ 2 着生于每小裂片先端边缘。气微，味苦。

| **功能主治** | 苦，寒。清热，解毒，利湿，止血。用于风热感冒，中暑发痧，泄泻，痢疾，白浊，带下，吐血，便血，尿血。

| **用法用量** | 内服煎汤，30 ～ 60 g，鲜品 90 ～ 150 g；或绞汁。外用适量，捣敷；或研末敷；或煎汤洗。

蕨科 Pteridiaceae 蕨属 Pteridium

蕨

Pteridium aquilinum (L.) Kuhn var. *latiusculum* (Desv.) Underw. ex Heller

| 植物别名 | 猴腿。

| 药 材 名 | 蕨（药用部位：嫩叶。别名：蕨猫草、粉蕨、甜蕨）、蕨根（药用部位：根。别名：蕨鸡根、乌角、小角）。

| 形态特征 | 多年生常绿蕨类植物，高可达 1 m。根茎长而横走，密被锈黄色柔毛，以后逐渐脱落。叶远生；叶柄长 20 ~ 80 cm，基部直径 3 ~ 6 mm，褐棕色或棕禾秆色，略有光泽，光滑，上面有 1 浅纵沟；叶片阔三角形或长圆状三角形，长 30 ~ 60 cm，宽 20 ~ 45 cm，先端渐尖，基部圆楔形，三回羽状；羽片 4 ~ 6 对，对生或近对生，斜展，基部 1 对最大（向上几对略变小），三角形，长 15 ~ 25 cm，宽 14 ~ 18 cm，柄长 3 ~ 5 cm，二回羽状；小羽片约 10 对，互生，

斜展，披针形，长 6 ~ 10 cm，宽 1.5 ~ 2.5 cm，先端尾状渐尖（尾尖头的基部略呈楔形收缩），基部近平截，具短柄，一回羽状；裂片 10 ~ 15 对，平展，彼此接近，长圆形，长约 14 mm，宽约 5 mm，钝头或近圆头，基部不与小羽轴合生，分离，全缘；中部以上的羽片逐渐变为一回羽状，长圆状披针形，基部较宽，对称，先端尾状，小羽片与下部羽片的裂片同形，部分小羽片的下部具 1 ~ 3 对浅裂片或边缘具波状圆齿。叶脉稠密，仅在下面明显。叶干后近革质或革质，暗绿色，上面无毛，下面在裂片主脉上多少被棕色或灰白色疏毛或近无毛。叶轴及羽轴均光滑，小羽轴上面光滑，下面被疏毛，稀被密毛，各回羽轴上面均有 1 深纵沟，沟内无毛。

| **生境分布** | 生于海拔 200 ~ 830 m 的山地阳坡及林缘阳光充足的地方。分布于河北邢台及平泉、蔚县等。

| **资源情况** | 野生资源一般。药材主要来源于野生。

| **采收加工** | 蕨：4 ~ 5 月采收，晒干或鲜用。
蕨根：9 ~ 11 月采挖，洗净，晒干。

| **功能主治** | 蕨：甘，寒。归肝、胃、大肠经。清热利湿，降气化痰，止血。用于感冒发热，黄疸，痢疾，带下，噎膈，肺结核咯血，肠风便血，风湿痹痛。
蕨根：甘，寒。归肺、肝、脾、大肠经。清热利湿，平肝安神，解毒消肿。用于发热，咽喉肿痛，腹泻，痢疾，黄疸，带下，高血压，头昏失眠，风湿痹痛，痔疮，脱肛，湿疹，烫伤，蛇虫咬伤。

| **用法用量** | 蕨：内服煎汤，9 ~ 15 g。外用适量，捣敷；或研末撒。
蕨根：内服煎汤，9 ~ 15 g。外用适量，研末或炙灰，调敷。

铁线蕨科 Adiantaceae 铁线蕨属 Adiantum

团羽铁线蕨 Adiantum capillus-junonis Rupr.

| 植物别名 | 团叶铁线蕨、翅柄铁线蕨。

| 药 材 名 | 翅柄铁线蕨（药用部位：全草或根茎。别名：猪鬃草、牛毛针、猪毛草）。

| 形态特征 | 多年生常绿蕨类植物，高 8 ~ 15 cm。根茎短而直立，被褐色披针形鳞片。叶簇生；叶柄长 2 ~ 6 cm，纤细如铁丝，深栗色，有光泽，基部被同样的鳞片，向上光滑；叶片披针形，长 8 ~ 15 cm，宽 2.5 ~ 3.5 cm，奇数一回羽状；羽片 4 ~ 8 对，下部的对生，上部的近对生，斜向上，具明显的柄，柄长约 3 cm，柄端具关节，羽片干后易从柄端脱落而柄宿存，2 对羽片相距 1.5 ~ 2 cm，彼此疏离，下部数对羽片大小几相等，长 1.1 ~ 1.6 cm，宽 1.5 ~ 2 cm，团扇

形或近圆形，基部对称，圆楔形或圆形，两侧全缘，上缘圆形；能育羽片
具 2 ~ 5 浅缺刻，不育部分具细牙齿；不育羽片上缘具细牙齿；上部羽片、顶
生羽片均与下部羽片同形而略小。叶脉多回二歧分叉，直达叶缘，两面均明显。
叶干后膜质，草绿色，两面均无毛；羽轴及羽柄均为栗色，有光泽，叶轴先端
常延伸成鞭状，能着地生根，行无性繁殖。孢子囊群每羽片 1 ~ 5；囊群盖长
圆形或肾形，上缘平直，纸质，棕色，宿存；孢子周壁具粗颗粒状纹饰，处理
后常保存。

| **生境分布** | 群生于海拔 300 ~ 2 500 m 的湿润石灰岩下、阴湿墙壁基部的石缝中或背阴且
湿润的白垩土上。分布于河北迁西、易县、顺平等。

| **资源情况** | 野生资源一般。药材主要来源于野生。

| **采收加工** | 全年均可采收，全草晒干或鲜用，根茎采后除去须根，洗净，晒干。

| **功能主治** | 苦，凉。清热解毒，利尿，止咳。用于小便不利，血淋，痢疾，咳嗽，瘰疬，
乳痈，毒蛇咬伤，烫火伤。

| **用法用量** | 内服煎汤，15 ~ 30 g。外用适量，捣敷。

裸子蕨科 Hemionitidaceae 金毛裸蕨属 Gymnopteris

耳羽金毛裸蕨 *Gymnopteris bipinnata* Christ var. *auriculata* (Franch.) K. H. Shing

| 植物别名 |

耳叶金毛裸蕨。

| 药 材 名 |

败毒草（药用部位：全草或根茎。别名：耳羽金毛裸蕨、石龙草、白带药）。

| 形态特征 |

多年生常绿蕨类植物，高 20 ~ 40 cm。根茎粗短，横卧，连同叶柄基部密被亮棕色（老时下部为栗黑色）的狭长钻形鳞片。叶近丛生；叶柄长 10 ~ 22 cm，直径 1 ~ 3 mm，圆柱形，亮栗色，幼时密被灰棕色长绢毛，老时逐渐光秃；叶片长 15 ~ 25 cm，中部宽 3 ~ 7 cm，披针形或阔披针形，一回羽状复叶；羽片 10 ~ 17 对，互生，长 3 ~ 6（~ 9）cm，宽 1.5 ~ 2 cm，卵形或长卵形，基部深心形，两侧常扩大成耳形或有 1 ~ 2 分离小羽片；侧生小羽片 1 ~ 6 对，长 7 ~ 14 mm，宽 5 ~ 8 mm，卵形或长卵形，钝头，基部多少心形，具短柄或无柄；顶生小羽片和侧生小羽片同形，但较大，有长柄；小羽片全缘，稀在基部有 1 ~ 2 小裂片。顶脉羽状分叉，不易见。叶干后软草质，上面褐绿色，被稀疏绢毛，下面密被黄棕

色长绢毛；叶轴及羽轴密被同样的毛。孢子囊群沿小脉着生，隐没在绢毛下，成熟时略可见。

| 生境分布 | 生于海拔 800 ～ 3 500 m 的灌丛或林下石上。分布于河北迁西、灵寿、赞皇等。

| 资源情况 | 野生资源一般。药材主要来源于野生。

| 采收加工 | 全年均可采收，洗净，鲜用或晒干。

| 药材性状 | 本品根茎密生锈黄色的狭披针形长鳞片。叶柄栗褐色，向上直至羽柄均有柔毛；叶片厚纸质，长 5 ～ 15 cm，宽 1.5 ～ 4 cm，奇数一回羽状；羽片基部深心形，有时有 1 ～ 2 小羽片，两面均有棕色长毛；侧脉多回分叉，小脉分离或在近叶缘处偶联结成狭长网眼。孢子囊群沿侧脉着生，被柔毛覆盖。气微，味苦。

| 功能主治 | 苦，寒。解毒，燥湿止痒。用于风毒疮痒，湿疹，带下。

| 用法用量 | 内服煎汤，根茎 9 ～ 15 g。外用适量，全草煎汤洗。

| 附　　注 | 本变种形态极似金毛裸蕨 *Gymnopteris vestita* (Wall. ex Presl) Underw.，但本变种的羽片基部呈深心形，羽柄长可达 1 cm。

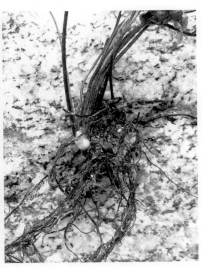

蹄盖蕨科 Athyriaceae 蹄盖蕨属 Athyrium

多齿蹄盖蕨 *Athyrium multidentatum* (Döll) Ching

| **植物别名** | 猴腿蹄盖蕨、短叶蹄盖蕨、猴腿。

| **药材名** | 多齿蹄盖蕨（药用部位：根茎）。

| **形态特征** | 多年生草本，高 40 ~ 100 cm。根茎短而粗，斜生。叶簇生；叶柄长 20 ~ 50 cm，麦秆色至深麦秆色，被黑褐色披针形毛性鳞片，下部鳞片较密，基部明显尖削，黑色；叶片草质至厚草质，长圆状披针形至卵状长圆形，长 20 ~ 50 cm，宽 10 ~ 40 cm，3 回羽裂；羽片 10 对或更多，互生或近对生，长圆状披针形，有短柄，基部对称，近平截，先端渐尖至尾状渐尖，通常仅基部 1 对羽片缩短；小羽片长圆状披针形至长圆形或狭披针形，近平展，基部几对称，略与羽轴合生，先端钝尖至渐尖，羽状浅裂至中裂，下部小羽片不缩短或

略缩短，裂片长圆形至披针形，先端有 2 ~ 4 锯齿，锯齿先端内弯，有时较长尖，稀不明显。叶脉离生，侧脉单一，伸达锯齿，背面连同叶轴及各回羽轴被污白色头垢状毛。孢子囊群生于裂片基部上侧小脉上；囊群盖线形，多少弓弯，边缘啮蚀状；孢子长圆形，不具周壁。

| **生境分布** | 生于海拔 2 500 m 以下的常绿阔叶林中的溪沟边。分布于河北滦平、兴隆等。

| **资源情况** | 野生资源一般。药材主要来源于野生。

| **采收加工** | 全年均可采挖，洗净，鲜用或晒干。

| **药材性状** | 本品根茎粗短，深褐色，直径 2 ~ 5 mm，先端密被红褐色阔披针形鳞片。

| **功能主治** | 苦，凉。清热解毒，杀虫。用于虫积腹痛等。

| **用法用量** | 内服煎汤，10 ~ 15 g。

蹄盖蕨科 Athyriaceae 蹄盖蕨属 Athyrium

中华蹄盖蕨 *Athyrium sinense* Rupr.

| **植物别名** | 狭叶蹄盖蕨、户县蹄盖蕨。

| **药材名** | 中华蹄盖蕨（药用部位：根茎）。

| **形态特征** | 多年生常绿蕨类植物。根茎短，直立，先端和叶柄基部密被深褐色的卵状披针形或披针形鳞片。叶簇生，能育叶长 35 ~ 92 cm；叶柄长 10 ~ 26 cm，基部直径 1.5 ~ 2 mm，黑褐色，向上禾秆色，略被小鳞片；叶片长圆状披针形，长 25 ~ 65 cm，宽 15 ~ 25 cm，先端短渐尖，基部略变狭，二回羽状；羽片约 15 对，基部的近对生，向上的互生，斜展，无柄，基部 2 ~ 3 对略缩短，基部 1 对长圆状披针形，长 7 ~ 12 cm，宽约 2.5 cm，先端长渐尖，基部对称，截形或近圆形，一回羽状；小羽片约 18 对，基部 1 对狭三角状长圆形，

长 8 ~ 10 mm，宽 3 ~ 4 mm，钝尖头，并有短尖齿，基部不对称，上侧截形，下侧阔楔形，并下延至羽轴上成狭翅，两侧边缘浅羽裂；裂片 4 ~ 5 对，近圆形，边缘有数个短锯齿。叶脉在两面明显，在小羽片上为羽状，侧脉约 7 对，下部的三叉或羽状，上部的二叉或单一。叶干后草质，浅褐绿色，两面无毛；叶轴和羽轴下面禾秆色，疏被小鳞片和卷曲的棘头状短腺毛。孢子囊群多为长圆形，稀弯钩形或马蹄形，生于基部上侧小脉上，每小羽片 6 ~ 7 对；在主脉两侧各排成 1 行；囊群盖同形，浅褐色，膜质，边缘啮蚀状，宿存；孢子周壁表面无折皱。

| **生境分布** | 生于海拔 350 ~ 2 550 m 的山地林下。分布于河北沽源、平山、武安等。

| **资源情况** | 野生资源一般。药材主要来源于野生。

| **采收加工** | 夏、秋季采收，除去须根，洗净，晒干。

| **功能主治** | 微苦，凉。归肺、大肠经。清热解毒，驱虫。用于流行性感冒，麻疹，流行性乙型脑炎，流行性脑脊髓膜炎，钩虫病，蛔虫病。

| **用法用量** | 内服煎汤，10 ~ 15 g。

| **附　注** | 本种与蹄盖蕨 *Athyrium filix-femina* (L.) Roth 的形态极为相似，但本种的叶片基部仅 2 ~ 3（~ 4）对羽片缩短，可以以此区别两者。

铁角蕨科 Aspleniaceae 铁角蕨属 Asplenium

北京铁角蕨 *Asplenium pekinense* Hance

| 药 材 名 | 铁杆地柏枝（药用部位：带根茎的全草。别名：地柏枝）。

| 形态特征 | 多年生常绿蕨类植物，高 8 ~ 20 cm。根茎短而直立，先端密被鳞片；鳞片披针形，长 2 ~ 4 mm，膜质，黑褐色，略有虹色光泽，全缘或略呈微波状。叶簇生；叶柄长 2 ~ 4 cm，直径 0.8 ~ 1 mm，淡绿色，下部疏被与根茎同样的鳞片，向上疏被黑褐色的纤维状小鳞片；叶片披针形，长 6 ~ 12 cm，中部宽 2 ~ 3 cm，先端渐尖，基部略变狭，二回羽状或 3 回羽裂；羽片 9 ~ 11 对，相距 8 ~ 12 mm，下部羽片略缩短，较远离，平展，对生，向上互生，斜展，有极短的柄，中部羽片三角状椭圆形，长 1 ~ 2 cm，宽 6 ~ 13 mm，急尖头，基部不对称，上侧截形并与叶轴平行，下侧楔形，一回羽状；小羽片 2 ~ 3

对，互生，上先出，基部上侧的小羽片最大，紧靠叶轴，椭圆形，长 5 ~ 6 mm，宽 2 ~ 3 mm，近圆头，基部楔形并略与羽轴合生，下延，边缘羽状深裂，裂片 3 ~ 4，斜向上，舌形或线形，长 1 ~ 3 mm，先端圆截形并有 2 ~ 3 锐尖的小牙齿，两侧全缘；其余小羽片较小，不为深裂，斜向上，彼此接近。叶脉在两面均明显，上面隆起，小脉扇状二叉分枝，彼此接近，斜向上，伸入牙齿的先端，但不达边缘。叶坚草质，干后灰绿色或暗绿色；叶轴及羽轴与叶片同色，两侧有连续的线状狭翅，下部疏被黑褐色的纤维状小鳞片，向上光滑。孢子囊群近椭圆形，长 1 ~ 2 mm，斜向上，每小羽片有 1 ~ 2（基部 1 对小羽片有 2 ~ 4），位于小羽片中部，排列不甚整齐，成熟后为深棕色，往往铺满小羽片下面；囊群盖同形，灰白色，膜质，全缘，开向羽轴或主脉，宿存。

| 生境分布 | 生于海拔 380 ~ 3 900 m 的岩石上或石缝中。分布于河北承德、武安、涿鹿等。

| 资源情况 | 野生资源一般。药材主要来源于野生。

| 采收加工 | 4 月采挖，洗净，晒干或鲜用。

| 药材性状 | 本品长 15 ~ 20 cm。根茎短而直立，先端密被锈褐色鳞片及黑褐色披针形鳞片。叶簇生；叶柄长 2 ~ 4 cm，被线形鳞毛，下部较密；叶片近纸质，披针形，长 8 ~ 12 cm，宽 2 ~ 3 cm，先端渐尖并羽裂，基部略缩短，二回羽状或 3 回羽裂；羽轴和叶轴两侧均有狭翅；羽片约 10 对，互生或近对生，三角状长圆形，中部的较大，长约 2 cm，宽约 1 cm，下部的稍缩短；末回裂片椭圆形或短舌形，先端有 2 ~ 3 尖齿；叶脉羽状，侧脉二叉状，直达尖齿。孢子囊群长圆形，背生于小脉中部以上，每小羽片 1 ~ 2，成熟时布满叶背面；囊群盖长圆形，膜质，全缘。

| 功能主治 | 甘、辛，温。化痰止咳，清热解毒，止血。用于感冒咳嗽，肺结核，痢疾，腹泻，热痹，肿毒，疮痈，跌打损伤，外伤出血。

| 用法用量 | 内服煎汤，15 ~ 30 g。外用适量，捣敷；或研末敷。

| 附　注 | 本种与华中铁角蕨 Asplenium sarelii Hook. 的形态相似，但本种的叶片较狭，披针形，坚草质，基部 1 对羽片略缩短，裂片舌形或线形，先端有 2 ~ 3 锐尖的小牙齿，可以此相区别。但本种在不同生境下，叶形变异很大，易与华中铁角蕨混淆。

铁角蕨科 Aspleniaceae 铁角蕨属 Asplenium

过山蕨
Asplenium ruprechtii Sa. Kurata

| 药 材 名 | 马蹬草（药用部位：全草。别名：过桥草、还阳草、小石韦）。

| 形态特征 | 多年生常绿蕨类植物，高达 20 cm。根茎短小，直立，先端密被小鳞片；鳞片披针形，黑褐色，膜质，全缘。叶簇生；基生叶不育，较小，叶柄长 1 ~ 3 cm，叶片长 1 ~ 2 cm，宽 0.5 ~ 0.8 cm，椭圆形，钝头，基部阔楔形，略下延于叶柄；能育叶较大，叶柄长 1 ~ 5 cm，叶片长 10 ~ 15 cm，宽 0.5 ~ 1 cm，披针形，全缘或略呈波状，基部楔形或圆楔形，以狭翅下延于叶柄，先端渐尖，且延伸成鞭状（长 3 ~ 8 cm），末端稍卷曲，能着地生根，行无性繁殖。叶脉网状，仅在上面隐约可见，有 1 ~ 3 行网眼，靠近主脉的 1 行网眼狭长，与主脉平行，其余 1 ~ 2 行网眼斜上，网眼外的小脉分离，不达叶缘。

叶草质，干后暗绿色，无毛。孢子囊群线形或椭圆形，在主脉两侧各排成不整齐的 1 ~ 3 行，通常靠近主脉的 1 行较长，生于网眼向轴的一侧，囊群盖向主脉开口，其余 1 ~ 2 行如成对地生于网眼内，则囊群盖相对开，如单独地生于网眼内，则囊群盖开向主脉或叶缘；囊群盖狭，同形，膜质，灰绿色或浅棕色。

| 生境分布 | 生于海拔 300 ~ 2 000 m 的林下石上。分布于河北北戴河、迁西、遵化等。

| 资源情况 | 野生资源一般。药材主要来源于野生。

| 采收加工 | 夏、秋季采收，洗净，晒干。

| 功能主治 | 淡，平。活血化瘀，止血，解毒。用于血栓闭塞性脉管炎，偏瘫，子宫出血，外伤出血，神经性皮炎，下肢溃疡。

| 用法用量 | 内服煎汤，3 ~ 6 g；或研末，每次 1 g，每日 3 次。外用适量，研末敷。

球子蕨科 Onocleaceae 荚果蕨属 Matteuccia

荚果蕨
Matteuccia struthiopteris (L.) Todaro

| 药 材 名 | 荚果蕨贯众（药用部位：根茎。别名：小叶贯众、黄瓜香、野鸡膀子）。

| 形态特征 | 多年生常绿蕨类植物，高 70 ~ 110 cm。根茎粗壮，短而直立，木质，坚硬，深褐色，与叶柄基部密被鳞片；鳞片披针形，长 4 ~ 6 mm，先端纤维状，膜质，全缘，棕色，老时中部常为褐色至黑褐色。叶簇生，二型。不育叶叶柄褐棕色，长 6 ~ 10 cm，直径 5 ~ 10 mm，上面有深纵沟，基部三角形，具龙骨状突起，密被鳞片，向上逐渐稀疏，叶片椭圆状披针形至倒披针形，长 50 ~ 100 cm，中部宽 17 ~ 25 cm，向基部逐渐变狭，2 回深羽裂；羽片 40 ~ 60 对，互生或近对生，斜展，相距 1.5 ~ 2 cm，下部羽片向基部逐渐缩小成

小耳形，中部羽片最大，披针形或线状披针形，长 10 ~ 15 cm，宽 1 ~ 1.5 cm，先端渐尖，无柄，羽状深裂；裂片 20 ~ 25 对，略斜展，彼此接近，整齐齿状排列，椭圆形或近长方形，中部以下的同大，长 5 ~ 8 mm，圆头或钝头，近全缘或具波状圆齿，通常略反卷；叶脉明显，在裂片上为羽状，小脉单一，斜向上；叶草质，干后绿色或棕绿色，无毛，仅沿叶轴、羽轴和主脉疏被柔毛和小鳞片，羽轴浅棕色或棕禾秆色，上面有浅纵沟。能育叶较不育叶短，有粗壮的长柄（长 12 ~ 20 cm，下部直径 5 ~ 12 mm）；叶片倒披针形，长 20 ~ 40 cm，中部以上宽 4 ~ 8 cm，一回羽状；羽片线形，两侧强烈反卷成荚果状，呈念珠形，深褐色，包裹孢子囊群，小脉先端形成囊托，位于羽轴和叶缘之间。孢子囊群圆形，成熟时连接成线形；囊群盖膜质。

| 生境分布 | 生于海拔 80 ~ 3 000 m 的山谷林下或河岸湿地。分布于河北青龙、围场、赤城等。

| 资源情况 | 野生资源一般。药材主要来源于野生。

| 采收加工 | 春、秋季采挖，削去叶柄、须根，除净泥土，晒干或鲜用。

| 药材性状 | 本品呈倒卵形或长圆形，上部钝圆，下部稍尖，稍弯曲，长 10 ~ 16 cm，直径 4 ~ 7 cm；表面棕褐色，全体密被叶柄残基、须根和少量鳞片。叶柄残基上部扁平，向下渐窄，背部隆起，中央有 1 纵棱，近上端可见 "V" 或 "M" 形突皱纹；质硬而脆，易折断，断面略平坦，有 2 黄白色小点（分体中柱），呈 "八" 字形排列。叶柄基部生 1 ~ 3 须根，多分枝，有时具棕色绒毛。气微而特异，味涩。

| 功能主治 | 苦，寒。清热解毒，杀虫，止血。用于热病发斑，腮腺炎，湿热疮毒，蛔虫病腹痛，蛲虫病，赤痢便血，尿血，吐血，衄血，崩漏。

| 用法用量 | 内服煎汤，5 ~ 15 g，鲜品大剂量可用至 50 g。外用适量，捣敷；或煎汤洗。

| 附 注 | 尖裂荚果蕨 *Matteuccia struthiopteris* (L.) Todaro var. *acutiloba* Ching 与本种的区别在于前者不育叶的裂片为三角状披针形，尖头。

岩蕨科 Woodsiaceae 岩蕨属 Woodsia

耳羽岩蕨
Woodsia polystichoides Eaton

| **植物别名** | 岩蕨、耳羽草。

| **药 材 名** | 蜈蚣旗根（药用部位：根茎）。

| **形态特征** | 多年生常绿蕨类植物，高 15 ~ 30 cm。根茎短而直立，先端密被鳞
片；鳞片披针形或卵状披针形，长约 4 mm，先端渐尖，棕色，膜质，
全缘。叶簇生；叶柄长 4 ~ 12 cm，直径 1 ~ 1.5 mm，禾秆色或棕
禾秆色，略有光泽，先端或上部有倾斜的关节，基部被与根茎相同
的鳞片，向上连同叶轴被狭披针形至线形的棕色小鳞片和节状长毛；
叶片线状披针形或狭披针形，长 10 ~ 23 cm，中部宽 1.5 ~ 3 cm，
渐尖头，向基部渐狭，一回羽状；羽片 16 ~ 30 对，近对生或互生，
平展或偶有略斜展，下部 3 ~ 4 对缩小并略向下反折，以阔间隔彼

此分开，基部 1 对呈三角形，中部羽片较大，疏离，椭圆状披针形或线状披针形，略呈镰状，长 8 ～ 20 mm，基部宽 4 ～ 7 mm，急尖头或尖头，基部不对称，上侧截形，与叶轴平行并紧靠叶轴，有明显的耳形突起，下侧楔形，边缘变异较大，或全缘，或呈波状，有时呈缺刻状或钝牙齿状浅裂，稀浅羽裂。叶脉明显，羽状，小脉斜展，二叉（在羽片基部上侧耳形突起上为简单的羽状），先端有棒状水囊，不达叶缘。叶纸质或草质，干后草绿色或棕绿色，上面近无毛或疏被长毛，下面疏被长毛及线形小鳞片；叶轴浅禾秆色或棕禾秆色，略有光泽。孢子囊群圆形，着生于二叉小脉上侧分枝的先端，每裂片有 1（羽片基部上侧的耳形突起有 3 ～ 6），靠近叶缘；囊群盖杯形，边缘浅裂并有睫毛。

| 生境分布 | 生于海拔 250 ～ 2 700 m 的林下石上及山谷石缝间。分布于河北青龙、阜平、赞皇等。

| 资源情况 | 野生资源一般。药材主要来源于野生。

| 采收加工 | 全年均可采收，洗净，鲜用。

| 功能主治 | 苦，平。归肝、脾经。舒筋活络。用于筋伤疼痛，活动不利。

| 用法用量 | 外用适量，鲜品捣敷。

| 附　　注 | 本种的羽片边缘及羽片基部上侧的三角形耳形突起变异较大，有些学者根据这些形态特征建立了若干变种或变型，但这一系列的形态变异颇难区分且不稳定，因此，据此建立的种下等级在植物分类学上意义不大。

肾蕨科　Nephrolepidaceae　肾蕨属　Nephrolepis

肾蕨 *Nephrolepis cordifolia* (Linnaeus) C. Presl

| **植物别名** | 石黄皮、波斯顿蕨。

| **药材名** | 肾蕨（药用部位：全草或叶、根茎。别名：蜈蚣草、圆羊齿、落地珍珠）。

| **形态特征** | 附生或土生草本。根茎直立，被蓬松的淡棕色长钻形鳞片，下部有粗的铁丝状匍匐茎向四方横展。匍匐茎棕褐色，直径约 1 mm，长达 30 cm，不分枝，疏被鳞片，有纤细的褐棕色须根；匍匐茎上有近圆形的块茎，直径 1 ～ 1.5 cm，密被与根茎同样的鳞片。叶簇生；叶柄长 6 ～ 11 cm，直径 2 ～ 3 mm，暗褐色，略有光泽，上面有纵沟，下面圆形，密被淡棕色线形鳞片；叶片线状披针形或狭披针形，长 30 ～ 70 cm，宽 3 ～ 5 cm，先端短尖，叶轴两侧被纤维状鳞片，

一回羽状；羽片多数，45 ~ 120 对，互生，常密集而呈覆瓦状排列，披针形，中部羽片一般长约 2 cm，宽 0.6 ~ 0.7 cm，先端钝圆或有时为急尖头，基部心形，通常不对称，下侧为圆楔形或圆形，上侧为三角状耳形，几无柄，以关节着生于叶轴，叶缘有疏浅的钝锯齿，向基部的羽片渐短，常变为卵状三角形，长不及 1 cm。叶脉明显，侧脉纤细，自主脉向上斜出，在下部分叉，小脉直达叶缘附近，先端具纺锤形水囊。叶坚草质或草质，干后棕绿色或褐棕色，光滑。孢子囊群成 1 行位于主脉两侧，肾形，稀圆肾形或近圆形，长 1.5 mm，宽不及 1 mm，生于每组侧脉上侧小脉的先端，位于从叶缘至主脉的 1/3 处；囊群盖肾形，褐棕色，边缘色较淡，无毛。

| **生境分布** | 生于海拔 30 ~ 1 500 m 的溪边林下。分布于河北滦平、平泉等。

| **资源情况** | 野生资源一般。药材主要来源于野生。

| **采收加工** | 夏、秋季采收全草或叶，洗净，鲜用或晒干。全年均可采挖根茎，刮去鳞片，洗净，鲜用或晒干。

| **药材性状** | 本品块茎球形或扁圆形，直径约 2 cm；表面密生黄棕色绒毛状鳞片，可见自根茎脱落后的圆形疤痕，除去鳞片后表面显亮黄色，有明显的不规则皱纹；质坚硬。叶簇生；叶柄略扭曲，长 6 ~ 9 cm，下部有亮棕色鳞片；叶轴棕黄色，叶片常皱缩，展平后呈线状披针形，长 30 ~ 60 cm，宽 3 ~ 5 cm，1 回羽状分裂；羽片无柄，披针形，长约 2 cm，宽约 0.6 cm，边缘有疏浅钝齿；两边的侧脉先端各有 1 行孢子囊群。气微，味苦。

| **功能主治** | 甘、淡、涩，凉。归肝、肾、胃、小肠经。清热利湿，通淋止咳，消肿解毒。用于感冒发热，肺热咳嗽，黄疸，淋浊，小便涩痛，泄泻，痢疾，带下，疝气，乳痈，瘰疬，烫伤，刀伤，淋巴结炎，体癣，睾丸炎。

| **用法用量** | 内服煎汤，6 ~ 15 g，鲜品 30 ~ 60 g。外用适量，鲜全草或根茎捣敷。

水龙骨科 Polypodiaceae 石韦属 *Pyrrosia*

华北石韦

Pyrrosia davidii (Baker) Ching

植物别名	裸轴石韦、西南石韦、裸茎石韦。
药 材 名	小石韦（药用部位：叶）。
形态特征	多年生草本，高 5 ~ 10 cm。根茎略粗壮而横卧，密被披针形鳞片；鳞片长尾状渐尖头，幼时棕色，老时中部黑色，边缘具牙齿。叶密生，一型；叶柄长 2 ~ 5 cm，基部着生处密被鳞片，向上被星状毛，禾秆色；叶片狭披针形，中部最宽，向两端渐狭，短渐尖头，先端圆钝，基部楔形，两侧狭翅沿叶柄长下延，长 5 ~ 7 cm，中部宽 0.5 ~ 1.5（~ 2）cm，全缘，干后软纸质，上面淡灰绿色，下面棕色，密被星状毛，主脉在下面不明显隆起，在上面浅凹陷，侧脉与小脉均不显。孢子囊群布满叶片下表面，幼时被星状毛覆盖，棕色，成熟时孢子

囊开裂而呈砖红色。

| **生境分布** | 生于海拔 200 ～ 2 500 m 的阴湿岩石上。分布于河北蔚县、内丘等。

| **资源情况** | 野生资源一般。药材主要来源于栽培。

| **采收加工** | 全年均可采收，洗净，晒干。

| **药材性状** | 本品向内卷曲成筒状或皱缩，完整叶展开后呈披针形或线状披针形，长 3 ～ 7 cm，宽 0.6 ～ 1.5 cm；先端渐尖，基部下延；上表面灰绿色或黄绿色，散布众多小凹点，下表面密生棕黄色星状毛，有的侧脉间布满棕色孢子囊群。叶柄长 2 ～ 5 cm，略扭曲，有纵槽。叶片软纸质。气微，味微苦、涩。

| **功能主治** | 苦、甘，寒。归肺、肾、膀胱经。利水通淋，清肺化痰，凉血止血。用于淋病，水肿，小便不利，痰热咳喘，咯血，吐血，衄血，崩漏，外伤出血。

| **用法用量** | 内服煎汤，1.5 ～ 9 g，包煎。

| **附　注** | （1）2010 年版《中国药典》记载石韦为庐山石韦 *Pyrrosia sheareri* (Baker) Ching、石韦 *Pyrrosia lingua* (Thunb.) Farwell 和有柄石韦 *Pyrrosia petiolosa* (Christ) Ching 的干燥叶。而 1999 年版《中华本草》记载石韦为石韦 *Pyrrosia lingua* (Thunb.) Farwell、庐山石韦 *Pyrrosia sheareri* (Baker) Ching、西南石韦 *Pyrrosia gralla* (Gies.) Ching、华北石韦 *Pyrrosia davidii* (Baker) Ching 和有柄石韦 *Pyrrosia petiolosa* (Christ) Ching 等的全草。此问题有待进一步考证。

（2）河北分布有华北石韦及有柄石韦 2 种，两者的区别在于华北石韦的叶向内卷成筒状或平展，一型，软革质，叶片披针形或线状披针形，向两端渐狭，长 5 ～ 7 cm，宽 0.5 ～ 1.5（～ 2）cm，下表面密生短而细的星状毛，孢子囊群多行，叶柄长 2 ～ 5 cm，直径 1.5 ～ 3 cm；有柄石韦的叶向内卷成近筒状，二型，革质，叶片矩圆形或矩圆状披针形，基部下延至叶柄，长 3 ～ 6 cm，宽 0.5 ～ 2 cm，能育叶下表面布满棕色孢子囊群，叶柄长 3.5 ～ 11 cm，长于叶片，直径 1 ～ 2 mm。

水龙骨科 Polypodiaceae 石韦属 Pyrrosia

石韦
Pyrrosia lingua (Thunb.) Farwell

| 植物别名 | 尾头石韦、尾叶石韦。

| 药 材 名 | 石韦（药用部位：叶）。

| 形态特征 | 多年生草本，通常高 10 ~ 30 cm。根茎长而横走，密被鳞片；鳞片披针形，长渐尖头，淡棕色，边缘有睫毛。叶远生，近二型；叶柄、叶片的大小和长短变化很大，能育叶通常远比不育叶长而较狭窄，两者的叶片略比其柄长，少等长，稀短于柄的。不育叶近长圆形或长圆状披针形，下部 1/3 处最宽，向上渐狭，短渐尖头，基部楔形，宽一般为 1.5 ~ 5 cm，长 10（~ 20）cm，全缘，干后革质，上面灰绿色，近光滑无毛，下面淡棕色或砖红色，被星状毛；能育叶较不育叶长 1/3，较不育叶窄 1/3 ~ 2/3。主脉在下面稍隆起，在上面

不明显下凹，侧脉在下面明显隆起，清晰可见，小脉不显。孢子囊群近椭圆形，在侧脉间整齐排列成多行，布满整个叶片下面，或聚生于叶片的上半部，初时被星状毛覆盖而呈淡棕色，成熟后孢子囊开裂外露而呈砖红色。

| **生境分布** | 附生于海拔 100 ~ 1 900 m 的林中树干上或稍干的岩石上。分布于河北隆化、迁安、蔚县等。

| **资源情况** | 野生资源一般。药材来源于野生。

| **采收加工** | 全年均可采收，除去根及根茎，晒干或阴干。

| **药材性状** | 本品呈披针形或长圆状披针形，长 8 ~ 12 cm，宽 1 ~ 3 cm，基部楔形，对称。孢子囊群在侧脉间排列紧密而整齐。叶柄长 5 ~ 10 cm，直径约 1.5 mm。

| **功能主治** | 甘、苦，微寒。归肺、膀胱经。利尿通淋，清肺止咳，凉血止血。用于热淋，血淋，石淋，小便不利，淋沥涩痛，肺热喘咳，吐血，衄血，尿血，崩漏。

| **用法用量** | 内服煎汤，6 ~ 12 g。

水龙骨科 Polypodiaceae 石韦属 Pyrrosia

有柄石韦 *Pyrrosia petiolosa* (Christ) Ching

| **药 材 名** | 石韦（药用部位：叶）。

| **形态特征** | 多年生草本，高 5 ~ 15 cm。根茎细长横走，幼时密被披针形棕色鳞片；鳞片长尾状渐尖头，边缘具睫毛。叶远生，一型，具长柄，柄长通常为叶片的 1 ~ 2 倍，基部被鳞片，向上被星状毛，棕色或灰棕色；叶片椭圆形，先端急尖至短钝头，基部楔形，下延，干后厚革质，全缘，上面灰淡棕色，有洼点，疏被星状毛，下面被厚层星状毛，初为淡棕色，后为砖红色。主脉在下面稍隆起，在上面凹陷，侧脉和小脉均不明显。孢子囊群布满叶片下面，成熟时扩散并汇合。

| **生境分布** | 附生于海拔 250 ~ 2 200 m 的干旱裸露岩石上。分布于河北隆化、兴隆、涿鹿等。

| **资源情况** | 野生资源一般。药材来源于栽培。

| **采收加工** | 全年均可采收，除去根及根茎，晒干或阴干。

| **药材性状** | 本品多卷曲成筒状，展平后呈长圆形或卵状长圆形，长 3 ~ 8 cm，宽 1 ~ 2.5 cm，基部楔形，对称。下表面侧脉不明显，布满孢子囊群。叶柄长 3 ~ 12 cm，直径约 1 mm。

| **功能主治** | 甘、苦，微寒。归肺、膀胱经。利尿通淋，清肺止咳，凉血止血。用于热淋，血淋，石淋，小便不利，淋沥涩痛，肺热喘咳，吐血，衄血，尿血，崩漏。

| **用法用量** | 内服煎汤，6 ~ 12 g。

裸子植物

银杏科 Ginkgoaceae 银杏属 Ginkgo

银杏 *Ginkgo biloba* L.

| 植物别名 |

白果树、公孙树。

| 药 材 名 |

银杏叶（药用部位：叶）。

| 形态特征 |

乔木，高达 40 m，胸径可达 4 m。幼树树皮浅纵裂，大树树皮呈灰褐色，深纵裂，粗糙；幼树及壮年树树冠圆锥形，老树树冠广卵形。枝近轮生，斜上伸展（雌株的大枝常较雄株开展）；一年生长枝淡褐黄色，二年生以上长枝变为灰色，并有细纵裂纹；短枝密被叶痕，黑灰色，短枝上亦可长出长枝；冬芽黄褐色，常呈卵圆形，先端钝尖。叶扇形，有长柄，淡绿色，无毛，有多数叉状并列细脉，先端宽 5 ~ 8 cm，短枝上的叶常具波状缺刻，长枝上的叶常 2 裂，基部宽楔形，柄长 3 ~ 10 cm，多为 5 ~ 8 cm，幼树及萌生枝上的叶常较大而深裂（叶片长达 13 cm，宽 15 cm），有时裂片再分裂，叶在一年生长枝上螺旋状散生，在短枝上 3 ~ 8 叶簇生，秋季落叶前变成黄色。球花雌雄异株，单性，生于短枝先端的鳞片状叶的腋内，呈簇生状；雄球花柔荑花序状，下垂，雄蕊

排列疏松，具短梗，花药常 2，长椭圆形，药室纵裂，药隔不发；雌球花具长梗，梗端常分 2 叉，稀 3 ～ 5 叉或不分叉，每叉顶生 1 盘状珠座，胚珠着生其上，通常仅 1 个叉端的胚珠发育成种子，风媒传粉。种子具长梗，下垂，常呈椭圆形、长倒卵形、卵圆形或近圆球形，长 2.5 ～ 3.5 cm，宽 2 cm；外种皮肉质，成熟时黄色或橙黄色，外被白粉，有臭味，中种皮白色，骨质，具 2 ～ 3 纵脊，内种皮膜质，淡红褐色；胚乳肉质，味甘、略苦；子叶 2，稀 3，发芽时不出土，初生叶 2 ～ 5，宽条形，长约 5 mm，宽约 2 mm，先端微凹，第 4 或第 5 片之后生叶扇形，先端具一深裂、不规则的波状缺刻，叶柄长 0.9 ～ 2.5 cm；有主根。花期 3 ～ 4 月，种子 9 ～ 10 月成熟。

| 生境分布 | 生于海拔 1 000 m 以下，气候温暖湿润，年降水量 700 ～ 1 500 mm，土层深厚、肥沃、湿润、排水良好的地区。分布于河北滦平、平泉、迁西等。

| 资源情况 | 野生资源稀少。药材主要来源于栽培。

| 采收加工 | 秋季叶尚绿时采收，干燥。

| 药材性状 | 本品多折皱或破碎，完整者呈扇形，长 3 ～ 12 cm，宽 5 ～ 15 cm。表面黄绿色或浅棕黄色，上缘呈不规则波状弯曲，有的中间凹入，深者可达叶长的 4/5，具二叉状平行叶脉，细而密，光滑无毛，易纵向撕裂。叶基楔形，叶柄长 2 ～ 8 cm。体轻。气微，味微苦。

| 功能主治 | 甘、苦、涩，平。归心、肺经。活血化瘀，通络止痛，敛肺平喘，化浊降脂。用于瘀血阻络，胸痹心痛，中风偏瘫，肺虚咳喘，高脂血症。

| 用法用量 | 内服煎汤，9 ～ 12 g。

松科 Pinaceae 云杉属 *Picea*

白扦

Picea meyeri Rehder & E. H. Wilson

| 植物别名 |

毛枝云杉、刺儿松、红扦云杉。

| 药 材 名 |

白扦树脂（药用部位：树脂）。

| 形态特征 |

乔木，高达 30 m，胸径约 60 cm。树皮灰褐色，呈不规则的薄块片脱落；大枝近平展，树冠塔形；小枝密生或疏生短毛或无毛，一年生枝黄褐色，二年生、三年生枝淡黄褐色、淡褐色或褐色；冬芽圆锥形，间或侧芽呈卵状圆锥形，褐色，微有树脂，光滑无毛，基部芽鳞有背脊，上部芽鳞的先端常微向外反曲，小枝基部宿存芽鳞的先端微反卷或开展。主枝的叶常辐射伸展，侧枝上面的叶伸展，两侧及下面的叶向上弯伸，四棱状条形，微弯曲，长 1.3 ~ 3 mm，宽约 2 mm，先端钝尖或钝，横切面四棱形，四面有白色气孔线，上面 6 ~ 7，下面 4 ~ 5。球果成熟前绿色，成熟时褐黄色，矩圆状圆柱形，长 6 ~ 9 cm，直径 2.5 ~ 3.5 cm；中部种鳞倒卵形，长约 1.6 cm，宽约 1.2 cm，先端圆或钝三角形，下部宽楔形或微圆，鳞背露出部分有条纹；种子倒卵圆形，长约 3.5 mm，

种翅淡褐色，倒宽披针形，连种子长约 1.3 cm。花期 4 月，球果 9 月下旬至 10 月上旬成熟。

| **生境分布** | 生于海拔 1 600 ~ 2 700 m、气温较低、降水量及湿度高于平原、土壤为灰棕色森林土或棕色森林土的地区，常组成以白扦为主的针阔叶混交林。分布于河北滦平、张北等。

| **资源情况** | 野生资源一般。药材主要来源于栽培。

| **采收加工** | 夏季采收渗出的油树脂，待凝成固体后，置密闭容器内，于阴凉遮光处保存。

| **功能主治** | 祛风散寒，活血止痛。用于肌肉疼痛，关节疼痛。

| **用法用量** | 外用适量，研末调搽。

松科 Pinaceae 松属 Pinus

白皮松 *Pinus bungeana* Zucc. ex Endl.

| 植物别名 |

蟠龙松、虎皮松、白果松。

| 药 材 名 |

白松塔（药用部位：球果。别名：松塔、松球、松果）。

| 形态特征 |

乔木，高达 30 m，胸径可达 3 m，有明显的主干，或从近树干基部分成数干。枝较细长，斜展，形成宽塔形至伞形树冠；幼树树皮光滑，灰绿色，长大后树皮呈不规则薄块片状脱落，露出淡黄绿色新皮，老树树皮呈淡褐灰色或灰白色，裂成不规则鳞状块片脱落，脱落后近光滑，露出粉白色内皮，白褐相间呈斑鳞状；一年生枝灰绿色，无毛；冬芽红褐色，卵圆形，无树脂。针叶 3 针 1 束，粗硬，长 5 ~ 10 cm，直径 1.5 ~ 2 mm，叶背面及腹面两侧均有气孔线，先端尖，边缘有细锯齿，横切面扇状三角形或宽纺锤形，皮下层细胞单层，在背面偶尔出现 1 ~ 2 断续分布的第二层细胞，树脂道 6 ~ 7，边生，稀背面角处有 1 ~ 2 中生；叶鞘脱落。雄球花卵圆形或椭圆形，长约 1 cm，多数聚生于新枝基部成穗状，长 5 ~ 10 cm。球果通

常单生，初直立，后下垂，成熟前淡绿色，成熟时淡黄褐色，卵圆形或圆锥状卵圆形，长 5 ～ 7 cm，直径 4 ～ 6 cm，有短梗或几无梗；种鳞矩圆状宽楔形，先端厚，鳞盾近菱形，有横脊，鳞脐生于鳞盾中央，明显，三角状，先端有刺，刺尖头向下反曲，稀尖头不明显；种子灰褐色，近倒卵圆形，长约 1 cm，直径 5 ～ 6 mm，种翅短，赤褐色，有关节，易脱落，长约 5 mm；子叶 9 ～ 11，针形，长 3.1 ～ 3.7 cm，宽约 1 mm，初生叶窄条形，长 1.8 ～ 4 cm，宽不超过 1 mm，上、下面均有气孔线，边缘有细锯齿。花期 4 ～ 5 月，球果翌年 10 ～ 11 月成熟。

| **生境分布** | 生于环境气候温凉，土层深厚、肥润的钙质土和黄土中。分布于河北平泉等。

| **资源情况** | 野生资源较少。药材来源于栽培。

| **采收加工** | 春、秋季采收，晒干。

| **药材性状** | 本品呈卵圆形，长 5 ～ 7 cm，淡黄褐色或棕褐色。种鳞先端厚，鳞盾多呈菱形，有横脊，鳞脐生于鳞盾中央，具刺尖。种子倒卵圆形，长约 1 cm；种皮棕褐色；胚乳白色，气香，味甜，富油质；种翅长 5 mm，有关节，易脱落。

| **功能主治** | 苦，温。祛痰，止咳，平喘。用于慢性支气管炎，哮喘，咳嗽，气短，痰多。

| **用法用量** | 内服煎汤，30 ～ 60 g。

松科 Pinaceae 松属 Pinus

马尾松 *Pinus massoniana* Lamb.

| 植物别名 |

青松、山松、枞松。

| 药 材 名 |

松花粉（药用部位：花粉）、松节油（药材来源：渗出的油树脂经蒸馏或提取得到的挥发油）、油松节（药用部位：瘤状节、分枝节）。

| 形态特征 |

乔木，高达45 m，胸径1.5 m。树皮红褐色，下部灰褐色，裂成不规则鳞状块片；枝平展或斜展，树冠宽塔形或伞形，枝每年生长1轮，但生于广东南部者通常生长2轮，淡黄褐色，无白粉，稀有白粉，无毛；冬芽卵状圆柱形或圆柱形，褐色，先端尖，芽鳞边缘丝状，先端尖或成渐尖的长尖头，微反曲。针叶2针1束，稀3针1束，长12～20 cm，细柔，微扭曲，两面有气孔线，边缘有细锯齿；横切面皮下层细胞单型，第一层连续排列，第二层由个别细胞断续排列而成，树脂道4～8，在背面边生，或在腹面也有2边生；叶鞘初呈褐色，后渐变成灰黑色，宿存。雄球花淡红褐色，圆柱形，弯垂，长1～1.5 cm，聚生于新枝下部苞腋，

穗状，长 6 ～ 15 cm；雌球花单生或 2 ～ 4 聚生于新枝近先端，淡紫红色。一年
生小球果圆球形或卵圆形，直径约 2 cm，褐色或紫褐色，上部珠鳞的鳞脐具向
上直立的短刺，下部珠鳞的鳞脐平钝，无刺；球果卵圆形或圆锥状卵圆形，长
4 ～ 7 cm，宽 2.5 ～ 4 cm，有短梗，下垂，成熟前绿色，成熟时栗褐色，陆续
脱落；中部种鳞近矩圆状倒卵形或近长方形，长约 3 cm；鳞盾菱形，微隆起
或平，横脊微明显，鳞脐微凹，无刺，生于干燥环境者常具极短的刺；种子长
卵圆形，长 4 ～ 6 mm，连翅长 2 ～ 2.7 cm；子叶 5 ～ 8，长 1.2 ～ 2.4 cm；初
生叶条形，长 2.5 ～ 3.6 cm，叶缘具疏生刺毛状锯齿。花期 4 ～ 5 月，球果翌年
10 ～ 12 月成熟。

| **生境分布** | 生于干旱、瘠薄的红壤、石砾土及砂质土或岩石缝中，为荒山恢复森林的先锋树种。分布于河北灵寿、内丘、平山等。

| **资源情况** | 野生资源一般。药材来源于栽培。

| **采收加工** | **松花粉：**春季花刚开时采摘花穗，晒干，收集花粉，除去杂质。
松节油：全年均可采收，锯取松节，阴干后蒸馏。
油松节：全年均可采收，锯取后阴干。

| **药材性状** | **松花粉：**本品为淡黄色粉末。花粉粒椭圆形，长 45 ~ 55 μm，直径 29 ~ 40 μm，表面光滑，两侧各有一膨大的气囊，气囊有明显的网状纹理，网眼多角形。
松节油：本品为无色至黄色澄清液体。臭特异，久贮或暴露于空气中，臭渐增强，色渐变黄。
油松节：本品呈扁圆节段状或不规则块状，长短、粗细不一。外表面黄棕色、灰棕色或红棕色，有时带有棕色至黑棕色油斑，或有残存的栓皮。质坚硬，横截面木部淡棕色，心材色稍深，可见明显的年轮环纹，显油性，髓部小，淡黄棕色；纵断面具纵直或扭曲纹理。有松节油香气，味微苦、辛。

| **功能主治** | **松花粉：**甘，温。归肝、脾经。收敛止血，燥湿敛疮。用于外伤出血，湿疹，黄水疮，皮肤糜烂，脓水淋漓。

松节油：苦，温。活血通络，消肿止痛。用于关节肿痛，肌肉痛，跌打损伤。

油松节：苦、辛，温。归肝、肾经。祛风除湿，通络止痛。用于风寒湿痹，历节风痛，转筋挛急，跌打伤痛。

| 用法用量 |　松花粉：外用适量，撒敷。

松节油：外用适量，涂擦。

油松节：内服煎汤，9 ~ 15 g。

| 附　　注 |　雅加松 *Pinus massoniana* Lamb. var. *hainanensis* Cheng et L. K. Fu 为马尾松的变种，与马尾松的区别在于该变种树皮红褐色，裂成不规则薄片脱落；枝条平展，小枝斜上伸展；球果卵状圆柱形。

松科 Pinaceae 松属 Pinus

油松
Pinus tabuliformis Carrière

| 植物别名 | 短叶松、红皮松、短叶马尾松。

| 药 材 名 | 松花粉（药用部位：花粉）、松节油（药材来源：渗出的油树脂经蒸馏或提取得到的挥发油）、油松节（药用部位：瘤状节、分枝节）。

| 形态特征 | 乔木，高达 25 m，胸径可超过 1 m。树皮灰褐色或褐灰色，裂成不规则、较厚的鳞状块片，裂缝及上部树皮红褐色；枝平展或向下斜展，老树树冠平顶，小枝较粗，褐黄色，无毛，幼时微被白粉；冬芽矩圆形，先端尖，微具树脂，芽鳞红褐色，边缘有丝状缺裂。针叶 2 针 1 束，深绿色，粗硬，长 10 ~ 15 cm，直径约 1.5 mm，边缘有细锯齿，两面具气孔线，横切面半圆形，皮下层二型，在第一层皮下层细胞下常有少数细胞形成第二层皮下层细胞，树脂道 5 ~ 8

或更多，边生，多数生于背面，腹面有 1～2，稀角部有 1～2 中生树脂道，叶鞘初呈淡褐色，后呈淡黑褐色。雄球花圆柱形，长 1.2～1.8 cm，在新枝下部聚生成穗状。球果卵形或圆卵形，长 4～9 cm，有短梗，向下弯垂，成熟前绿色，成熟时淡黄色或淡褐黄色，常宿存树上近数年之久；中部种鳞近矩圆状倒卵形，长 1.6～2 cm，宽约 1.4 cm，鳞盾肥厚、隆起或微隆起，扁菱形或菱状多角形，横脊显著，鳞脐凸起，有尖刺；种子卵圆形或长卵圆形，淡褐色，有斑纹，长 6～8 mm，直径 4～5 mm，连翅长 1.5～1.8 cm；子叶 8～12，长 3.5～5.5 cm；初生叶窄条形，长约 4.5 cm，先端尖，边缘有细锯齿。花期 4～5 月，球果翌年 10 月成熟。

| 生境分布 | 生于海拔 100 ～ 2 600 m 的地区。分布于河北昌黎、丰宁、沽源等地。

| 资源情况 | 野生资源丰富。药材来源于栽培。

| 采收加工 | **松花粉**：春季花刚开时，采摘花穗，晒干，收集花粉，除去杂质。
松节油：全年均可采收，锯取后阴干。
油松节：全年均可采收，锯取后阴干。

| 药材性状 | **松花粉**：本品为淡黄色粉末。花粉粒椭圆形，长 45 ～ 55 μm，直径 29 ～ 40 μm，表面光滑，两侧各有一膨大的气囊；气囊有明显的网状纹理，网眼多角形。
松节油：本品为无色至黄色澄清液体。臭特异，久贮或暴露在空气中臭渐增强，色渐变黄。
油松节：本品呈扁圆节段状或不规则块状，长短、粗细不一。外表面黄棕色、灰棕色或红棕色，有时带棕色至黑棕色油斑或有残存的栓皮，质坚硬。横断面木部淡棕色，心材色稍深，可见明显的年轮环纹，显油性；髓部小，淡黄棕色；纵断面具纵直或扭曲的纹理。有松节油香气，味微苦、辛。

| 功能主治 | **松花粉**：甘，温。归肝、脾经。收敛止血，燥湿敛疮。用于外伤出血，湿疹，黄水疮，皮肤糜烂，脓水淋漓。
松节油：苦，温。活血通络，消肿止痛。用于关节肿痛，肌肉痛，跌打损伤。
油松节：苦、辛，温。归肝、肾经。祛风除湿，通络止痛。用于风寒湿痹，历节风痛，转筋挛急，跌打伤痛。

| 用法用量 | **松花粉**：外用适量，撒敷。
松节油：外用适量，涂擦。
油松节：内服煎汤，9 ～ 15 g。

| 附　注 | （1）本种的变种黑皮油松 *Pinus tabuliformis* Carr. var. *mukdensis* 生于辽宁，朝鲜也有分布。其球果的直径可超过 15 cm。另一变种扫帚油松 *Pinus tabuliformis* Carr. var. *umbraculifera* 生于辽宁鞍山千山慈祥观附近。
（2）本种为喜光、深根性树种，喜干冷气候，在土层深厚、排水良好的酸性、中性或钙质黄土中均能良好生长。

柏科 Cupressaceae 刺柏属 Juniperus

圆柏 *Juniperus chinensis* L.

| **植物别名** | 桧、刺柏、红心柏。

| **药 材 名** | 桧叶（药用部位：叶）。

| **形态特征** | 乔木，高达 20 m，胸径达 3.5 m。树皮深灰色，纵裂，成条片开裂；幼树枝条通常斜上伸展，形成尖塔形树冠，老树下部大枝平展，形成广圆形树冠；树皮灰褐色，纵裂，裂成不规则的薄片脱落；小枝通常直或稍呈弧状弯曲，生鳞叶的小枝近圆柱形或近四棱形，直径 1 ~ 1.2 mm。叶二型，即刺叶及鳞叶；刺叶生于幼龄树上，老龄树全为鳞叶，壮龄树兼有刺叶与鳞叶；生于一年生小枝的一回分枝上的鳞叶 3 叶轮生，直伸而紧密，近披针形，先端微渐尖，长 2.5 ~ 5 mm，背面近中部有微凹的椭圆形腺体；刺叶 3 叶交互轮生，斜展，

疏松，披针形，先端渐尖，长 6 ～ 12 mm，上面微凹，有 2 条白粉带。雌雄异株，稀同株；雄球花黄色，椭圆形，长 2.5 ～ 3.5 mm，雄蕊 5 ～ 7 对，常有 3 ～ 4 花药。球果近圆球形，直径 6 ～ 8 mm，2 年成熟，成熟时暗褐色，被白粉或白粉脱落，有 1 ～ 4 种子；种子卵圆形，扁，先端钝，有棱脊及少数树脂槽；子叶 2，出土，条形，长 1.3 ～ 1.5 cm，宽约 0.1 cm，先端锐尖，下面有 2 条白色气孔带，上面则不明显。

| **生境分布** | 生于中性土、钙质土及微酸性土上。分布于河北滦平、平泉、永年等。

| **资源情况** | 野生资源一般。药材主要来源于栽培。

| **采收加工** | 全年均可采收，洗净，鲜用或晒干。

| **药材性状** | 本品二型，生于不同枝上。鳞叶 3 叶轮生，直伸而紧密，近披针形，先端渐尖，长 2.5 ～ 5 mm；刺叶 3 叶交互轮生，斜展，疏松，披针形，长 6 ～ 12 mm。气微香，味微涩。

| **功能主治** | 辛、苦，温；有小毒。祛风散寒，活血解毒。用于风寒感冒，风湿关节痛，荨麻疹，阴疽肿毒初起，尿路感染。

| **用法用量** | 内服煎汤，鲜品 15 ～ 30 g。外用适量，捣敷；或煎汤熏洗；或烧烟熏。

| **附　　注** | 偃柏 Sabina chinensis (L.) Ant. var. *sargentii* (Henry) Cheng et L. K. Fu 为本种的变种，与本种的区别在于其为匍匐灌木，小枝上升成密丛状，刺叶通常交叉对生，长 3 ～ 6 mm，排列较紧密，微斜展，球果带蓝色。龙柏 *Sabina chinensis* (L.) Ant. cv. Kaizuca 为本种的栽培变种，与本种的区别在于其树冠圆柱状或柱状塔形，枝条向上直展，常有扭转上升之势，小枝密，在枝端成几等长的密簇，鳞叶排列紧密，幼嫩时淡黄绿色，后呈翠绿色，球果蓝色，微被白粉。

柏科 Cupressaceae 刺柏属 Juniperus

杜松 *Juniperus rigida* Sieb. et Zucc.

植物别名

崩松、棒儿松、软叶杜松。

药材名

杜松（药用部位：枝叶、球果）。

形态特征

灌木或小乔木，高达 10 m。枝条直展，形成塔形或圆柱形的树冠，枝皮褐灰色，纵裂；小枝下垂，幼枝三棱形，无毛。叶 3 叶轮生，条状刺形，质厚，坚硬，长 1.2 ~ 1.7 cm，宽约 0.1 cm，上部渐窄，先端锐尖，上面凹下成深槽，槽内有 1 条窄的白粉带，下面有明显的纵脊，横切面呈内凹的"V"状三角形。雄球花椭圆状或近球状，长 2 ~ 3 mm；药隔三角状宽卵形，先端尖，背面有纵脊。球果圆球形，直径 6 ~ 8 mm，成熟前紫褐色，成熟时淡褐黑色或蓝黑色，常被白粉；种子近卵圆形，长约 6 mm，先端尖，有 4 条不显著的棱角。

生境分布

生于向阳、湿润的砂质山坡、岩石缝隙，常与油松生长在同一区域。分布于河北蔚县、涞源等。

| **资源情况** | 野生资源一般。药材来源于栽培。

| **采收加工** | 夏、秋季采收枝叶，秋季采收球果，晒干。

| **药材性状** | 本品球果呈球形或椭圆形，直径 7 ~ 8 mm，紫褐色或蓝黑色，有光泽，表面稍带白粉；内含 2 ~ 3 种子，也有 1 或 4 者。种子卵圆形，长约 6 mm，褐色，先端尖，有 4 条不显著的棱角。气芳香特殊，味甘。

| **功能主治** | 甘、苦，平。祛风，镇痛，除湿，利尿。用于风湿关节痛，痛风，肾炎，水肿，尿路感染。

| **用法用量** | 内服煎汤，6 ~ 15 g。外用适量，煎汤洗。

柏科 Cupressaceae 侧柏属 Platycladus

侧柏
Platycladus orientalis (L.) Franco

| 植物别名 |

香柏、扁柏、扁桧。

| 药材名 |

侧柏叶（药用部位：枝梢、叶。别名：柏叶、扁柏叶、丛柏叶）。

| 形态特征 |

乔木，高约 20 m，胸径 1 m。树皮薄，浅灰褐色，纵裂成条片；枝条向上伸展或斜展，幼树树冠卵状尖塔形，老树树冠广圆形；生鳞叶的小枝细，向上直展或斜展，扁平，排成一平面。叶鳞形，长 1 ~ 3 mm，先端微钝，小枝中央叶的露出部分呈倒卵状菱形或斜方形，背面中间有条状腺槽，两侧叶船形，先端微内曲，背面有钝脊，尖头的下方有腺点。雄球花黄色，卵圆形，长约 2 mm；雌球花近球形，直径约 2 mm，蓝绿色，被白粉。球果近卵圆形，长 1.5 ~ 2 （ ~ 2.5 ）cm，成熟前近肉质，蓝绿色，被白粉，成熟后木质，开裂，红褐色；中间 2 对种鳞倒卵形或椭圆形，鳞背先端的下方有一向外弯曲的尖头，上部 1 对种鳞窄长，近柱状，先端有向上的尖头，下部 1 对种鳞极小，长达 13 mm，稀退化而不显著；种子卵圆形或近椭圆形，先端微尖，灰褐色或紫褐色，长 6 ~ 8 mm，稍有棱脊，无翅或有极窄的翅。花期 3 ~ 4 月，球果 10 月成熟。

| **生境分布** | 生于土壤湿润肥沃、排水良好的平地或悬崖峭壁上。分布于河北兴隆、永年、赞皇等。

| **资源情况** | 野生资源一般。药材主要来源于栽培。

| **采收加工** | 夏、秋季采收，阴干。

| **药材性状** | 本品多分枝，小枝扁平。叶细小，鳞片状，交互对生，贴伏于枝上，深绿色或黄绿色。质脆，易折断。气清香，味苦、涩、微辛。

| **功能主治** | 苦、涩，寒。归肺、肝、脾经。凉血止血，化痰止咳，生发乌发。用于吐血，衄血，咯血，便血，崩漏下血，肺热咳嗽，血热脱发，须发早白。

| **用法用量** | 内服煎汤，6 ~ 12 g。外用适量。

| **附　注** | 本种耐寒，耐旱，抗盐碱，喜钙质土。

麻黄科 Ephedraceae　麻黄属 Ephedra

木贼麻黄 *Ephedra equisetina* Bunge

| 植物别名 |

木麻黄、山麻黄。

| 药 材 名 |

麻黄（药用部位：草质茎。别名：龙沙、狗骨、卑相）。

| 形态特征 |

直立小灌木，高达 1 m。木质茎粗长，直立，稀部分匍匐状，基部直径达 1 ~ 1.5 cm，中部茎枝直径 3 ~ 4 mm；小枝细，直径约 1 mm，节间短，长 1 ~ 3.5 cm，多为 1.5 ~ 2.5 cm，纵槽纹细浅，不明显，常被白粉，呈蓝绿色或灰绿色。叶 2 裂，长 1.5 ~ 2 mm，褐色，大部合生，上部约 1/4 分离，裂片短三角形，先端钝。雄球花单生或 3 ~ 4 集生于节上，无梗或开花时有短梗，卵圆形或窄卵圆形，长 3 ~ 4 mm，宽 2 ~ 3 mm；苞片 3 ~ 4 对，基部约 1/3 合生；假花被近圆形；雄蕊 6 ~ 8，花丝全部合生，微外露，花药 2 室，稀 3 室。雌球花常 2 个对生于节上，窄卵圆形或窄菱形；苞片 3 对，菱形或卵状菱形，最上 1 对苞片约 2/3 合生；雌花 1 ~ 2，珠被管长达 2 mm，稍弯曲。雌球花成熟时肉质，红色，长卵圆形或卵圆形，长 8 ~ 10 mm，直径 4 ~ 5 mm，具短梗；种子通常 1，窄长卵圆形，长约 7 mm，直径 2.5 ~ 3 mm，先端窄缩成颈柱状，基部渐窄圆，具明显的点状种脐与种阜。花期 6 ~ 7 月，种子 8 ~ 9 月成熟。

| **生境分布** | 生于干旱地区的山脊、山顶及岩壁等处。分布于河北沽源、阜平、怀安等。

| **资源情况** | 野生资源一般。药材主要来源于栽培。

| **采收加工** | 秋季采割绿色草质茎，晒干。

| **药材性状** | 本品分枝较多，直径 1 mm，无粗糙感，节间长 1.5 ~ 3 cm。节上膜质鳞叶长 1 ~ 2 mm，裂片 2（稀 3），上部呈短三角形，灰白色，先端多不反曲，基部棕红色至棕黑色。

| **功能主治** | 辛、微苦，温。归肺、膀胱经。发汗散寒，宣肺平喘，利水消肿。用于风寒感冒，胸闷喘咳，风水浮肿。

| **用法用量** | 内服煎汤，2 ~ 10 g。

| **附　注** | 除本种外，麻黄药材的基原还包括草麻黄和中麻黄。草麻黄呈细长圆柱形，少分枝，直径 1 ~ 2 mm，有的带少量棕色木质茎；表面淡绿色至黄绿色，有细纵脊线，触之微有粗糙感；节明显，节间长 2 ~ 5.5 cm，节上有膜质鳞叶，长 3 ~ 4 mm，裂片 2（稀 3），锐三角形，先端灰白色，反曲，基部联合成筒状，红棕色；体轻，质脆，易折断，断面略呈纤维性，周边绿黄色，髓部红棕色，近圆形；气微香，味涩、微苦。中麻黄多分枝，直径 1.5 ~ 3 mm，有粗糙感；节上膜质鳞叶长 2 ~ 3 mm，裂片 3（稀 2），先端锐尖；断面髓部呈三角状圆形。

麻黄科 Ephedraceae 麻黄属 Ephedra

中麻黄
Ephedra intermedia Schrenk ex Mey.

| 植物别名 | 西藏中麻黄。

| 药材名 | 麻黄（药用部位：草质茎。别名：龙沙、狗骨、卑相）、麻黄根（药用部位：根及根茎）。

| 形态特征 | 灌木，高 20 ~ 100 cm。茎直立或匍匐斜上，粗壮，基部分枝多；绿色小枝常被白粉，呈灰绿色，直径 1 ~ 2 mm，节间通常长 3 ~ 6 cm，纵槽纹较细浅。叶 3 裂及 2 裂混见，下部约 2/3 合生成鞘状，上部裂片钝三角形或窄三角状披针形。雄球花通常无梗，数个密集于节上成团状，稀 2 ~ 3 对生或轮生于节上，具 5 ~ 7 对交叉对生或 5 ~ 7 轮 3 片轮生的苞片，雄花有 5 ~ 8 雄蕊，花丝全部合生，花药无梗；雌球花 2 ~ 3 成簇，对生或轮生于节上，无梗或有短梗，

具 3 ~ 5 轮 3 片轮生或 3 ~ 5 对交叉对生的苞片，通常仅基部合生，边缘常有明显的膜质窄边，最上一轮苞片有 2 ~ 3 雌花，雌花珠被管长达 3 mm，常呈螺旋状弯曲。雌球花成熟时肉质，红色，椭圆形、卵圆形或矩圆状卵圆形，长 6 ~ 10 mm，直径 5 ~ 8 mm；种子包于肉质的红色苞片内，不外露，3 或 2，形状变异颇大，常呈卵圆形或长卵圆形，长 5 ~ 6 mm，直径约 3 mm。花期 5 ~ 6 月，种子 7 ~ 8 月成熟。

| 生境分布 | 生于海拔数百米至 2 000 多米的干旱荒漠、沙滩及干旱的山坡或草地上。分布于河北赤城、怀安等。

| 资源情况 | 野生资源一般。药材主要来源于栽培。

| 采收加工 | **麻黄**：秋季采割绿色草质茎，晒干。

麻黄根：秋末采挖，除去残茎、须根和泥沙，干燥。

| 药材性状 | **麻黄**：本品多分枝，直径 1.5 ~ 3 mm，有粗糙感。节上膜质鳞叶长 2 ~ 3 mm，裂片 3（稀 2），先端锐尖。断面髓部呈三角状圆形。

麻黄根：本品呈圆柱形，略弯曲，长 8 ~ 25 cm，直径 0.5 ~ 1.5 cm；表面红棕色或灰棕色，有纵皱纹和支根痕；外皮粗糙，易呈片状剥落。根茎具节，节间长 0.7 ~ 2 cm，表面有横长凸起的皮孔。体轻，质硬而脆，断面皮部黄白色，木部淡黄色或黄色，射线放射状，中心有髓。气微，味微苦。

| 功能主治 | **麻黄**：辛、微苦，温。归肺、膀胱经。发汗散寒，宣肺平喘，利水消肿。用于风寒感冒，胸闷喘咳，风水浮肿。

麻黄根：甘、涩，平。归心、肺经。固表止汗。用于自汗，盗汗。

| 用法用量 | **麻黄**：内服煎汤，2 ~ 10 g。

麻黄根：内服煎汤，3 ~ 9 g。外用适量，研末撒扑。

| 附 注 | 本种的变种西藏中麻黄 *Ephedra intermedia* Schrenk ex Mey. var. *tibetica* Stapf 为灌木，高超过 1 m；茎枝硬直，粗壮，常向上直伸或稍外展；绿色小枝多被白粉，呈灰绿色，纵槽纹较明显，直径约 2 mm；叶多 2 裂，或杂以 3 裂，裂片短，占全叶的 1/4 ~ 1/3；雄花花药常有极短的离生花丝；雌球花苞片 2 ~ 3 对，苞片常有较宽的膜质边缘。较大的中麻黄具木质茎，形体也较高大，在无花时常易与木贼麻黄和膜果麻黄相混，但木贼麻黄的小枝节间细而常较短，叶全为 2 裂，膜果麻黄的叶几乎全为 3 裂，而本种的叶为 2 ~ 3 裂，可以此进行区分。

单子麻黄 *Ephedra monosperma* Gmel. ex Mey.

| 植物别名 | 小麻黄。

| 药 材 名 | 单子麻黄（药用部位：草质茎）。

| 形态特征 | 草本状矮小灌木，高 5 ~ 15 cm。木质茎短小，长 1 ~ 5 cm，多分枝，弯曲并有结节状突起，皮多呈褐红色；绿色小枝开展或稍开展，常微弯曲，节间细短，长 1 ~ 2 cm，稀更长，直径约 1 mm。叶 2 片对生，膜质，鞘状，长 2 ~ 3 mm，下部 1/3 ~ 1/2 合生，裂片短三角形，先端钝或尖。雄球花单生枝顶或对生节上，多呈复穗状，长 3 ~ 4 mm，直径 2 ~ 4 mm；苞片 3 ~ 4 对，广圆形，中部绿色，两侧膜质边缘较宽，合生部分近 1/2；假花被较苞片长，倒卵圆形；雄蕊 7 ~ 8，花丝完全合生。雌球花单生或对生节上，无梗；苞片 3 对，基部合生；雌花通常 1，稀 2，胚珠的珠被管较长而弯曲，稀

较短直。雌球花成熟时肉质，红色，微被白粉，卵圆形或矩圆状卵圆形，长 6 ~ 9 mm，直径 5 ~ 8 mm，最上 1 对苞片约 1/2 分裂；种子外露，多为 1，三角状卵圆形或矩圆状卵圆形，长约 5 mm，直径约 3 mm，无光泽。花期 6 月，种子 8 月成熟。

| 生境分布 | 生于海拔约 1 000 m 的山坡石缝中或林木稀少的干燥地区。分布于河北怀安等。

| 资源情况 | 野生资源一般。药材来源于野生。

| 采收加工 | 秋季采割，除去木质茎、残根及杂质，抖净灰屑，切段；或洗净后稍润，切段，干燥。

| 功能主治 | 发汗解表，止咳平喘，利水。用于外感风寒，喘咳，水肿。

| 用法用量 | 内服煎汤，1.5 ~ 9 g，先煎，解表宜生用，平喘宜炙用或生用。

| 附　注 | 麻黄科仅麻黄属 1 属，我国有 12 种，除本种外，常见种还有中麻黄、草麻黄等。

麻黄科 Ephedraceae 麻黄属 Ephedra

草麻黄 *Ephedra sinica* Stapf

| **植物别名** | 华麻黄、麻黄。

| **药材名** | 麻黄（药用部位：草质茎。别名：龙沙、狗骨、卑相）、麻黄根（药用部位：根及根茎）。

| **形态特征** | 草本状灌木，高 20 ~ 40 cm。木质茎短或呈匍匐状；小枝直伸或微曲，表面细纵槽纹常不明显，节间长 2.5 ~ 5.5 cm，多为 3 ~ 4 cm，直径约 2 mm。叶 2 裂，鞘占全长的 1/3 ~ 2/3，裂片锐三角形，先端急尖。雄球花多呈复穗状，常具总梗，苞片通常 4 对，雄蕊 7 ~ 8，花丝合生，稀先端稍分离；雌球花单生，在幼枝上顶生，在老枝上腋生，常在成熟过程中基部有梗抽出，使雌球花呈侧枝顶生状，卵圆形或矩圆状卵圆形，苞片 4 对，下部 3 对合生部分占 1/4 ~ 1/3，

最上 1 对合生部分超过 1/2；雌花 2，胚珠的珠被管长 1 mm 或稍长，直立或先端微弯，管口裂隙窄长，占全长的 1/4 ~ 1/2，裂口边缘不整齐，常被少数毛茸。雌球花成熟时肉质，红色，矩圆状卵圆形或近圆球形，长约 8 mm，直径 6 ~ 7 mm；种子通常 2，包于苞片内，不露出或与苞片等长，黑红色或灰褐色，三角状卵圆形或宽卵圆形，长 5 ~ 6 mm，直径 2.5 ~ 3.5 mm，表面具细皱纹，种脐明显，半圆形。花期 5 ~ 6 月，种子 8 ~ 9 月成熟。

| 生境分布 |　生于山坡、平原、干燥荒地、河床及草原等，常组成大面积的单纯群落。分布于河北蔚县、赞皇、张北等。

| 资源情况 | 野生资源稀少。药材主要来源于栽培。

| 采收加工 | **麻黄:** 秋季采割绿色草质茎,晒干。

　　　　　　麻黄根: 秋末采挖,除去残茎、须根和泥沙,干燥。

| 药材性状 | **麻黄:** 本品呈细长圆柱形,少分枝,直径 1 ~ 2 mm。有的带少量棕色木质茎。表面淡绿色至黄绿色,有细纵脊线,触之微有粗糙感。节明显,节间长 2 ~ 5.5 cm。节上有膜质鳞叶,长 3 ~ 4 mm;裂片 2(稀 3),锐三角形,先端灰白色,反曲,基部联合成筒状,红棕色。体轻,质脆,易折断,断面略呈纤维性,周边绿黄色,髓部红棕色,近圆形。气微香,味涩、微苦。

　　　　　　麻黄根: 本品呈圆柱形,略弯曲,长 8 ~ 25 cm,直径 0.5 ~ 1.5 cm。表面红棕色或灰棕色,有纵皱纹和支根痕;外皮粗糙,易呈片状剥落。根茎具节,节间长 0.7 ~ 2 cm,表面有横长凸起的皮孔。体轻,质硬而脆,断面皮部黄白色,木部淡黄色或黄色,射线放射状,中心有髓。气微,味微苦。

| 功能主治 | **麻黄:** 辛、微苦,温。归肺、膀胱经。发汗散寒,宣肺平喘,利水消肿。用于风寒感冒,胸闷喘咳,风水浮肿。

　　　　　　麻黄根: 甘、涩,平。归心、肺经。固表止汗。用于自汗,盗汗。

| 用法用量 | **麻黄:** 内服煎汤,2 ~ 10 g。

　　　　　　麻黄根: 内服煎汤,3 ~ 9 g。外用适量,研末撒扑。

| 附 注 | （1）本种与双穗麻黄 *Ephedra distachya* L. 最为相似，许多植物分类学工作者对二者的分类常有不同看法。本种主要分布于中国北部；双穗麻黄主要分布于欧洲东南部。二者的区别在于本种的叶一般具较长的裂片，裂片先端细窄而尖，球花的苞片仅具极窄的膜质边缘，珠被管具较短的裂口，裂口占全长的 1/4 ~ 1/2；双穗麻黄的叶裂片一般较短，裂片先端较钝，球花的苞片常具较明显的膜质边缘，珠被管的裂口较长，通常占全长的 1/2，稀至 4/5。

（2）本种为吉林省Ⅲ级重点保护野生植物。中国明令禁止采集其野生资源。本种也是重要的药用植物，其生物碱含量丰富，仅次于木贼麻黄。但因草麻黄木质茎少，易于加工提炼，且生于平原、山坡、河床、草原等处，易于采收，故其在医药领域的使用量往往较木贼麻黄大。本种成为中国用于提制麻黄碱的主要植物。

被子植物

胡桃科 Juglandaceae 枫杨属 *Pterocarya*

枫杨

Pterocarya stenoptera C. DC.

| 植物别名 | 麻柳、蜈蚣柳、苍蝇翅。

| 药 材 名 | 枫柳皮（药用部位：树皮）、麻柳果（药用部位：果实）、麻柳树根（药用部位：根或根皮）、麻柳叶（药用部位：叶）。

| 形态特征 | 大乔木，高达 30 m，胸径达 1 m。幼树树皮平滑，浅灰色，老时深纵裂；小枝灰色至暗褐色，具灰黄色皮孔；芽具柄，密被锈褐色盾状着生的腺体。叶多为偶数（稀奇数）羽状复叶，长 8 ~ 16 cm（稀达 25 cm），叶柄长 2 ~ 5 cm，叶轴具翅至翅不甚发达，与叶柄一样被疏或密的短毛；小叶 10 ~ 16（稀 6 ~ 25），无小叶柄，对生或稀近对生，长椭圆形至长椭圆状披针形，长 8 ~ 12 cm，宽2 ~ 3 cm，先端常钝圆，稀急尖，基部歪斜，上方一侧楔形至阔楔形，

下方一侧圆形，边缘有向内弯的细锯齿，上面被细小的浅色疣状突起，沿中脉及侧脉被极短的星芒状毛，下面幼时被散生的短柔毛，后脱落而仅留极稀疏的腺体，侧脉腋内留 1 丛星芒状毛。雄柔荑花序长 6 ~ 10 cm，单生于去年生枝条上叶痕腋内，花序轴常有稀疏的星芒状毛；雄花常具 1（稀 2 或 3）发育的花被片，雄蕊 5 ~ 12。雌柔荑花序顶生，长 10 ~ 15 cm，花序轴密被星芒状毛及单毛，下端不生花的部分长达 3 cm，具 2 长达 5 mm 的不孕性苞片；雌花几乎无梗，苞片及小苞片基部常有细小的星芒状毛，并密被腺体。果序长 20 ~ 45 cm，果序轴常被宿存的毛；果实长椭圆形，长 6 ~ 7 mm，基部常有宿存的星芒状毛；果翅狭，条形或阔条形，长 12 ~ 20 mm，宽 3 ~ 6 mm，具近平行的脉。花期 4 ~ 5 月，果熟期 8 ~ 9 月。

| 生境分布 | 生于海拔 1 500 m 以下的沿溪涧河滩、阴湿山坡地的林中。分布于河北保定及昌黎、蔚县等。

| 资源情况 | 野生资源一般。药材主要来源于栽培。

| 采收加工 | **枫柳皮：**夏、秋季剥取，鲜用或晒干。
麻柳果：夏、秋季果实近成熟时采收，鲜用或晒干。
麻柳树根：全年均可采挖或结合伐木采挖，除去泥土，洗净，晒干，或趁鲜剥取根皮，晒干。
麻柳叶：春、夏、秋季采收，除去杂质，鲜用或晒干。

全国中药资源普查标本采集记录表

河北省峰峰矿区

| 药材性状 |　麻柳果：本品类卵形，鲜品黄绿色，干品棕褐色，长约 6 mm，先端宿存花柱二叉。果翅 2，着生于果实先端背面，长圆形至长圆状披针形，平行或先端稍外展，具纵纹。质坚，不易破碎，断面白色。气微清香，味淡。

麻柳树根：本品主根圆柱形，粗细不一，直径通常 2 ~ 5 cm；质坚硬，不易折断，断面木部呈淡棕白色。根皮呈向内弯曲的半筒状或不规则槽状，厚 2 ~ 3 mm；外表面灰褐色，有横长椭圆形皮孔及纵沟纹；内表面棕黄色至棕黑色，有较细密的纵向纹理；体轻，质脆，易折断，断面不平整，强纤维性。气微，味苦、涩而微辣。

麻柳叶：本品多皱缩，展平后长椭圆形至长椭圆状披针形，长 5 ~ 12 cm，宽 2.5 ~ 3 cm，绿褐色，上面略粗糙，中脉、侧脉及下面有极稀疏毛，无小叶柄。质脆。气微，味淡。

| 功能主治 | 枫柳皮：辛、苦，温；有小毒。归肝、大肠经。祛风止痛，杀虫，敛疮。用于风湿麻木，寒湿骨痛，头颅伤痛，齿痛，疥癣，浮肿，痔疮，烫伤，溃疡日久不敛。

麻柳果：苦，温。归肺经。温肺止咳，解毒敛疮。用于风寒咳嗽，疮疡肿毒，天疱疮。

麻柳树根：辛、苦，热；有毒。归肺、肝经。祛风止痛，杀虫止痒，解毒敛疮。用于疥癣，牙痛，风湿筋骨疼痛，烫火伤。

麻柳叶：苦，温；有毒。归肺、肝经。祛风止痛，杀虫止痒，解毒敛疮。用于慢性支气管炎，关节痛，疮疽疔肿，疥癣风痒，皮炎湿疹，烫火伤。

| 用法用量 | 枫柳皮：外用适量，煎汤含漱；或熏洗；或乙醇浸搽。有毒，不宜内服。

麻柳果：内服煎汤，9 ~ 25 g。外用适量，煎汤洗。

麻柳树根：内服煎汤，3 ~ 6 g；或浸酒。外用适量，研末调敷；或捣敷。

麻柳叶：内服煎汤，6 ~ 15 g。外用适量，煎汤洗；或乙醇浸搽；或捣敷。孕妇禁服。

█ 胡桃科 █ Juglandaceae ██ 胡桃属 ██ *Juglans*

胡桃 *Juglans regia* L.

| 植物别名 | 核桃。

| 药 材 名 | 胡桃根（药用部位：根或根皮）、胡桃花（药用部位：花）、胡桃青皮（药用部位：未成熟果实的外果皮）、胡桃仁（药用部位：种仁）、胡桃叶（药用部位：叶）、胡桃枝（药用部位：嫩枝）。

| 形态特征 | 乔木，高达 20 ～ 25 m。树干较其他种类矮，树冠广阔；树皮幼时灰绿色，老时灰白色而纵向浅裂；小枝无毛，具光泽，被盾状着生的腺体，灰绿色，后带褐色。奇数羽状复叶长 25 ～ 30 cm，叶柄及叶轴幼时被极短腺毛及腺体；小叶通常 5 ～ 9，稀 3，椭圆状卵形至长椭圆形，长 6 ～ 15 cm，宽 3 ～ 6 cm，先端钝圆或急尖、短渐尖，基部歪斜，近圆形，全缘或在幼树上者具稀疏细锯齿，上面深绿色，

无毛，下面淡绿色，侧脉 11 ～ 15 对，腋内具簇短柔毛，侧生小叶具极短的小叶柄或近无柄，生于下端者较小，顶生小叶常具长 3 ～ 6 cm 的小叶柄。雄柔荑花序下垂，长 5 ～ 10 cm，稀达 15 cm；雄花的苞片、小苞片及花被片均被腺毛；雄蕊 6 ～ 30，花药黄色，无毛。雌穗状花序通常具 1 ～ 3（～ 4）雌花；雌花的总苞被极短腺毛；柱头浅绿色。果序短，俯垂，具 1 ～ 3 果实；果实近球状，直径 4 ～ 6 cm，无毛；果核稍具皱曲，有 2 纵棱，先端具短尖头；隔膜较薄，内里无空隙；内果皮壁内具不规则的空隙或无空隙而仅具皱曲。花期 5 月，果期 10 月。

| **生境分布** | 生于海拔 400 ～ 1 800 m 的山坡及丘陵地带。分布于河北灵寿、平山等。

| **资源情况** | 野生资源一般。药材主要来源于栽培。

| **采收加工** | **胡桃根**：全年均可采收，洗净，切片，或剥取根皮，切片，鲜用。
| | **胡桃花**：5 ~ 6 月花盛开时采收，除去杂质，鲜用或晒干。
| | **胡桃青皮**：夏、秋季采摘未成熟果实，削取绿色的外果皮，鲜用或晒干。
| | **胡桃仁**：待外果皮变黄、大部分果实顶部已开裂或少数已脱落时，打落果实，除去外果皮、内果皮，取仁，干燥。
| | **胡桃叶**：春、夏、秋季采收，鲜用或晒干。
| | **胡桃枝**：春、夏季采收，洗净，鲜用。

| **药材性状** | **胡桃仁**：本品多破碎为不规则的块状，有屈曲的沟槽，大小不一，完整者类圆形，直径 2 ~ 3 cm。种皮黄色或黄褐色，膜状，可见深棕色脉纹（维管束）。子叶类白色。质脆，富油性。无臭，味甘。种皮味涩、微苦。

| **功能主治** | **胡桃根**：苦、涩，平。止泻，止痛，乌须发。用于腹泻，牙痛，须发早白。
| | **胡桃花**：甘、苦，温。软坚散结，除疣。用于赘疣。
| | **胡桃青皮**：苦、涩，平。归肝、脾、胃经。止痛，止咳，止泻，解毒，杀虫。用于脘腹疼痛，痛经，久咳，泄泻久痢，痈肿疮毒，顽癣，秃疮，白癜风。
| | **胡桃仁**：甘、涩，温。归肾、肝、肺经。补肾固精，温肺定喘，润肠通便。用于腰痛脚弱，尿频，遗尿，阳痿，遗精，久咳喘促，肠燥便秘，石淋，疮疡瘰疬。
| | **胡桃叶**：苦、涩，平。收敛止带，杀虫消肿。用于妇女带下，疥癣，象皮腿。
| | **胡桃枝**：苦、涩，平。杀虫止痒，解毒散结。用于疥疮，瘰疬，肿块。

| **用法用量** | 胡桃根：内服煎汤，9～15 g。外用适量，煎汤洗。
胡桃花：外用浸酒涂搽。
胡桃青皮：内服煎汤，9～15 g；或入丸、散剂。外用适量，鲜品擦拭；或捣敷；或煎汤洗。
胡桃仁：内服煎汤，9～15 g；或单味嚼服，10～30 g；或入丸、散剂。外用适量，研末调敷。
胡桃叶：内服煎汤，15～30 g。外用适量，煎汤洗或熏；或捣敷。
胡桃枝：内服煎汤，15～30 g。外用适量，煎汤洗。 |

| **附　　注** | （1）本种栽培已久，栽培品种很多。Dode 命名的那些种类多有不可区分的中间类型，或所依据的特征不稳定或区别过小，不足以成为独立种的特征，如云南产的薄壳核桃，Dode 将其命名为 *Juglans duclouxiana* Dode，该种只能作为胡桃的一个栽培品种。
（2）本种具有极高的营养价值和药用价值，在民间多用于食疗。 |

胡桃科 Juglandaceae　胡桃属 Juglans

胡桃楸

Juglans mandshurica Maxim.

| 植物别名 | 核桃楸。

| 药 材 名 | 核桃楸果（药用部位：未成熟果实、成熟果实的果皮。别名：马核桃、楸马核果、山核桃）、核桃楸皮（药用部位：树皮、枝皮。别名：楸树皮、秦皮）、核桃楸果仁（药用部位：种仁）。

| 形态特征 | 乔木，高可超过 20 m。枝条扩展，树冠扁圆形；树皮灰色，具浅纵裂；幼枝被短茸毛。奇数羽状复叶，生于萌发枝者长可达80 cm，叶柄长 9 ~ 14 cm，小叶 15 ~ 23，长 6 ~ 17 cm，宽 2 ~7 cm；生于孕性枝者集生于枝端，长达 40 ~ 50 cm，叶柄长 5 ~9 cm，基部膨大，叶柄及叶轴被短柔毛或星芒状毛，小叶 9 ~ 17，椭圆形至长椭圆形或卵状椭圆形至长椭圆状披针形，边缘具细锯

齿，上面初被稀疏短柔毛，后除中脉外其余无毛，深绿色，下面色淡，被贴伏短柔毛及星芒状毛；侧生小叶对生，无柄，先端渐尖，基部歪斜，截形至近心形；顶生小叶基部楔形。雄柔荑花序长 9 ～ 20 cm，花序轴被短柔毛；雄花具短花柄；苞片先端钝，小苞片 2，位于苞片基部，花被片 1 枚位于苞片先端而与苞片重叠、2 枚位于花基部两侧；雄蕊 12，稀 13 或 14，花药长约 1 mm，黄色，药隔急尖或微凹，被灰黑色细柔毛。雌穗状花序具 4 ～ 10 雌花；花序轴被茸毛；雌花长 5 ～ 6 mm，被茸毛，下端被腺质柔毛；花被片披针形或线状披针形，被柔毛；柱头鲜红色，背面被贴伏柔毛。果序长 10 ～ 15 cm，俯垂，通常具 5 ～ 7 果实，果序轴被短柔毛；果实球状、卵状或椭圆状，先端尖，密被腺质短柔毛，长 3.5 ～ 7.5 cm，直径 3 ～ 5 cm；果核长 2.5 ～ 5 cm，表面具 8 纵棱，其中 2 较显著，各棱间具不规则皱曲及凹穴，先端具尖头；内果皮壁内具多数不规则空隙，隔膜内亦具 2 空隙。花期 5 月，果期 8 ～ 9 月。

| **生境分布** | 生于土质肥厚、湿润、排水良好的沟谷两旁或山坡阔叶林中。分布于河北遵化、怀来、赤城等。

| **资源情况** | 野生资源一般，栽培资源丰富。药材主要来源于栽培。

| **采收加工** | **核桃楸果：**夏、秋季采收，鲜用或晒干。

核桃楸皮：春、秋季采收，晒干。

核桃楸果仁：秋季果实成熟时采收果实，除去外果皮、内果皮（壳），取仁，干燥。

| **药材性状** | **核桃楸果：**本品呈类卵圆形。鲜品直径 3.5 ~ 4 cm，长 4.5 ~ 5 cm；表面灰绿色，密被浅灰绿色茸毛。干品直径 3 ~ 3.5 cm，长 3.5 ~ 4 cm；表面褐色，

密被浅黄褐色茸毛，并具 8 纵棱，棱间有不规则深纵纹。一端稍大，有凸起的花柱基，花柱基长 1.5 ~ 2 mm，另一端有凹陷的果柄痕。果皮稍坚硬，不易碎裂，断面褐色，略呈颗粒状。种子折皱，如脑状，黄白色，外被黄棕色种皮。气清香，味涩。

核桃楸皮：本品树皮呈卷筒状或扭曲成绳状，长短不一，直径约 2 cm，厚 2 ~ 4 mm。外表面平滑，有细纵纹，灰棕色，有少数圆形凸起的皮孔及三角状叶痕；内表面暗棕色。质坚韧，不易折断，易纵裂，断面纤维性。气微，味微苦、涩。枝皮长短不一，长可超过 1 m，厚 1 ~ 2 mm。外表面浅灰棕色。气微，味微苦而略涩。

| 功能主治 | **核桃楸果：**辛、微苦，平；有毒。归胃经。行气止痛，杀虫止痒。用于脘腹疼痛，牛皮癣。

核桃楸皮：苦、辛，微寒。清热燥湿，泻肝明目。用于湿热下痢，带下黄稠，目赤肿痛，睑腺炎，迎风流泪，骨结核。

核桃楸果仁：甘，温。归胃经。敛肺平喘，温补肾阳，润肠通便。用于肺虚咳喘，肾虚腰痛，遗精阳痿，大便秘结。

| 用法用量 | **核桃楸果：**内服浸酒，6 ~ 9 g。外用适量，鲜品捣涂。

核桃楸皮：内服煎汤，3 ~ 9 g。外用 9 ~ 15 g，煎汤洗眼。

核桃楸果仁：内服煎汤，3 ~ 9 g；或入丸、散剂。

胡桃科 Juglandaceae 山核桃属 Carya

山核桃 *Carya cathayensis* Sarg.

| 植物别名 |

碧根果、长寿果。

| 药 材 名 |

山核桃皮（药用部位：根皮、外果皮）、山核桃仁（药用部位：种仁）、山核桃叶（药用部位：叶）。

| 形态特征 |

乔木，高达 10 ~ 20 m，胸径 30 ~ 60 cm。树皮平滑，灰白色，光滑；小枝细瘦，新枝密被盾状着生的橙黄色腺体，后腺体逐渐稀疏；一年生枝紫灰色，上端常被稀疏的短柔毛，皮孔圆形，稀疏。复叶长 16 ~ 30 cm，叶柄幼时被毛及腺体，后毛逐渐脱落，叶轴被毛较密且不易脱落，有 5 ~ 7 小叶；小叶边缘有细锯齿，幼时上面仅中脉、侧脉及叶缘有柔毛，下面脉上具宿存或脱落的毛并布满橙黄色腺体，后腺体逐渐稀疏；侧生小叶具短的小叶柄或几无柄，对生，披针形或倒卵状披针形，有时稍呈镰状弯曲，基部楔形或略呈圆形，先端渐尖，长 10 ~ 18 cm，宽 2 ~ 5 cm；顶生小叶具长 5 ~ 10 mm 的小叶柄，与上端的侧生小叶同形、同大或稍大。雄柔荑花序 3 条成 1 束，花序轴被柔毛及腺体，长 10 ~ 15 cm，生于长 1 ~ 2 cm 的总柄上，总柄自当年生枝的叶腋或苞腋内生出；雄花具短柄；苞片狭，长椭圆状线形，小苞片三角状卵形，均被毛和腺体；雄蕊 2 ~ 7，着生于狭长的花托上，花药具毛。雌穗状花序直立，花序轴密被腺体，具 1 ~ 3 雌花；雌花卵形或阔椭圆形，密被橙黄色腺体，长 5 ~ 6 mm；总苞的裂片被毛及腺体，外侧 1 片（即苞片）显著较长，钻状线形。果实倒卵形，向基部渐狭，幼时具 4 狭翅状纵棱，密被橙黄色腺体，成熟时腺体变稀疏，纵棱亦变不显著；外果皮干燥后革质，厚 2 ~ 3 mm，沿纵棱裂成 4 瓣；果核倒卵形或椭圆状卵形，有时略侧扁，具极不显著的 4 纵棱，先端急尖而具 1 短凸尖，长 20 ~ 25 mm，直径 15 ~ 20 mm；内果皮硬，淡灰黄褐色，厚 1 mm；隔膜内及壁内无空隙；子叶 2 深裂。4 ~ 5 月开花，9 月果实成熟。

| **生境分布** | 生于海拔 400 ~ 1 200 m 的山麓疏林中或腐殖质丰富的山谷。分布于河北滦平、内丘、兴隆等。

| **资源情况** | 野生资源一般。药材主要来源于野生。

| **采收加工** | **山核桃皮**：全年均可采挖根，剥取根皮，秋季果实成熟时采收果实，剥取外果皮，鲜用或晒干。
山核桃仁：秋季果实成熟时采收，干燥。
山核桃叶：夏、秋季采收，洗净，鲜用。

| **功能主治** | **山核桃皮**：苦、涩，凉。清热解毒，杀虫止痒。用于脚趾湿痒，皮肤癣症。
山核桃仁：甘，平。归肺、肾经。补益肝肾，纳气平喘。用于腰膝酸软、隐痛，虚喘久咳。
山核桃叶：苦、涩，凉。清热解毒，杀虫止痒。用于脚趾湿痒，皮肤癣症。

| **用法用量** | **山核桃皮**：外用适量，煎汤熏洗；或捣汁涂搽。
山核桃仁：内服煎汤，9 ~ 15 g；或研末，3 ~ 5 g。
山核桃叶：外用适量，煎汤熏洗；或捣汁涂。

杨柳科 Salicaceae 柳属 *Salix*

垂柳

Salix babylonica L.

| **植物别名** | 水柳、垂死柳、清明柳。

| **药 材 名** | 柳枝（药用部位：枝条）、柳白皮（药用部位：树皮、根皮。别名：柳皮）、柳根（药用部位：根。别名：杨柳须）、柳絮（药用部位：带毛种子。别名：柳实）、柳叶（药用部位：叶）、柳花（药用部位：花序）。

| **形态特征** | 乔木，高达 12 ～ 18 m，树冠开展而疏散。树皮灰黑色，不规则开裂；枝细，下垂，淡褐黄色、淡褐色或带紫色，无毛；芽线形，先端急尖。叶狭披针形或线状披针形，长 9 ～ 16 cm，宽 0.5 ～ 1.5 cm，先端长渐尖，基部楔形，两面无毛或微有毛，上面绿色，下面色较淡，边缘具锯齿；叶柄长（3 ～）5 ～ 10 mm，有短柔毛；托叶仅生于萌

发枝上，斜披针形或卵圆形，边缘具牙齿。花序先叶开放或与叶同时开放。雄花序长 1.5 ~ 2（~ 3）cm，有短梗，花序轴有毛；雄蕊 2，花丝与苞片近等长或较苞片长，基部多少有长毛，花药红黄色；苞片披针形，外面有毛；腺体 2。雌花序长达 2 ~ 3（~ 5）cm，有梗，基部有 3 ~ 4 小叶，花序轴有毛；子房椭圆形，无毛或下部稍有毛，无柄或近无柄，花柱短，柱头 2 ~ 4 深裂；苞片披针形，长 1.8 ~ 2（~ 2.5）mm，外面有毛；腺体 1。蒴果长 3 ~ 4 mm，带绿黄褐色。花期 3 ~ 4 月，果期 4 ~ 5 月。

| **生境分布** | 生于道旁、水边。分布于河北石家庄、邯郸等。

| 资源情况 | 野生资源一般。药材主要来源于野生。

| 采收加工 | **柳枝**：春季摘取嫩树枝条，鲜用或晒干。

柳白皮：春、冬季采收，趁鲜剥取树皮或根皮，除去粗皮，鲜用或晒干。

柳根：春、夏、秋季采收，洗净，鲜用或晒干。

柳絮：春季果实将成熟时采收，干燥。

柳叶：春、夏季采收，鲜用或晒干。

柳花：春季花初开时采收，鲜用或晒干。

| 药材性状 | **柳枝**：本品呈圆柱形，直径 5 ~ 10 mm，表面微有纵皱纹，黄色。节间长 0.5 ~ 5 cm，上有交叉排列的芽或残留的三角形瘢痕。质脆，易折断，断面不平坦，皮部薄，呈浅棕色，木部宽，呈黄白色，中央有黄白色髓部。气微，味微苦、涩。

柳白皮：本品树皮呈槽状或扭曲的卷筒状或片状，厚 0.5 ~ 1.5 mm；外表面淡黄色、灰褐色，有残留的棕黄色木栓，粗糙，具纵向皱纹及长圆形结节状疤痕；内表面灰黄色，有纵皱纹，易纵向撕裂；体轻，不易折断，断面裂片状；气微，味微苦、涩。根皮表面深褐色，粗糙，有纵沟纹，栓皮剥落后露出浅棕色木部；质脆，易折断，断面纤维性；气微，味涩。

柳根：本品须根众多，细长，呈不规则尾巴状，多弯曲，有分枝。表面紫棕色至深褐色，较粗糙，有纵沟及根毛，外皮剥落后露出浅棕色内皮和木部。质脆，易折断，断面纤维性。气微，味涩。

柳絮：本品种子细小，倒披针形，长 1 ~ 2 mm，黄褐色或淡灰黑色。表面有纵沟，先端簇生白色丝状绒毛；绒毛长 2 ~ 4 mm，呈团状包围在种子外部。

柳叶：本品狭披针形，长 9 ~ 16 cm，宽 0.5 ~ 1.5 cm，先端长渐尖，基部楔形，两面无毛，边缘有锯齿，全体灰绿色或淡绿棕色，有叶柄。叶柄长 0.5 ~ 1 cm。质柔软。气微，味微苦、涩。

| 功能主治 | **柳枝**：苦，寒。归胃、肝经。祛风利湿，解毒消肿。用于风湿痹痛，小便淋浊，黄疸，风疹瘙痒，疔疮，丹毒，龋齿，龈肿。

柳白皮：苦，寒。祛风利湿，消肿止痛。用于风湿骨痛，风肿瘙痒，黄疸，淋浊，带下，乳痈，疔疮，牙痛，烫火伤。

柳根：苦，寒。利水通淋，祛风除湿，泻火解毒。用于淋证，白浊，水肿，黄疸，痢疾，带下，风湿疼痛，黄水疮，牙痛，烫伤，乳痈。

柳絮：凉。止血，祛湿，溃痈。用于吐血，湿痹四肢挛急，膝痛，痈疽脓成胀痛不溃，创伤出血。

柳叶：苦，寒。归心、脾经。清热，透疹，利尿，解毒。用于痧疹透发不畅，
白浊，疔疮疖肿，乳腺炎，甲状腺肿，丹毒，烫伤，牙痛。

柳花：苦，寒。祛风利湿，止血散瘀。用于风水，黄疸，咯血，吐血，便血，
血淋，闭经，疮疥，牙痛。

| 用法用量 | 柳枝：内服煎汤，30～60 g。外用适量，煎汤含漱或熏洗。

柳白皮：内服煎汤，15～30 g。外用适量，煎汤洗；酒煮或炒热温熨。

柳根：内服煎汤，15～30 g。外用适量，煎汤熏洗；或酒煮温熨。

柳絮：内服研末；或浸汁。外用适量，敷贴；或研末调搽；或烧灰撒。

柳叶：内服煎汤，15～30 g，鲜品30～60 g。外用适量，煎汤洗；或捣敷；
或研末调敷；或熬膏涂。

柳花：内服煎汤，6～12 g；或研末，3～6 g；或捣汁。外用适量，烧存
性研末。

| 附　注 | （1）本种以花、叶、果实入药始载于《神农本草经》。《新修本草》云："柳
叶狭长青绿，枝条长软。"《本草图经》云："柳花、叶、实，生琅琊川泽，
今处处有之，俗所谓杨柳者也。"《本草纲目》云："杨柳，纵横倒顺插之皆生，
春初生荑荑，即开黄花蕊。至春晚叶长成后，花中结细黑子，蕊落而絮出，如
白绒，因风而飞。"上述特征与本种相一致。

（2）本种耐水湿，也能生于干旱处。

杨柳科 Salicaceae 柳属 Salix

旱柳

Salix matsudana Koidz.

| 植物别名 |

河柳。

| 药 材 名 |

旱柳（药用部位：嫩叶、枝、树皮）、旱柳叶（药用部位：叶）。

| 形态特征 |

乔木，高达 18 m，胸径达 80 cm。大枝斜上，树冠广圆形；树皮暗灰黑色，有裂沟；枝细长，直立或斜展，浅褐黄色或带绿色，后变褐色，无毛，幼枝有毛；芽微有短柔毛。叶披针形，长 5 ～ 10 cm，宽 1 ～ 1.5 cm，先端长渐尖，基部窄圆形或楔形，上面绿色，无毛，有光泽，下面苍白色或带白色，边缘有细腺锯齿，幼叶有丝状柔毛；叶柄短，长 5 ～ 8 mm，上面有长柔毛；托叶披针形或缺，边缘有细腺锯齿。花序与叶同时开放。雄花序圆柱形，长 1.5 ～ 2.5（～ 3）cm，直径 6 ～ 8 mm，多少有花序梗，花序轴有长毛；雄蕊 2，花丝基部有长毛，花药卵形，黄色；苞片卵形，黄绿色，先端钝，基部多少有短柔毛；腺体 2。雌花序较雄花序短，长达 2 cm，直径 4 mm，有 3 ～ 5 小叶生于短花序梗上，花序轴有长毛；子房长椭圆形，

近无柄，无毛，花柱很短或无，柱头卵形，近圆裂；苞片同雄花；腺体 2，背生和腹生。果序长达 2（~ 2.5）cm。花期 4 月，果期 4 ~ 5 月。

| 生境分布 | 生于海拔 1 000 m 以下的山坡溪旁。分布于河北阜平、灵寿、滦平等。

| 资源情况 | 野生资源一般。药材主要来源于野生。

| 采收加工 | 旱柳：春季采收嫩叶、枝，鲜用或晒干。

旱柳叶：春、夏、秋季采收，除去杂质，晒干。

| 药材性状 | 旱柳：本品嫩叶多纵向卷曲，完整叶展平后呈披针形，上表面黄绿色，下表面灰绿色，幼叶有丝状柔毛，薄纸质；叶柄短，亦有柔毛；气微，味微苦、涩。嫩枝呈圆柱状，浅褐黄色，表面略具纵棱，有光泽，节上有芽或芽脱落后的三角形瘢痕。质轻，易折断，断面皮部极薄，木部黄白色，疏松，中央有白色髓部。气微，味微苦。

旱柳叶：本品多皱缩或破碎。完整叶片呈披针形，长 5 ~ 10 cm，宽 1 ~ 1.5 cm，边缘有细锯齿，先端长渐尖，基部圆形或楔形；上表面暗绿色至棕绿色，下表面灰绿色。叶柄长 2 ~ 4 mm，或近无柄。质脆，易碎。气微，味微苦、涩。

| 功能主治 | 旱柳：苦，寒。清热除湿，祛风止痛。用于黄疸，急性膀胱炎，小便不利，关节炎，黄水疮，疮毒，牙痛。

旱柳叶：微苦，寒。归肝、胆、脾经。祛风除湿，清利湿热。用于风湿痹痛，筋脉拘挛，湿热黄疸，身目发黄，小便短赤等。

| 用法用量 | 旱柳：内服煎汤，15 ~ 30 g；或炖服。外用适量，捣敷。

旱柳叶：内服煎汤，6 ~ 15 g。

| 附　注 | 本种耐干旱、水湿、寒冷，在湿润而排水良好的土壤中生长最好；根系发达，抗风能力强，生长快，易繁殖。

杨柳科 Salicaceae 柳属 Salix

红皮柳

Salix sinopurpurea C. Wang et C. Y. Yang

| 药 材 名 | 水杨根（药用部位：根）、水杨木白皮（药用部位：树干内皮）、水杨枝叶（药用部位：枝、叶）。

| 形态特征 | 灌木，高 3 ~ 4 m。小枝淡绿色或淡黄色，无毛；当年生枝初有短绒毛，后无毛；芽长卵形或长圆形，棕褐色，初有毛，后无毛。叶对生或斜对生，披针形，长 5 ~ 10 cm，萌生枝上叶长达 11 cm，先端短渐尖，基部楔形，边缘有腺锯齿，上面淡绿色，下面苍白色，中脉淡黄色，侧脉呈钝角开展，幼时有短绒毛，脉上尤密，后两面无毛；叶柄长 3 ~ 10 mm，上面有绒毛；托叶卵状披针形或斜卵形，与叶柄几等长，边缘有凹缺腺齿，下面苍白色。花先叶开放；花序圆柱形，长 2 ~ 3 cm，直径 5 ~ 6 mm，对生或互生，无花序梗，

基部具 2 ~ 3 下面密被长毛的椭圆形鳞片；苞片卵形，先端钝或微尖，黑色，两面有长柔毛；腺体 1，腹生；雄蕊 2，花丝合生，纤细，无毛，花药 4 室，圆形，黄色或淡红色；子房卵形，密被灰色绒毛，柄短，花柱长 0.1 ~ 0.2 mm，柱头头状。花期 4 月，果期 5 月。

| **生境分布** | 生于海拔 1 000 ~ 1 600 m 的山地灌丛中、河岸。分布于河北蔚县等。

| **资源情况** | 野生资源一般。药材来源于野生。

| **采收加工** | **水杨根：**全年均可采挖，洗净，切片，鲜用或晒干。
水杨木白皮：秋、冬季或早春采剥树皮，趁鲜刮去粗皮，鲜用或晒干。
水杨枝叶：春季采收，鲜用或晒干。

| **功能主治** | **水杨根：**苦，平。解毒，消肿定痛。用于乳痈，金疮。
水杨木白皮：苦，平。消肿定痛。用于乳痈，金疮。
水杨枝叶：苦，平。清热解毒。用于久痢，黄疸，痈肿疮毒。

| **用法用量** | **水杨根：**外用适量，捣敷。
水杨木白皮：内服研末，2 ~ 6 g。外用适量，研末敷。
水杨枝叶：内服煎汤，3 ~ 9 g；或捣汁。外用适量，煎汤熏洗。

| **附　　注** | 通过对大量的标本和国外新近资料的研究可知，欧洲产的红皮柳 *Salix purpurea* L. 在我国并无野生分布。过去国内书刊中记载的红皮柳，除本种外，还误指了筐柳（蒙古柳）*Salix linearistipularis* (Franch.) Hao 与簸箕柳 *Salix suchowensis* Cheng。《秦岭植物志》中记载的红皮柳，即是本种。它与欧洲产的红皮柳的主要区别在于本种为高大灌木，当年生枝被绒毛，叶披针形，较宽大，花柱长，花药黄色等；而欧洲产的红皮柳为矮小丛生灌木，枝叶无毛，叶线状倒披针形，花序梗鳞片无毛，花柱短，花药紫色等。

杨柳科 Salicaceae 柳属 Salix

乌柳
Salix cheilophila Schneid.

| 植物别名 | 筐柳。

| 药 材 名 | 沙柳（药用部位：枝叶、须状根、树皮。别名：筐柳）。

河北省唐海县

| 形态特征 | 灌木或小乔木，高达 5.4 m。枝初被绒毛或柔毛，后无毛，灰黑色或黑红色。芽具长柔毛。叶线形或线状倒披针形，长 2.5 ~ 3.5（~ 5）cm，宽 0.3 ~ 0.5（~ 0.7）cm，先端渐尖或具短硬尖，基部渐尖，稀钝，上面绿色，疏被柔毛，下面灰白色，密被绢状柔毛，中脉显著凸起，边缘外卷，上部具腺锯齿，下部全缘；叶柄长 1 ~ 3 mm，具柔毛。花序与叶同时开放，近无梗，基部具 2 ~ 3 小叶。雄花序长 1.5 ~ 2.3 cm，直径 3 ~ 4 mm，密花；雄蕊 2，完全合生，花丝无毛，花药黄色，4 室；苞片倒卵状长圆形，先端钝或微缺，基部具柔毛；腺体 1，腹生，狭长圆形，先端稀浅 2 裂。雌花序长 1.3 ~ 2 cm（果序长可达 3.5 cm），直径 1 ~ 2 mm，密花，花序轴具柔毛；子房卵形或卵状长圆形，密被短毛，无柄，花柱短或无，柱头小；苞片近圆形，长为子房的 2/3；腺体同雄花。蒴果长 3 mm。花期 4 ~ 5 月，果期 5 月。 |

| 生境分布 | 生于海拔 750 ~ 3 000 m 的山河沟边。分布于河北张北、涿鹿、蔚县等。 |

| 资源情况 | 野生资源一般。药材主要来源于栽培。 |

| 采收加工 | 春季采收枝叶，夏、秋季采收须状根，全年均可采收树皮，鲜用或晒干。 |

| 功能主治 | 辛、苦，微寒。祛风清热，散瘀消肿。用于麻疹初起，斑疹不透，皮肤瘙痒，慢性风湿病，疮疖痈肿，腰扭伤。 |

| 用法用量 | 内服煎汤，3 ~ 9 g。外用适量，捣敷。 |

| 附 注 | 本种与线叶柳 *Salix wilhelmsiana* M. B. 的形态相似，二者的区别在于本种的花枝较粗，多绒毛，灰黑色或黑红色，叶长是叶宽的 5 ~ 6 倍，常上部较宽；而线叶柳的花枝较细，常无毛，紫红色或栗色，叶线形，长为宽的 10 倍以上。但除了四川、云南的多数标本以外，常有标本不完全符合上述特征。因之，从广义来说，将二者并为一个种更为合适一些。 |

杨柳科 Salicaceae 柳属 Salix

山柳

Salix pseudotangii C. Wang et C. Y. Yu

| **药 材 名** | 山柳（药用部位：根）。

| **形态特征** | 灌木。枝深褐色，一年生幼枝密被白色柔毛，老枝毛渐稀疏。叶长圆形或椭圆形，长 0.8 ~ 1.6 cm，宽 0.5 ~ 1.2 cm，两端圆形，上面绿色，沿中脉有短柔毛，下面带白色，具疏长柔毛，全缘；叶柄长达 2.5 mm，具柔毛。雌花序长 1.5 ~ 2 cm，有花序梗，花序梗上具 5 正常发育的叶，花序轴有柔毛；苞片椭圆形，长为子房的 1/2 ~ 2/3，边缘有长柔毛；子房卵状长椭圆形，具疏柔毛，无柄，花柱短，柱头 2 裂，稀 4 裂；仅 1 腹腺。蒴果卵状长圆形。花期 5 月，果期 6 月。

| **生境分布** | 生于海拔约 2 330 m 的山坡林中。分布于河北怀安、蔚县等。

| **资源情况** | 野生资源丰富。药材主要来源于野生。

| **采收加工** | 夏、秋季采挖，以 8 ~ 9 月最佳，洗净，切片，鲜用。

| **功能主治** | 清热解毒。用于热毒疮疖，痈疮。

| **用法用量** | 外用适量，鲜品捣汁涂。

小叶柳
Salix hypoleuca Seemen

| **植物别名** | 山杨柳、红梅蜡。

| **药 材 名** | 小叶柳（药用部位：根、叶。别名：山柳红、红梅蜡）。

| **形态特征** | 灌木，高 1 ~ 3.6 m。枝暗棕色，无毛。叶椭圆形、披针形、椭圆状长圆形，稀卵形，长 2 ~ 4 cm（稀 5.5 cm），宽 1.2 ~ 2.4 cm，先端急尖，基部宽楔形或渐狭，上面深绿色，无毛或近无毛，下面苍白色，无毛，叶脉明显凸起，全缘；叶柄长 3 ~ 9 mm。花序梗在开花时长 3 ~ 10 mm，花序轴无毛或有毛。雄花序长 2.5 ~ 4.5 cm，直径 5 ~ 6 mm；雄蕊 2，花丝中下部有长柔毛，花药球形，黄色；苞片倒卵形，褐色，无毛；腺体 1，腹生，卵圆形，先端缺刻，长为苞片的 1/2。雌花序长 2.5 ~ 5 cm，直径 5 ~ 7 mm，密花，花序

梗短；子房长卵圆形，花柱 2 裂，柱头短；苞片宽卵形，先端急尖，无毛，长为蒴果的 1/4；仅 1 腹腺。蒴果卵圆形，长约 2.5 mm，近无柄。花期 5 月上旬，果期 5 月下旬至 6 月上旬。

| **生境分布** | 生于海拔 1 400 ～ 2 700 m 的山坡林缘及山沟。分布于河北平山、迁西等。

| **资源情况** | 野生资源一般。药材主要来源于栽培。

| **采收加工** | 春、夏、秋季采收根，春、夏季采收叶，鲜用或晒干。

| **功能主治** | 辛，温。祛风除湿，活血化瘀。用于风湿骨痛，劳伤。

| **用法用量** | 内服煎汤，9 ～ 30 g；或浸酒。外用适量，煎汤洗；或捣敷。

杨柳科 Salicaceae 柳属 Salix

皂柳

Salix wallichiana Anderss.

| **植物别名** | 红心柳。

| **药材名** | 皂柳根（药用部位：根。别名：毛狗条根）。

| **形态特征** | 灌木或乔木。小枝红褐色、黑褐色或绿褐色，初有毛，后无毛；芽卵形，有棱，先端尖，常外弯，红褐色或栗色，无毛。叶披针形、长圆状披针形、卵状长圆形、狭椭圆形，长 4 ~ 8（~ 10）cm，宽 1 ~ 2.5（~ 3）cm，先端急尖至渐尖，基部楔形至圆形，上面初有丝毛，后无毛，平滑，下面有平伏的绢质短柔毛或无毛，浅绿色至有白霜，网脉不明显，幼叶发红色，全缘，萌发枝的叶常有细锯齿，上年落叶灰褐色；叶柄长约 1 cm；托叶小，短于叶柄，半心形，边缘有牙齿。花序先叶开放或与叶近同时开放，无花序梗（生

于萌发枝或先端长势减弱的枝上的花序常有花序梗，并有 2 ~ 3 小叶）。雄花序长 1.5 ~ 2.5（~ 3）cm，直径 1 ~ 1.3（~ 1.5）cm；雄蕊 2，花药大，椭圆形，长 0.8 ~ 1 mm，黄色，花丝纤细，离生，长 5 ~ 6 mm，无毛或基部有疏柔毛；苞片赭褐色或黑褐色，长圆形或倒卵形，先端急尖，两面有白色长毛或外面毛少；腺体 1，卵状长方形。雌花序圆柱形，或向上部渐狭（下部花先开放），长 2.5 ~ 4 cm，直径 1 ~ 1.2 cm，果序可伸长至 12 cm，直径 1.5 cm；子房狭圆锥形，长 3 ~ 4 mm，密被短柔毛，子房柄短或受粉后逐渐伸长，有的果柄可与苞片近等长，花柱短至明显，柱头直立，2 ~ 4 裂；苞片长圆形，先端急尖，赭褐色或黑褐色，有长毛；腺体同雄花。蒴果长可达 9 mm，有毛或近无毛，开裂后果瓣向外反卷。花期 4 月中下旬至 5 月初，果期 5 月。

| 生境分布 | 生于山谷溪流旁、林缘或山坡。分布于河北阜平、滦平、武安等。

| 资源情况 | 野生资源一般。药材主要来源于栽培。

| 采收加工 | 全年均可采挖，洗净，切片，晒干。

| 功能主治 | 苦、涩，凉。祛风除湿，解热止痛。用于风湿关节痛，头风头痛。

| 用法用量 | 内服煎汤，15 ~ 30 g。外用适量，煎汤熏洗；或捣敷。

| 附　注 | 在我国华北、西北等地，本种易与中国黄花柳 *Salix sinica* (Hao) C. Wang et C. F. Fang 杂交，以致两者的区别模糊。一般本种的叶上面不发皱，通常较狭，披针形、长圆状披针形、卵状长圆形；雄花序一般为长圆形至短圆柱形，不为广椭圆形至近球形；雌花序较细长；在受粉前，子房柄很短，可以以此相区别。

杨柳科 Salicaceae 杨属 Populus

毛白杨 *Populus tomentosa* Carrière

| 植物别名 | 大叶杨、响杨。

| 药 材 名 | 毛白杨（药用部位：树皮、嫩枝。别名：白杨、笨白杨）、杨树花（药用部位：雄花序）。

| 形态特征 | 乔木，高达 30 m。树干干直或微弯；树皮幼时暗灰色，壮时灰绿色，渐变为灰白色，老时基部黑灰色，纵裂，粗糙，皮孔菱形，散生或 2 ～ 4 连生；树冠圆锥形至卵圆形或圆形。侧枝开展，雄株斜上，老树枝下垂；小枝（嫩枝）初被灰毡毛，后光滑；芽卵形，花芽卵圆形或近球形，微被毡毛。长枝的叶阔卵形或三角状卵形，长 10 ～ 15 cm，宽 8 ～ 13 cm，先端短渐尖，基部心形或截形，边缘具深牙齿或波状牙齿，上面暗绿色，光滑，下面密生毡毛，后渐脱落，

叶柄上部侧扁，长 3 ~ 7 cm，先端通常有 2（~ 4）腺点；短枝的叶通常较小，长 7 ~ 11 cm，宽 6.5 ~ 10.5 cm（有时长达 18 cm，宽 15 cm），卵形或三角状卵形，先端渐尖，上面暗绿色，有金属光泽，下面光滑，边缘具深波状牙齿，叶柄稍短于叶片，侧扁，先端无腺点。雄花序长 10 ~ 14（~ 20）cm，苞片约具 10 尖头，密生长毛，雄蕊 6 ~ 12，花药红色；雌花序长 4 ~ 7 cm，苞片褐色，尖裂，沿边缘有长毛，子房长椭圆形，柱头 2 裂，粉红色。果序长达 14 cm；蒴果圆锥形或长卵形，2 瓣裂。花期 3 月，果期 4 ~ 5 月。

| **生境分布** | 生于海拔 1 500 m 以下的温和平原地区。分布于河北昌黎等。

| **资源情况** | 野生资源丰富。药材主要来源于野生。

| **采收加工** | 毛白杨：秋、冬季或结合伐木采剥树皮，刮去粗皮，鲜用或晒干。
杨树花：春季花蕾开花时分批摘取，鲜用或晒干。

| **药材性状** | 毛白杨：本品树皮板片状或卷筒状，厚 2 ~ 4 mm；外表面鲜时暗绿色，干后棕黑色，常残存银灰色的栓皮，皮孔明显，菱形，长 2 ~ 14.5 mm，宽 3 ~ 13 mm；内表面灰棕色，有细纵条纹。质坚韧，不易折断，断面显纤维性及颗粒性。气微，味淡。

杨树花：本品长条状圆柱形，长 6 ~ 10 cm，直径 0.4 ~ 1 cm，多破碎，表面红棕色或深棕色。芽鳞多紧抱而成杯状，单个鳞片宽卵形，长 0.3 ~ 1.3 cm，边缘有细毛，表面略光滑。花序轴上具多数带雄蕊的花盘，花盘扁，半圆形或类圆形，深棕褐色；每雄花具 6 ~ 12 雄蕊，有的脱落，花丝短，花药 2 室，棕色。苞片卵圆形或宽卵圆形，边缘深尖裂，具白色长柔毛。体轻。气微，味微苦、涩。

| **功能主治** | 毛白杨：苦、甘、寒。清热利湿，止咳化痰。用于肝炎，痢疾，淋浊，咳嗽痰喘。

杨树花：苦，寒。清热解毒，化湿止痢。用于细菌性痢疾，肠炎。

| **用法用量** | 毛白杨：内服煎汤，10 ~ 15 g。外用适量，捣敷。

杨树花：内服煎汤，9 ~ 15 g。外用适量，热熨。

杨柳科 Salicaceae 杨属 Populus

山杨
Populus davidiana Dode

| 药 材 名 | 白杨树皮（药用部位：树皮。别名：白杨皮、山杨皮）、白杨树根皮（药用部位：根皮）、白杨枝（药用部位：树枝）、白杨叶（药用部位：叶）。

| 形态特征 | 乔木，高达 25 m，胸径约 60 cm。树皮光滑，灰绿色或灰白色，老树基部黑色，粗糙；树冠圆形。小枝圆筒形，光滑，赤褐色，萌发枝被柔毛；芽卵形或卵圆形，无毛，微有黏质。叶三角状卵圆形或近圆形，长、宽近相等，均为 3 ~ 6 cm，先端钝尖、急尖或短渐尖，基部圆形、截形或浅心形，边缘有密波状浅齿，发叶时显红色，萌发枝的叶大，三角状卵圆形，下面被柔毛；叶柄侧扁，长 2 ~ 6 cm。花序轴有疏毛或密毛；苞片棕褐色，掌状条裂，边缘有密长毛；雄

花序长 5 ~ 9 cm，雄蕊 5 ~ 12，花药紫红色；雌花序长 4 ~ 7 cm，子房圆锥形，柱头 2 深裂，带红色。果序长达 12 cm；蒴果卵状圆锥形，长约 5 mm，有短柄，2 瓣裂。花期 3 ~ 4 月，果期 4 ~ 5 月。

| 生境分布 | 生于山坡、山脊和沟谷地带，常形成小面积纯林或与其他树种形成混交林。分布于河北围场、青龙以及涿鹿与蔚县的交界处等。

| 资源情况 | 野生资源较丰富。药材主要来源于野生。

| 采收加工 | **白杨树皮：**全年均可采收，但多在秋、冬季结合栽培伐木采收，趁鲜剥皮，晒干。

白杨树根皮：春、冬季采挖根，除去泥土，趁鲜剥取根皮，晒干。

白杨枝：秋、冬季采收枝条，除去粗皮，锯成段，干燥。

白杨叶：春季采收，鲜用或晒干。

| 功能主治 | **白杨树皮：**苦，寒。祛风活血，清热利湿，驱虫。用于风痹，脚气，扑损瘀血，痢疾，肺热咳嗽，口疮，牙痛，小便淋沥，蛔虫病。

白杨树根皮：苦，平。清热，止咳，利湿，驱虫。用于肺热咳喘，淋浊，带下，妊娠下痢，蛔虫病。

白杨枝：苦，寒。行气消积，解毒敛疮。用于腹痛，腹胀，癥块，口吻疮。

白杨叶：苦，寒。祛风止痛，解毒敛疮。用于龋齿疼痛，骨疽，臁疮。

| 用法用量 | 白杨树皮：内服煎汤，10 ~ 30 g；或研末；或浸酒。外用适量，煎汤含漱；或浸洗；或研末调敷。

白杨树根皮：内服煎汤，9 ~ 18 g。外用适量，煎汤洗。

白杨枝：内服煎汤，9 ~ 15 g；或浸酒。外用适量，捣敷；或烧灰，研末调敷。

白杨叶：外用适量，煎汤含漱；或捣敷；或贴敷。

| 附　注 | （1）白杨树始载于《新修本草》，该书记载："取叶圆大，蒂小，无风自动者。"《本草图经》曰："白杨，旧不载所出州土，今处处有之，北土尤多。以种于墟墓间，株大，叶圆如梨，皮白，木似杨。采其皮无时。"《本草衍义》曰："白杨，陕西甚多，永、耀间居人修盖，多此木也。然易生根，斫木时碎札入土即下根，故易以繁殖。"《救荒本草》曰："此木高大，皮白似杨。叶圆如梨，肥大而尖；叶背甚白，叶边锯齿状；叶蒂小，无风自动也。"《本草纲目》将其列于木部，曰："白杨木高大。叶圆似梨而肥大有尖，面青而光，背甚白色，有锯齿。木肌细白，性坚直，用为梁栱，终不挠曲。"以上各家所述形态基本一致，其原植物与今之山杨甚相吻合。

（2）本种的叶比欧洲山杨 *Populus tremula* L. 小，边缘具浅而密的锯齿，可以以此相区别。本种又颇似清溪杨 *Populus rotundifolia* Griff. var. *duclouxiana* (Dode) Gomb.，但清溪杨叶形较大，基部通常为浅心形，先端短渐尖，果序长达 16 cm，可以以此相区别。

杨柳科 Salicaceae 杨属 Populus

响叶杨 *Populus adenopoda* Maxim.

药材名

响叶杨（药用部位：根皮、树皮、叶。别名：白杨树、绵杨）。

形态特征

乔木，高 15 ~ 30 m。树皮灰白色，光滑，老时深灰色，纵裂；树冠卵形。小枝较细，暗赤褐色，被柔毛；老枝灰褐色，无毛；芽圆锥形，有黏质，无毛。叶卵状圆形或卵形，长 5 ~ 15 cm，宽 4 ~ 7 cm，先端长渐尖，基部截形或心形，稀近圆形或楔形，边缘有内曲的圆锯齿，齿端有腺点，上面无毛或沿脉有柔毛，深绿色，光亮，下面灰绿色，幼时被密柔毛；叶柄侧扁，被绒毛或柔毛，长 2 ~ 8（ ~ 12 ）cm，先端有 2 显著腺点。雄花序长 6 ~ 10 cm，苞片条裂，有长缘毛，花盘齿裂。果序长 12 ~ 20（ ~ 30 ）cm；花序轴有毛；蒴果卵状长椭圆形，长 4 ~ 6 mm，稀 2 ~ 3 mm，先端锐尖，无毛，有短柄，2 瓣裂；种子倒卵状椭圆形，长 2.5 mm，暗褐色。花期 3 ~ 4 月，果期 4 ~ 5 月。

生境分布

生于海拔 300 ~ 2 500 m 的阳坡灌丛中、杂木林中或沿河两旁，有时形成小片纯林或与其他树种形成混交林。分布于河北永年等。

| 资源情况 | 野生资源较丰富。药材主要来源于野生。

| 采收加工 | 春、冬季采收，趁鲜剥取根皮、树皮，鲜用或晒干。夏季采收叶，鲜用或晒干。

| 功能主治 | 苦，平。归肝、脾经。祛风止痛，活血通络。用于风湿痹痛，四肢不遂，龋齿疼痛，损伤瘀血肿痛。

| 用法用量 | 内服煎汤，9 ~ 15 g；或浸酒。外用适量，煎汤洗；或鲜品捣敷。

杨柳科 Salicaceae 杨属 Populus

小叶杨

Populus simonii Carr.

| 植物别名 |

青杨、明杨、南京杨。

| 药 材 名 |

小叶杨（药用部位：树皮。别名：青杨）。

| 形态特征 |

乔木，高达 20 m，胸径超过 50 cm。树皮幼时灰绿色，老时暗灰色，沟裂；树冠近圆形。幼树小枝及萌发枝有明显棱脊，常为红褐色，后变为黄褐色；老树小枝圆形，细长而密，无毛；芽细长，先端长渐尖，褐色，有黏质。叶菱状卵形、菱状椭圆形或菱状倒卵形，长 3 ~ 12 cm，宽 2 ~ 8 cm，中部以上较宽，先端突急尖或渐尖，基部楔形、宽楔形或窄圆形，边缘平整，具细锯齿，无毛，上面淡绿色，下面灰绿色或微白色，无毛；叶柄圆筒形，长 0.5 ~ 4 cm，黄绿色或带红色。雄花序长 2 ~ 7 cm，花序轴无毛，苞片细条裂，雄蕊 8 ~ 9(~ 25)；雌花序长 2.5 ~ 6 cm，苞片淡绿色，裂片褐色，无毛，柱头 2 裂。果序长达 15 cm；蒴果小，2(~ 3)瓣裂，无毛。花期 3 ~ 5月，果期 4 ~ 6月。

| **生境分布** | 生于海拔 2 500 m 以下的溪沟边。分布于河北阜平、灵寿、平泉等。 |

| **资源情况** | 野生资源较丰富。药材主要来源于野生。 |

| **采收加工** | 全年均可采剥，晒干。 |

| **药材性状** | 本品呈筒状，厚 1～3 mm。嫩皮灰绿色，表面有圆形皮孔及纵纹，偶见枝痕；老皮色较暗，表面粗糙，有粗大的沟状裂隙。内表面黄白色，有纵向细密纹。质硬，不易折断，断面纤维性。气微，味微苦。 |

| **功能主治** | 苦，寒。祛风活血，清热利湿。用于风湿痹证，跌打肿痛，肺热咳嗽，小便淋沥，口疮，牙痛，痢疾，脚气，蛔虫病。 |

| **用法用量** | 内服煎汤，10～30 g。外用适量，煎汤洗；或研末调敷。 |

杨柳科 Salicaceae 杨属 Populus

钻天杨

Populus nigra L. var. *italica* (Moench) Koehne

| 植物别名 | 美国白杨。

| 药 材 名 | 钻天杨（药用部位：树皮）。

| 形态特征 | 乔木，高 30 m。树冠阔椭圆形；树皮暗灰色，老时沟裂。小枝圆
形，淡黄色，无毛；芽长卵形，富黏质，赤褐色，花芽先端向外弯
曲。叶在长、短枝上同形，薄革质，菱形、菱状卵圆形或三角形，
长 5 ~ 10 cm，宽 4 ~ 8 cm，先端长渐尖，基部楔形或阔楔形，稀
截形，边缘具圆锯齿，半透明，无缘毛，上面绿色，下面淡绿色；
叶柄略等于或长于叶片，侧扁，无毛。雄花序长 5 ~ 6 cm，花序轴
无毛，苞片膜质，淡褐色，长 3 ~ 4 mm，先端有线条状尖锐裂片，
雄蕊 15 ~ 30，花药紫红色；子房卵圆形，有柄，无毛，柱头 2。果

序长 5 ~ 10 cm，果序轴无毛；蒴果卵圆形，有柄，长 5 ~ 7 mm，宽 3 ~ 4 mm，2 瓣裂。花期 4 ~ 5 月，果期 6 月。

| **生境分布** | 生于河岸、河湾，少生于沿岸沙丘，常成带状或片林。分布于河北兴隆、涿鹿等。

| **资源情况** | 野生资源较丰富。药材主要来源于野生。

| **采收加工** | 秋、冬季或结合栽培伐木采收，鲜用或晒干。

| **药材性状** | 本品呈板片状。外表面暗灰褐色或黑褐色，粗糙，有沟槽，除去外皮后显黄白色或棕黄色，纤维性；内表面较平坦，黄白色或黄棕色。质轻，折断面呈片状，纤维性。气微，味淡。

| **功能主治** | 苦，寒。凉血解毒，祛风除湿。用于感冒，肝炎，痢疾，风湿疼痛，脚气肿，烫火伤，疥癣秃疮。

| **用法用量** | 内服煎汤，10 ~ 30 g；或浸酒。外用适量，烧炭研末调搽；或熬膏涂。

| **附　注** | 本种抗寒，喜光，不耐盐碱，不耐干旱，在冲积砂质土中生长良好。

桦木科 Betulaceae 桦木属 Betula

白桦

Betula platyphylla Suk.

| 植物别名 |

桦皮树、粉桦。

| 药 材 名 |

桦木皮（药用部位：树皮。别名：桦皮、桦树皮）、桦树液（药材来源：树干中流出的液汁）。

| 形态特征 |

乔木，高可达 27 m。树皮灰白色，成层剥裂；枝条暗灰色或暗褐色，无毛，具或疏或密的树脂腺体或无；小枝暗灰色或褐色，无毛、亦无树脂腺体，有时疏被毛、疏生树脂腺体。叶厚纸质，三角状卵形、三角状菱形、三角形，少菱状卵形和宽卵形，长 3 ~ 9 cm，宽 2 ~ 7.5 cm，先端锐尖、渐尖至尾状渐尖，基部截形、宽楔形或楔形，有时微心形或近圆形，边缘具重锯齿，有时具缺刻状重锯齿或单齿，上面幼时疏被毛和腺点，成熟后无毛、无腺点，下面无毛，密生腺点，侧脉 5 ~ 7（~ 8）对；叶柄细瘦，长 1 ~ 2.5 cm，无毛。果序单生，圆柱形或矩圆状圆柱形，通常下垂，长 2 ~ 5 cm，直径 6 ~ 14 mm；果序梗细瘦，长 1 ~ 2.5 cm，密被短柔毛，成熟后近无毛，具或疏或密的树脂腺体或无；果苞长 5 ~ 7 mm，背面密被短柔毛，成熟时毛渐脱落，边缘具短纤毛，基部楔形或宽楔形，中裂片三角状卵形，先端渐尖或钝，侧裂片卵形或近圆形，直立、斜展、横展至向下弯，如为直立或斜展时则较中裂片稍宽且微短，如为横展至向下弯时则长及宽均大于中裂片。小坚果狭矩圆形、矩圆形或卵形，长 1.5 ~ 3 mm，宽 1 ~ 1.5 mm，背面疏被短柔毛，膜质翅较坚果长 1/3，较少与坚果等长，与坚果等宽或较坚果稍宽。

| **生境分布** | 生于海拔 400 ~ 4 100 m 的山坡或林中，为次生林的先锋树种。分布于河北涞源、平泉、青龙等。

| **资源情况** | 野生资源丰富。药材主要来源于野生。

| **采收加工** | 桦木皮：春、夏、秋季采剥，以春、秋季采者为佳，切碎，晒干。
桦树液：5 月间将树皮划开，盛取液汁，鲜用。

| **药材性状** | 桦木皮：本品呈大张的反卷筒状。卷筒的外表面（即树皮的内表面）淡黄棕色，有深色横条纹。卷筒的内表面（即树皮的外表面）灰白色而微带红色，上有疙瘩样的枝痕，黑棕色。质柔软，折断面略平坦，可成层的片状剥落。气微弱而香，味苦。

| **功能主治** | 桦木皮：苦，平。归肺、胃、大肠经。清热利湿，祛痰止咳，解毒。用于咽痛喉痹，咳嗽气喘，黄疸，腹泻，痢疾，淋证，小便不利，乳痈，疮毒，痒疹。
桦树液：苦，凉。祛痰止咳，清热解毒。用于咳嗽，气喘，小便赤涩。

| **用法用量** | 桦木皮：内服煎汤，20 ~ 30 g。外用适量，研末或煅炭研末调敷。
桦树液：内服，鲜汁 20 ~ 30 ml。

| **附　注** | 本种适应性强，分布甚广，尤喜湿润土壤。

桦木科 Betulaceae 榛属 Corylus

毛榛
Corylus mandshurica Maxim.

| **植物别名** | 毛榛子、火榛子。

| **药 材 名** | 榛子（药用部位：果实。别名：槌、山反栗）。

| **形态特征** | 落叶灌木，高 6 m，丛生，多分枝。树皮暗灰色或灰褐色；枝条灰褐色，无毛；小枝黄褐色，被长柔毛，下部的毛较密。叶宽卵形、矩圆形或倒卵状矩圆形，长 6 ~ 12 cm，宽 4 ~ 9 cm，先端骤尖或尾状，基部心形，边缘具不规则粗锯齿，中部以上浅裂或具缺刻，上面疏被毛或几无毛，下面疏被短柔毛，沿脉毛较密，侧脉约 7 对；叶柄细瘦，长 1 ~ 3 cm，疏被长柔毛及短柔毛。雄花序 2 ~ 4 排成总状；苞鳞密被白色短柔毛。果实单生或 2 ~ 6 簇生，长 3 ~ 6 cm；果苞管状，在坚果上部缢缩，较果实长 2 ~ 3 倍，外面密被黄色刚

毛，兼被白色短柔毛，上部浅裂，裂片披针形；果序梗粗壮，长 1.5 ~ 2 cm，密被黄色短柔毛。坚果几球形，长约 1.5 cm，先端具小突尖，外面密被白色绒毛。

| **生境分布** | 生于海拔 400 ~ 1 500 m 的山坡灌丛中或林下，常与榛混生，形成榛子灌丛。分布于河北围场、青龙、武安等。

| **资源情况** | 野生资源丰富。药材主要来源于野生。

| **采收加工** | 秋季果实成熟后及时采摘，晒干，除去总苞及果壳。

| **功能主治** | 甘，平。健脾和胃，润肺止咳。用于病后体弱，脾虚泄泻，食欲不振，咳嗽。

| **用法用量** | 内服煎汤，30 ~ 60 g；或研末。

桦木科 Betulaceae 榛属 Corylus

榛

Corylus heterophylla Fisch. ex Trautv.

| 植物别名 | 榛子。

| 药 材 名 | 榛子花（药用部位：花）、榛子（药用部位：果实。别名：槌、山
反栗）。

| 形态特征 | 灌木或小乔木，高 1 ~ 7 m。树皮灰色；枝条暗灰色，无毛；小枝
黄褐色，密被短柔毛，兼被疏生的长柔毛，无或多少具刺状腺体。
叶矩圆形或宽倒卵形，长 4 ~ 13 cm，宽 2.5 ~ 10 cm，先端凹缺
或截形，中央具三角状突尖，基部心形，有时两侧不相等，边缘具
不规则重锯齿，中部以上浅裂，上面无毛，下面幼时疏被短柔毛，
以后仅沿脉疏被短柔毛，其余无毛，侧脉 3 ~ 5 对；叶柄纤细，长
1 ~ 2 cm，疏被短毛或近无毛。雄花序单生，长约 4 cm。果实单生

或 2 ~ 6 簇生成头状；果苞钟状，外面具细条棱，密被短柔毛，兼被疏生的长柔毛，密生刺状腺体，很少无腺体，较果实长，但不超过 1 倍，很少较果实短，上部浅裂，裂片三角形，全缘，很少具疏锯齿；果序梗长约 1.5 cm，密被短柔毛。坚果近球形，长 7 ~ 15 mm，无毛或仅先端疏被长柔毛。

| **生境分布** | 生于海拔 200 ~ 1 000 m 的山地阴坡灌丛中。分布于河北平泉、迁安、迁西等。

| **资源情况** | 野生资源丰富。药材主要来源于野生。

| **采收加工** | 榛子花：清明前后、雄花未散粉时采收，除去杂质，晒干。
榛子：秋季果实成熟后及时采摘，晒干，除去总苞及果壳。

| **药材性状** | 榛子花：本品呈卵圆形或类球形，直径 0.5 ~ 1 cm。表面棕褐色或深棕色，先端较尖，可见种脐，一侧有呈脊状隆起的种脊，基部较圆且下陷，有的不明显。种皮易剥落，子叶 2，类白色或淡黄白色，尖端具小形的胚根。气微，味甜、微涩。
榛子：本品呈卵圆形或类球形，直径 0.5 ~ 1 cm。表面棕褐色或深棕色，先端较尖，可见种脐，一侧有呈脊状隆起的种脊，基部较圆且下陷，有的不明显。种皮易剥落，子叶 2，类白色或淡黄白色，尖端具小形的胚根。气微，味甜、微涩。

| **功能主治** | 榛子花：清热解毒，消肿止痛。用于痈疮肿毒，疟腮，虫蛇咬伤。
榛子：甘，平。健脾和胃，润肺止咳。用于病后体弱，脾虚泄泻，食欲不振，咳嗽。

| **用法用量** | 榛子花：内服煎汤，5 ~ 15 g。外用适量，研末调敷。
榛子：内服煎汤，30 ~ 60 g；或研末。

壳斗科 Fagaceae 栎属 Quercus

槲树

Quercus dentata Thunb.

| 植物别名 |

柞栎、波罗栎。

| 药材名 |

槲叶（药用部位：叶。别名：槲若）、槲皮（药用部位：树皮。别名：赤龙皮、槲木皮）、槲实仁（药用部位：种子。别名：栎僵子）。

| 形态特征 |

落叶乔木，高可达 25 m。树皮暗灰色，粗糙，有深沟；小枝粗壮，有槽，密被灰黄色星状绒毛。单叶互生，叶柄短，长 2 ~ 5 mm，密被棕色绒毛；托叶线状披针形，长 1.5 cm；叶革质或近革质，倒卵形或长倒卵形，长 10 ~ 30 cm，宽 6 ~ 20 cm，先端渐钝，基部耳形或窄楔形，边缘有 4 ~ 10 对深波状裂片或粗齿，幼叶上面疏被柔毛，下面密被星状绒毛，老叶下面被灰色柔毛和星状毛，侧脉 4 ~ 10 对。花单性，雌雄同株；雄花序长 8 ~ 12 cm，花序轴密被浅黄色绒毛，生于新枝叶腋，花被 7 ~ 8 裂，具灰白色绒毛，雄蕊 8 ~ 10；雌花序长 1 ~ 3 cm，雌花数朵集生于幼枝先端，子房 3 室，柱头 3。壳斗杯形，包围坚果 1/2 ~ 2/3，连苞片直径达 4.5 cm，小苞片革质，窄披针形，

长约 1 cm，张开或反卷，红棕色，被褐色丝毛，内面无毛；坚果卵形或宽卵形，无柄，直径 1.2 ~ 1.5 cm，高 1.5 ~ 2.3 cm，无毛。花期 4 ~ 5 月，果期 9 ~ 10 月。

| 生境分布 | 生于海拔 50 ~ 2 700 m 的杂木林或松林中。分布于河北山海关、遵化、涿鹿等。

| 资源情况 | 野生资源一般。药材来源于野生或栽培。

| 采收加工 | 槲叶：全年均可采收，除去杂质，鲜用或晒干。

槲皮：全年均可采收，洗净，切片，晒干。

槲实仁：冬季果实成熟后采收，连壳斗摘下，晒干，除去壳斗及种壳，取出种子晒干，置通风干燥处。

| 药材性状 | 槲叶：本品鲜品革质或近革质，柔韧，倒卵形或长倒卵形，长 10 ~ 30 cm，宽 6 ~ 20 cm，先端渐钝，基部耳形或窄楔形，边缘有 4 ~ 10 对波状裂片或粗齿，下面密被星状绒毛，侧脉 4 ~ 10 对。干品绿褐色，稍皱缩，质脆。味甘、苦。

| 功能主治 | 槲叶：甘、苦，平。归脾、胃、肺、大肠经。止血，通淋。用于吐血，衄血，便血，血痢，小便淋痛。

槲皮：解毒消肿，涩肠，止血。用于疮痈肿痛，溃破不敛，瘰疬，痔疮，痢疾，肠风下血。

槲实仁：苦、涩，平。涩肠止泻。用于腹泻，痢疾。

| 用法用量 | 槲叶：内服煎汤，10 ~ 15 g。

槲皮：内服煎汤，5 ~ 10 g；或熬膏；或烧灰研末。外用适量，煎汤洗；或熬膏敷。

槲实仁：内服煎汤，9 ~ 15 g；或研末，每次 0.5 ~ 1 g。

██ 壳斗科 Fagaceae ██ 栎属 Quercus

辽东栎 *Quercus wutaishanica* Blume

| **植物别名** | 辽东柞、柴树。

| **药 材 名** | 橡木皮（药用部位：根皮、树皮。别名：栎木皮、栎树皮）、橡实壳（药用部位：壳斗。别名：橡斗壳、橡子壳）。

| **形态特征** | 落叶乔木，高 15 m。树皮灰褐色，深纵裂；幼枝绿色，老时灰绿色，无毛，具淡褐色圆形皮孔。叶片倒卵形至长椭圆状倒卵形，长 5 ~ 17 cm，宽 2.5 ~ 10 cm，先端圆钝或短渐尖，基部窄圆形或耳形，叶缘有 5 ~ 7 对圆齿，叶面绿色，背面淡绿色，幼时沿脉有毛，老时无毛，侧脉每边 5 ~ 7；叶柄长 2 ~ 5 mm，无毛。雄花序生于新枝基部，长 5 ~ 7 cm，花被 6 ~ 7 裂，雄蕊通常 8；雌花序生于新枝上端叶腋，长 0.5 ~ 2 cm，高约 8 mm；小苞片长三角

形，长 1.5 mm，扁平微凸起，被稀疏短绒毛。壳斗浅杯形，包坚果约 1/3，直径 1.2 ~ 1.5 cm，长 1.7 ~ 1.9 cm；坚果卵形至卵状椭圆形，直径 1 ~ 1.3 cm，高 1.5 ~ 1.8 cm，先端有短绒毛；果脐微凸起，直径约 5 mm。花期 4 ~ 5 月，果期 9 月。

| 生境分布 | 在华北地区常生于海拔 600 ~ 1 900 m 的山地，在陕西和四川北部常生于海拔 2 200 ~ 2 500 m 的阳坡、半阳坡，形成小片纯林或混交林。分布于河北宣化、蔚县、涞水等。

| 资源情况 | 野生资源一般。药材来源于野生或栽培。

| 采收加工 | 橡木皮：随时可采，洗净，晒干，切片。
橡实壳：采收橡实时收集，晒干。

| 药材性状 | 橡木皮：本品树皮表面灰黑色，粗糙，具不规则纵裂，软木质；内面类白色。气微，味稍苦、涩。
橡实壳：本品呈杯状，直径 1.5 cm，高约 1.9 cm。外面鳞片状苞片狭披针形，呈覆瓦状排列，反曲，被灰白色柔毛；内面棕色，平滑。气微，味苦、涩。

| 功能主治 | 橡木皮：苦、涩，平。解毒利湿，涩肠止泻。用于泄泻，痢疾，疮疡，瘰疬。
橡实壳：涩，温。涩肠止泻，止带，止血，敛疮。用于赤白下痢，肠风下血，脱肛，带下，崩中，牙疳，疮疡。

| 用法用量 | 橡木皮：内服煎汤，3 ~ 10 g。外用适量，煎汤或加盐，浸洗。
橡实壳：内服煎汤，3 ~ 10 g；或炒焦研末，每次 3 ~ 6 g。外用适量，烧存性，研末，调敷；或煎汤洗。

壳斗科 Fagaceae 栎属 Quercus

麻栎 *Quercus acutissima* Carr.

| **植物别名** | 栎、橡碗树。

| **药 材 名** | 橡木皮（药用部位：根皮、树皮。别名：栎木皮、栎树皮）、橡实
壳（药用部位：壳斗。别名：橡斗壳、橡子壳）。

| **形态特征** | 落叶乔木，高达 30 m，胸径达 1 m。树皮深灰褐色，深纵裂；幼枝
被灰黄色柔毛，后渐脱落，老时灰黄色，具淡黄色皮孔；冬芽圆锥
形，被柔毛。叶片形态多样，通常为长椭圆状披针形，长 8 ~ 19 cm，
宽 2 ~ 6 cm，先端长渐尖，基部圆形或宽楔形，叶缘有刺芒状锯齿，
叶片两面同色，幼时被柔毛，老时无毛或背面脉上有柔毛，侧脉每
边 13 ~ 18；叶柄长 1 ~ 3（~ 5）cm，幼时被柔毛，后渐脱落。
雄花序常数个集生于当年生枝下部叶腋，有 1 ~ 3 花，花柱 3。壳

斗杯形，约包围坚果的 1/2，连小苞片直径 2 ~ 4 cm，高约 1.5 cm；小苞片钻形或扁条形，向外反曲，被灰白色绒毛。坚果卵形或椭圆形，直径 1.5 ~ 2 cm，高 1.7 ~ 2.2 cm，先端圆形，果脐凸起。花期 3 ~ 4 月，果期翌年 9 ~ 10 月。

| 生境分布 | 生于海拔 60 ~ 2 200 m、土质深厚肥沃的山地阳坡，形成小片纯林或混交林。分布于河北北戴河、遵化、平山等。

| 资源情况 | 野生资源一般。药材主要来源于栽培。

| 采收加工 | 橡木皮：随时可采，洗净，晒干，切片。
橡实壳：采收橡实时收集，晒干。

| 药材性状 | 橡木皮：本品树皮表面灰黑色，粗糙，具不规则纵裂，软木质；内面类白色。气微，味稍苦、涩。
橡实壳：本品呈杯状，直径 1.5 ~ 2 cm，高约 1.5 cm。外面鳞片状苞片狭披针形，呈覆瓦状排列，反曲，被灰白色柔毛；内面棕色，平滑。气微，味苦、涩。

| 功能主治 | 橡木皮：苦、涩，平。解毒利湿，涩肠止泻。用于泄泻，痢疾，疮疡，瘰疬。
橡实壳：涩，温。涩肠止泻，止带，止血，敛疮。用于赤白下痢，肠风下血，脱肛，带下，崩中，牙疳，疮疡。

| 用法用量 | 橡木皮：内服煎汤，3 ~ 10 g。外用适量，煎汤或加盐，浸洗。
橡实壳：内服煎汤，3 ~ 10 g；或炒焦研末，每次 3 ~ 6 g。外用适量，烧存性，研末，调敷；或煎汤洗。

| 附　　注 | 北方麻栎 Quercus acutissima Carr. var. septentrionalis Liou. 为本种的变种，与本种的不同之处在于其幼枝无毛或具极少毛，壳斗较浅，呈盘形，仅包围坚果的 1/4 左右，小苞片少，扁条形。北方麻栎分布于河北秦皇岛等。

壳斗科 Fagaceae 栎属 Quercus

蒙古栎
Quercus mongolica Fischer ex Ledebour

植物别名

蒙栎、柞栎、柞树。

药材名

柞树皮（药用部位：树皮）、橡子（药用部位：果实）、柞树叶（药用部位：树叶）。

形态特征

落叶乔木，高达 30 m。树皮灰褐色，深纵裂；幼枝紫褐色，有棱，无毛；顶芽长卵形，微有棱，芽鳞紫褐色，有缘毛。叶倒卵形至长倒卵形，长 7 ~ 19 cm，宽 3 ~ 11 cm，先端短钝尖或短突尖，基部窄圆形或耳形，叶缘有 7 ~ 10 对钝齿或粗齿，幼时沿脉有毛，后渐脱落，侧脉每边 7 ~ 11；叶柄短，长 2 ~ 8 mm，无毛。雄花序生于新枝下部，长 5 ~ 7 cm，花序轴近无毛，花被 6 ~ 8 裂，裂片线形或三角状线形，先端锐尖，雄蕊通常 8 ~ 10；雌花序生于新枝上端叶腋，长约 1 cm，有 4 ~ 5 花，通常只 1 ~ 2 发育，花被 6 裂，半圆形，花柱短，柱头 3 裂。壳斗杯形，壁厚，包围坚果的 1/3 ~ 1/2，直径 1.5 ~ 1.8 cm，高 0.8 ~ 1.5 cm；壳斗外壁小苞片三角状卵形，呈半球形瘤状凸起，密被灰白色短绒毛，伸出口部边缘呈流苏状。

坚果卵形至长卵形，直径 1.3 ～ 1.8 cm，高 2 ～ 2.3 cm，无毛，果脐微凸起。花期 5 月，果期 10 月。

| **生境分布** | 生于海拔 200 ～ 2 100 m 的山地，在东北地区常生于海拔 600 m 以下、在华北地区常生于海拔 800 m 以上的阳坡、半阳坡，常形成小片纯林或与桦树等形成混交林。分布于河北青龙、兴隆、赞皇等。

| **资源情况** | 野生资源一般。药材主要来源于栽培。

| 采收加工 | **柞树皮**：春、秋季采收，刮去外层粗皮，晒干或煅灰。
橡子：秋季果实成熟时采收，除去壳斗与果皮，晒干。
柞树叶：夏、秋季采摘，鲜用或晒干。

| 药材性状 | **柞树皮**：本品呈条状或块状，大小不一，两边向内卷曲，厚 0.3 ~ 1 cm。外表面暗灰褐色，幼者具光泽，疏生横向皮孔，老者外皮不规则深纵裂，黑褐色，表面粗糙。内表面黄褐色，具纵棱线。质脆，断面不规则，纤维性强。气微，味微苦、涩。嫩者以皮厚、外表光亮者为佳，老者以不带粗皮者为佳。

橡子：本品呈椭圆形或卵状长圆形。表面上半部棕褐色，下半部灰白色。先端有稍尖的花柱残基，基部有果实脱落后的近圆形疤痕。果皮坚硬，破开后，内果皮膜质，棕褐色。种子 1，近圆球形，长 1.2 ~ 1.5 cm，宽 0.5 ~ 1.2 cm，表面棕红色至棕褐色，有不规则的突起或纵皱纹，先端微凸起，基部稍平坦，子叶 2，肥厚。气微，味淡、涩。

柞树叶：本品多破碎，完整叶片呈倒卵形至长椭圆状倒卵形，长 7 ~ 17 cm，宽 4 ~ 10 cm，先端钝或急尖，基部耳形，边缘具 7 ~ 10 对深波状钝齿。幼叶沿脉有毛，侧脉 7 ~ 11 对。叶柄长 2 ~ 5 mm。气微，味淡、微涩。

| 功能主治 | **柞树皮**：苦、涩，平。收敛止泻，止痢。用于肠炎，腹泻，细菌性痢疾。

橡子：甘、涩，平。止泻，止血，清热解毒，涩肠止痛。用于肠炎，痢疾。

柞树叶：微苦、涩，平。清热止痢，止咳，解毒消肿。用于痢疾，肠炎，消化不良，支气管炎，痈肿，痔疮。

| 用法用量 |　**柞树皮：**内服煎汤，5～10 g；或入丸、散剂。外用适量，煎汤熏洗；或捣敷。

　　　　　　橡子：内服研末，3～5 g；或入丸、散剂。

　　　　　　柞树叶：内服煎汤，3～10 g；或研末，每次 1～1.5 g，小儿斟酌。外用适量，捣敷。

| 附　　注 |　粗齿蒙古栎 *Quercus mongolica* Fischer ex Ledebour var. *grosserrata* Rehd. et Wils. 是本种的变种，其叶较窄长，叶缘具向上弯曲的粗锯齿，侧脉较多，通常每边 14～18。

壳斗科 Fagaceae 栎属 *Quercus*

栓皮栎 *Quercus variabilis* Blume

| **植物别名** | 软木栎、粗皮青冈。

| **药 材 名** | 青杠碗（药用部位：果壳、果实。别名：青枫碗、毛猴儿）。

| **形态特征** | 落叶乔木，高达 30 m，胸径超过 1 m。树皮黑褐色，条状深纵裂，木栓层特别发达；幼枝灰棕色，有稀疏细毛，后变无毛；芽圆锥形，芽鳞褐色，具缘毛。叶片卵状披针形或长椭圆形，长 8 ~ 15（~ 20）cm，宽 2 ~ 6（~ 8）cm，先端渐尖，基部圆形或宽楔形，叶缘具刺芒状锯齿，背面密被灰白色星状绒毛，侧脉每边 13 ~ 18，平行，直达齿端；叶柄长 1 ~ 3（~ 5）cm，无毛。雄花序长达 14 cm，花序轴密被褐色绒毛，花被 4 ~ 6 裂，雄蕊 10 或较多；雌花序生于新枝上端叶腋，花柱 3。壳斗杯形，包围坚果的

2/3，连小苞片直径 2.5 ~ 4 cm，高约 1.5 cm；小苞片钻形，反曲，被短毛。坚果近球形或宽卵形，高、直径均约 1.5 cm，先端圆，近无柄，果脐凸起。花期 5 月，果期翌年 10 月。

| **生境分布** | 在华北地区常生于海拔 800 m 以下的阳坡，在西南地区生于海拔 2 000 ~ 3 000 m 的地区。分布于河北遵化、易县、涞源等。

| **资源情况** | 野生资源一般。药材主要来源于栽培。

| **采收加工** | 秋季采收，晒干。

| **功能主治** | 苦、涩，平。止咳，止泻，止血，解毒。用于咳嗽，久泻，久痢，痔漏出血，头癣。

| **用法用量** | 内服煎汤，10 ~ 15 g。外用适量，研末调敷。

壳斗科 Fagaceae 栗属 Castanea

栗
Castanea mollissima Blume

| 植物别名 | 魁栗、板栗、毛栗。

| 药 材 名 | 板栗花（药用部位：穗状花序）、板栗根（药用部位：树皮、根皮）、栗子（药用部位：种仁。别名：板栗、栗实）。

| 形态特征 | 乔木，高达 20 m，胸径 80 cm。冬芽长约 5 mm；小枝灰褐色；托叶长圆形，长 10 ~ 15 mm，被疏长毛及鳞腺。叶椭圆形至长圆形，长 11 ~ 17 cm，宽稀达 7 cm，先端短至渐尖，基部近截平或圆，或两侧稍向内弯而呈耳垂状，常一侧偏斜而不对称，新生叶的基部常狭楔尖且两侧对称，背面被星芒状伏贴绒毛或因毛脱落变几无毛；叶柄长 1 ~ 2 cm。雄花序长 10 ~ 20 cm，花序轴被毛，花 3 ~ 5 聚生成簇；雌花 1 ~ 3（~ 5）发育结实，花柱下部被毛。成熟壳斗的锐

刺有长有短，有疏有密，密时完全遮蔽壳斗外壁，疏时外壁可见，壳斗连刺直径 4.5 ~ 6.5 cm；坚果高 1.5 ~ 3 cm，宽 1.8 ~ 3.5 cm。花期 4 ~ 6 月，果期 8 ~ 10 月。

| 生境分布 | 生于海拔 2 800 m 以下的山地。分布于河北北戴河、昌黎、迁西等。

| 资源情况 | 野生资源稀少。药材来源于野生或栽培。

| 采收加工 | 板栗花：4 ~ 5 月花开时采收，干燥。

板栗根：全年均可采挖，鲜用或晒干。

栗子：总苞由青色转黄色、微裂时采收，放冷凉处散热，搭棚遮阴，棚四周夹墙，地面铺河砂，堆果实高 30 cm，覆盖湿砂，经常洒水保湿。10 月下旬至 11 月入窖贮藏；或剥出种仁，晒干。

| 药材性状 | 板栗花：本品呈长条形或细长条形，微弯曲，被柔毛，长 6 ~ 20 cm，淡黄褐色。花簇生黄白色的花序轴上；花粉易落，手捻有滑腻感，可附于手指上。花序轴质脆，易折断。气微香，味涩。

栗子：本品呈半球形或扁圆形，先端短尖，直径 2 ~ 3 cm。表面黄白色，光滑，有时具浅纵沟纹。质实，稍重，碎断后富粉质。气微，味微甜。

| 功能主治 | 板栗花：微苦、涩，平。归大肠、肝经。清热燥湿，止血，散结。用于泄泻，痢疾，带下，便血，瘰疬，瘿瘤。

板栗根：微苦，平。行气止痛，活血调经。用疝气偏坠，牙痛，风湿关节痛，月经不调。

栗子：甘、微咸，平。归脾、肾经。益气健脾，补肾强筋，活血消肿，止血。用于脾虚泄泻，反胃呕吐，脚膝酸软，筋骨折伤肿痛，瘰疬，吐血，衄血，便血。

| 用法用量 | 板栗花：内服煎汤，9 ~ 15 g。

板栗根：内服煎汤，15 ~ 30 g；或浸酒。

栗子：内服适量，生食或煮食；或炒存性，研末，30 ~ 60 g。外用适量，捣敷。

| 附　　注 | 栗分为华北品种群与华中品种群 2 个大品种群。华北品种群又分为良乡小栗品种群与华北魁栗品种群 2 个小品种群，约有 10 个较优良的品种；据资料分析，在华中品种群中共选出至少 20 个优良品种。

榆科 Ulmaceae 刺榆属 Hemiptelea

刺榆

Hemiptelea davidii (Hance) Planch.

| **植物别名** | 枢、钉枝榆、刺榆针子。

| **药 材 名** | 刺榆皮（药用部位：树皮、根皮）、刺榆叶（药用部位：叶）。

| **形态特征** | 小乔木或灌木，高可达 10 m。树皮深灰色或褐灰色，不规则条状深裂；小枝灰褐色或紫褐色，被灰白色短柔毛，具粗而硬的棘刺，刺长 2 ~ 10 cm；冬芽常 3 聚生于叶腋，卵圆形。叶椭圆形或椭圆状矩圆形，稀倒卵状椭圆形，长 1.5 ~ 6.5 cm，宽 1 ~ 2.5 cm，先端急尖或钝圆，基部浅心形或圆形，边缘有整齐的粗锯齿，叶面绿色，幼时被毛，后脱落，残留稍隆起的圆点，叶背淡绿色，光滑无毛，或在脉上有稀疏的柔毛，侧脉 8 ~ 15 对，排列整齐，斜直出至齿尖；叶柄短，长 1.5 ~ 5 mm，被短柔毛；托叶矩圆形、长矩圆形或披

针形，长 3 ~ 4 mm，淡绿色，边缘具睫毛。花与叶同时开放，黄绿色。小坚果黄绿色，斜卵圆形，两侧扁，长 5 ~ 7 mm，在背侧具偏斜的翅，形似鸡头，翅端渐狭成缘状；果柄纤细，长 2 ~ 4 mm。花期 4 ~ 5 月，果期 9 月。

| 生境分布 | 生于海拔 2 000 m 以下的坡地次生林中及村落路旁、土堤上、石砾河滩。分布于河北卢龙、涞源、易县等。

| 资源情况 | 野生资源一般。药材主要来源于栽培。

| 采收加工 | 刺榆皮：全年均可采收，刮去外层粗皮，鲜用。
刺榆叶：春、夏季采摘，鲜用或晒干。

| 药材性状 | 刺榆皮：本品呈扁平的板块状或为两边稍向内卷的块片，厚 2 ~ 7 mm。外表面暗灰色，粗糙且具条状深沟裂；内表面灰褐色，光滑。易折断，断面纤维性。气微，味淡、微涩。
刺榆叶：本品呈椭圆形或椭圆状长圆形，长 2 ~ 6 cm，宽 1 ~ 2.5 cm；先端微钝，基部圆形或广楔形，边缘有粗锯齿；上面深绿色，疏生柔毛或具黑色圆形凹痕，下面黄绿色，具疏柔毛或无毛。叶柄长 1 ~ 4 mm。气微，味淡。

| 功能主治 | 刺榆皮：苦、辛，寒。解毒消肿。用于疮痈肿毒，毒蛇咬伤。
刺榆叶：淡，微寒。利水消肿，解毒。用于水肿，疮疡肿毒，毒蛇咬伤。

| 用法用量 | 刺榆皮：内服煎汤，3 ~ 6 g。外用适量，鲜品捣敷。
刺榆叶：内服煎汤，3 ~ 6 g。外用适量，鲜品捣敷。

| 附　注 | 本种始载于《本草拾遗》，该书记载："江东有刺榆，天大榆，皮入用不滑，刺榆秋实。"《蜀本草》按《尔雅疏》云："榆之类有十种，叶皆相似，皮及木理异耳，而刺榆有针刺如柘，其叶如榆，瀹为疏，美滑于白榆。"由此可见，古代即知榆类品种甚多，文献所述刺榆特征与今用品种一致。

榆科 Ulmaceae 朴属 *Celtis*

大叶朴

Celtis koraiensis Nakai

| 药 材 名 | 大叶朴（药用部位：根、茎、叶）。

| 形态特征 | 落叶乔木，高达 15 m。树皮灰色或暗灰色，浅微裂；当年生小枝老后褐色至深褐色，散生小而微凸的椭圆形皮孔；冬芽深褐色，内部鳞片具棕色柔毛。叶椭圆形至倒卵状椭圆形，稀广倒卵形，长 7 ~ 12 cm，宽 3.5 ~ 10 cm，基部稍不对称，宽楔形至近圆形或微心形，先端具尾状长尖，长尖常由平截状先端伸出，边缘具粗锯齿，两面无毛或仅叶背疏生短柔毛或在中脉和侧脉上有毛；叶柄长5 ~ 15 mm，无毛或生短毛；在萌发枝上的叶较大，且具较多、较硬的毛。果实单生叶腋，果柄长 1.5 ~ 2.5 cm，果实近球形至球状椭圆形，直径约 12 mm，成熟时橙黄色至深褐色；果核球状椭圆形，

直径约 8 mm，有 4 纵肋，表面具明显网孔状凹陷，灰褐色。花期 4～5 月，果期 9～10 月。

| **生境分布** | 生于海拔 100～1 500 m 的山坡、沟谷林中。分布于河北阜平、青龙、武安等。

| **资源情况** | 野生资源一般。药材来源于野生或栽培。

| **功能主治** | 清热解毒，消肿止痛。用于荨麻疹，烫火伤。

| **用法用量** | 外用适量，煎汤洗；或鲜叶捣敷。

榆科 Ulmaceae 榆属 Ulmus

春榆

Ulmus davidiana var. *japonica* (Rehd.) Nakai

| 植物别名 | 日本榆、白皮榆。

| 药 材 名 | 翼枝榆（药用部位：树皮、根皮）。

| 形态特征 | 落叶乔木或灌木，高达 15 m，胸径 30 cm。树皮色较深，纵裂成不规则条状；幼枝被或密或疏的柔毛，当年生枝无毛或多少被毛，小枝（通常萌发枝及幼树的小枝）有时具向四周膨大而不规则纵裂的木栓层；冬芽卵圆形，芽鳞背面被覆部分有毛。叶倒卵形或倒卵状椭圆形，稀卵形或椭圆形，长 4 ~ 9（~ 12）cm，宽 1.5 ~ 4（~ 5.5）cm，先端尾状渐尖或渐尖，基部歪斜，一边楔形或圆形，另一边近圆形至耳状，叶面幼时散生硬毛，后脱落无毛，常残留圆形毛迹，不粗糙，叶背幼时有密毛，后变无毛，脉腋常有簇生

毛，边缘具重锯齿，侧脉每边 12 ~ 22；叶柄长 5 ~ 10（~ 17）mm，全被毛或仅上面被毛。花在去年生枝上排成簇状聚伞花序。翅果倒卵形或近倒卵形，长 10 ~ 19 mm，宽 7 ~ 14 mm，无毛；果核常被密毛，或被疏毛，位于翅果中上部或上部，上端接近缺口；宿存花被无毛，裂片 4；果柄被毛，长约 2 mm。花果期 4 ~ 5 月。

| 生境分布 | 生于河岸、溪旁、沟谷、山麓及排水良好的冲积地和山坡。分布于河北怀安、平泉、涿鹿等。

| 资源情况 | 野生资源一般。药材来源于野生或栽培。

| 采收加工 | 春、秋季剥取根皮，夏、秋季剥取树皮，鲜用或晒干。

| 功能主治 | 驱虫消积，祛痰利尿。用于小儿疳积，骨瘤，骨结核。

| 用法用量 | 内服煎汤，15 ~ 30 g。

榆科 Ulmaceae 榆属 *Ulmus*

大果榆
Ulmus macrocarpa Hance

| 植物别名 | 进榆、芜荑、扁榆。

| 药 材 名 | 芜荑（药材来源：果实的加工品。别名：芜荑仁、山榆子）。

| 形态特征 | 落叶乔木或灌木，高达 20 m，胸径可达 40 cm。树皮暗灰色或灰黑色，纵裂，粗糙；小枝（尤以萌发枝及幼树的小枝）有时两侧具对生而扁平的木栓翅，间或上下亦有微凸起的木栓翅，稀在较老的小枝上有 4 几等宽而扁平的木栓翅；幼枝被疏毛，一年生、二年生枝淡褐黄色或淡黄褐色，稀淡红褐色，无毛或一年生枝被疏毛，具散生皮孔；冬芽卵圆形或近球形，芽鳞背面多少被短毛或无毛，边缘有毛。叶宽倒卵形、倒卵状圆形、倒卵状菱形或倒卵形，稀椭圆形，厚革质，大小变异很大，通常长 5 ~ 9 cm，宽 3.5 ~ 5 cm，

最小的叶长 1 ~ 3 cm，宽 1 ~ 2.5 cm，最大的叶长达 14 cm，宽至 9 cm，先端短尾状，稀骤凸，基部渐窄至圆，偏斜或近对称，多少心形或一边楔形，两面粗糙，叶面密生硬毛或有凸起的毛迹，叶背常有疏毛，脉上毛较密，脉腋常有簇生毛，侧脉每边 6 ~ 16，边缘具大而浅钝的重锯齿，或兼有单锯齿，叶柄长 2 ~ 10 mm，仅上面有毛或下面有疏毛。花自花芽或混合芽抽出，在去年生枝上排成簇状聚伞花序或散生于新枝的基部。翅果宽倒卵状圆形、近圆形或宽椭圆形，长 1.5 ~ 4.7 cm（常 2.5 ~ 3.5 cm），宽 1 ~ 3.9 cm（常 2 ~ 3 cm），基部多少偏斜或近对称，微狭或圆，有时子房柄较明显，先端凹或圆，缺口内缘柱头面被毛，两面及边缘有毛；果核部分位于翅果中部；宿存花被钟形，外被短毛或几无毛，上部 5 浅裂，裂片边缘有毛；果柄长 2 ~ 4 mm，被短毛。花果期 4 ~ 5 月。

| 生境分布 | 生于海拔 700 ~ 1 800 m 的山坡、谷地、台地、黄土丘陵、固定沙丘及岩缝中。分布于河北内丘、平泉、涉县等。

| 资源情况 | 野生资源一般。药材来源于野生或栽培。

| 采收加工 | 春末夏初，将 30 kg 果实加 10 kg 花、叶及 10 kg 泥土混合成糊状，发酵数日，待果实与花、叶腐烂，做成块状，晒干。

| 药材性状 | 本品呈方块状，长约 9 cm，宽约 6 cm。表面黄褐色或红褐色，凹凸不平。体稍轻，质松脆，断面不整齐，呈层状，可见破碎的树叶及铜钱状的翅果。完整翅果长 2.5 ~ 3.5 cm，种子位于翅果的中部；置放大镜下可见翅果中部及边缘被白色短毛。气臭特异，味微酸、涩。

| 功能主治 | 辛、苦，温。归肺、脾、胃经。杀虫消积，除湿止痢。用于虫积腹痛，小儿疳积，久泻久痢，疮疡，疥癣。

| 用法用量 | 内服煎汤，4.5 ~ 6 g。外用适量。

| 附　注 | （1）本种的叶面粗糙，有密生的硬毛或凸起的毛迹，此特征与同一分布区的裂叶榆 Ulmus laciniata (Trautv.) Mayr 及春榆 Ulmus davidiana Planch. var. japonica (Rehd.) Nakai 的糙叶类型一致。这 3 种榆树在有翅果且裂叶榆叶端 3 ~ 7 裂的情况下，极易区分，但在未见翅果或叶端不裂时易于混淆。春榆与本种的不同之处在于前者小枝色深，呈褐红色，有毛，有时具辐射状膨大而又不规则纵裂的木栓层；叶倒卵形或倒卵状椭圆形，先端骤凸，尖头较长，边缘锯齿较深而尖。（2）本科为阳性树种，耐干旱，能适应碱性、中性及弱酸性土壤。

榔榆
Ulmus parvifolia Jacq.

| 植物别名 |

小叶榆、秋榆、掉皮榆。

| 药 材 名 |

榔榆皮（药用部位：树皮、根皮。别名：郎榆皮）、榔榆茎（药用部位：茎。别名：鸡筹仔茎）、榔榆叶（药用部位：叶。别名：鸡筹仔叶）。

| 形态特征 |

落叶乔木，或冬季叶变为黄色或红色宿存至第 2 年新叶开放后脱落，高达 25 m，胸径可达 1 m。树冠广圆形，树干基部有时成板状根，树皮灰色或灰褐色，裂成不规则鳞状薄片剥落，露出红褐色内皮，近平滑，微凹凸不平；当年生枝密被短柔毛，深褐色；冬芽卵圆形，红褐色，无毛。叶草质，稍厚，披针状卵形或窄椭圆形，稀卵形或倒卵形，中脉两侧长宽不等，长 1.5 ~ 8 cm，宽 1 ~ 3.5 cm，先端尖或钝，基部偏斜，楔形或一边圆形，叶面深绿色，有光泽，除中脉凹陷处有疏柔毛外，其余无毛，侧脉不凹陷，叶背色较浅，幼时被短柔毛，后变无毛或沿脉有疏毛，或脉腋有簇生毛，边缘从基部至先端有钝而整齐的单锯齿，萌发枝的叶有时

有重锯齿，侧脉每边 10 ~ 15，细脉在两面均明显，叶柄长 2 ~ 6 mm，上面无毛，下面幼时有毛或在脉腋有簇毛。两性花 3 ~ 6 基数，在叶脉簇生或排成簇状聚伞花序，花梗极短，被疏毛；花被上部杯状，下部管状，花被片 4，深裂至杯状花被的基部或近基部；雄蕊与花被片同数；子房扁平，花柱 2。翅果椭圆形或卵状椭圆形，长 10 ~ 13 mm，宽 6 ~ 8 mm，除先端缺口柱头面被毛外，其余无毛；果翅稍厚，基部的柄长约 2 mm，两侧的翅较果核部分窄；果核部分位于翅果的中上部，上端接近缺口；花被片脱落或残存；果柄较管状花被短，长 1 ~ 3 mm，疏生短毛。花果期 9 月，果期 10 月。

| **生境分布** | 生于平原、丘陵、山坡、谷地。分布于河北丰宁、武强、易县等。

| **资源情况** | 野生资源一般。药材来源于野生或栽培。

| **采收加工** | 榔榆皮：全年均可采收，洗净，鲜用或晒干。
榔榆茎：夏、秋季采收，鲜用。
榔榆叶：夏、秋季采收，鲜用。

| **药材性状** | 榔榆皮：本品树皮呈长卷曲状。外表面灰褐色，呈不规则鳞片状脱落，有突出的横向皮孔；内表面黄白色。质柔韧，不易折断，断面外侧棕红色，内侧黄白色。气特异，味淡，嚼之有黏液感。
榔榆叶：本品椭圆形、卵圆形或倒卵形，长 1.5 ~ 5.5 cm，宽 1 ~ 2.8 cm，基部

圆形，稍歪，先端短尖，边缘有锯齿，上面微粗糙，棕褐色，下面淡棕色。气微，味淡，嚼之有黏液感。

| 功能主治 | 榔榆皮：甘、微苦，寒。清热利水，解毒消肿，凉血止血。用于热淋，小便不利，疮疡肿毒，乳痈，水火烫伤，痢疾，胃肠出血，尿血，痔血，腰背酸痛，外伤出血。

榔榆茎：甘、微苦，寒。通络止痛。用于腰背酸痛。

榔榆叶：甘、微苦，寒。清热解毒，消肿止痛。用于热毒疮疡，牙痛。

| 用法用量 | 榔榆皮：内服煎汤，15 ~ 30 g。外用适量，鲜品捣敷；或研末，水调敷。

榔榆茎：内服煎汤，10 ~ 15 g。

榔榆叶：外用适量，鲜品捣敷；或煎汤含漱。

| 附 注 | 本种喜光，耐干旱，在酸性、中性及碱性土中均能生长，但以气候温暖、土壤肥沃、排水良好的地方为最适宜的生境。

榆科 Ulmaceae 榆属 Ulmus

榆树
Ulmus pumila L.

| **植物别名** | 家榆、榆、白榆。

| **药 材 名** | 榆树叶（药用部位：叶）。

| **形态特征** | 落叶乔木，高达 25 m，胸径 1 m，在干瘠之地长成灌木状。幼树树皮平滑，灰褐色或浅灰色，大树树皮暗灰色，不规则深纵裂，粗糙；小枝无毛或有毛，淡黄灰色、淡褐灰色或灰色，稀淡褐黄色或黄色，有散生皮孔，无膨大的木栓层及凸起的木栓翅；冬芽近球形或卵圆形，芽鳞背面无毛，内层芽鳞的边缘具白色长柔毛。叶椭圆状卵形、长卵形、椭圆状披针形或卵状披针形，长 2 ~ 8 cm，宽 1.2 ~ 3.5 cm，先端渐尖或长渐尖，基部偏斜或近对称，一侧楔形至圆形，另一侧圆形至半心形，叶面平滑无毛，叶背幼时有短柔毛，后变无毛或部

分脉腋有簇生毛，边缘具重锯齿或单锯齿，侧脉每边 9～16，叶柄长 4～10 mm，通常仅上面有短柔毛。花先叶开放，在去年生枝的叶腋呈簇生状。翅果近圆形，稀倒卵状圆形，长 1.2～2 cm，除先端缺口柱头面被毛外，其余无毛；果核部分位于翅果的中部，上端不接近或接近缺口，成熟前后其色与果翅相同，初淡绿色，后白黄色；宿存花被无毛，4 浅裂，裂片边缘有毛；果柄较花被短，长 1～2 mm，被短柔毛，稀无毛。花果期 3～6 月（东北较晚）。

| 生境分布 | 生于海拔 1 000～2 500 m 的山坡、山谷、川地、丘陵及沙岗等。分布于河北沽源、巨鹿、灵寿等。

| 资源情况 | 野生资源丰富。药材主要来源于野生。

| 采收加工 | 春、夏季采摘，晒干。

| 药材性状 | 本品常破碎，完整叶片呈倒卵形、椭圆状卵形或椭圆状披针形，长 1～5 cm，宽 0.5～2 cm。上表面暗绿色，下表面淡褐色，先端锐尖或渐尖，基部圆形或楔形，边缘多具单锯齿；叶脉斜行向上射出，明显，在下表面凸起，脉腋有白色簇生毛。气微，味淡。

| 功能主治 | 甘，平。利小便，消水肿。用于石淋。

| 用法用量 | 内服煎汤，1.5～9 g。

杜仲科 Eucommiaceae 杜仲属 Eucommia

杜仲

Eucommia ulmoides Oliver

| 药 材 名 | 杜仲（药用部位：树皮）、杜仲叶（药用部位：叶）。

| 形态特征 | 落叶乔木，高达 20 m，胸径约 50 cm。树皮灰色，粗糙，内含橡胶，折断有银白色细丝。嫩枝有黄褐色或淡褐色毛，不久毛脱落变秃净，老枝皮孔明显。芽体卵圆形，红褐色，有 6 ~ 8 鳞片，边缘有微毛。叶薄革质，椭圆形或椭圆状卵形，长 6 ~ 18 cm，宽 3 ~ 7 cm；基部圆形或阔楔形，先端渐尖，边缘有锯齿；上表面暗绿色，初时有褐色柔毛，不久毛脱落变秃净，老叶稍有皱纹，下表面浅绿色，初时有褐色毛，后仅在脉上有毛；侧脉 6 ~ 9 对；叶柄长 1 ~ 2 cm，上面有槽。花与叶同时开放或先叶开放，花生于当年生枝基部。雄花无花被；花梗长约 3 mm，无毛；苞片倒卵形至匙形，长 6 ~ 8 mm，

早落，先端圆形，边缘有毛；雄蕊长约 1 cm，无毛，花丝长约 1 mm，药隔突出，花粉囊细而长，无退化雌蕊。雌花单生；苞片倒卵形；花梗长约 8 mm；子房 1 室，无毛，扁而长，先端 2 裂，子房柄极短。翅果为小坚果，扁平，长椭圆形，长 3 ~ 3.5 cm，宽约 1 cm，先端 2 裂，基部楔形，具薄翅；坚果位于中央，稍凸起，子房柄长 2 ~ 3 mm，与果柄相接处有关节；种子扁平，长 1.4 ~ 1.5 cm，宽约 3 mm，两端近圆形。花期 4 ~ 5 月，果期 9 ~ 10 月。

| 生境分布 | 生于海拔 300 ~ 500 m 的低山、谷地或低坡的疏林中。分布于河北抚宁、井陉、沙河等。

| 资源情况 | 野生资源一般。药材主要来源于栽培。

| 采收加工 | 杜仲：4～6月剥取，刮去粗皮，堆置"发汗"至内皮呈紫褐色，晒干。
杜仲叶：夏、秋季枝叶茂盛时采收，晒干或低温烘干。

| 药材性状 | 杜仲：本品呈板片状或两边稍向内卷，大小不一，厚3～7mm。外表面淡棕色或灰褐色，有明显的皱纹或纵裂槽纹，有的树皮较薄，未去粗皮，可见明显的皮孔；内表面暗紫色，光滑。质脆，易折断，断面有细密、银白色、富弹性的橡胶丝。气微，味稍苦。以皮厚、块大、去净粗皮、胶丝多且长、内表面暗紫褐色者为佳。

杜仲叶：本品多破碎，完整叶片展平后呈椭圆形或卵形，长7～15cm，宽3.5～7cm。表面黄绿色或黄褐色，微有光泽，先端渐尖，基部圆形或广楔形，边缘有锯齿，具短叶柄。质脆，搓之易碎，折断面有少量银白色橡胶丝。气微，味微苦。

| 功能主治 | **杜仲：** 甘，温。归肝、肾经。补肝肾，强筋骨，安胎。用于肝肾不足，腰膝酸痛，筋骨无力，头晕目眩，妊娠漏血，胎动不安。

杜仲叶： 微辛，温。归肝、肾经。补肝肾，强筋骨。用于肝肾不足，头晕目眩，腰膝酸痛，筋骨痿软。

| 用法用量 | **杜仲：** 内服煎汤，6 ~ 10 g。

杜仲叶： 内服煎汤，10 ~ 15 g。

| 附　注 | （1）在河北，本种多为栽培，野生存量极少，已濒于灭绝。本种按树皮特征可划分为粗皮杜仲和光皮杜仲 2 个类型。粗皮杜仲（青桐皮）树皮幼年不开裂，皮孔显著，10 年后树皮变褐色，皮孔消失，开始出现裂纹（被甲），逐渐由下而上发生深裂，呈长条状，不脱落，外皮及内皮分明，外皮粗，类似栎类树，故被当地群众称为"青桐皮"。光皮杜仲（白皮杨）树皮幼年同粗皮杜仲，成年后树皮变灰白色，20 年后在树干基部 1 m 以内易发生浅裂，并出现较粗树皮，其余主干、枝条、树皮均不发生裂纹，外皮、内皮不分明，树皮光滑，类似响叶杨，故被当地群众称为"白杨皮"。

（2）本种对土壤的要求不严，在瘠薄的红土或岩石峭壁上均能生长。

荨麻科 Urticaceae 艾麻属 Laportea

艾麻 *Laportea cuspidata* (Wedd.) Friis

| 植物别名 | 蝎子草、红火麻、活麻。

| 药 材 名 | 红线麻（药用部位：根。别名：红头麻）。

| 形态特征 | 多年生草本。根数条丛生，纺锤状，肥厚，一般长 5 ~ 10 cm，直径 3 ~ 5 mm，有的长达 30 cm，直径达 1 cm。茎直立，下部多少木质化，不分枝或分枝，高 40 ~ 150 cm，直径 4 ~ 15 mm，上部呈"之"字形，具 5 纵棱，有时带紫红色，具刺毛和反曲柔毛。有时有数枚生于叶腋的木质珠芽。单叶互生，近膜质至纸质，卵形、椭圆形或近圆形，长 6.5 ~ 20 cm，宽 4.5 ~ 18 cm，先端常浅裂，中央具长尾状尖（长达 7 cm），基部心形或圆形，有时近截形，边缘具粗大的锐牙齿，牙齿自下向上渐变大，有时具重牙齿，两面

疏生刺毛和短柔毛，有时近光滑，钟乳体细点状，在上面稍明显，基出脉 3，稀离基三出脉，其侧出的 1 对近直伸达中部齿尖，侧脉 2 ~ 4 对，斜出达齿尖；叶柄长 3 ~ 11 cm，被毛同茎上部；托叶卵状三角形，长 3 ~ 4 mm，先端 2 裂，以后脱落。花序雌雄同株，雄花序圆锥状，生于雌花序下部叶腋，直立，长 8 ~ 15 cm；雌花序长穗状，生于茎梢叶腋，在果时长 15 ~ 25 cm，小团伞花簇稀疏着生于单一的花序轴上，花序梗较短，长 2 ~ 8 cm，疏生刺毛和短柔毛；雄花具短梗或近无梗，芽时呈扁圆球形，直径约 1.5 mm；花被片 5 裂，狭椭圆形，外面上部无角状突起，疏生微毛；雄蕊 5，与花被片同数且对生，花丝下部贴生于花被片；退化雌蕊倒圆锥形，长约 0.4 mm；雌花具花梗，花被片 4，不等大，内侧 2 花被片紧包子房，长圆状卵形，长约 0.7 mm，果时显著增大，外面有微毛，外侧背生的 1 花被片圆卵形，内凹，长约 0.6 mm，腹生的 1 花被片宽卵形，长约 0.4 mm；子房长圆形，柱头丝形，长约 0.2 mm；雌蕊柄短，果时显著增长。瘦果斜卵形，双凸透镜状，长 1.8 ~ 2.2 mm，绿褐色，光滑，具短的弯折的柄，着生于近直立的雌蕊柄上，雌蕊柄长 1 ~ 2 mm，宿存花柱由基部向下弯曲；果柄无翅；宿存 2 侧生花被，圆卵形，长 1.5 ~ 1.8 mm，背面中肋显著隆起。花期 6 ~ 8 月，果期 8 ~ 10 月。

| 生境分布 | 生于海拔 800 ~ 2 700 m 的山坡林下和沟边。分布于河北涿鹿、易县、涞水等。

| 资源情况 | 野生资源一般。药材主要来源于栽培。

| 采收加工 | 夏、秋季采挖，除去茎叶及须根，洗净，鲜用或晒干。

| 功能主治 | 辛、苦，寒；有小毒。祛风除湿，通经活络，消肿，解毒。用于风湿痹痛，肢体麻木，腰腿疼痛，虚肿水肿，淋巴结结核，蛇咬伤。

| 用法用量 | 内服煎汤，6 ~ 12 g；或浸酒。外用适量，捣敷；或煎汤洗。

| 附　　注 | 本种首先由 H. A. Weddell（1869）根据 P. David 在北京采集的标本建立，拉丁学名定为 *Girardinia cuspidata* Wedd.，后 IB Friis（1981）进一步检查了本种的模式标本，发现本种植物不应归于蝎子草属 *Girardinia*，而应归于艾麻属 *Laportea*，故对拉丁学名进行修订。本种的叶形变异很大，过去被命名成不同的种名，均应予以归并。

荨麻科 Urticaceae 艾麻属 Laportea

珠芽艾麻

Laportea bulbifera (Sieb. et Zucc.) Wedd.

| 植物别名 | 零余子荨麻、铁秤铊、火麻。

| 药 材 名 | 野绿麻根（药用部位：根及根茎）。

| 形态特征 | 多年生草本，高达 1.5 m。茎上部有柔毛，刺毛具短毛枕；珠芽 1 ~ 3，腋生，直径 3 ~ 6 mm。叶卵形或披针形，稀宽卵形，长（6 ~）8 ~ 16 cm，先端渐尖，基部宽楔形或圆形，具牙齿，两面被糙伏毛和稀疏刺毛，下面浅绿色，钟乳体细点状，基出脉 3，侧脉 4 ~ 6 对；叶柄长 1.5 ~ 10 cm；托叶长圆状披针形，长 0.5 ~ 1 cm，2 浅裂。花序圆锥状；雄花序生于茎上部叶腋，长 3 ~ 10 cm；雌花序生于茎顶或近顶部叶腋，长 10 ~ 25 cm，花序梗长 5 ~ 12 cm；雄花花被片 5；雌花侧生花被片长圆状卵形或窄倒卵形，长约 1 mm，背生

1 花被片圆卵形，兜状，长约 0.5 mm，腹生 1 花被片三角状卵形，长约 0.3 mm；子房具雌蕊柄，柱头丝形，长 2 ~ 4 mm。瘦果圆倒卵形或近半圆形，偏斜，扁平，长 2 ~ 3 mm，有紫褐色斑点；雌蕊柄后下弯；宿存侧生花被片 2，伸达果实近中部；果柄具膜质翅，有时果序分枝翅状，匙形，先端凹缺。花期 6 ~ 8 月，果期 8 ~ 12 月。

| **生境分布** | 生于海拔 1 000 ~ 2 400 m 的山坡林下或林缘路边半阴坡湿润处。分布于河北阜平、武安等。

| **资源情况** | 野生资源一般。药材主要来源于野生。

| **采收加工** | 秋季采挖根，除去茎、叶及泥土，晒干。

| **药材性状** | 本品根茎连接成团块状，大小不等，灰棕色或棕褐色，上面有多数茎的残基和孔洞。根簇生于根茎周围，呈长圆锥形或细长纺锤形，扭曲，长 6 ~ 20 cm，直径 3 ~ 6 mm。表面灰棕色至红棕色，具细纵皱纹，有纤细的须根或须根痕。质坚硬，不易折断，断面纤维性，浅红棕色。气微，味微苦、涩。

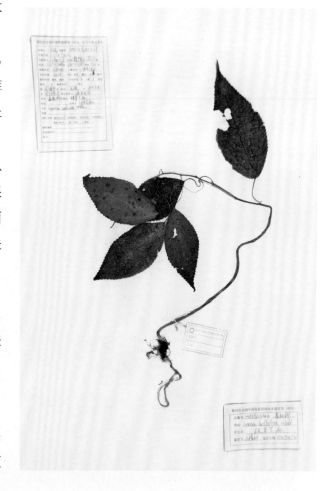

| **功能主治** | 辛，温。祛风除湿，活血止痛。用于风湿痹痛，肢体麻木，跌打损伤，骨折疼痛，月经不调，劳伤乏力，肾炎性水肿。

| **用法用量** | 内服煎汤，9 ~ 15 g，鲜品 30 g；或浸酒。外用适量，煎汤洗。

荨麻科 Urticaceae 冷水花属 *Pilea*

透茎冷水花 *Pilea pumila* (L.) A. Gray

| **植物别名** | 肥肉草。

| **药 材 名** | 透茎冷水花（药用部位：全草或根茎。别名：美豆、肥肉草）。

| **形态特征** | 一年生草本。茎具棱，直立，淡绿色，生活时肉质，半透明状，高 20 ~ 80 cm，无毛，分枝或不分枝，下部的节长，基部稍膨大。叶对生，近膜质，同 1 节上的叶近等大，近平展，菱状卵形或阔卵形，长 1 ~ 9 cm，宽 0.6 ~ 5 cm，先端渐尖，基部宽楔形，有时钝圆，边缘在基部以上有粗锯齿或牙状锯齿，两面疏生透明硬毛，钟乳体条形，长约 0.3 mm，基出脉 3，侧出 1 对微弧脉，伸达上部与侧脉网结或达齿尖，侧脉数对，不明显，上部的几对常网结；叶柄长 1.5 ~ 7 cm，上部近叶片基部常疏生短毛；托叶小，卵状长圆形，

长 2 ~ 3 mm，早落。花雌雄同株、同序，有时异株，花序分枝扁平；雄花常生于花序下部，聚伞花序蝎尾状，有时簇生状，几乎生于每个叶腋，长 0.5 ~ 5 cm；雌花序轴果时增长；雄花具短柄或无柄，芽时倒卵形，长 0.6 ~ 1 mm，花被片 2，有时 3 ~ 4，舟形，背面近先端有短突起，雄蕊 2，与花被对生；雌花具柄，果期伸长，花被片 3，近等长，狭披针形，果期增大，退化雄蕊 3，短于花被片，雌蕊 1，子房卵形，柱头画笔状。瘦果扁卵形，褐色，长 1 ~ 1.5 mm，比宿存花被稍短或与宿存花被等长，表面具微小的褐色斑点或近光滑。花期 7 ~ 8 月，果期 8 ~ 9 月。

| 生境分布 | 生于海拔 400 ~ 2 200 m 的山坡林下或岩石缝的阴湿处。主要分布于河北平泉、兴隆、易县等。

| 资源情况 | 野生资源一般。药材主要来源于野生。

| 采收加工 | 夏、秋季采收，洗净，鲜用或晒干。

| 功能主治 | 甘，寒。清热，利尿，解毒。用于尿路感染，急性肾炎，子宫内膜炎，子宫脱垂，赤白带下，跌打损伤，痈肿初起，虫蛇咬伤。

| 用法用量 | 内服煎汤，15 ~ 30 g。外用适量，捣敷。

| 附 注 | 透茎冷水花 *Pilea pumila* (L.) A. Gray var. *pumila* 是广泛分布于北美洲和亚洲东部的一个自然类群。但在 1869 年，H. A. Weddell 把这一类群植物按产地分成了 2 个种，把产于亚洲的称作 *Pilea mongolica* Wedd.。然而，H. F. Hance（1872 年）和刘汝强（1928 年）等学者都仍认为它们是同一种植物。1929 年，H. Handel-Mazzetti 未阐明任何理由，把产于亚洲和北美洲的这种植物又分成了不同的种，这种观点一直延续至今。后来一些学者认为把它们分成不同种的主要理由是产于北美洲的植物的雄花花被与雄蕊均为 4，而产于亚洲的均为 2。近来，有学者对采自我国、日本和北美洲的这一类群植物 [即原来的 *Pilea pumila* (L.) A. Gray、*Pilea mongolica* Wedd. 和 *Pilea hamaoi* Makino] 的标本进行了详细观察、比较、分析，发现它们的雄花大多为 2 基数，少部分为 3 或 4 基数，另外，它们的花序、果实、托叶及钟乳体等性状都很一致；因此，认为产于亚洲东部的 *Pilea mongolica* Wedd. 与产于北美洲的 *Pilea pumila* (L.) A. Gray 仍应是同一种植物；而 *Pilea hamaoi* Makino 也应属于这一种群，但因其雌花花被片较宽、呈卵状或倒卵状长圆形，叶先端常锐尖或微钝的区别，故将之作 *Pilea pumila* (L.) A. Gray 之下的一变种处理较为自然；有学者还把产于我国西部地区、具铺散草本习性、叶先端圆形或钝、雌花中央 1 花被片较侧生花被片短 3 倍的一类植物也置于 *Pilea pumila* (L.) A. Gray 之下，作变种处理。

荨麻科 Urticaceae 墙草属 Parietaria

墙草
Parietaria micrantha Ledeb.

| **药 材 名** | 墙草根（药用部位：根。别名：田薯、白石薯）。

| **形态特征** | 一年生铺散草本，长 10 ～ 40 cm，全株无螫毛。茎肉质，细弱，近直立或平卧，多分枝，稀不分枝，散生短柔毛或无毛。叶互生，膜质，具柄，卵形或卵状心形，长 0.5 ～ 3 cm，宽 0.4 ～ 2.2 cm，先端锐尖或钝尖，基部圆形或浅心形，上面疏生短糙伏毛，下面疏生柔毛，钟乳体点状，在上面明显，基出脉 3，侧出 1 对稍弧脉，伸达中部边缘，侧脉通常 1 对，从叶近基部伸出达上部，在近边缘处消失；叶柄细长，长 0.4 ～ 2 cm，有毛。花杂性同株，聚伞花序腋生，具 3 ～ 5 花，分枝细而扁，有毛；苞片条形，单生于花梗基部或 3 苞片在基部合生成轮状，着生于花被基部，绿色，外被腺毛，果时伸长达 1.5 mm。

两性花生于花序下部，具柄，长约 0.6 mm；雌花居上部，苞片线状锥形，有短柔毛，花白色；两性花直径约 1 mm，花被 4 深裂，褐绿色，外面有毛，膜质，裂片长圆状卵形；雄蕊 4，与花被片对生，花丝纤细，花药近球形，淡黄色；柱头画笔头状。雌花具短柄或近无柄，花被筒状钟形，先端 4 齿裂，浅褐色，薄膜质，裂片三角形。瘦果广卵形，稍扁，长 1 ～ 1.3 mm，黑褐色，光滑有光泽，包于宿存花被和苞片内，较花被长；种子椭圆形，两端尖。花期 7 ～ 8 月，果期 8 ～ 10 月。

| **生境分布** | 生于海拔 700 ～ 3 500 m（在西藏可达 4 000 m）的山坡阴湿草地、墙上或岩石下阴湿处。分布于河北阜平、武安等。

| **资源情况** | 野生资源稀少。药材主要来源于栽培。

| **采收加工** | 全年均可采收，多鲜用。

| **功能主治** | 苦、酸，平。归肝经。清热解毒，消肿，拔脓。用于痈疽疔疖，乳腺炎，睾丸炎，深部脓肿，多发性脓肿，秃疮。

| **用法用量** | 内服煎汤，15 ～ 30 g。外用适量，鲜品捣敷。

荨麻科 Urticaceae 蝎子草属 Girardinia

蝎子草

Girardinia diversifolia (Link) Friis subsp. *suborbiculata* (C. J. Chen) C. J. Chen & Friis

| 植物别名 | 峰麻。

| 药 材 名 | 蝎子草（药用部位：全草。别名：火麻草）。

| 形态特征 | 一年生草本。茎高 30 ~ 100 cm，麦秆色或紫红色，疏生刺毛和细糙伏毛，几不分枝。叶膜质，宽卵形或近圆形，长 5 ~ 19 cm，宽 4 ~ 18 cm，先端短尾状或短渐尖，基部近圆形、截形或浅心形，稀宽楔形，边缘有 8 ~ 13 缺刻状粗牙齿或重牙齿，稀在中部 3 浅裂，上面疏生纤细的糙伏毛，下面有稀疏的微糙毛，两面生很少刺毛，基出脉 3，侧脉 3 ~ 5 对，稍弧曲，在边缘处彼此不明显网结；叶柄长 2 ~ 11 cm，疏生刺毛和细糙伏毛；托叶披针形或三角状披针形，长 6 ~ 10 mm，外面疏生细伏毛。花雌雄同株，雌花序单个或雌雄

花序成对生于叶腋；雄花序穗状，长 1 ~ 2 cm；雌花序短穗状，常在下部有 1 短分枝，长 1 ~ 6 cm；团伞花序枝密生刺毛，连同主轴生近贴生的短硬毛；雄花具梗，芽时直径约 1 mm；花被片 4 深裂，卵形，内凹，外面疏生短硬毛，退化雌蕊杯状；雌花近无梗，大的 1 花被片近盔状，先端具 3 齿，长约 0.4 mm，果时增长至约 0.8 mm，外面疏生短刚毛，小的 1 花被片小，条形，长约为大的花被片的 1/2，有时败育。瘦果宽卵形，双凸透镜状，长约 2 mm，成熟时灰褐色，有不规则粗疣点。花期 7 ~ 9 月，果期 9 ~ 11 月。

| **生境分布** | 生于海拔 50 ~ 800 m 的林下沟边或住宅旁阴湿处。分布于河北赤城、磁县、丰宁等。

| **资源情况** | 野生资源稀少。药材主要来源于栽培。

| **采收加工** | 夏、秋季采收，多鲜用。

| **功能主治** | 辛，温；有毒。止痛。用于风湿痹痛。

| **用法用量** | 外用适量，用鲜品在痛处刷打数次，至局部发红、发热、起疙瘩。

荨麻科 Urticaceae 荨麻属 Urtica

宽叶荨麻
Urtica laetevirens Maxim.

| **植物别名** | 蝎子草、螫麻子、痒痒草。

| **药材名** | 荨麻（药用部位：地上部分）。

| **形态特征** | 多年生草本。根茎匍匐。茎纤细，高 30 ～ 100 cm，节间常较长，四棱形，近无刺毛或有稀疏的刺毛并疏生细糙毛，在节上密生细糙毛，不分枝或少分枝。叶交互对生，叶片近膜质，卵形或披针形，向上常渐变狭，长 4 ～ 10 cm，宽 2 ～ 6 cm，先端短渐尖至尾状渐尖，基部圆形或宽楔形，边缘除基部和先端全缘外，有锐或钝的牙齿或牙齿状锯齿，两面疏生刺毛和细糙毛，钟乳体常短杆状，有时点状，基出脉 3，其侧出的 1 对多少弧形，伸达叶上部齿尖或与侧脉网结，侧脉 2 ～ 3 对；叶柄纤细，长 1.5 ～ 7 cm，向上的渐变短，疏生刺

毛和细糙毛；托叶离生，每节 4，离生或有时上部的多少合生，条状披针形或
长圆形，长 3 ~ 8 mm，被微柔毛。雌雄同株，稀异株；雄花序近穗状，纤细，
生于茎上部叶腋，长达 8 cm；雌花序近穗状，生于茎下部叶腋，较短，纤细，
稀缩短成簇生状，小团伞花簇稀疏着生于花序轴上；雄花无柄或具短柄，芽时
直径约 1 mm，开放后直径 2 mm，花被片 4，在近中部合生，裂片卵形，内凹，
外面疏生微糙毛，退化雌蕊近杯状，先端凹陷至中空，中央有柱头残迹，基部
多少具柄；雌花具短柄，花被片 4，宽卵形，背面具短毛，2 背生花被片花后增
大，包裹瘦果。瘦果卵形，双凸透镜形，长 1 mm，先端稍钝，成熟时变黑褐色，
多少具疣点，果柄上部有关节。花期 7 ~ 8 月，果期 8 ~ 9 月。

| 生境分布 | 生于海拔 800 ~ 3 500 m 的山谷溪边或山坡林下阴湿处。分布于河北遵化、兴隆、
蔚县等。

| 资源情况 | 野生资源稀少。药材主要来源于栽培。

| 采收加工 | 秋季采收，除去根，洗净，晾干，
切段，用木棒敲打，微出香气后，
阴干。

| 药材性状 | 本品为短段，长短不等。体轻，质
软。气微，味淡、微辛。以身干，
茎、叶绿者为佳。

| 功能主治 | 甘、苦、辛，温；有小毒。祛风通络，
平肝定惊，消积通便，解毒。用于
风湿痹痛，产后抽风，小儿惊风，
小儿麻痹后遗症，高血压，消化不
良，大便不通，荨麻疹，跌打损伤，
虫蛇咬伤。

| 用法用量 | 内服煎汤，3 ~ 6 g。外用适量，捣
汁外擦；或煎汤洗。

荨麻科 Urticaceae 荨麻属 Urtica

麻叶荨麻
Urtica cannabina L.

| 植物别名 | 焮麻、哈拉海。

| 药 材 名 | 荨麻子（药用部位：种子）、荨麻（药用部位：全草。别名：蝎子草）。

| 形态特征 | 多年生草本。横走的根茎木质化。茎直立，高 50 ~ 150 cm，下部
直径达 1 cm，四棱形，常近无刺毛，有时疏生刺毛、螫毛或具稍密
的微柔毛，常不分枝或具少数分枝。叶交互对生，叶片五角形，长
4 ~ 14 cm，宽 3.5 ~ 12 cm，掌状 3 裂，稀深裂，一回裂片再羽状深裂，
自下向上变小，在其上部呈裂齿状，二回裂片常有数目不等的裂齿，
侧生的一回裂片的外缘最下 1 枚的二回裂片常较大而平展，上面常
疏生细糙毛，后渐变无毛，下面有短柔毛并在脉上疏生刺毛，叶上
面密布细点状钟乳体；叶柄长 2 ~ 8 cm，生刺毛或微柔毛；托叶每

节 4，离生，条形，长 5 ~ 15 mm，两面密被柔毛。花雌雄同株或异株；雄花序圆锥形，生于下部叶腋，长 5 ~ 8 cm，斜展，生于最上部叶腋的雄花序中常混生雌花；雌花序生于上部叶腋，长穗状，有时在下部有少数分枝，长 2 ~ 7 cm，花序轴粗硬，直立或斜展；雄花具短梗，芽时直径 1.2 ~ 1.5 mm，花被片 4 深裂，合生至中部，裂片卵形，外面被微柔毛，雄蕊 4，退化雌蕊近碗状，长约 0.2 mm，近无柄，淡黄色或白色，透明；雌花有极短的梗，花被片 4，花后增大，长达 2.5 mm，包裹瘦果。瘦果狭卵形，先端锐尖，稍扁，长 2 ~ 3 mm，成熟时变灰褐色，表面有明显或不明显的褐红色疣点；宿存花被片在下部 1/3 处合生，近膜质，内面 2 花被片椭圆状卵形，先端钝圆，长 2 ~ 4 mm，外面生粗糙毛和 1 ~ 4 刺毛，外面 2 花被片卵形或椭圆状卵形，较内面花被片短 3 ~ 4 倍，外面常有 1 刺毛。花期 7 ~ 8 月，果期 8 ~ 9 月。

| **生境分布** | 生于海拔 800 ~ 2 800 m 的丘陵草原或坡地、沙丘坡、河漫滩、河谷、溪旁等。分布于河北崇礼、尚义、怀来等。

| **资源情况** | 野生资源稀少。药材主要来源于栽培。

| 采收加工 | 荨麻子：秋季果实成熟时，割取果序，晒干后打下果实，除去枝叶等杂质。
荨麻：夏、秋季采收，切段，晒干。

| 药材性状 | 荨麻子：本品呈长圆状菱形或梭状棱形，长 3 ~ 4 mm，直径约 2 mm。表面灰白色至灰棕色，有纵皱，在放大镜下可见网状纹理、小的鳞片和刺针，果皮稀疏，极易捻破。种子卵圆形，长约 2 mm，黄棕色。气微，味淡。
荨麻：本品为短段，长短不等。体轻，质软。气微，味淡、微辛。以身干，茎、叶绿者为佳。

| 功能主治 | 荨麻子：有毒。活血解痉，消散寒气。用于寒性关节疼痛，肢体麻木，气喘咳嗽，顽痰，早泄滑精，小儿惊厥，产后风。

荨麻：苦、辛，温；有毒。祛风通络，平肝定惊，消积通便，解毒。用于风湿痹痛，产后抽风，小儿惊风，小儿麻痹后遗症，高血压，消化不良，大便不通，荨麻疹，跌打损伤，虫蛇咬伤。

| 用法用量 |　荨麻子：内服煎汤，3 ~ 6 g。外用适量。

　　　　　　荨麻：内服煎汤，5 ~ 10 g。外用适量，捣汁擦；或捣敷；或煎汤洗。

| 附　　注 |　本种同三角叶荨麻 *Urtica triangularis* Hand.-Mazz. 的亲缘关系很近，二者的共同点为雌雄同株，雄花序生于下部叶腋，雌花序生于上部叶腋；果序呈紧密的穗状，近直立；果实大，多少有疣点，宿存花被片生刺毛；雄花的退化雌蕊呈碗状等。三角叶荨麻的亚种羽裂荨麻 *Urtica triangularis* Hand.-Mazz. subsp. *pinnatifida* (Hand.-Mazz.) C. J. Chen 具有半裂或深裂的羽裂叶，同本种的亲缘关系似乎更为接近，但本种叶呈五角形，掌状 3 全裂，雌花花被片在下部 1/3 处合生，且二者的分布区域也截然不同，可以以此相区别。

荨麻科 Urticaceae 荨麻属 Urtica

狭叶荨麻
Urtica angustifolia Fisch. ex Hornem.

| 植物别名 | 螫麻子、哈拉海。

| 药材名 | 荨麻（药用部位：全草。别名：蝎子草）。

| 形态特征 | 多年生草本，有木质化根茎。茎直立，四棱形，高 40 ~ 150 cm，下部直径达 8 mm，疏生刺毛和稀疏的细糙毛，分枝或不分枝。单叶对生，披针形至披针状条形，稀狭卵形，长 4 ~ 15 cm，宽 1 ~ 3.5 cm，先端长渐尖或锐尖，基部圆形，稀浅心形，边缘有 9 ~ 19 粗牙齿或锯齿，齿尖常前倾或稍内弯，上面粗糙，生细糙伏毛和粗而密的缘毛，下面沿脉疏生细糙毛，基出脉 3，其侧生的 1 对近直伸达上部齿尖或与侧脉网结，侧脉 2 ~ 3 对；叶柄短，长 0.5 ~ 2 cm，疏生刺毛和糙毛；托叶每节 4，离生，条形，长 6 ~ 12 mm。雌雄异株，

花序圆锥状，有时分枝短而少，近穗状，长 2 ~ 8 cm，花序轴纤细；雄花近无梗，芽时直径约 0.2 mm，开放后直径约 2.5 mm，花被片 4，在近中部合生，裂片卵形，外面上部疏生小刺毛和细糙毛，退化雌蕊碗状，长约 0.2 mm；雌花小，近无梗，花被片 4，下部合生，果期增大，子房长圆形，柱头画笔状。瘦果卵形或宽卵形，双凸透镜状，长 0.8 ~ 1 mm，近光滑或有不明显的细疣点；宿存花被片外面被稀疏的微糙毛或近无毛，内面 2 花被片椭圆状卵形，稍长于果实，外面 2 花被片狭倒卵形，较内面花被片短，长约为内面花被片的 1/3，伸达内面花被片的近中部，稀中上部。花期 7 ~ 8 月，果期 8 ~ 10 月。

| 生境分布 | 生于海拔 800 ~ 2 200 m 的山地河谷溪边或台地潮湿处。分布于河北丰宁、滦平、涿鹿等。

| 资源情况 | 野生资源稀少。药材主要来源于栽培。

| 采收加工 | 夏、秋季采收，切段，晒干。

| 药材性状 | 本品为短段，长短不等。体轻，质软。气微，味淡、微辛。以身干，茎、叶绿者为佳。

| 功能主治 | 苦、辛，温；有毒。祛风通络，平肝定惊，消积通便，解毒。用于风湿痹痛，产后抽风，小儿惊风，小儿麻痹后遗症，高血压，消化不良，大便不通，荨麻疹，跌打损伤，虫蛇咬伤。

| 用法用量 | 内服煎汤，5 ~ 10 g。外用适量，捣汁擦；或捣敷；或煎汤洗。

荨麻
Urtica fissa E. Pritz.

| **植物别名** | 裂叶荨麻、白蛇麻、火麻。

| **药 材 名** | 荨麻（药用部位：全草。别名：蝎子草）、荨麻子（药用部位：果实。别名：百子如力）。

| **形态特征** | 多年生草本，有横走的根茎。茎高 40 ~ 100 cm，四棱形，密生刺毛和微柔毛，分枝少。叶近膜质，宽卵形、椭圆形、五角形或近圆形，长 5 ~ 15 cm，宽 3 ~ 14 cm，先端渐尖或锐尖，基部截形或心形，边缘有 5 ~ 7 对浅裂片或掌状 3 深裂（此时每裂片又分出 2 ~ 4 对不整齐的小裂片），裂片自下向上逐渐增大，三角形或长圆形，长 1 ~ 5 cm，先端锐尖或尾状，边缘有数枚不整齐的牙齿状锯齿，上面绿色或深绿色，疏生刺毛和糙伏毛，下面浅绿色，被稍密的短柔毛，在脉上生较密的短柔毛和刺毛，钟乳体杆状，稀近点状，基

出脉 5，上面 1 对伸达中上部裂齿尖，侧脉 3 ~ 6 对；叶柄长 2 ~ 8 cm，密生刺毛和微柔毛；托叶草质，绿色，2 托叶在叶柄间合生，宽矩圆状卵形至矩圆形，长 10 ~ 20 mm，先端钝圆，被微柔毛和钟乳体，有 10 ~ 12 纵肋。雌雄同株，雌花序生于上部叶腋，雄花序生于下部叶腋，稀雌雄异株；花序圆锥状，具少数分枝，有时近穗状，长达 10 cm，花序轴被微柔毛，并疏生刺毛；雄花具短梗，芽时直径约 1.4 mm，开放后直径约 2.5 mm，花被片 4，在中下部合生，裂片常矩圆状卵形，外面疏生微柔毛，退化雌蕊碗状，无柄，常白色透明；雌花小，几乎无梗。瘦果近圆形，稍双凸透镜状，长约 1 mm，表面有带褐红色的细疣点；宿存花被片 4，内面 2 花被片近圆形，与果实近等大，外面 2 花被片近圆形，长约为内面花被片的 1/5，边缘薄，外面被细硬毛。花期 8 ~ 10 月，果期 9 ~ 11 月。

| **生境分布** | 生于海拔 500 ~ 2 000 m 的山坡、路旁或住宅旁半阴湿处。分布于河北蔚县、武安、涿鹿等。

| **资源情况** | 野生资源一般。药材主要来源于栽培。

| **采收加工** | 荨麻：夏、秋季采收，切段，晒干。
荨麻子：秋季果实成熟时割取果序，晒干后打下果实，除去枝叶等杂质，晒干。

| **药材性状** | 荨麻：本品为短段，长短不等。茎长 1.4 ~ 3.8 cm，直径 1.5 ~ 4 mm，绿色至红紫色，有钝棱，疏生螫毛和短柔毛，节上有对生叶。叶绿色，皱缩易碎，叶片具 5 ~ 7 对掌状浅裂片，裂片有三角状粗锯齿。花序穗状，皱缩，数个腋生，具短总梗。瘦果密集，宽卵形，稍扁，长约 1.5 mm。体轻，质软。气微，味淡、微辛。以身干，茎、叶绿者为佳。
荨麻子：本品呈长圆状菱形或梭状菱形，长 3 ~ 4 mm，直径约 2 mm。表面灰棕色，有纵皱，在放大镜下可见网状纹理、小的鳞片和刺针，果皮稀疏，极易捻破。种子卵圆形，长约 2 mm，黄棕色。气微，味淡。

| **功能主治** | 荨麻：苦、辛，温；有毒。祛风通络，平肝定惊，消积通便，解毒。用于风湿痹痛，产后抽风，小儿惊风，小儿麻痹后遗症，高血压，消化不良，大便不通，荨麻疹，跌打损伤，虫蛇咬伤。
荨麻子：有毒。活血解痉，消散寒气。用于寒性关节疼痛，肢体麻木，气喘咳嗽，顽痰，早泄滑精，小儿惊厥，产后风。

| **用法用量** | 荨麻：内服煎汤，5 ~ 10 g。外用适量，捣汁擦；或捣敷；或煎汤洗。
荨麻子：内服煎汤，3 ~ 6 g。外用适量。

荨麻科 Urticaceae 苎麻属 Boehmeria

赤麻
Boehmeria silvestrii (Pampanini) W. T. Wang

| 植物别名 | 线麻。

| 药 材 名 | 赤麻（药用部位：根、嫩茎叶）。

| 形态特征 | 多年生草本或亚灌木。茎高 60 ~ 100 cm，分枝或不分枝，下部无毛，上部疏被短伏毛。叶对生，同 1 对叶不等大或近等大；叶片草质，茎中部叶近五角形或圆卵形，长 5 ~ 8 (~ 13) cm，宽 4.8 ~ 7.5 (~ 13) cm，先端具 3 或 5 骤尖，基部宽楔形或截状楔形；茎上部叶渐变小，常为卵形，顶部具 1 或 3 骤尖，边缘自基部以上有牙齿，两面疏被短伏毛，下面有时近无毛，侧脉 1 (~ 2) 对；叶柄长达 4 (~ 8) cm。穗状花序单生叶腋，雌雄异株，或雌雄同株，此时，茎上部的雌性，下部的雄性或两性（即含有雄性和雌性团伞花序），

长 4 ~ 11（ ~ 20）cm，不分枝；团伞花序直径 1 ~ 3 mm；苞片三角形或狭披针形，长达 1.5 mm。雄花无梗或有短梗，花梗长 0.5 ~ 2 mm；花被片 4，船状椭圆形，长约 1.5 mm，合生至中部，外面疏被短柔毛；雄蕊 4，长约 2 mm，花药长约 0.5 mm；退化雌蕊椭圆形，长约 0.8 mm。雌花花被狭椭圆形或椭圆形，长约 0.8 mm，先端有 2 小齿，外面密被短柔毛，果期呈菱状倒卵形，长约 1.5 mm；柱头长 0.82 mm。瘦果近卵球形或椭圆球形，长约 1 mm，光滑，基部具短柄。花期 6 ~ 8 月。

| **生境分布** | 生于海拔 700 ~ 1 400 m 的丘陵或低山草坡、山谷石边阴处、沟边。分布于河北灵寿、迁西等。

| **资源情况** | 野生资源一般，栽培资源较丰富。药材主要来源于栽培。

| **采收加工** | 春、秋季采挖根，夏、秋季采摘叶，洗净，鲜用或晒干。

| **功能主治** | 收敛止血，清热解毒。用于咯血，衄血，尿血，便血，崩漏，跌打损伤，无名肿毒，疮疡。

| **用法用量** | 内服煎汤，6 ~ 15 g。外用适量。

柘

Maclura tricuspidata Carriere

| 植物别名 | 奴柘、灰桑、黄桑。

| 药 材 名 | 柘木（药用部位：木材）、穿破石（药用部位：根）。

| 形态特征 | 落叶灌木或小乔木，高 1 ~ 7 m。树皮灰褐色，小枝无毛，略具棱，有棘刺，刺长 5 ~ 20 mm；冬芽赤褐色。叶卵形或菱状卵形，偶 3 裂，长 5 ~ 14 cm，宽 3 ~ 6 cm，先端渐尖，基部楔形至圆形，表面深绿色，背面绿白色，无毛或被柔毛，侧脉 4 ~ 6 对；叶柄长 1 ~ 2 cm，被微柔毛。雌雄异株，雌、雄花序均为球形头状花序，单生或成对腋生，具短总花梗。雄花序直径 0.5 cm，雄花有 2 苞片，附着于花被片上；花被片 4，肉质，先端肥厚，内卷，内面有 2 黄色腺体；雄蕊 4，与花被片对生，花丝在花芽时直立，退化雌蕊锥形。雌花序

直径 1 ~ 1.5 cm；花被片 4，花被片先端盾形，内卷，内面下部有 2 黄色腺体；子房埋于花被片下部。聚花果近球形，直径约 2.5 cm，肉质，成熟时橘红色。花期 5 ~ 6 月，果期 6 ~ 7 月。

| 生境分布 |　生于海拔 500 ~ 1 500（~ 2 200）m 的阳光充足的山地或林缘。分布于河北阜平、涉县、武安等。

| 资源情况 |　野生资源一般。药材主要来源于栽培。

| 采收加工 |　**柘木**：全年均可采收，砍取树干及粗枝，趁鲜剥去树皮，切段或切片，晒干。
穿破石：全年均可采挖，除去泥土、须根，晒干；或洗净，趁鲜切片，晒干。

| 药材性状 |　**柘木**：本品呈圆柱形，较粗壮。全体黄色或淡黄棕色，表面较光滑。质硬，难折断，断面不平坦，黄色至黄棕色，中央可见小髓。气微，味淡。
穿破石：本品呈不规则块状，大小、厚薄不一。外皮橙黄色或橙红色，具多数纵皱纹，有的密布细小的类白色点状或横长的疤痕，栓皮菲薄，多呈层状，极易脱落，脱落处显灰黄色或棕褐色。质坚硬，不易折断，切面淡黄色或淡黄棕色，皮部薄，纤维性；木部宽广，有小孔。气微，味淡。

| 功能主治 |　**柘木**：甘，温。归肾、肝经。滋养肝肾，舒筋活络。用于肝肾不足，月经过多，崩漏，腰膝酸痛，跌打损伤。
穿破石：祛风通络，清热除湿，解毒消肿。用于风湿痹痛，跌打损伤，黄疸，腮腺炎，肺结核，胃和十二指肠溃疡，淋浊，臌胀，闭经，劳伤咯血，疔疮痈肿。

| 用法用量 |　**柘木**：内服煎汤，5 ~ 15 g。
穿破石：内服煎汤，9 ~ 30 g。

桑科 Moraceae 大麻属 Cannabis

大麻 *Cannabis sativa* L.

| **植物别名** | 山丝苗、线麻、火麻。

| **药 材 名** | 火麻仁（药用部位：果实）。

| **形态特征** | 一年生直立草本，有特殊气味。茎高 1 ~ 3 m，枝具纵沟槽，灰绿色，密生灰白色贴伏毛。叶互生或下部叶对生，掌状全裂，裂片 3 ~ 9，披针形或线状披针形，长 7 ~ 15 cm，中裂片最长，宽 0.5 ~ 2 cm，先端渐尖，基部狭楔形，表面深绿色，微被糙毛，背面幼时密被灰白色贴伏毛，后变无毛，边缘具向内弯的粗锯齿，中脉及侧脉在表面微下陷，在背面隆起；生于茎顶的叶常 1 ~ 3 裂；叶柄长 3 ~ 15 cm，密被灰白色贴伏毛；托叶线形。花雌雄异株，雄株叫枲，雌株叫苴。雄花序圆锥形，长达 25 cm；花被 5，长卵形，黄绿色，

膜质，外面被细贴伏毛；雄蕊 5，花丝极短，花药长圆形；小花柄长 2 ~ 4 mm。雌花序短，腋生，球形或穗形，具多数苞片，每苞片内生 1 雌花；花被 1，绿色，紧包子房；雌蕊 1，略被毛，子房近球形，花柱 2。瘦果扁卵形，两面凸，灰色；果皮坚脆，表面具细网纹，为宿存黄褐色苞片所包裹。花期 7 ~ 8 月，果期 9 ~ 10 月。

| **生境分布** | 生于山坡草地、灌丛、疏林中。分布于河北昌黎、井陉、永年等。

| **资源情况** | 野生资源稀少。药材来源于栽培。

| **采收加工** | 秋季果实成熟时采收，除去杂质，晒干。

| **药材性状** | 本品呈卵圆形，长 4 ~ 5.5 mm，直径 2.5 ~ 4 mm。表面灰绿色或灰黄色，有微细的白色或棕色网纹，两边有棱，先端略尖，基部有 1 圆形果柄痕。果皮薄而脆，易破碎。种皮绿色，子叶 2，乳白色，富油性。气微，味淡。

| **功能主治** | 甘，平。归脾、胃、大肠经。润肠通便。用于血虚津亏，肠燥便秘。

| **用法用量** | 内服煎汤，10 ~ 15 g。

| **附　　注** | 本种有 2 亚种，即 *Cannabis sativa* L. ssp. *sativa* 和 *Cannabis sativa* L. ssp. *indica*。*Cannabis sativa* L. ssp. *indica* 生于温带或热带气候地区，可产生大量树脂，尤其是幼叶和花序。其植株较小，多分枝且具短而实心的节。

构树

Broussonetia papyrifera (Linnaeus) L'Héritier ex Ventenat

| 植物别名 |

褚桃、褚、谷桑。

| 药 材 名 |

构树叶（药用部位：叶）、楮实子（药用部位：成熟果实）。

| 形态特征 |

落叶乔木，高达 10 ～ 20 m。树皮暗灰色；小枝密生柔毛。叶螺旋状排列，广卵形至长椭圆状卵形，长 6 ～ 18 cm，宽 5 ～ 9 cm，先端渐尖，基部心形，两侧常不相等，边缘具粗锯齿，不分裂或 3 ～ 5 裂，小树的叶常明显分裂，表面粗糙，疏被糙毛，背面密被绒毛，基出脉 3，侧脉 6 ～ 7 对；叶柄长 2.5 ～ 8 cm，密被糙毛；托叶大，卵形，狭渐尖，长 1.5 ～ 2 cm，宽 0.8 ～ 1 cm。花雌雄异株；雄花序为柔荑花序，粗壮，长 3 ～ 8 cm，苞片披针形，被毛，花被 4 裂，裂片三角状卵形，被毛，雄蕊 4，花药近球形，退化雌蕊小；雌花序头状球形，苞片棍棒状，先端被毛，花被管状，先端与花柱紧贴，子房卵圆形，柱头线形，被毛。聚花果直径 1.5 ～ 3 cm，成熟时橙红色，肉质；瘦果具与之等长的柄，表面有小瘤，龙骨双层，

外果皮壳质。花期 4 ~ 5 月，果期 6 ~ 7 月。

| 生境分布 |　生于山坡、山谷或平地村舍旁。分布于河北秦皇岛、承德、保定等。

| 资源情况 |　野生资源较丰富。药材来源于野生或栽培。

| 采收加工 |　**构树叶**：夏季采摘，干燥。
　　　　　　　楮实子：秋季果实成熟时采收，洗净，晒干，除去灰白色膜状宿萼和杂质。

| 药材性状 |　**构树叶**：本品呈广卵状至长椭圆状卵形，长 6 ~ 18 cm，宽 5 ~ 9 cm，先端渐尖，基部心形或偏斜，边缘有粗锯齿，不分裂或 3 ~ 5 裂；表面粗糙，被刺毛，背面密被粗毛和柔毛，侧脉每边 6 ~ 7。叶柄长 2.5 ~ 8 cm，密被粗毛。气微，味微涩。

　　　　　　　楮实子：本品略呈球形或卵圆形，稍扁，直径约 1.5 mm。表面红棕色，有网状皱纹或颗粒状突起，一侧有棱，另一侧有凹沟，有的具果柄。质硬而脆，易压碎。胚乳类白色，富油性。气微，味淡。

| 功能主治 |　**构树叶**：甘、涩，凉。归肝、脾经。清热凉血，利湿杀虫。用于鼻衄，顽癣，皮炎，虫咬伤。
　　　　　　　楮实子：甘，寒。归肝、肾经。补肾清肝，明目，利尿。用于肝肾不足，腰膝酸软，虚劳骨蒸，头晕目昏，目生翳膜，水肿胀满。

| 用法用量 |　**构树叶**：外用，6 ~ 10 g。
　　　　　　　楮实子：内服煎汤，6 ~ 12 g。

桑科 Moraceae 葎草属 Humulus

葎草

Humulus scandens (Lour.) Merr.

| 植物别名 | 勒草、葛勒子秧、拉拉藤。

| 药 材 名 | 葎草（药用部位：地上部分）。

| 形态特征 | 一年生或多年生缠绕性草本，长达 1 ~ 5 m，茎、枝、叶柄均有倒钩刺。叶对生，纸质，长、宽均为 7 ~ 10 cm，掌状 5 ~ 7 深裂，稀 3 裂，基部心形，边缘有锯齿，表面粗糙，上面疏生糙伏毛，背面有柔毛和稀疏黄色腺点，脉上有刚毛；叶柄长 5 ~ 20 cm。花单性，雌雄异株，花序腋生。雄花序呈圆锥状，长 15 ~ 25 cm；雄花小；花被片 5，淡黄绿色，披针形；雄蕊 5，短于花被片，花丝甚短，花药大，长约 2 mm。雌花 10 余朵集成短穗，近球形，腋生，直径约 1 cm；苞片卵状披针形，有白色毛刺和黄色腺点，每苞片内有 2 雌

花，无花被，花柱 2，红褐色。果穗呈绿色至黄褐色，鳞状苞片花后呈卵圆形，先端短尾尖，外侧有暗紫色斑及白色长毛。瘦果卵圆形，长 4 ~ 5 mm，质坚硬，成熟时露出苞片。花期 7 ~ 8 月，果期 9 ~ 10 月。

| 生境分布 | 生于沟边、荒地、废墟、林地边缘，为常见杂草。分布于河北行唐、邱县、赞皇等。

| 资源情况 | 野生资源一般。药材主要来源于栽培。

| 采收加工 | 夏、秋季采收，除去杂质，切段，晒干。

| 药材性状 | 本品茎淡绿色，有纵棱。茎、枝和叶柄密生倒钩刺。叶对生，有长柄，叶片肾状五角形，直径 7 ~ 10 cm，掌状 5 深裂，稀 3 或 7 裂，裂片卵形或卵状披针形，先端急尖或渐尖，基部心形，两面生粗糙硬毛，下面有黄色腺点。有的带有花、果。气微，味淡。

| 功能主治 | 甘、苦，寒。清热解毒，利尿，退虚热。用于肺热咳嗽，小便不利，肺痨咳嗽，午后潮热；外用于湿疹，皮肤瘙痒。

| 用法用量 | 内服煎汤，15 ~ 30 g。外用适量。

桑科 Moraceae 葎草属 Humulus

啤酒花

Humulus lupulus L.

| 药 材 名 |

啤酒花浸膏（药材来源：未经授粉的雄花提取的浸膏）、啤酒花（药用部位：未成熟的带花果穗。别名：忽布）。

| 形态特征 |

多年生攀缘草本，茎、枝和叶柄密生绒毛和倒钩刺。叶卵形或宽卵形，长 4 ~ 11 cm，宽 4 ~ 8 cm，先端急尖，基部心形或近圆形，不裂或 3 ~ 5 裂，边缘具粗锯齿，表面密生小刺毛，背面疏生小毛和黄色腺点；叶柄长不超过叶片。雄花排列成圆锥花序，花被片与雄蕊均为 5；雌花每 2 生于 1 苞片腋间；苞片呈覆瓦状排列，组成 1 近球形的穗状花序。果穗球果状，直径 3 ~ 4 cm；宿存苞片干膜质，果时增大，长约 1 cm，无毛，具油点。瘦果藏于苞片内，扁平，每苞腋 1 ~ 2。花期 7 ~ 8 月，果期 8 ~ 9 月。

| 生境分布 |

生于林缘、灌丛、山谷。分布于河北沙河、涿鹿等。河北赤城、蔚县等有栽培。

| 资源情况 |

野生资源一般。药材主要来源于栽培。

| 采收加工 | **啤酒花浸膏：**以天然啤酒花或啤酒花颗粒、压缩啤酒花为原料，粉碎后，采用二氧化碳超临界萃取技术生产而成。

啤酒花：夏、秋季果穗呈绿色而略带黄色时采摘，晒干或烘干，烘干温度不超过 45 ℃。

| 药材性状 | **啤酒花浸膏：**本品为金黄色至琥珀色黏稠液体，具有典型的啤酒花香气。

啤酒花：本品为压扁的球形体，全体淡黄白色，膜质苞片覆瓦状排列，椭圆形或卵形，长 0.5 ~ 1.2 cm，宽 0.3 ~ 0.8 cm，半透明，对光视之可见棕黄色腺点。苞片腋部有 2 细小的雄花或 1 ~ 2 扁平的瘦果。气微芳香，味微甘、苦。

| 功能主治 | **啤酒花浸膏：**抗菌，消炎。用于肺结核，结核性胸膜炎，麻风。

啤酒花：苦，凉。归肝、胃经。健胃消食，安神利尿。

| 用法用量 | **啤酒花：**内服煎汤，3 ~ 9 g。

桑科 Moraceae 榕属 Ficus

无花果 *Ficus carica* L.

| 植物别名 | 阿驵。

| 药 材 名 | 无花果（药用部位：果实。别名：阿驵、映日果）、无花果叶（药用部位：叶）。

| 形态特征 | 落叶灌木或小乔木，高达 3 ~ 10 m，全株具乳汁，多分枝，皮孔明显。小枝粗壮，表面褐色，被稀短毛。叶互生；叶片厚纸质，宽卵形或卵圆形，长宽近相等，均为 10 ~ 20 cm，3 ~ 5 裂，裂片卵形，边缘有不规则钝齿，上面深绿色，粗糙，下面密生细小钟乳体及黄褐色短柔毛，基部浅心形，基出脉 3 ~ 5，侧脉 5 ~ 7 对；叶柄长 2 ~ 5 cm，粗壮；托叶卵状披针形，长约 1 cm，红色。雌雄异株，隐头花序，花序托单生于叶腋；雄花和瘿花生于同一花序托内；

雄花生于内壁口部，花被片 4 ~ 5，雄蕊 3；瘿花花柱侧生，短；雌花生于另一花序托内，花被片 4 ~ 5，子房卵圆形，光滑，花柱侧生，柱头 2 裂。聚花果（花序托）梨形，成熟时长 3 ~ 5 cm，呈紫红色或黄绿色，肉质，顶部下陷，基部有 3 苞片，卵形；瘦果透镜状。花期 4 ~ 5 月，6 月中旬至 10 月可成花结果。

| 生境分布 | 生于光照充足、保水性较好的土壤中。分布于河北秦皇岛、保定等。河北涉县等有栽培。

| 资源情况 | 野生资源稀少。药材主要来源于栽培。

| 采收加工 | 无花果：7 ~ 10 月果实呈绿色时，分批采摘，或拾取落地的未成熟果实，用沸水烫后，晒干或烘干。
无花果叶：夏、秋季采摘，阴干。

| 药材性状 | 无花果：本品干燥的花序托呈倒圆锥形或类球形，长约 2 cm，直径 1.5 ~ 2.5 cm；表面淡黄棕色至暗棕色、青黑色，有波状弯曲的纵棱线；先端稍平截，中央有圆形突起，基部渐狭，带有果柄及残存的苞片；质坚硬，横切面黄白色，内壁着生众多细小瘦果，有时壁上部尚见枯萎的雄花。瘦果卵形或二棱状卵形，长 1 ~ 2 mm，淡黄色，外有宿萼包被。气微，味甜、略酸。
无花果叶：本品多皱缩卷曲，有的破碎。完整叶片展平后呈倒卵形或近圆形，长 5 ~ 20 cm，3 ~ 5 裂，裂片通常倒卵形，先端钝，有不规则锯齿，黄褐色或灰褐色，背面被灰色茸毛，掌状叶脉明显，叶脉在下表面凸起。叶柄具纵皱纹，质脆。气微，味淡。

| 功能主治 | 无花果：甘，凉。归肺、胃、大肠经。清热生津，健脾开胃，解毒消肿。用于咽喉肿痛，燥咳声嘶，乳汁稀少，肠热便秘，食欲不振，消化不良，泄泻，痢疾，痈肿，癣疾等。
无花果叶：微辛，平；有小毒。清热祛湿，消肿解毒。用于痔疮，疮毒肿痛，湿热泄泻。

| 用法用量 | 无花果：内服煎汤，9 ~ 15 g，大剂量可用至 30 ~ 60 g；或生食，1 ~ 2 枚。外用适量，煎汤洗；或研末调敷。
无花果叶：内服煎汤，15 ~ 25 g。外用适量，煎汤洗。

桑科 Moraceae 桑属 Morus

鸡桑
Morus australis Poir. var. *australis* Poir.

植物别名

小叶桑、集桑、山桑。

药材名

鸡桑叶（药用部位：叶）、鸡桑根（药用部位：根或根皮）。

形态特征

落叶灌木或小乔木。树皮灰褐色，纵裂，嫩枝有疏毛；冬芽大，圆锥状卵形。单叶互生，纸质，卵圆形，长5～14 cm，宽3.5～12 cm，先端渐尖或尾尖，基部心形或截形，边缘具粗锯齿，不分裂或3～5裂，表面粗糙，密生短刺毛，背面疏被粗毛；叶柄长1～1.5 cm，被毛；托叶线状披针形，早落。花单性，雄花序长1.5～3 cm，外有柔毛，雄花有短柄，花被片卵形，绿色，雄蕊突出，花药黄色；雌花序长约1 cm，外密被白色柔毛，雌花花被片长圆形，暗绿色，花柱长，柱头2裂，内面被柔毛。聚花果短椭圆形，直径1～1.5 cm，成熟时白色、红色至近暗紫色。花期4～5月，果期7～8月。

生境分布

生于海拔500～1 000 m的石灰岩山地或林

缘及荒地。分布于河北内丘、围场、涞源等。河北阜平、乐亭、武安等有栽培。

| **资源情况** | 野生资源稀少。药材主要来源于栽培。

| **采收加工** | 鸡桑叶：夏季采收，鲜用或晒干。

鸡桑根：秋、冬季采挖根，趁鲜刮去栓皮，洗净，或剥取根皮，晒干。

| **功能主治** | 鸡桑叶：甘、辛，寒。归肺经。清热解表，宣肺止咳。用于风热感冒，肺热咳嗽，头痛，咽痛。

鸡桑根：甘、辛，寒。清肺，凉血，利湿。用于肺热咳嗽，鼻衄，水肿，腹泻，黄疸。

| **用法用量** | 鸡桑叶：内服煎汤，3 ~ 9 g。

鸡桑根：内服煎汤，6 ~ 15 g。

桑科 Moraceae 桑属 Morus

桑 *Morus alba* L.

| **植物别名** | 家桑、桑树。

| **药 材 名** | 桑白皮（药用部位：根皮）、桑叶（药用部位：叶）、桑枝（药用部位：嫩枝）、桑椹（药用部位：果穗）。

| **形态特征** | 乔木或灌木，高 3 ~ 10 m 或更高，胸径可达 50 cm。树皮厚，灰色，不规则浅纵裂，小枝有细毛；冬芽红褐色，卵形，芽鳞覆瓦状排列，灰褐色，有细毛。叶卵形或广卵形，长 5 ~ 15 cm，宽 5 ~ 12 cm，先端急尖、渐尖或圆钝，基部圆形至浅心形，边缘具粗钝锯齿，有时不规则分裂，表面鲜绿色，无毛，背面沿脉有疏毛，脉腋有簇毛；叶柄长 1.5 ~ 5.5 cm，具柔毛；托叶披针形，外面密被细硬毛，早落。花单性，腋生或生于芽鳞腋内，与叶同时生出；雄花序下垂，

长 2 ~ 3.5 cm，密被白色柔毛，花被片宽椭圆形，淡绿色，花丝在芽时内折，花药 2 室，球形至肾形，纵裂；雌花序长 1 ~ 2 cm，被毛，总花梗长 5 ~ 10 mm，被柔毛，雌花无梗，花被片倒卵形，先端圆钝，外面和边缘被毛，两侧紧包子房，花柱极短至无，柱头 2 裂，内面有乳头状突起。聚花果卵状椭圆形，长 1 ~ 2.5 cm，成熟时红色或暗紫色。花期 4 ~ 5 月，果期 5 ~ 8 月。

| 生境分布 | 河北邢台及磁县、兴隆等有栽培。

| 资源情况 | 栽培资源丰富。药材主要来源于栽培。

| 采收加工 | 桑白皮：秋末落叶后至翌年春季发芽前采挖根，洗净，趁鲜刮去棕色栓皮，纵向剖开，以木槌轻击，使皮部与木心分离，剥取根皮，晒干。

桑叶：初霜后采收，除去杂质，晒干。

桑枝：春末夏初采收，除去叶，晒干或趁鲜切片晒干。

桑椹：4 ~ 6 月果实变红色时采收，晒干，或略蒸后晒干。

| 药材性状 | 桑白皮：本品呈扭曲的卷筒状、槽状或板片状，长短、宽窄不一，厚 1 ~ 4 mm。外表面白色或淡黄白色，较平坦，有的残留橙黄色或棕黄色鳞片状粗皮；内表

面黄白色或灰黄色，有细纵纹。体轻，质韧，纤维性强，难折断，易纵向撕裂，撕裂时有粉尘飞扬。气微，味微甘。

桑叶：本品多皱缩，破碎，完整者有柄。叶片展开后呈卵形或阔卵形，长 8 ~ 15 cm，宽 7 ~ 13 cm，先端渐尖，基部截形、圆形或微心形，边缘具锯齿或钝锯齿，有时不规则分裂。叶片上面黄绿色或浅黄棕色，有的有小疣状突起；下表面色较浅，叶脉凸起，小脉网状，脉上被疏毛，脉基具簇毛。质脆。气微，味淡、微苦、涩。

桑枝：本品呈长圆柱形，少有分枝，长短不一，直径 0.5 ~ 1.5 cm。表面灰黄色或黄褐色，有多数黄褐色点状皮孔及细纵纹，并有灰白色、略呈半圆形的叶痕和黄棕色腋芽。质坚韧，不易折断，断面纤维性。切片厚 0.2 ~ 0.5 cm，皮部较薄，木部黄白色，射线放射状，髓部白色或黄白色。气微，味淡。

桑椹：本品为聚花果，由多数小瘦果集合而成，呈长圆形，长 1 ~ 2 cm，直径 0.5 ~ 0.8 cm，黄棕色、棕红色或暗紫色，有短果序柄。小瘦果卵圆形，稍扁，长约 2 mm，宽约 1 mm，外具 4 肉质花被片。气微，味微酸而甜。

| 功能主治 | **桑白皮：**甘，寒。归肺经。泻肺平喘，行水消肿。用于肺热喘咳，吐血，水肿，脚气，小便不利。

桑叶：甘、苦，寒。归肺、肝经。疏散风热，清肺润燥，清肝明目。用于风热感冒，肺热燥咳，头晕头痛，目赤昏花。

桑枝：微苦，平。归肝经。祛风湿，利关节，行水气。用于风寒湿痹，四肢拘挛，脚气浮肿，肌体风痒。

桑椹：甘、酸，寒。归心、肝、肾经。滋阴补血，生津润燥。用于肝肾阴虚，眩晕耳鸣，心悸失眠，须发早白，津伤口渴，内热消渴，肠燥便秘。

| 用法用量 | **桑白皮：**内服煎汤，6 ~ 12 g。

桑叶：内服煎汤，5 ~ 10 g。

桑枝：内服煎汤，9 ~ 15 g。

桑椹：内服煎汤，9 ~ 15 g。

檀香科 Santalaceae 百蕊草属 Thesium

百蕊草
Thesium chinense Turcz.

| 植物别名 |

积药草、珍珠草。

| 药 材 名 |

百蕊草（药用部位：全草）。

| 形态特征 |

多年生半寄生草本，高 15 ～ 40 cm，全株多少被白粉，无毛。茎细长，簇生，基部以上疏分枝，斜升，有纵沟。叶互生，无柄，线形，长 1.5 ～ 3.5 cm，宽 0.5 ～ 1.5 mm，全缘，先端急尖或渐尖，具单脉。花两性，单生叶腋；花梗极短，长 3 ～ 3.5 mm；苞片 1，与叶同形而稍小；小苞片 2，线形，长 2 ～ 6 mm，边缘粗糙；花被绿白色，长 2.5 ～ 3 mm，花被管呈钟状，花被裂片先端锐尖，内弯，内面的微毛不明显；雄蕊 5，着生于花被裂片的内侧，且与花被裂片对生，短于花被裂片；子房下位，花柱很短，较雄蕊短或与雄蕊等长。坚果椭圆形或近球形，直径 2 ～ 2.5 mm，淡绿色，表面有明显隆起的网脉，先端的宿存花被近球形，长约 2 mm；果柄长 3.5 mm。花期 4 ～ 6 月，果期 5 ～ 8 月。

| **生境分布** | 生于背阴、湿润或潮湿的小溪边、田野、干草原、栎树林、草甸、沙漠地带边缘、石砾坡地上。分布于河北承德、丰宁、怀来等。 |

| **资源情况** | 野生资源丰富。药材来源于栽培。 |

| **采收加工** | 春、夏季采收，除去泥沙，晒干。 |

| **药材性状** | 本品根呈圆锥形，直径 1 ~ 4 m，表面棕黄色，有纵皱纹，侧根细。茎丛生，纤细，长 12 ~ 30 cm，暗黄绿色，具纵棱；质脆，易折断，断面中空。叶互生，条形，长 1 ~ 3 cm。花小，单生叶腋。坚果球形，直径约 2 mm，表面有网状雕纹。气微，味淡。 |

| **功能主治** | 辛、微苦、涩，寒。清热解毒，消肿。用于感冒发热，扁桃体炎，咽喉炎，支气管炎，肺炎，肺脓疡等。 |

| **用法用量** | 内服煎汤，15 ~ 30 g。 |

檀香科 Santalaceae 百蕊草属 Thesium

急折百蕊草 *Thesium refractum* C. A. Mey.

| **植物别名** | 九龙草、九仙草。

| **药 材 名** | 九仙草（药用部位：全草或根。别名：九龙草）。

| **形态特征** | 多年生半寄生草本，高 16 ~ 45 cm，全株无毛。根直生，稍肥厚，多头；根茎直，粗壮。茎数条丛生，直立，具纵沟，幼枝纵沟更明显，上部分枝，稍呈“之”字形弯曲。叶互生，质稍厚，线状披针形，长 2.5 ~ 3 cm，宽 2 ~ 3 mm，基部稍狭，不下延，先端通常钝，具1主脉，有时为3不明显的叶脉，全缘而粗糙。总状花序顶生或腋生；花两性，绿白色，花序轴呈“之”字形弯曲；花梗细，长 5 ~ 9 mm，比花长，有棱，花后外倾并渐反折；苞片1，长 6 ~ 8 mm，叶状开展；小苞片2，较短；花长 4 ~ 5 mm，花被筒状或阔漏斗状，上部

5裂，裂片线状披针形，先端内曲，里面有1束毛，中部两侧具膜质小耳；雄蕊5，生于花被裂片基部，与花被裂片对生，稍短于花被裂片，花丝较花药长；子房柄短，子房下位，花柱圆柱状，较长，柱头超出雄蕊，短于花被裂片。坚果椭圆形或卵形，长约3 mm，连宿存花被裂片长4 ~ 6.5 mm，横径2 ~ 2.5 mm；果柄长1 cm，果时反折，果实表面具5 ~ 10不明显的纵棱，纵棱偶分叉。花期6 ~ 7月，果期8 ~ 9月。

| 生境分布 | 生于山坡草地、林缘、草甸及多砂砾坡地。分布于河北围场、丰宁、赤城等。

| 资源情况 | 野生资源一般。药材主要来源于栽培。

| 采收加工 | 夏、秋季采收全草，晒干。

| 功能主治 | 辛、微苦，凉。解表清热，祛风止痉。用于感冒，中暑，小儿肺炎，惊风。

| 用法用量 | 内服煎汤，6 ~ 12 g。

桑寄生科 Loranthaceae 槲寄生属 Viscum

槲寄生

Viscum coloratum (Kom.) Nakai

| **植物别名** | 冬青、寄生子。

| **药 材 名** | 槲寄生（药用部位：带叶茎枝）。

| **形态特征** | 常绿半寄生灌木，高 30 ~ 60 cm。茎、枝均圆柱状，黄绿色，二歧
或三歧分枝，稀多歧分枝，节稍膨大，小枝的节间长 5 ~ 12 cm，
直径 7 ~ 15 mm，干后具不规则皱纹。单叶对生，稀 3 叶轮生，生
于枝端，厚革质或革质，长椭圆形至椭圆状披针形，长 3 ~ 7 cm，
宽 7 ~ 15 cm，先端圆形或圆钝，基部渐狭，基出脉 3 ~ 5；叶柄极短。
雌雄异株；花序顶生或腋生于茎叉状分枝处。雄花序聚伞状，总花
梗几无或长达 5 mm；总苞舟形，长 5 ~ 7 mm，通常具 3 花，中央
的花具 2 苞片或无苞片；雄花长 3 ~ 4 mm；花被杯状，黄绿色，先

端 4 裂，雄蕊 4，着生于裂片上，花药椭圆形，长 2.5 ～ 3 mm。雌花序聚伞式穗状，总花梗长 2 ～ 3 mm 或几无，具 3 ～ 5 花，顶生的花具 2 苞片或无苞片，交互对生的花各具 1 苞片；苞片阔三角形，长约 1.5 mm，初具细缘毛，稍后变全缘；雌花蕾时长卵球形，长约 2 mm，花柄短，花托卵球形，花被钟形，基部与子房合生，先端 4 裂，裂片三角形，长约 1 mm，柱头乳头状。浆果球形，直径 6 ～ 8 mm，具宿存花柱，成熟时淡黄色或橙红色，含黏汁，半透明，果皮平滑。花期 4 ～ 6 月，果期 6 ～ 9 月。

| **生境分布** | 生于海拔 500 ～ 2 000 m 的阔叶林中，寄生于榆、杨、柳、桦、栎、梨、李、苹果、枫杨、赤杨及椴属植物上。分布于河北平泉等。

| **资源情况** | 野生资源一般。药材主要来源于栽培。

| **采收加工** | 冬季至翌年春季采割，除去粗茎，切段，干燥或蒸后干燥。

| **功能主治** | 补肝肾，强筋骨，祛风湿，安胎。用于腰膝酸痛，风湿痹痛，胎动不安，胎漏下血。

| **用法用量** | 内服煎汤，9 ～ 15 g。

蓼科 Polygonaceae 大黄属 Rheum

波叶大黄
Rheum rhabarbarum Linnaeus

| 植物别名 |

华北大黄、长叶波叶大黄。

| 药 材 名 |

山大黄（药用部位：根及根茎。别名：苦大黄、北大黄、台黄）。

| 形态特征 |

高大草本，高 1 ~ 1.5 m。茎粗壮，中空，光滑无毛，仅近节部稍具糙毛。基生叶大，叶片三角状卵形或近卵形，长 30 ~ 40 cm，宽 20 ~ 30 cm，先端钝尖或钝急尖，常扭向一侧，基部心形，边缘具强皱波，基出脉 5 ~ 7，在叶下面凸起，叶上面深绿色，光滑无毛或在叶脉处具稀疏短毛，叶下面浅绿色，被毛；叶柄粗壮，宽扁半圆柱状，通常短于叶片，被短毛；上部叶较小，多呈三角形或卵状三角形。大型圆锥花序；花白绿色，5 ~ 8 簇生；花梗长 2.5 ~ 4 mm，关节位于下部；花被片不开展，外轮 3 花被片稍小而窄，内轮 3 花被片稍大，椭圆形，长约 2 mm；雄蕊与花被等长；子房略呈菱状椭圆形，花柱较短，向外反曲，柱头膨大，较平坦。果实三角状卵形至近卵形，长 8 ~ 9 mm，宽 6.5 ~ 7.5 mm，先端钝，

基部心形；翅较窄，宽 1.5 ~ 2 mm，纵脉位于翅的中间部分；种子卵形，棕褐色，稍具光泽。花期 6 月，果期 7 月以后。

| **生境分布** | 生于海拔约 1 000 m 的山地。分布于河北沽源、涉县、围场等。

| **资源情况** | 野生资源一般。药材主要来源于栽培。

| **采收加工** | 秋季采挖，切片，晒干。

| **药材性状** | 本品根及根茎均呈不规则类圆柱形，上端较粗，下端稍细，长 5 ~ 10 cm，直径 1.5 ~ 5 cm。栓皮多已刮去，表面红褐色带黄色，无横纹。质坚而轻，断面无星点，有细密而直的红棕色射线；新断面黄色至棕红色，在紫外灯下显蓝紫色荧光。气微，味苦、涩。

| **功能主治** | 苦，寒。归胃、大肠经。泻热解毒，凉血行瘀。用于湿热黄疸，痢疾，闭经腹痛，吐血，衄血，跌打瘀痛，痈肿疔毒，口舌糜烂，烫火伤。

| **用法用量** | 内服煎汤，5 ~ 15 g；或研末。外用适量，研末撒或调敷。

蓼科 Polygonaceae 大黄属 *Rheum*

药用大黄
Rheum officinale Baill.

| **植物别名** | 黄良、将军、西大黄。

| **药 材 名** | 大黄（药用部位：根茎）。

| **形态特征** | 高大草本，高 1.5 ~ 2 m。根及根茎粗壮，内部黄色。茎粗壮，基部
直径 2 ~ 4 cm，中空，具细沟棱，被白色短毛，上部及节毛较密。
基生叶大型，叶片近圆形，稀极宽卵圆形，直径 30 ~ 50 cm，或长
稍大于宽，先端近急尖，基部近心形，掌状浅裂，裂片大齿状三角
形，基出脉 5 ~ 7，叶上面光滑无毛，偶在脉上有疏短毛，下面具
淡棕色短毛，叶柄粗圆柱状，与叶片等长或较叶片稍短，具棱线，
被短毛；茎生叶向上逐渐变小，上部叶腋具花序分枝；托叶鞘宽大，
长可达 15 cm，初时抱茎，后开裂，内面光滑无毛，外面密被短毛。

大型圆锥花序，分枝开展；花 4 ~ 10 成簇互生，绿色至黄白色；花梗细长，长 3 ~ 3.5 mm，关节位于下部；花被片 6，内外轮近等大，椭圆形或稍窄椭圆形，长 2 ~ 2.5 mm，宽 1.2 ~ 1.5 mm，边缘稍不整齐；雄蕊 9，不外露；花盘薄，瓣状；子房卵形或卵圆形，花柱反曲，柱头圆头状。果实长圆状椭圆形，长 8 ~ 10 mm，宽 7 ~ 9 mm，先端圆，中央微下凹，基部浅心形，翅宽约 3 mm，纵脉靠近翅的边缘；种子宽卵形。花期 5 ~ 6 月，果期 8 ~ 9 月。

| 生境分布 | 生于海拔 1 200 ~ 4 000 m 的山沟或林下。分布于河北丰宁、涞源、灵寿等。

| 资源情况 | 野生资源丰富。药材主要来源于栽培。

| 采收加工 | 秋末茎叶枯萎或翌年春季发芽前采挖，除去杂质，洗净，润透，切厚片或块，晾干。

| 药材性状 | 本品呈类圆柱形、圆锥形、卵圆形或不规则块状，长 3 ~ 17 cm，直径 3 ~ 10 cm。除尽外皮者表面黄棕色至红棕色，有的可见类白色网状纹理及星点（异型维管束）散在，残留的外皮棕褐色，多具绳孔及粗皱纹。质坚实，有的中心稍松软，断面淡红棕色或黄棕色，显颗粒性；根茎髓部宽广，有星点环列或散在；根木部发达，具放射状纹理，形成层环明显，无星点。气清香，味苦而微涩，嚼之粘牙，有沙粒感。

| 功能主治 | 苦，寒。归脾、胃、大肠、肝、心包经。泻下攻积，清热泻火，凉血解毒，逐瘀通经，利湿退黄。用于实热积滞便秘，血热吐衄，目赤咽肿，痈肿疔疮，肠痈腹痛，瘀血闭经，产后瘀阻，跌打损伤，湿热痢疾，黄疸尿赤，淋证，水肿；外用于烫火伤。

| 用法用量 | 内服煎汤，3 ~ 15 g；用于泻下不宜久煎。外用适量，研末调敷。

蓼科 Polygonaceae 大黄属 Rheum

华北大黄

Rheum franzenbachii Munt.

| 药 材 名 | 大黄（药用部位：根茎）。

| 形态特征 | 直立草本，高 50 ~ 90 cm。直根粗壮，内部土黄色。茎具细沟纹，常粗糙。基生叶较大，叶片心状卵形至宽卵形，长 12 ~ 22 cm，宽 10 ~ 18 cm，先端钝急尖，基部心形，边缘具皱波，基出脉 5（ ~ 7），叶上面灰绿色或蓝绿色，通常光滑，下面暗紫红色，被稀疏短毛；叶柄半圆柱状，短于叶片，长 4 ~ 9 cm，无毛或较粗糙，常暗紫红色；基生叶较小，叶片三角状卵形；越向上叶柄越短，至近无柄；托叶鞘抱茎，长 2 ~ 4 cm，棕褐色，外面被短硬毛。大型圆锥花序，具 2 次以上分枝，花序轴及分枝被短毛；花黄白色，3 ~ 6 簇生；花梗细，关节位于中下部；花被片 6，外轮 3 花被片稍小，宽椭圆形，内轮 3 花被片稍大，极宽椭圆形至近圆形，长约 1.5 mm；雄蕊 9；子房宽

椭圆形。果实宽椭圆形至矩圆状椭圆形，长约 8 mm，宽 6.5 ~ 7 mm，两端微凹，有时近心形；翅宽 1.5 ~ 2 mm，纵脉在翅的中间部分；种子卵状椭圆形，宽约 3 mm。花期 6 月，果期 6 ~ 7 月。

| **生境分布** | 生于海拔 1 000 ~ 1 600（~ 2 850）m 的山坡石滩、林缘、阴坡、山脊等。分布于河北平山、迁西、张北等。

| **资源情况** | 野生资源稀少。药材主要来源于栽培。

| **采收加工** | 春、秋季采挖，除去茎叶，洗净，切片，晒干。

| **功能主治** | 泻热通便，行瘀破滞。用于大便热秘，闭经腹痛，湿热黄疸；外用于口疮糜烂，烫火伤。

| **用法用量** | 内服煎汤，10 ~ 20 g。

蓼科 Polygonaceae 何首乌属 Fallopia

何首乌
Fallopia multiflora (Thunb.) Harald.

| 植物别名 |

夜交藤、紫乌藤、多花蓼。

| 药 材 名 |

何首乌（药用部位：块根）、首乌藤（药用部位：藤茎）。

| 形态特征 |

多年生植物。块根肥厚，长椭圆形，黑褐色。茎缠绕，长 2 ~ 4 m，多分枝，具纵棱，无毛，微粗糙，下部木质化。叶卵形或长卵形，长 3 ~ 7 cm，宽 2 ~ 5 cm，先端渐尖，基部心形或近心形，两面粗糙，全缘；叶柄长 1.5 ~ 3 cm；托叶鞘膜质，偏斜，无毛，长 3 ~ 5 mm。花序圆锥状，顶生或腋生，长 10 ~ 20 cm，分枝开展，具细纵棱，沿棱密被小突起；苞片三角状卵形，具小突起，先端尖，每苞内具 2 ~ 4 花；花梗细弱，长 2 ~ 3 mm，下部具关节，果时延长；花被 5，深裂，白色或淡绿色，花被片椭圆形，大小不相等，外面 3 花被片较大，背部具翅，果时增大，花被果时呈近圆形，直径 6 ~ 7 mm；雄蕊 8，花丝下部较宽；花柱 3，极短，柱头头状。瘦果卵形，具 3 棱，长 2.5 ~ 3 mm，黑褐色，有光泽，包于宿存花被内。

花期 8 ~ 9 月，果期 9 ~ 10 月。

| **生境分布** | 生于海拔 200 ~ 3 000 m 的山谷灌丛、山坡林下、沟边石缝。分布于河北怀安、灵寿、内丘等。

| **资源情况** | 野生资源一般。药材主要来源于栽培。

| **采收加工** | **何首乌：** 秋季落叶后或早春萌发前采挖，洗净泥土，大的切成厚约 2 cm 的片，小的不切，晒干或烘干。

首乌藤： 秋季叶落后割取，除去细枝、残叶，切成长约 70 cm 的段，捆成把，晒干。

| **药材性状** | **何首乌：** 本品呈纺锤形或团块状，一般略弯曲。长 5 ~ 15 cm，直径 4 ~ 10 cm。表面红棕色或红褐色，凹凸不平，有不规则的纵沟和致密皱纹，并有横长皮孔及细根痕。质坚硬，不易折断。切断面淡黄棕色或淡红棕色，粉性，皮部有类圆形异型维管束呈环状排列，形成云锦花纹，中央木部较大，有的呈木心。气微，味微苦而甘、涩。以体重、质坚实、粉性足者为佳。

首乌藤： 本品呈长圆柱形，稍扭曲，长短不一，直径 3 ~ 7 mm。表面棕红色或棕褐色，粗糙，有明显扭曲的纵皱纹及细小圆形皮孔。节部略膨大，有分枝痕。外皮菲薄，可剥离。质脆，易折断，断面皮部棕红色，木部淡黄色，导管孔明显，中央为白色疏松的髓部。气无，味微苦、涩。以枝条粗壮、均匀、外皮棕红色者为佳。

| **功能主治** | **何首乌：** 苦、甘、涩，微温。归肝、肾经。解毒，消痈，截疟，润肠通便。用于疮痈，瘰疬，风疹瘙痒，久疟体虚，肠燥便秘。

首乌藤： 甘，平。归心、肝经。养血安神，祛风通络。用于失眠多梦，血虚身痛，风湿痹痛，皮肤瘙痒。

| **用法用量** | **何首乌：** 内服煎汤，3 ~ 6 g。

首乌藤： 内服煎汤，9 ~ 15 g。外用适量，煎汤洗。

卷茎蓼

Fallopia convolvulus (Linnaeus) A. Love

| 植物别名 | 烙铁头、荞麦葛。

| 药 材 名 | 卷茎蓼（药用部位：全草）。

| 形态特征 | 一年生草本。茎缠绕，长 1 ~ 1.5 m，具纵棱，自基部分枝，具小突起。叶卵形或心形，长 2 ~ 6 cm，宽 1.5 ~ 4 cm，先端渐尖，基部心形，两面无毛，下面沿叶脉具小突起，全缘；叶柄长 1.5 ~ 5 cm，沿棱具小突起；托叶鞘膜质，长 3 ~ 4 mm，偏斜，无缘毛。花序总状，腋生或顶生，花稀疏，下部间断，有时成花簇，生于叶腋；苞片长卵形，先端尖，每苞片内具 2 ~ 4 花；花梗细弱，比苞片长，中上部具关节；花被 5 深裂，淡绿色，边缘白色，花被片长椭圆形，外面 3 花被片背部具龙骨状突起或狭翅，被小突起，果时稍增大；

雄蕊 8，比花被短；花柱 3，极短，柱头头状。瘦果椭圆形，具 3 棱，长 3 ~ 3.5 mm，黑色，密被小颗粒，无光泽，包于宿存花被内。花期 5 ~ 8 月，果期 6 ~ 9 月。

| **生境分布** | 生于海拔 100 ~ 3 500 m 的山坡草地、山谷灌丛、沟边湿地。分布于河北涞源、平泉、张北等。

| **资源情况** | 野生资源一般。药材主要来源于野生。

| **采收加工** | 春、秋季采挖，切段，洗净，晒干。

| **功能主治** | 辛，温。健脾消食。用于消化不良，腹泻。

| **用法用量** | 内服煎汤，6 ~ 12 g。

蓼科 Polygonaceae 虎杖属 Reynoutria

虎杖
Reynoutria japonica Houtt.

| **植物别名** | 斑庄根、大接骨、酸桶芦。

| **药 材 名** | 虎杖（药用部位：根及根茎）。

| **形态特征** | 多年生草本。根茎粗壮，横走。茎直立，高 1 ~ 2 m，粗壮，空心，具明显的纵棱及小突起，无毛，散生红色或紫红色斑点。叶宽卵形或卵状椭圆形，长 5 ~ 12 cm，宽 4 ~ 9 cm，近革质，先端渐尖，基部宽楔形、截形或近圆形，全缘，疏生小突起，两面无毛，沿叶脉具小突起；叶柄长 1 ~ 2 cm，具小突起；托叶鞘膜质，偏斜，长 3 ~ 5 mm，褐色，具纵脉，无毛，先端截形，无缘毛，常破裂，早落。花单性，雌雄异株，花序圆锥状，长 3 ~ 8 cm，腋生；苞片漏斗状，长 1.5 ~ 2 mm，先端渐尖，无缘毛，每苞片内具 2 ~ 4 花；花梗长

2 ～ 4 mm，中下部具关节；花被5深裂，淡绿色，雄花花被片具绿色中脉，无翅，雄蕊8，比花被长；雌花外面3花被片背部具翅，果时增大，翅扩展下延，花柱3，柱头流苏状。瘦果卵形，具3棱，长4 ～ 5 mm，黑褐色，有光泽，包于宿存花被内。花期8 ～ 9 月，果期9 ～ 10 月。

| **生境分布** | 生于海拔140 ～ 2 000 m的山坡灌丛、山谷、路旁、田边湿地。分布于河北邯郸等。

| **资源情况** | 野生资源丰富。药材主要来源于野生。

| **采收加工** | 春、秋季采挖，切段，晒干。

| **药材性状** | 本品根的形状不一，多数呈圆锥形弯曲或呈块状，长1 ～ 7 cm，直径0.6 ～ 1.5 cm，外表棕褐色，有明显的纵皱纹、紫色斑块及散在的须根痕；质坚硬，不易折断，断面棕红色，纤维性，木质部占根的大部分，呈菊花状放射形纹理。根茎圆柱形，节明显，通常着生卷曲的须根，折断面中央有空隙，根茎顶部有残存的茎基。气微弱，味微苦。以根条粗壮、内心不枯朽者为佳。

| **功能主治** | 微苦，微寒。归肝、胆、肺经。祛风，利湿，破瘀，通经。用于风湿筋骨疼痛，湿热黄疸，淋浊带下，妇女闭经，产后恶露不下，癥瘕积聚，痔漏下血；外用于跌扑损伤，烫伤，恶疮癣疾。

| **用法用量** | 外用适量，制成煎液或油膏涂敷。

蓼科 Polygonaceae 蓼属 Polygonum

萹蓄
Polygonum aviculare L.

| 植物别名 | 竹叶草、大蚂蚁草、扁竹。

| 药 材 名 | 萹蓄（药用部位：全草）。

| 形态特征 | 一年生草本。茎平卧、上升或直立，高 10 ～ 40 cm，自基部多分枝，具纵棱。叶椭圆形、狭椭圆形或披针形，长 1 ～ 4 cm，宽 3 ～ 12 mm，先端钝圆或急尖，基部楔形，全缘，两面无毛，下面侧脉明显；叶柄短或近无柄，基部具关节；托叶鞘膜质，下部褐色，上部白色，撕裂脉明显。花单生或数朵簇生于叶腋，遍布植株；苞片薄膜质；花梗细，顶部具关节；花被 5 深裂，花被片椭圆形，长 2 ～ 2.5 mm，绿色，边缘白色或淡红色；雄蕊 8，花丝基部扩展；花柱 3，柱头头状。瘦果卵形，具 3 棱，长 2.5 ～ 3 mm，黑褐色，

密被由小点组成的细条纹，无光泽，与宿存花被近等长或稍长于宿存花被。花期 5 ~ 7 月，果期 6 ~ 8 月。

| **生境分布** | 生于田野、路旁及潮湿处。分布于河北蠡县、灵寿、隆化等。

| **资源情况** | 野生资源丰富。药材主要来源于野生。

| **采收加工** | 7 ~ 8 月生长旺盛时采收，除去杂草、泥沙，捆成把，晒干或鲜用。

| **药材性状** | 本品茎圆柱形而略扁，有分枝，长 10 ~ 40 cm，直径 1 ~ 3 mm；表面灰绿色或棕红色，有细密、微凸起的纵纹；节部稍膨大，有浅棕色膜质托叶鞘，节间长短不一；质硬，易折断，断面髓部白色。叶互生，叶片多脱落或皱缩破碎，完整者展平后呈长椭圆形或披针形，长 1 ~ 4 cm，宽约 5 mm，全缘，灰绿色或棕绿色。有时可见具宿存花被的小瘦果，黑褐色，卵状三棱形。气微，味微苦。以质嫩、叶多、色灰绿者为佳。

| **功能主治** | 苦，微寒。归膀胱经。通利膀胱，杀虫，除湿止痒。用于小便淋痛，湿疹。

| **用法用量** | 外用，9 ~ 15 g，煎汤洗。

蓼科 Polygonaceae 蓼属 *Polygonum*

叉分蓼 *Polygonum divaricatum* L.

| 植物别名 | 分叉蓼。

| 药 材 名 | 酸不溜（药用部位：全草。别名：酸浆、酸木浆）、酸不溜根（药用部位：根）。

| 形态特征 | 多年生草本。茎直立，高 70 ～ 120 cm，无毛，自基部分枝，分枝呈叉状，开展，植株外形呈球形。叶披针形或长圆形，长 5 ～ 12 cm，宽 0.5 ～ 2 cm，先端急尖，基部楔形或狭楔形，边缘通常具短缘毛，两面无毛或被疏柔毛；叶柄长约 0.5 cm；托叶鞘膜质，偏斜，长 1 ～ 2 cm，疏生柔毛或无毛，开裂，脱落。花序圆锥状，分枝开展；苞片卵形，边缘膜质，背部具脉，每苞片内具 2 ～ 3 花；花梗长 2 ～ 2.5 mm，与苞片近等长，顶部具关节；花被 5 深裂，白色，

花被片椭圆形，长 2.5 ～ 3 mm，大小不相等；雄蕊 7 ～ 8，比花被短；花柱 3，极短，柱头头状。瘦果宽椭圆形，具 3 锐棱，黄褐色，有光泽，长 5 ～ 6 mm，超出宿存花被约 1 倍。花期 7 ～ 8 月，果期 8 ～ 9 月。

| 生境分布 | 生于海拔 260 ～ 2 100 m 的山坡草地、山谷灌丛。分布于河北昌黎、青龙、兴隆等。

| 资源情况 | 野生资源一般。药材主要来源于野生。

| 采收加工 | **酸不溜**：夏、秋季间采收，晾干。
酸不溜根：春、秋季间采收，晒干。

| 药材性状 | **酸不溜根**：本品根粗大，圆锥形，长 80 ～ 100 cm，直径 12 ～ 14 cm；根头具茎痕，向下渐细，多扭曲，有少数较细的支根。表面红棕色，凹凸不平，具多数不规则纵皱纹；外皮粗糙，易脱落，内皮常呈白色。质轻松，易折断，断面不整齐，密具针状孔。气微，味酸、涩。

| 功能主治 | **酸不溜**：酸、苦，凉。清热燥湿，软坚散结。用于湿热腹泻，痢疾，瘿瘤瘰疬。
酸不溜根：酸、甘，温。归脾、肾经。温肾散寒，理气止痛，止泻止痢。用于寒疝，阴囊汗出，胃痛，腹泻，痢疾。

| 用法用量 | **酸不溜**：内服煮散剂，3 ～ 5 g。
酸不溜根：内服煎汤，0.9 ～ 1.5 g。外用适量，煎汤熏。

蓼科 Polygonaceae 蓼属 Polygonum

长鬃蓼
Polygonum longisetum De Br.

| **植物别名** | 马蓼、山蓼、假长尾叶蓼。

| **药 材 名** | 白辣蓼（药用部位：全草）。

| **形态特征** | 一年生草本。茎直立、上升或基部近平卧，自基部分枝，高 30 ～ 60 cm，无毛，节部稍膨大。叶披针形或宽披针形，长 5 ～ 13 cm，宽 1 ～ 2 cm，先端急尖或狭尖，基部楔形，上面近无毛，下面沿叶脉具短伏毛，边缘具缘毛；叶柄短或近无柄；托叶鞘筒状，长 7 ～ 8 mm，疏生柔毛，先端截形，缘毛长 6 ～ 7 mm。总状花序呈穗状，顶生或腋生，细弱，下部间断，直立，长 2 ～ 4 cm；苞片漏斗状，无毛，边缘具长缘毛，每苞片内具 5 ～ 6 花；花梗长 2 ～ 2.5 mm，与苞片近等长；花被 5 深裂，淡红色或紫红色，花被片椭圆形，长

1.5 ~ 2 mm；雄蕊 6 ~ 8；花柱 3，中下部合生，柱头头状。瘦果宽卵形，具 3 棱，黑色，有光泽，长约 2 mm，包于宿存花被内。花期 6 ~ 8 月，果期 7 ~ 9 月。

| 生境分布 | 生于海拔 30 ~ 3 000 m 的山谷水边、河边草地。分布于河北抚宁、阜平、行唐等。

| 资源情况 | 野生资源一般。药材主要来源于栽培。

| 采收加工 | 夏、秋季间采收，晾干。

| 功能主治 | 辛，温。用于肠炎，细菌性痢疾，无名肿毒，阴疽，瘰疬，毒蛇咬伤，风湿痹痛。

| 用法用量 | 内服煎汤，9 ~ 30 g。外用适量，捣敷；或煎汤洗。

蓼科 Polygonaceae 蓼属 Polygonum

刺蓼
Polygonum senticosum (Meisn.) Franch. et Sav.

| 植物别名 |

廊茵。

| 药 材 名 |

廊茵（药用部位：全草。别名：红大老鸦酸草、石宗草、蛇不钻）。

| 形态特征 |

一年生攀缘草本。茎攀缘，长 1 ~ 1.5 m，多分枝，被短柔毛，四棱形，沿棱具倒生皮刺。叶片三角形或长三角形，长 4 ~ 8 cm，宽 2 ~ 7 cm，先端急尖或渐尖，基部戟形，两面被短柔毛，下面沿叶脉具稀疏的倒生皮刺，边缘具缘毛；叶柄粗壮，长 2 ~ 7 cm，具倒生皮刺；托叶鞘筒状，边缘具叶状翅，翅肾状圆形，草质，绿色，具短缘毛。花序头状，顶生或腋生，花序梗分枝，密被短腺毛；苞片长卵形，淡绿色，边缘膜质，具短缘毛，每苞片内具 2 ~ 3 花；花梗粗壮，比苞片短；花被 5 深裂，淡红色，花被片椭圆形，长 3 ~ 4 mm；雄蕊 8，成 2 轮，比花被短；花柱 3，中下部合生；柱头头状。瘦果近球形，微具 3 棱，黑褐色，无光泽，长 2.5 ~ 3 mm，包于宿存花被内。花期 6 ~ 7 月，果期 7 ~ 9 月。

| 生境分布 | 生于海拔 120 ~ 1 500 m 的山坡、山谷及林下。分布于河北青龙、涿鹿、兴隆等。

| 资源情况 | 野生资源一般。药材主要来源于野生。

| 采收加工 | 夏、秋季采收，洗净，鲜用或晒干。

| 功能主治 | 苦、酸、微辛，平。解毒消肿，利湿止痒。用于湿疹，黄水疮，疔疮，痈疖，蛇咬伤。

| 用法用量 | 内服煎汤，15 ~ 30 g；或研末，1.5 ~ 3 g。外用适量，鲜品捣敷；或榨汁涂；或煎汤洗。

蓼科 Polygonaceae 蓼属 Polygonum

杠板归
Polygonum perfoliatum L.

| 植物别名 | 贯叶蓼、刺犁头、河白草。

| 药材名 | 杠板归（药用部位：地上部分）。

| 形态特征 | 一年生草本。茎攀缘，多分枝，长 1 ～ 2 m，具纵棱，沿棱具稀疏的倒生皮刺。叶三角形，长 3 ～ 7 cm，宽 2 ～ 5 cm，先端钝或微尖，基部截形或微心形，薄纸质，上面无毛，下面沿叶脉疏生皮刺；叶柄与叶片近等长，具倒生皮刺，盾状着生于叶片的近基部；托叶鞘叶状，草质，绿色，圆形或近圆形，穿叶，直径 1.5 ～ 3 cm。总状花序呈短穗状，不分枝，顶生或腋生，长 1 ～ 3 cm；苞片卵圆形，每苞片内具 2 ～ 4 花；花被 5 深裂，白色或淡红色，花被片椭圆形，长约 3 mm，果时增大，呈肉质，深蓝色；雄蕊 8，略短于花被；花

柱 3，中上部合生，柱头头状。瘦果球形，直径 3 ～ 4 mm，黑色，有光泽，包于宿存花被内。花期 6 ～ 8 月，果期 7 ～ 10 月。

| 生境分布 | 生于海拔 80 ～ 2 300 m 的田边、路旁、山谷湿地。分布于河北昌黎、抚宁、灵寿等。

| 资源情况 | 野生资源一般。药材来源于栽培。

| 采收加工 | 夏季开花时采割，晒干。

| 药材性状 | 本品茎略呈方柱形，有棱角，多分枝，直径可达 2 mm；表面紫红色或紫棕色，棱角上有倒生钩刺，节略膨大，节间长 2 ～ 6 cm，断面纤维性，黄白色，有髓或中空。叶互生，有长柄，盾状着生；叶片多皱缩，展平后呈近等边三角形，灰绿色至红棕色，下表面叶脉和叶柄均有倒生钩刺；托叶鞘包于茎节上或脱落。短穗状花序顶生或生于上部叶腋，苞片圆形，花小，多萎缩或脱落。气微，茎味淡，叶味酸。

| 功能主治 | 酸，微寒。归肺、膀胱经。清热解毒，利水消肿，止咳。用于咽喉肿痛，肺热咳嗽，小儿顿咳，水肿尿少，湿热泻痢，湿疹，疖肿，蛇虫咬伤。

| 用法用量 | 外用，15 ～ 30 g，煎汤熏洗。

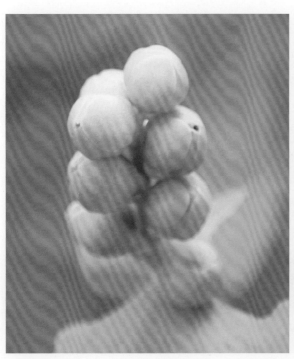

蓼科 Polygonaceae 蓼属 Polygonum

红蓼
Polygonum orientale L.

| 植物别名 | 狗尾巴花、东方蓼、荭草。

| 药 材 名 | 水红花子（药用部位：果实）。

| 形态特征 | 一年生草本。茎直立，粗壮，高 1 ~ 2 m，上部多分枝，密被开展的长柔毛。叶宽卵形、宽椭圆形或卵状披针形，长 10 ~ 20 cm，宽 5 ~ 12 cm，先端渐尖，基部圆形或近心形，微下延，全缘，密生缘毛，两面密生短柔毛，叶脉上密生长柔毛；叶柄长 2 ~ 10 cm，具展开的长柔毛；托叶鞘筒状，膜质，长 1 ~ 2 cm，被长柔毛，具长缘毛，通常沿先端具草质、绿色的翅。总状花序呈穗状，顶生或腋生，长 3 ~ 7 cm；花紧密，微下垂，通常数个组成圆锥状；苞片宽漏斗状，长 3 ~ 5 mm，草质，绿色，被短柔毛，边缘具长缘毛，

每苞片内具 3 ~ 5 花；花梗比苞片长；花被 5 深裂，淡红色或白色；花被片椭圆形，长 3 ~ 4 mm；雄蕊 7，比花被长；花盘明显；花柱 2，中下部合生，比花被长，柱头头状。瘦果近圆形，双凹，直径长 3 ~ 3.5 mm，黑褐色，有光泽，包于宿存花被内。花期 6 ~ 9 月，果期 8 ~ 10 月。

| 生境分布 | 生于海拔 30 ~ 2 700 m 的沟边湿地、村边路旁。分布于河北赤城、磁县、张北等。

| 资源情况 | 野生资源一般。药材来源于栽培。

| 采收加工 | 秋季果实成熟时割取果穗，晒干，打下果实，除去杂质。

| 药材性状 | 本品呈扁圆形，直径 2 ~ 3.5 mm，厚 1 ~ 1.5 mm。表面棕黑色，有的红棕色，有光泽，两面微凹，中部略有线状纵向隆起，先端有刺状凸起的柱基，基部有浅棕色、略凸起的果柄痕，有的有膜质花被残留。内有 1 黄白色扁圆形种子，先端凸起，另一端有棕色圆形种脐；胚乳粉质，类白色，胚细小，弯曲，略呈环状。质硬。气微，味淡。以粒大、饱满、色棕黑者为佳。

| 功能主治 | 咸，微寒；有小毒。归肝、胃经。散血消癥，消积止痛，利水消肿。用于癥瘕痞块，瘿瘤，食积不消，胃脘胀痛，水肿腹水。

| 用法用量 | 内服煎汤，3 ~ 9 g。

| 附　　注 | 本种在河北的平原与山区均有分布，但在西部分布较多，多为野生，西部山区河流、溪流丰富，野生植被保存较为完好，适宜本种生长，本种在此地区呈大片丛生。东部平原地区的土地多已开垦为农田，本种零星分布，不成规模。

蓼科 Polygonaceae 蓼属 Polygonum

戟叶蓼
Polygonum thunbergii Sieb. et Zucc.

| 植物别名 |

鹿蹄草、藏氏蓼、水麻芍。

| 药 材 名 |

水麻芍（药用部位：全草。别名：藏氏蓼、
凹叶蓼、水犁壁草）。

| 形态特征 |

一年生草本。茎直立或上升，具纵棱，沿棱
具倒生皮刺，基部外倾，节部生根，高 30 ~
90 cm。叶戟形，长 4 ~ 8 cm，宽 2 ~ 4 cm，
先端渐尖，基部截形或近心形，两面疏生刺
毛，极少具稀疏的星状毛，边缘具短缘毛，
中部裂片卵形或宽卵形，侧生裂片较小，卵
形，叶柄长 2 ~ 5 cm，具倒生皮刺，通常具
狭翅；托叶鞘膜质，边缘具叶状翅，翅近全
缘，具粗缘毛。花序头状，顶生或腋生，分枝，
花序梗具腺毛及短柔毛；苞片披针形，先端
渐尖，边缘具缘毛，每苞片内具 2 ~ 3 花；
花梗无毛，比苞片短；花被 5 深裂，淡红色
或白色，花被片椭圆形，长 3 ~ 4 mm；雄
蕊 8，2 轮，比花被短；花柱 3，中下部合生，
柱头头状。瘦果宽卵形，具 3 棱，黄褐色，
无光泽，长 3 ~ 3.5 mm，包于宿存花被内。
花期 7 ~ 9 月，果期 8 ~ 10 月。

| 生境分布 | 生于海拔 90 ~ 2 400 m 的山谷湿地、山坡草丛。分布于河北涞源、平山、兴隆等。

| 资源情况 | 野生资源一般。药材主要来源于栽培。

| 采收加工 | 夏、秋季采收，鲜用或晒干。

| 功能主治 | 辛、苦，寒。归胃经。祛风清热，活血止痛。用于风热头痛，咳嗽，恶性肿瘤，痢疾，跌打伤痛，干血痨。

| 用法用量 | 内服煎汤，9 ~ 15 g。外用适量，研末调敷。

蓼科 Polygonaceae 蓼属 Polygonum

箭叶蓼

Polygonum sieboldii Meisn.

| 植物别名 |

倒刺林、荞麦刺、长野荞麦草。

| 药 材 名 |

雀翘（药用部位：全草。别名：去母、更生、长野荞麦草）。

| 形态特征 |

一年生草本。茎基部外倾，上部近直立，有分枝，无毛，四棱形，沿棱具倒生皮刺。叶宽披针形或长圆形，长 2.5 ~ 8 cm，宽 1 ~ 2.5 cm，先端急尖，基部箭形，上面绿色，下面淡绿色，两面无毛，下面沿中脉具倒生短皮刺，全缘，无缘毛；叶柄长 1 ~ 2 cm，具倒生皮刺；托叶鞘膜质，偏斜，无缘毛，长 0.5 ~ 1.3 cm。花序头状，通常成对，顶生或腋生，花序梗细长，疏生短皮刺；苞片椭圆形，先端急尖，背部绿色，边缘膜质，每苞片内具 2 ~ 3 花；花梗短，长 1 ~ 1.5 mm，比苞片短；花被 5 深裂，白色或淡紫红色，花被片长圆形，长约 3 mm；雄蕊 8，比花被短；花柱 3，中下部合生。瘦果宽卵形，具 3 棱，黑色，无光泽，长约 2.5 mm，包于宿存花被内。花期 6 ~ 9 月，果期 8 ~ 10 月。

| **生境分布** | 生于海拔 90 ～ 2 200 m 的山谷、沟旁、水边。分布于河北抚宁、滦平、平泉等。河北有栽培。 |

| **资源情况** | 野生资源一般。药材主要来源于野生。 |

| **采收加工** | 夏、秋季采收，扎成束，鲜用或阴干。 |

| **功能主治** | 辛、苦，平。祛风除湿，清热解毒。用于风湿关节疼痛，疮痈疔肿，泄泻，痢疾，毒蛇咬伤。 |

| **用法用量** | 内服煎汤，6 ～ 15 g，鲜品 15 ～ 30 g；或捣汁。外用适量，煎汤熏洗；或鲜品捣敷。 |

蓼科 Polygonaceae 蓼属 Polygonum

两栖蓼 *Polygonum amphibium* L.

| **植物别名** | 水荭、天蓼。

| **药材名** | 两栖蓼（药用部位：全草）。

| **形态特征** | 多年生草本，根茎横走。生于水中者茎漂浮，无毛，节部生不定根；叶长圆形或椭圆形，浮于水面，长 5 ~ 12 cm，宽 2.5 ~ 4 cm，先端钝或微尖，基部近心形，两面无毛，全缘，无缘毛；叶柄长 0.5 ~ 3 cm，自托叶鞘近中部发出；托叶鞘筒状，薄膜质，长 1 ~ 1.5 cm，先端截形，无缘毛。生于陆地者茎直立，不分枝或自基部分枝，高 40 ~ 60 cm；叶披针形或长圆状披针形，长 6 ~ 14 cm，宽 1.5 ~ 2 cm，先端急尖，基部近圆形，两面被短硬伏毛，全缘，具缘毛；叶柄长 3 ~ 5 mm，自托叶鞘中部发出；托叶鞘筒状，膜质，长

1.5 ~ 2 cm，疏生长硬毛，先端截形，具短缘毛。总状花序呈穗状，顶生或腋生，长 2 ~ 4 cm；苞片宽漏斗状；花被 5 深裂，淡红色或白色，花被片长椭圆形，长 3 ~ 4 mm；雄蕊通常 5，比花被短；花柱 2，比花被长，柱头头状。瘦果近圆形，双凸透镜状，直径 2.5 ~ 3 mm，黑色，有光泽，包于宿存花被内。花期 7 ~ 8 月，果期 8 ~ 9 月。

| **生境分布** | 生于海拔 50 ~ 700 m 的湖泊边缘浅水中、沟边及田边湿地。分布于河北昌黎、抚宁、沙河等。

| **资源情况** | 野生资源一般。药材主要来源于野生。

| **采收加工** | 夏、秋季采收，洗净，晒干。

| **药材性状** | 本品生于水中者茎横走，节部生根；叶有长柄，柄自托叶鞘中部以上伸出；叶片矩圆形，先端钝，基部通常为心形。生于陆地者茎直立，不分枝；叶有短柄；叶片宽披针形，密生短硬毛，先端急尖，基部近圆形；托叶鞘筒状，先端截形。花序穗状，顶生或腋生；苞片三角形；花淡红色或白色；花被 5 深裂；雄蕊 5；花柱 2，伸出花被外。瘦果近圆形，两面凸出，黑色，有光泽。

| **功能主治** | 苦，平。清热利湿，解毒。用于脚浮肿，痢疾，尿血，潮热，多汗，疔疮，无名肿毒。

| **用法用量** | 内服煎汤，9 ~ 15 g。外用适量，鲜品捣敷。

蓼科 Polygonaceae 蓼属 Polygonum

尼泊尔蓼 *Polygonum nepalense* Meisn.

| 植物别名 | 野荞麦草、头状蓼。

| 药 材 名 | 猫儿眼睛（药用部位：全草。别名：小猫眼、野荞子）。

| 形态特征 | 一年生草本。茎外倾或斜上，自基部多分枝，无毛或在节部疏生腺毛，高 20 ~ 40 cm。茎下部叶卵形或三角状卵形，长 3 ~ 5 cm，宽 2 ~ 4 cm，先端急尖，基部宽楔形，沿叶柄下延成翅，两面无毛或疏被刺毛，疏生黄色透明腺点；茎上部叶较小，叶柄长 1 ~ 3 cm，或近无柄，抱茎；托叶鞘筒状，长 5 ~ 10 mm，膜质，淡褐色，先端斜截形，无缘毛，基部具刺毛。花序头状，顶生或腋生，基部常具 1 叶状总苞片，花序梗细长，上部具腺毛；苞片卵状椭圆形，通常无毛，边缘膜质，每苞片内具 1 花；花梗比苞片短；花被通常 4 裂，

淡紫红色或白色，花被片长圆形，长 2 ~ 3 mm，先端圆钝；雄蕊 5 ~ 6，与花被近等长，花药暗紫色；花柱 2，下部合生，柱头头状。瘦果宽卵形，双凸透镜状，长 2 ~ 2.5 mm，黑色，密生洼点，无光泽，包于宿存花被内。花期 5 ~ 8 月，果期 7 ~ 10 月。

| 生境分布 | 生于海拔 1 600 ~ 3 600 m 的山坡草地、沟谷湿地、溪旁路边。分布于河北平泉、涉县、武安等。

| 资源情况 | 野生资源丰富。药材主要来源于野生。

| 采收加工 | 夏、秋季间采收，晾干。

| 功能主治 | 苦、酸，寒。清热解毒，除湿通络。用于咽喉肿痛，目赤，牙龈肿痛，赤白痢疾，风湿痹痛。

| 用法用量 | 内服煎汤，9 ~ 15 g。

蓼科 Polygonaceae 蓼属 Polygonum

拳参
Polygonum bistorta L.

| 植物别名 |

拳蓼。

| 药 材 名 |

拳参（药用部位：根茎）。

| 形态特征 |

多年生草本。根茎肥厚，直径 1 ~ 3 cm，弯曲，黑褐色。茎直立，高 50 ~ 90 cm，不分枝，无毛，通常 2 ~ 3 自根茎发出。基生叶宽披针形或狭卵形，纸质，长 4 ~ 18 cm，宽 2 ~ 5 cm，先端渐尖或急尖，基部截形或近心形，沿叶柄下延成翅，两面无毛或下面被短柔毛，边缘外卷，微呈波状，叶柄长 10 ~ 20 cm；茎生叶披针形或线形，无柄；托叶筒状，膜质，下部绿色，上部褐色，先端偏斜，开裂至中部，无缘毛。总状花序呈穗状，顶生，长 4 ~ 9 cm，直径 0.8 ~ 1.2 cm，紧密；苞片卵形，先端渐尖，膜质，淡褐色，中脉明显，每苞片内含 3 ~ 4 花；花梗细弱，开展，长 5 ~ 7 mm，比苞片长；花被 5 深裂，白色或淡红色，花被片椭圆形，长 2 ~ 3 mm；雄蕊 8；花柱 3，柱头头状。瘦果椭圆形，两端尖，褐色，有光泽，长约 3.5 mm，稍长于宿存花被。花期 6 ~ 7 月，果期 8 ~ 9 月。

| **生境分布** | 生于海拔 800 ～ 3 000 m 的山坡草地、山顶草甸。分布于河北迁安、迁西、青龙等。

| **资源情况** | 野生资源丰富。药材主要来源于野生。

| **采收加工** | 春初发芽时或秋季茎叶将枯萎时采挖，除去泥沙，晒干，除去须根。

| **药材性状** | 本品呈扁长条形或扁圆柱形而弯曲，两端略尖，或一端渐细，有的对卷弯曲，长 6 ～ 13 cm，直径 1 ～ 2.5 cm。表面紫褐色或紫黑色，粗糙，一面隆起，另一面稍平坦或略具凹槽，全体密具粗环纹，有残留须根或根痕。质硬，断面浅棕红色或棕红色，维管束呈黄白色点状，排列成环。无臭，味苦、涩。

| **功能主治** | 苦、涩，微寒。归肝、大肠经。清热解毒，消肿，止血。用于赤痢，热泻，肺热咳嗽，痈肿，瘰疬。

| **用法用量** | 内服煎汤，5 ～ 10 g。外用适量。

蓼科 Polygonaceae 蓼属 Polygonum

水蓼
Polygonum hydropiper L.

| 植物别名 | 辣柳菜、辣蓼。

| 药 材 名 | 水蓼（药用部位：全草）。

| 形态特征 | 一年生草本，高 40 ~ 70 cm。茎直立，多分枝，无毛，节部膨大。叶披针形或椭圆状披针形，长 4 ~ 8 cm，宽 0.5 ~ 2.5 cm，先端渐尖，基部楔形，全缘，具缘毛，两面无毛，被褐色小点，有时沿中脉具短硬伏毛，具辛辣味，叶腋具闭花受精花；叶柄长 4 ~ 8 mm；托叶鞘筒状，膜质，褐色，长 1 ~ 1.5 cm，疏生短硬伏毛，先端截形，具短缘毛，通常托叶鞘内藏花簇。总状花序呈穗状，顶生或腋生，长 3 ~ 8 cm，通常下垂；花稀疏，下部间断；苞片漏斗状，长 2 ~ 3 mm，绿色，边缘膜质，疏生短缘毛，每苞片内具 3 ~ 5 花；

花梗比苞片长；花被 5 深裂，稀 4 裂，绿色，上部白色或淡红色，被黄褐色透明腺点，花被片椭圆形，长 3 ～ 3.5 mm；雄蕊 6，稀 8，比花被短；花柱 2 ～ 3，柱头头状。瘦果卵形，长 2 ～ 3 mm，双凸透镜状或具 3 棱，密被小点，黑褐色，无光泽，包于宿存花被内。花期 5 ～ 9 月，果期 6 ～ 10 月。

| 生境分布 | 生于海拔 50 ～ 3 500 m 的河滩、水沟边、山谷湿地。分布于河北昌黎、赤城、阜平等。

| 资源情况 | 野生资源丰富。药材主要来源于野生。

| 采收加工 | 7 ～ 8 月花期采收，铺地晒干或鲜用。

| 药材性状 | 本品茎红褐色至红紫色，有浅纵皱纹，节部膨大；质坚而脆，断面稍呈纤维性，皮部菲薄，浅砖红色，木部白色，中空。叶片干枯，灰绿色或黄棕色，多皱缩破碎；托叶鞘筒状，棕黄色，常破裂。有时带花序，花多数脱落，花蕾粒状。味辛辣。

| 功能主治 | 辛、苦，平。归脾、胃、大肠经。行滞化湿，散瘀止血，祛风止痒，解毒。用于湿滞内阻，脘闷腹痛，泄泻，痢疾，小儿疳积，崩漏，血滞闭经，痛经，跌打损伤，风湿痹痛，便血，外伤出血，皮肤瘙痒，湿疹，风疹，足癣，痈肿，毒蛇咬伤。

| 用法用量 | 内服煎汤，15 ～ 30 g，鲜品 30 ～ 60 g；或捣汁。外用适量，煎汤洗；或捣敷。

蓼科 Polygonaceae 蓼属 Polygonum

酸模叶蓼 *Polygonum lapathifolium* L.

| 植物别名 |

蓼草、大马蓼。

| 药材名 |

鱼蓼（药用部位：全草）。

| 形态特征 |

一年生草本。茎直立，高40～90 cm，具分枝，光滑，无毛。叶互生，有柄；叶片披针形至宽披针形，无毛，全缘，边缘具粗硬毛，叶面常具新月形黑褐色斑块；托叶鞘筒状。花序穗状，顶生或腋生，数个排列成圆锥状；花被淡红色或白色，4（～5）深裂，花被片椭圆形，脉粗壮，先端叉分，外弯；雄蕊通常6。瘦果宽卵形，两面凹，长2～3 mm，黑褐色，有光泽，包于宿存花被内。花期6～8月，果期7～9月。

| 生境分布 |

生于海拔30～3 900 m的田边、路旁、水边、荒地或沟边湿地。分布于河北易县、赞皇、张北等。

| 资源情况 |

野生资源丰富。药材主要来源于野生。

| **采收加工** | 夏、秋季间采收，晒干。

| **药材性状** | 本品茎圆柱形，褐色或浅绿色，无毛，常具紫色斑点。叶片卷曲，展平后呈披针形或长圆状披针形，长 7 ~ 15 cm，宽 1 ~ 3 cm，先端渐尖，基部楔形，主脉及叶缘具刺伏毛；托叶鞘筒状，膜质，无毛。花序圆锥状，由数个花穗组成；苞片漏斗状，内具数花；花被通常 4 裂，淡绿色或粉红色，具腺点；雄蕊 6；花柱 2，向外弯曲。瘦果卵圆形，侧扁，两面微凹，黑褐色，有光泽，直径 2 ~ 3 mm，包于宿存花被内。气微，味微涩。

| **功能主治** | 辛、苦，微温。解毒，除湿，活血。用于疮疡肿痛，瘰疬，腹泻，痢疾，湿疹，疳积，风湿痹痛，跌打损伤，月经不调。

| **用法用量** | 内服煎汤，3 ~ 10 g。外用适量，捣敷；或煎汤洗。

蓼科 Polygonaceae 蓼属 Polygonum

头花蓼
Polygonum capitatum Buch.-Ham. ex D. Don

| 植物别名 | 草石椒。

| 药 材 名 | 头花蓼（药用部位：全草或地上部分。别名：四季红）。

| 形态特征 | 多年生草本。茎匍匐，丛生，基部木质化，节部生根，节间比叶片短，多分枝，疏生腺毛或近无毛，一年生枝近直立，具纵棱，疏生腺毛。叶卵形或椭圆形，长 1.5 ~ 3 cm，宽 1 ~ 2.5 cm，先端尖，基部楔形，全缘，边缘具腺毛，两面疏生腺毛，上面有时具黑褐色新月形斑点；叶柄长 2 ~ 3 mm，基部有时具叶耳；托叶鞘筒状，膜质，长 5 ~ 8 mm，松散，具腺毛，先端截形，有缘毛。花序头状，直径 6 ~ 10 mm，单生或成对，顶生；花序梗具腺毛；苞片长卵形，膜质；花梗极短；花被 5 深裂，淡红色，花被片椭圆形，长

2 ~ 3 mm；雄蕊 8，比花被短；花柱 3，中下部合生，与花被近等长，柱头头状。瘦果长卵形，具 3 棱，长 1.5 ~ 2 mm，黑褐色，密生小点，微有光泽，包于宿存花被内。花期 6 ~ 9 月，果期 8 ~ 10 月。

| **生境分布** | 生于海拔 600 ~ 3 500 m 的山坡、山谷湿地，常成片生长。分布于河北阜平、武安等。

| **资源情况** | 野生资源丰富。药材主要来源于野生。

| **采收加工** | 春、夏、秋季采收，鲜用或晒干。

| **药材性状** | 本品茎呈圆柱形，红褐色，节处略膨大并着生柔毛，断面中空。叶互生，多皱缩，完整叶片展平后呈椭圆形，长 1.5 ~ 3 cm，宽 1 ~ 2 cm，先端钝尖，基部楔形，全缘，具红色缘毛，上表面绿色，常有"人"字形红晕，下表面绿色带紫红色，两面均被褐色疏柔毛；叶柄短或近无，基部有草质耳状片；托叶鞘筒状，膜质。头状花序顶生或腋生；花被 5 裂；雄蕊 8。瘦果卵形，具 3 棱，黑色。气微，味微苦、涩。

| **功能主治** | 苦、辛，凉。归肾、膀胱经。清热利湿，解毒散瘀，利尿通淋。用于痢疾，肾盂肾炎，膀胱炎，尿路结石，盆腔炎，前列腺炎，风湿痛，跌打损伤，疮疡湿疹。

| **用法用量** | 内服煎汤，10 ~ 30 g。外用适量，煎汤洗。

蓼科 Polygonaceae 蓼属 Polygonum

西伯利亚蓼 *Polygonum sibiricum* Laxm.

| **植物别名** | 剪刀股、野茶、驴耳朵。

| **药 材 名** | 西伯利亚蓼（药用部位：根茎。别名：剪刀股、野茶、驴耳朵）。

| **形态特征** | 多年生草本，高 10 ~ 25 cm。根茎细长。茎外倾或近直立，自基部分枝，无毛。叶片长椭圆形或披针形，无毛，长 5 ~ 13 cm，宽0.5 ~ 1.5 cm，先端急尖或钝，基部戟形或楔形，全缘；叶柄长 8 ~15 mm；托叶鞘筒状，膜质，上部偏斜，开裂，无毛，易破裂。花序圆锥状，顶生；花排列稀疏，通常间断；苞片漏斗状，无毛，通常每苞片内具 4 ~ 6 花；花梗短，中上部具关节；花被 5 深裂，黄绿色，花被片长圆形，长约 3 mm；雄蕊 7 ~ 8，稍短于花被，花丝基部较宽；花柱 3，较短，柱头头状。瘦果卵形，具 3 棱，黑色，

有光泽，包于宿存的花被内或凸出。花果期 6 ~ 9 月。

| 生境分布 | 生于海拔 30 ~ 5 100 m 的路边、湖边、河滩、山谷湿地、砂质盐碱地。分布于河北赤城、沽源、张北等。

| 资源情况 | 野生资源丰富。药材主要来源于野生。

| 采收加工 | 秋季采挖，除去泥土及杂质，洗净，晾干。

| 功能主治 | 微辛、苦，微寒。疏风清热，利水消肿。用于目赤肿痛，皮肤湿痒，水肿，腹水。

| 用法用量 | 内服研末，3 g。外用适量，煎汤洗。

蓼科 Polygonaceae 蓼属 Polygonum

支柱蓼

Polygonum suffultum Maxim.

| **植物别名** | 红三七、赶山鞭、草留居。

| **药 材 名** | 红三七（药用部位：根茎。别名：扭子七、算盘七、九龙盘）。

| **形态特征** | 多年生草本。根茎粗壮，通常呈念珠状，黑褐色。茎直立或斜上，细弱，上部分枝或不分枝，通常数条自根茎发，高 10 ~ 40 cm。基生叶卵形或长卵形，长 5 ~ 12 cm，宽 3 ~ 6 cm，先端渐尖或急尖，基部心形，全缘，疏生短缘毛，两面无毛或疏生短柔毛，叶柄长 4 ~ 15 cm；茎生叶卵形，较小，具短柄，最上部的叶无柄，抱茎；托叶鞘膜质，筒状，褐色，长 2 ~ 4 cm，先端偏斜，开裂，无缘毛。总状花序呈穗状，紧密，顶生或腋生，长 1 ~ 2 cm；苞片膜质，长卵形，先端渐尖，长约 3 mm，每苞片内具 2 ~ 4 花；花梗细弱，长 2 ~

2.5 mm，比苞片短；花被 5 深裂，白色或淡红色，花被片倒卵形或椭圆形，长 3 ~ 3.5 mm；雄蕊 8，比花被长；花柱 3，基部合生，柱头头状。瘦果宽椭圆形，具 3 锐棱，长 3.5 ~ 4 mm，黄褐色，有光泽，稍长于宿存花被。花期 6 ~ 7 月，果期 7 ~ 10 月。

| **生境分布** | 生于海拔 1 300 ~ 4 000 m 的山坡林缘、山谷湿地。分布于河北阜平、灵寿、涉县等。

| **资源情况** | 野生资源丰富。药材主要来源于野生。

| **采收加工** | 秋季采挖，除去须根及杂质，洗净，晾干。

| **药材性状** | 本品呈扁圆柱形而弯曲，常对折卷曲成弯虾形，长 2 ~ 5 cm，直径 0.5 ~ 1.2 cm。表面黑褐色，粗糙，一面稍隆起，另一面具凹槽或稍平，具层状粗环纹及未除净的须根或残留的白色须根痕，有的先端具褐色纤维状叶柄残基。质坚硬，折断面平坦，粉紫红色或红棕色，近边缘有白色小点（维管束）断续排列成环。气微，味苦、涩。

| **功能主治** | 苦、涩，凉。归肝、脾经。止血止痛，活血调经，除湿清热。用于跌打伤痛，外伤出血，吐血，便血，崩漏，月经不调，赤白带下，湿热下痢，痈疮。

| **用法用量** | 内服煎汤，9 ~ 15 g；或研末，6 ~ 9 g；或浸酒。外用适量，研末调敷。

蓼科 Polygonaceae 荞麦属 Fagopyrum

金荞麦 *Fagopyrum dibotrys* (D. Don) Hara

| 植物别名 | 土荞麦、野荞麦、苦荞头。

| 药 材 名 | 金荞麦（药用部位：根茎）。

| 形态特征 | 多年生草本。根茎木质化，黑褐色。茎直立，高 50 ~ 100 cm，分枝，具纵棱，无毛，有时一侧沿棱被柔毛。叶三角形，长 4 ~ 12 cm，宽 3 ~ 11 cm，先端渐尖，基部近戟形，全缘，两面具乳头状突起或被柔毛；叶柄长可达 10 cm；托叶鞘筒状，膜质，褐色，长 5 ~ 10 mm，偏斜，先端截形，无缘毛。花序伞房状，顶生或腋生；苞片卵状披针形，先端尖，边缘膜质，长约 3 mm，每苞片内具 2 ~ 4 花；花梗中部具关节，与苞片近等长；花被 5 深裂，白色，花被片长椭圆形，长约 2.5 mm；雄蕊 8，比花被短；花柱 3，柱头头状。

瘦果宽卵形，具 3 锐棱，长 6 ~ 8 mm，黑褐色，无光泽，超出宿存花被 2 ~ 3 倍。花期 7 ~ 9 月，果期 8 ~ 10 月。

| **生境分布** | 生于海拔 500 ~ 3 000 m 的山谷湿地、山坡灌丛。分布于河北灵寿、平山、张北等。

| **资源情况** | 野生资源一般。药材来源于栽培。

| **采收加工** | 冬季采挖，除去茎及须根，洗净，晒干。

| **药材性状** | 本品呈不规则团块状或圆柱状，常有瘤状分枝，先端有的有茎残基，长 3 ~ 15 cm，直径 1 ~ 4 cm。表面棕褐色，有横向环节及纵皱纹，密布点状皮孔，并有凹陷的圆形根痕及残存须根。质坚硬，不易折断，断面淡黄白色或淡棕红色，有放射状纹理，中央髓部色较深。气微，味微涩。

| **功能主治** | 微辛、涩，凉。归肺、胃、肝经。清热解毒，排脓祛瘀。用于肺痈吐脓，肺热喘咳，乳蛾肿痛。

| **用法用量** | 用水或黄酒隔水密闭炖服，15 ~ 45 g。

蓼科 Polygonaceae 荞麦属 Fagopyrum

苦荞麦 *Fagopyrum tataricum* (L.) Gaertn.

| 植物别名 |

菠麦、乌麦、花荞。

| 药 材 名 |

苦荞头（药用部位：根及根茎）。

| 形态特征 |

一年生草本。茎直立，高 30 ～ 70 cm，分枝，绿色或微紫色，有细纵棱，一侧具乳头状突起。叶宽三角形，长 2 ～ 7 cm，两面沿叶脉具乳头状突起，下部叶具长叶柄，上部叶较小，具短柄；托叶鞘偏斜，膜质，黄褐色，长约 5 mm。花序总状，顶生或腋生，花排列稀疏；苞片卵形，长 2 ～ 3 mm，每苞片内具 2 ～ 4 花，花梗中部具关节；花被5 深裂，白色或淡红色，花被片椭圆形，长约 2 mm；雄蕊 8，比花被短；花柱 3，短，柱头头状。瘦果长卵形，长 5 ～ 6 mm，具3 棱及 3 纵沟，上部棱角锐利，下部圆钝，有时具波状齿，黑褐色，无光泽，比宿存花被长。花期 6 ～ 9 月，果期 8 ～ 10 月。

| 生境分布 |

生于海拔 500 ～ 3 900 m 的田边、路旁、山坡、河谷。分布于河北行唐、涞源、平泉等。

| **资源情况** | 野生资源一般。药材来源于栽培。

| **采收加工** | 秋季采挖，洗净，晒干。

| **功能主治** | 甘，平；有小毒。归脾、胃、大肠经。健脾行滞，理气止痛，解毒消肿。用于胃脘胀痛，消化不良，痢疾，腰腿痛，跌打损伤，痈肿恶疮，狂犬咬伤。

| **用法用量** | 内服煎汤，10 ~ 15 g；或研末；或浸酒。

蓼科 Polygonaceae 荞麦属 Fagopyrum

荞麦
Fagopyrum esculentum Moench

| 植物别名 | 甜荞。

| 药 材 名 | 荞麦（药用部位：种子）。

| 形态特征 | 一年生草本。茎直立，高 30 ~ 90 cm，上部分枝，绿色或红色，具纵棱，无毛或于一侧沿纵棱具乳头状突起。叶三角形或卵状三角形，长 2.5 ~ 7 cm，宽 2 ~ 5 cm，先端渐尖，基部心形，两面沿叶脉具乳头状突起；下部叶具长叶柄，上部较小近无梗；托叶鞘膜质，短筒状，长约 5 mm，先端偏斜，无缘毛，易破裂脱落。花序总状或伞房状，顶生或腋生，花序梗一侧具小突起；苞片卵形，长约 2.5 mm，绿色，边缘膜质，每苞片内具 3 ~ 5 花；花梗比苞片长，无关节；花被 5 深裂，白色或淡红色，花被片椭圆形，长 3 ~ 4 mm；雄蕊 8，

比花被短，花药淡红色；花柱 3，柱头头状。瘦果卵形，具 3 锐棱，先端渐尖，长 5 ~ 6 mm，暗褐色，无光泽，比宿存花被长。花期 5 ~ 9 月，果期 6 ~ 10 月。

| **生境分布** | 生于荒地、路边。分布于河北阜平、平山、迁安等。

| **资源情况** | 野生资源丰富。药材主要来源于野生。

| **采收加工** | 霜降前后成熟时收割，打下种子，晒干。

| **药材性状** | 本品多为三棱形，稀二棱形或不规则多棱形。胚藏于胚乳内，具对生子叶。

| **功能主治** | 甘，凉。健脾除湿，消积降气。用于胃痛胃胀，消化不良，食欲不振，肠胃积滞，慢性泄泻等。

| **用法用量** | 内服适量，入丸、散剂；或制面食。外用适量，研末掺；或调敷。

蓼科 Polygonaceae 酸模属 Rumex

巴天酸模 *Rumex patientia* L.

植物别名

洋铁叶、洋铁酸模、牛舌头棵。

药 材 名

牛西西（药用部位：根。别名：羊蹄根、牛舌棵、野大救驾）。

形态特征

多年生草本。根肥厚，直径可达 3 cm。茎直立，粗壮，高 90 ～ 150 cm，上部分枝，具深沟槽。基生叶长圆形或长圆状披针形，长 15 ～ 30 cm，宽 5 ～ 10 cm，先端急尖，基部圆形或近心形，边缘波状；叶柄粗壮，长 5 ～ 15 cm；茎上部叶披针形，较小，具短叶柄或近无柄；托叶鞘筒状，膜质，长 2 ～ 4 cm，易破裂。花序圆锥状，大型；花两性；花梗细弱，中下部具关节；关节果时稍膨大，外花被片长圆形，长约 1.5 mm，内花被片果时增大，宽心形，长 6 ～ 7 mm，先端圆钝，基部深心形，近全缘，具网脉，全部或部分具小瘤；小瘤长卵形，通常不能全部发育。瘦果卵形，具 3 锐棱，先端渐尖，褐色，有光泽，长 2.5 ～ 3 mm。花期 5 ～ 6 月，果期 6 ～ 7 月。

| **生境分布** | 生于海拔 20 ~ 4 000 m 的沟边湿地、水边。分布于河北昌黎、赤城、抚宁等。

| **资源情况** | 野生资源丰富。药材主要来源于野生。

| **采收加工** | 全年均可采挖，洗净，切片，生用（晒干或鲜用）或酒制后用。

| **药材性状** | 本品呈类圆锥形，长 20 ~ 30 cm，直径约 3 cm，表皮棕黄色或灰黄色。根头部有茎基残余及棕黑色鳞片状物和须根。根部有分枝，表皮淡黄色，有纵皱纹和横向皮孔样疤痕。质坚韧，折断面淡黄色或灰黄色，纤维性甚强。气微，味苦、涩。

| **功能主治** | 苦、酸，寒；有小毒。凉血止血，清热解毒，通便杀虫。用于痢疾，泄泻，肝炎，跌打损伤，大便秘结，痈疮疥癣。

| **用法用量** | 内服煎汤，9 ~ 15 g。外用适量，鲜品捣烂或干品研细，调醋，外敷。

蓼科 Polygonaceae 酸模属 Rumex

长刺酸模 *Rumex trisetifer* Stokes

| 植物别名 | 海滨酸模、假菠菜。

| 药 材 名 | 野菠菜（药用部位：全草或根）。

| 形态特征 | 一年生草本。根粗壮，红褐色。茎直立，高 30 ~ 80 cm，褐色或红褐色，具沟槽，分枝开展。茎下部叶长圆形或披针状长圆形，长 8 ~ 20 cm，宽 2 ~ 5 cm，先端急尖，基部楔形，边缘波状，茎上部叶较小，狭披针形；叶柄长 1 ~ 5 cm；托叶鞘膜质，早落。花序总状，顶生和腋生，具叶，由数个再组成大型圆锥花序；花两性，多花轮生，上部较紧密，下部稀疏，间断；花梗细长，近基部具关节；花被片 6，2 轮，黄绿色，外花被片披针形，较小，内花被片果时增大，狭三角状卵形，长 3 ~ 4 mm，宽 1.5 ~ 2 mm（不包括

针刺），先端狭窄，急尖，基部截形，全部具小瘤，边缘每侧具 1 针刺，针刺长 3 ~ 4 mm，直伸或微弯。瘦果椭圆形，具 3 锐棱，两端尖，长 1.5 ~ 2 mm，黄褐色，有光泽。花期 5 ~ 6 月，果期 6 ~ 7 月。

| 生境分布 | 生于海拔 30 ~ 1 300 m 的田边湿地、水边、山坡草地。分布于河北昌黎等。

| 资源情况 | 野生资源一般。药材主要来源于野生。

| 采收加工 | 全年均可采收，鲜用或晒干。

| 药材性状 | 本品根粗大，单根或数根簇生，偶有分枝，表面棕褐色，断面黄色，味苦。茎粗壮。基生叶较大，叶具长柄，叶片披针形至长圆形，长可达 20 cm 以上，宽 1.5 ~ 4 cm，基部多为楔形；茎生叶叶柄短，叶片较小，先端急尖，基部圆形、截形或楔形，边缘波状折皱；托叶鞘筒状，膜质。圆锥花序，小花黄色或淡绿色。气微，味苦、涩。

| 功能主治 | 酸、苦，寒。凉血，解毒，杀虫。用于肺结核咯血，痔疮出血，痈疮肿毒，疥癣，皮肤瘙痒。

| 用法用量 | 内服煎汤，10 ~ 15 g，鲜品加倍。外用适量，捣敷；或煎汤洗。

蓼科 Polygonaceae 酸模属 *Rumex*

齿果酸模 *Rumex dentatus* L.

| 植物别名 |

齿果羊蹄、羊蹄大黄、牛舌棵子。

| 药材名 |

牛舌草（药用部位：叶）。

| 形态特征 |

一年生或多年生草本。茎直立，高 30 ~ 70 cm，多由基部分枝，枝斜升，具浅沟槽。茎下部叶长圆形或长椭圆形，长 4 ~ 12 cm，宽 1.5 ~ 3 cm，先端圆钝或急尖，基部圆形或近心形，边缘浅波状，茎上部叶较小；叶柄长 1.5 ~ 5 cm。花序总状，顶生和腋生，具叶，由数个再组成圆锥花序，长达 35 cm，多花，轮状排列，花轮间断；花梗中下部具关节；外花被片椭圆形，长约 2 mm；内花被片果时增大，三角状卵形，长 3.5 ~ 4 mm，宽 2 ~ 2.5 mm，先端急尖，基部近圆形，网纹明显，全部具小瘤，小瘤长 1.5 ~ 2 mm，边缘每侧具 2 ~ 4 刺状齿，齿长 1.5 ~ 2 mm。瘦果卵形，具 3 锐棱，长 2 ~ 2.5 mm，两端尖，黄褐色，有光泽。花期 5 ~ 6 月，果期 6 ~ 7 月。

| **生境分布** | 生于海拔 30 ~ 2 500 m 的沟边湿地、山坡路旁。分布于河北阜平、昌黎、涉县等。

| **资源情况** | 野生资源一般。药材主要来源于野生。

| **采收加工** | 4 ~ 5 月采收，鲜用或晒干。

| **药材性状** | 本品呈枯绿色，皱缩，展平后基生叶具长柄，叶片矩圆形或宽披针形，呈牛舌状，长 4 ~ 8 cm，宽 1.5 ~ 2.5 cm，全缘，先端钝圆，基部圆形；茎生叶较小，叶柄短，叶片披针形或长披针形。托叶鞘膜质，筒状。气微，味苦、涩。

| **功能主治** | 苦，寒。归胃、大肠经。清热解毒，杀虫止痒。用于乳痈，疮疡肿毒，疥癣。

| **用法用量** | 内服煎汤，3 ~ 10 g。外用适量，捣敷。

| **附　　注** | 本种与酸模的区别在于本种内花被片边缘有针刺状齿，酸模内花被片全缘；本种叶基部圆形，花两性，酸模叶基部箭形，花单性，雌雄异株。

蓼科 Polygonaceae 酸模属 Rumex

酸模
Rumex acetosa L.

| 植物别名 |

遏蓝菜、酸溜溜。

| 药 材 名 |

酸模（药用部位：根。别名：山大黄、当药、山羊蹄）。

| 形态特征 |

多年生草本。根为须根。茎直立，高 40 ~ 100 cm，具深沟槽，通常不分枝。基生叶和茎下部叶箭形，长 3 ~ 12 cm，宽 2 ~ 4 cm，先端急尖或圆钝，基部裂片急尖，全缘或微波状，叶柄长 2 ~ 10 cm；茎上部叶较小，具短叶柄或无柄；托叶鞘膜质，易破裂。花序狭圆锥状，顶生，分枝稀疏；花单性，雌雄异株；花梗中部具关节；花被片 6，成 2 轮，雄花内花被片椭圆形，长约 3 mm，外花被片较小，雄蕊 6；雌花内花被片果时增大，近圆形，直径 3.5 ~ 4 mm，全缘，基部心形，网脉明显，基部具极小的瘤，外花被片椭圆形，反折。瘦果椭圆形，具 3 锐棱，两端尖，长约 2 mm，黑褐色，有光泽。花期 5 ~ 7 月，果期 6 ~ 8 月。

| **生境分布** | 生于海拔 400 ～ 4 100 m 的山坡、林缘、沟边、路旁。分布于河北沽源、平山、迁西等。 |

| **资源情况** | 野生资源丰富。药材主要来源于野生。 |

| **采收加工** | 夏季采收，洗净，晒干或鲜用。 |

| **药材性状** | 本品根茎粗短，先端有残留的茎基，常数根簇生；根稍肥厚，长 3.5 ～ 7 cm，直径 1 ～ 6 mm，表面棕紫色或棕色，有细纵皱纹。质脆，易折断，断面棕黄色，粗糙，纤维性。气微，味微苦、涩。 |

| **功能主治** | 酸、苦，寒。凉血止血，泻热通便，利尿，杀虫。用于吐血，便血，月经过多，热痢，目赤，便秘，小便不利，淋浊，恶疮，疥癣，湿疹。 |

蓼科 Polygonaceae 酸模属 Rumex

羊蹄
Rumex japonicus Houtt.

| 植物别名 | 酸摸、酸模。

| 药 材 名 | 羊蹄（药用部位：根。别名：东方宿、连虫陆、鬼目）。

| 形态特征 | 多年生草本。茎直立，高 50 ~ 100 cm，上部分枝，具沟槽。基生叶长圆形或披针状长圆形，长 8 ~ 25 cm，宽 3 ~ 10 cm，先端急尖，基部圆形或心形，边缘微波状，下面沿叶脉具小突起；茎上部叶狭长圆形；叶柄长 2 ~ 12 cm；托叶鞘膜质，易破裂。花序圆锥状，花两性，多花轮生；花梗细长，中、下部具关节；花被片 6，淡绿色，外花被片椭圆形，长 1.5 ~ 2 mm，内花被片果时增大，宽心形，长 4 ~ 5 mm，先端渐尖，基部心形，网脉明显，边缘具不整齐的小齿，齿长 0.3 ~ 0.5 mm，全部具小瘤，小瘤长卵形，长 2 ~ 2.5 mm。瘦

果宽卵形，具 3 锐棱，长约 2.5 mm，两端尖，暗褐色，有光泽。花期 5 ~ 6 月，果期 6 ~ 7 月。

| 生境分布 | 生于海拔 30 ~ 3 400 m 的田边路旁、河滩、沟边湿地。分布于河北阜平、灵寿、平山等。

| 资源情况 | 野生资源一般。药材来源于栽培。

| 采收加工 | 春、秋季采挖，洗净，切片，晒干。

| 药材性状 | 本品为形状不甚规则的片，长径 2 ~ 4 cm，短径 1 ~ 2 cm，厚 2 ~ 3 mm，外表棕黑色至棕褐色，有纵皱纹。断面不平整，有的中心有空洞，肉眼可见明显的筋脉点。质脆。气微，味微苦、涩。

| 功能主治 | 苦，寒；有小毒。归心、肝、大肠经。清热解毒，凉血止血，杀虫止痒。用于大便秘结，吐血衄血，肠风便血，痔血，崩漏，疥癣，白秃疮，疮痈肿毒，跌打损伤。

| 用法用量 | 内服煎汤，9 ~ 15 g，鲜品 30 ~ 60 g。外用适量，煎汤洗；或捣敷。

蓼科 Polygonaceae 酸模属 Rumex

皱叶酸模 *Rumex crispus* L.

药材名

牛耳大黄（药用部位：根。别名：土大黄、四季菜根、牛耳大黄根）。

形态特征

多年生草本。根粗，有肥厚的直根，根外皮棕色，内面黄色。茎直立，高 50 ~ 120 cm，不分枝或上部分枝，具浅沟槽。基生叶和茎下部叶披针形或长圆状披针形，长 10 ~ 20 cm，宽 1.5 ~ 4 cm，先端急尖，基部楔形，边缘有波状皱纹，两面无毛，有叶柄；茎上部叶较小，披针形或狭披针形，叶柄长 3 ~ 10 cm；托叶鞘筒状，膜质，常易破裂脱落。花序狭圆锥状，顶生，较窄，花密生，分枝紧密，花序分枝近直立或上升；花两性，淡绿色；花梗细，中、下部具关节，关节果时稍膨大；花被片 6，2 轮，外轮 3 椭圆形，长约 1 mm，内轮 3 圆卵形，果时增大，网脉明显，先端尖，基部心形，全缘或稍有不明显的细波状齿，全部具小瘤，小瘤卵形，长 1.5 ~ 2 mm；雄蕊 6。瘦果卵形，先端急尖，具 3 锐棱，长约 2 mm，暗褐色，有光泽，包于宿存的内花被片内。花期 5 ~ 7 月，果期 7 ~ 9 月。

| 生境分布 |

生于海拔 30 ～ 2 500 m 的农田附近、河谷阶地、灌丛林缘、河滩、沟边湿地或荒地。分布于河北平泉、涉县、蔚县等。

| 资源情况 |

野生资源一般。药材主要来源于野生。

| 采收加工 |

4 ～ 5 月采挖，洗净，晒干或鲜用。

| 药材性状 |

本品呈类圆柱形，弯曲，长 20 ～ 35 cm，直径 2 ～ 4 cm，表皮黄色，根茎先端有茎基残痕和须根，中、下部表皮有横向皮孔样疤痕。质硬，易折断，断面淡黄色。

| 功能主治 |

苦、涩，寒。归心、肝、大肠经。清热解毒，凉血止血，通便杀虫。用于急、慢性肝炎，肠炎，痢疾，慢性支气管炎，吐血，衄血，便血，崩漏，热结便秘，痈疽肿毒，疥癣，白秃疮。

| 用法用量 |

内服煎汤，10 ～ 15 g。外用适量，捣敷；或磨汁涂；或煎汤洗。

蓼科 Polygonaceae 翼蓼属 Pteroxygonum

翼蓼

Pteroxygonum giraldii Damm. et Diels

| 植物别名 | 白药子、金荞仁、老驴蛋。

| 药材名 | 荞麦七（药用部位：块根。别名：白药子、金翘仁、石天荞）。

| 形态特征 | 多年生草本。块根粗壮，近圆形，直径可达 15 cm，横断面暗红色。茎攀缘，圆柱形，中空，具细纵棱，无毛或被疏柔毛，长可达 3 m。叶 2 ~ 4 簇生，叶片三角状卵形或三角形，长 4 ~ 7 cm，宽 3 ~ 6 cm，先端渐尖，基部宽心形或戟形，具 5 ~ 7 基出脉，上面无毛，下面沿叶脉疏生短柔毛，边缘具短缘毛；叶柄长 3 ~ 7 cm，无毛，通常基部卷曲；托叶鞘膜质，宽卵形，先端急尖，基部被短柔毛，长 4 ~ 6 mm。花序总状，腋生，直立，长 2 ~ 5 cm，花序梗粗壮，果时长可达 10 cm；苞片狭卵状披针形，淡绿色，长 4 ~ 6 mm，通常

每苞内具 3 花；花梗无毛，中下部具关节，长 5 ~ 8 mm；花被 5 深裂，白色，花被片椭圆形，长 3.5 ~ 4 mm；雄蕊 8，与花被近等长；花柱 3，中下部合生，柱头头状。瘦果卵形，黑色，具 3 锐棱，沿棱具黄褐色膜质翅，基部具 3 黑色角状附属物；果柄粗壮，长可达 2.5 cm，具 3 下延的狭翅。花期 6 ~ 8 月，果期 7 ~ 9 月。

| **生境分布** | 生于海拔 600 ~ 2 000 m 的河边、山谷河滩、山坡石缝、阴坡、灌丛。分布于河北阜平、平泉、涉县等。

| **资源情况** | 野生资源丰富。药材主要来源于野生。

| **采收加工** | 秋季采挖，除去茎叶及须根，洗净，切片，晒干。

| **药材性状** | 本品呈近圆柱形，长约 10 cm，直径 2 ~ 8 cm，根头部留有凸起的茎基或支根残基，凹凸不平，有的已切成块片。表面棕红色至棕色，光滑或皱缩，剖面可见纵横走向的维管束及纤维。质坚硬，难折断。气微，味苦。

| **功能主治** | 苦、涩、辛，凉。清热解毒，凉血止血，除湿止痛。用于咽喉肿痛，疮疖肿毒，烧伤，吐血，衄血，便血，崩漏，痢疾，泄泻，风湿痹痛。

| **用法用量** | 内服煎汤，6 ~ 15 g；或研末。外用适量，捣敷；或研末调敷。

商陆科 Phytolaccaceae 商陆属 *Phytolacca*

垂序商陆 *Phytolacca americana* L.

| 植物别名 |

美洲商陆、洋商陆、见肿消。

| 药 材 名 |

商陆（药用部位：根）、商陆花（药用部位：花）、美商陆叶（药用部位：叶。别名：洋商陆叶）、美商陆子（药用部位：种子）。

| 形态特征 |

多年生草本，高 1 ~ 2 m。根粗壮，肥大，倒圆锥形。茎直立，圆柱形，有时带紫红色。叶片椭圆状卵形或卵状披针形，长 9 ~ 18 cm，宽 5 ~ 10 cm，先端急尖，基部楔形；叶柄长 1 ~ 4 cm。总状花序顶生或侧生，长 5 ~ 20 cm；花梗长 6 ~ 8 mm；花白色，微带红晕，直径约 6 mm；花被片 5；雄蕊、心皮及花柱通常均为 10，心皮合生。果序下垂；浆果扁球形，熟时紫黑色；种子肾圆形，直径约 3 mm。花期 6 ~ 8 月，果期 8 ~ 10 月。

| 生境分布 |

生于田间、山坡、荒地上的干燥向阳处。河北各地山区均有分布。河北永年等有栽培。

| 资源情况 | 野生资源一般。药材来源于栽培。

| 采收加工 | 商陆：秋季至翌年春季采挖，除去须根和泥沙，切块或片，晒干或阴干。

商陆花：7 ~ 8 月花期采集，除去杂质，晒干或阴干。

美商陆叶：叶茂盛、花未开时采收，除去杂质，干燥。

美商陆子：9 ~ 10 月采收，晒干。

| 药材性状 | 商陆：本品为不规则的块片，大小不等。横切片弯曲不平，边缘皱缩，直径 2.5 ~ 6 cm，厚 4 ~ 9 mm，外皮灰黄色或灰棕色；切面类白色或黄白色，粗糙，具多数同心环状突起。纵切片卷曲，长 4.5 ~ 10 cm，宽 1.5 ~ 3 cm，表面凹凸不平，木质部具多数凸起的纵条纹。质坚，不易折断。气微，味稍甜，后微苦，久嚼麻舌。以片大色白、有粉性、两面环纹明显者为佳。

商陆花：本品略呈颗粒状圆球形，直径约 6 mm，棕黄色或淡黄褐色，具短柄。短梗基部有 1 苞片及 2 小苞片，苞片线形。花被片 5，卵形或椭圆形，长 3 ~ 4 mm；雄蕊 8 ~ 10，有时脱落，心皮 8 ~ 10。有时可见顶弯稍反曲的短小柱头。体轻，质柔韧。气微，味淡。

美商陆叶：本品常皱缩，展平后呈卵状长椭圆形或长椭圆状披针形，长 10 ~ 14 cm，宽 4 ~ 6 cm，全缘，上表面浅绿色，下表面浅棕黄色，羽状网脉于叶背明显凸出，主脉粗壮；叶柄长约 2 cm，上面具浅槽。体轻，质脆。气微，味淡。

| 功能主治 | 商陆：苦，寒；有毒。归肺、脾、肾、大肠经。逐水，解毒，利尿，消肿消炎。

商陆花：微苦、甘，平。归心、肾经。化痰开窍。用于痰湿上蒙，健忘，嗜睡，耳目不聪。

美商陆叶：清热。用于脚气。

美商陆子：苦，寒；有毒。利水消肿。用于水肿，小便不利。

| 用法用量 | 商陆：内服煎汤，3 ~ 10 g；或入散剂。外用适量，捣敷。

商陆花：内服研末，1 ~ 3 g。

美商陆叶：内服煎汤，3 ~ 6 g。

美商陆子：内服煎汤，15 ~ 25 g。

| 附　注 | （1）本种与商陆 *Phytolacca acinosa* Roxb. 的主要区别在于本种茎紫红色，雄蕊 10，心皮 10，果穗下垂（故而名垂序商陆），花果期夏、秋季。

（2）本种全株有毒，根及果实毒性最强。由于本种的根茎酷似人参，常被人误作人参服用。中毒症状为：严重呕吐或干呛，从口腔到胃均有灼热感，腹部抽搐、腹泻，甚至会因心脏麻痹而死亡。

商陆科 Phytolaccaceae 商陆属 Phytolacca

商陆

Phytolacca acinosa Roxb.

| 植物别名 |

白母鸡、猪母耳、金七娘。

| 药 材 名 |

商陆（药用部位：根）、商陆花（药用部位：花）、商陆叶（药用部位：叶）。

| 形态特征 |

多年生草本，高 0.5 ~ 1.5 m，全株无毛。根肥大，肉质，倒圆锥形，外皮淡黄色或灰褐色，内面黄白色。茎直立，圆柱形，有纵沟，肉质，绿色或红紫色，多分枝。叶片薄纸质，椭圆形、长椭圆形或披针状椭圆形，长 10 ~ 30 cm，宽 4.5 ~ 15 cm，先端急尖或渐尖，基部楔形，渐狭，两面散生细小白色斑点（针晶体），背面中脉凸起；叶柄长 1.5 ~ 3 cm，粗壮，上面有槽，下面半圆形，基部稍扁宽。总状花序顶生或与叶对生，圆柱状，直立，通常比叶短，密生多花；花序梗长 1 ~ 4 cm；花梗基部的苞片线形，长约 1.5 mm，上部 2 小苞片线状披针形，均膜质；花梗细，长 6 ~ 10（ ~ 13）mm，基部变粗；花两性，直径约 8 mm；花被片 5，白色、黄绿色，椭圆形、卵形或长圆形，先端圆钝，长 3 ~ 4 mm，宽约 2 mm，大小相等，花后

常反折；雄蕊 8 ~ 10，与花被片近等长，花丝白色，钻形，基部呈片状，宿存，花药椭圆形，粉红色；心皮通常为 8，有时少至 5 或多至 10，分离；花柱短，直立，先端下弯，柱头不明显。果序直立；浆果扁球形，直径约 7 mm，熟时黑色；种子肾形，黑色，长约 3 mm，具 3 棱。花期 5 ~ 8 月，果期 6 ~ 10 月。

| **生境分布** | 普遍生于海拔 500 ~ 3 400 m 的沟谷、山坡林下、林缘路旁，也栽植于房前屋后及园地中，多生于湿润肥沃地，喜生垃圾堆上。分布于河北磁县、定州、丰宁等。

| 资源情况 | 野生资源丰富。药材主要来源于野生。

| 采收加工 | **商陆**：秋季至翌年春季采挖，除去须根和泥沙，切块或片，晒干或阴干。

商陆花：7 ~ 8 月花期采集，除去杂质，晒干或阴干。

商陆叶：春、夏季采收，鲜用或晒干。

| 药材性状 | **商陆**：本品为不规则的块片，大小不等。横切片弯曲不平，边缘皱缩，直径 2.5 ~ 6 cm，厚 4 ~ 9 mm，外皮灰黄色或灰棕色；切面类白色或黄白色，粗糙，具多数同心环状突起。纵切片卷曲，长 4.5 ~ 10 cm，宽 1.5 ~ 3 cm，表面凹凸不平，木质部具多数凸起的纵条纹。质坚，不易折断。气微，味稍甜，后微苦，久嚼麻舌。以片大色白、有粉性、两面环纹明显者为佳。

商陆花：本品略呈颗粒状圆球形，直径约 6 mm，棕黄色或淡黄褐色，具短柄。短梗基部有 1 苞片及 2 小苞片，苞片线形。花被片 5，卵形或椭圆形，长 3 ~ 4 mm；雄蕊 8 ~ 10，有时脱落，心皮 8 ~ 10。有时可见顶弯稍反曲的短小柱头。体轻，质柔韧。气微，味淡。

商陆叶：本品多已破碎，完整叶片展平后薄纸质，椭圆形、长椭圆形或披针状椭圆形，长 10 ~ 30 cm，宽 4.5 ~ 15 cm，先端急尖或渐尖，基部楔形，渐狭，两面散生细小白色斑点（针晶体），背面中脉凸起；叶柄长 1.5 ~ 3 cm，粗壮，上面有槽，下面半圆形，基部稍扁宽。

| 功能主治 | **商陆**：苦，寒；有毒。归肺、脾、肾、大肠经。逐水，解毒，利尿，消肿消炎。用于水肿胀满，二便不利；外用于痈肿疮毒。

商陆花：微苦、甘，平。归心、肾经。化痰开窍。用于痰湿上蒙，健忘，嗜睡，耳目不聪。

商陆叶：清热解毒。用于痈肿疮毒。

| 用法用量 | **商陆**：内服煎汤，3～10 g；或入散剂。外用适量，捣敷。

商陆花：内服研末，1～3 g。

商陆叶：外用适量，捣敷；或研末撒。

| 附　注 | 本种始载于《神农本草经》，被列为下品。苏颂《本草图经》曰："商陆俗名章柳根，生咸阳山谷，今处处有之，多生于人家园圃中。春生苗，高三四尺，叶青如牛舌而长，茎青赤，至柔脆。夏秋开红紫花作朵，根如芦菔而长，八月九月采根暴干。"其所附并州商陆与凤翔府商陆图，花序均直立，所指与今所售之商陆相吻合。《救荒本草》的章柳根、《植物名实图考》附图之"商陆一"亦为此种，可视为历代传统药用商陆之正品。又唐代《新修本草》云："此有赤白二种，白者入药用，赤者见鬼神，甚有毒，但贴肿外用，若服之伤人，乃至痢血不已而死也。"《植物名实图考》谓有红花、白花2种，按商陆之茎、枝、花色等确有赤、白之分，花色通常初白而后红，但在植物分类上属同种，今入药亦不分红、白，其根同作商陆入药。

| 紫茉莉科 | Nyctaginaceae | 紫茉莉属 | Mirabilis

紫茉莉 *Mirabilis jalapa* L.

| 植物别名 | 晚饭花、晚晚花、野丁香。

| 药 材 名 | 紫茉莉根（药用部位：根）、紫茉莉叶（药用部位：叶）。

| 形态特征 | 一年生草本，高可达1 m。根肥粗，倒圆锥形，黑色或黑褐色。茎直立，圆柱形，多分枝，无毛或疏生细柔毛，节稍膨大。叶片卵形或卵状三角形，长3～15 cm，宽2～9 cm，先端渐尖，基部截形或心形，全缘，两面均无毛，脉隆起；叶柄长1～4 cm，上部叶几无柄。花常数朵簇生枝端；花梗长1～2 mm；总苞钟形，长约1 cm，5裂，裂片三角状卵形，先端渐尖，无毛，具脉纹，果时宿存；花被紫红色、黄色、白色或杂色，高脚碟状，筒部长2～6 cm，檐部直径2.5～3 cm，5浅裂；花午后开放，有香气，次日午前凋萎；雄蕊5，花丝细长，常伸出花外，花药球形；花柱单生，线形，伸出花外，柱头头状。

瘦果球形，直径 5 ～ 8 mm，革质，黑色，表面具皱纹；种子胚乳白粉质。花期 6 ～ 10 月，果期 8 ～ 11 月。

| **生境分布** | 生于庭院、道路旁。分布于河北邢台及丰宁、涉县等。河北邢台及丰宁、涉县等有栽培。

| **资源情况** | 野生资源一般。药材主要来源于野生。

| **采收加工** | **紫茉莉根**：在播种当年 10 ～ 11 月收获。挖起全根，洗净，鲜用，或除去芦头及须根，刮去粗皮，去尽黑色斑点，切片，立即晒干或炕干，以免变黑，影响品质。
紫茉莉叶：叶生长茂盛、花未开时采摘，洗净，鲜用。

| **药材性状** | **紫茉莉根**：本品呈长圆锥形或圆柱形，有的压扁，有的可见支根，长 5 ～ 10 cm，直径 1.5 ～ 5 cm。表面灰黄色，有纵皱纹及须根痕。先端有茎基痕。质坚硬，不易折断，断面不整齐，可见环纹。经蒸煮者断面角质样。无臭，味淡，有刺喉感。

紫茉莉叶：本品叶片多卷缩，完整者展平后呈卵形或卵状三角形，长 4 ～ 10 cm，宽约 4 cm，先端长尖，基部楔形或心形，边缘微波状，上表面暗绿色，下表面灰绿色，叶柄较长，具毛茸。气微，味甘。

| **功能主治** | **紫茉莉根**：甘、淡，微寒。清热利湿，解毒活血。用于热淋，白浊，水肿，赤白带下，关节肿痛，痈疮肿毒，乳痈，跌打损伤。

紫茉莉叶：甘、淡，微寒。清热解毒，祛风渗湿，活血。用于痈肿疮毒，疥癣，跌打损伤。

| **用法用量** | **紫茉莉根**：内服煎汤，9 ～ 15 g。外用适量，鲜品捣敷；或煎汤洗。孕妇忌服。
紫茉莉叶：外用适量，鲜品捣敷；或取汁外搽。

粟米草

Mollugo stricta L.

| 植物别名 | 地麻黄、地杉树、鸭脚瓜子草。

| 药 材 名 | 粟米草（药用部位：全草）。

| 形态特征 | 铺散一年生草本，高 10 ～ 30 cm。茎纤细，多分枝，有棱角，无毛，老茎通常淡红褐色。叶 3 ～ 5 假轮生或对生，叶片披针形或线状披针形，长 1.5 ～ 4 cm，宽 2 ～ 7 mm，先端急尖或长渐尖，基部渐狭，全缘，中脉明显；叶柄短或近无柄。花极小，组成疏松聚伞花序，花序梗细长，顶生或与叶对生；花梗长 1.5 ～ 6 mm；花被片 5，淡绿色，椭圆形或近圆形，长 1.5 ～ 2 mm，脉达花被片的 2/3，边缘膜质；雄蕊通常 3，花丝基部稍宽；子房宽椭圆形或近圆形，3 室，花柱 3，短，线形。蒴果近球形，与宿存花被等长，3 瓣裂；种子多

数，肾形，栗色，具多数颗粒状突起。花期 6 ~ 8 月，果期 8 ~ 10 月。

| 生境分布 | 生于空旷荒地、农田和海岸沙地。分布于河北沙河等。

| 资源情况 | 野生资源丰富。药材主要来源于野生。

| 采收加工 | 秋季采收，晒干或鲜用。

| 功能主治 | 淡、涩，凉。清热化湿，解毒消肿。用于腹痛泄泻，痢疾，感冒咳嗽，中暑，皮肤热疹，目赤肿痛，毒蛇咬伤，烫火伤。

| 用法用量 | 内服煎汤，10 ~ 30 g。外用适量，鲜品捣敷；或塞鼻。

| 附　　注 | V. V. Sivarajan 和 T. Usha 根据下部叶的叶形、花被片颜色和其上脉的分布情况及种皮微雕纹将以往曾合并在一起的 *Mollugo pentaphylla* L. 和 *Mollugo stricta* L. 分开，而我国所产粟米草下部叶片线状披针形或披针形、花被片绿色、脉分布到花被片的 2/3、种子具小瘤，符合 *Mollugo stricta* L. 的特征，故采用此名。

马齿苋科 Portulacaceae　马齿苋属 Portulaca

大花马齿苋
Portulaca grandiflora Hook.

植物别名	太阳花、午时花、洋马齿苋。
药 材 名	午时花（药用部位：全草）。
形态特征	一年生草本，高 10 ~ 30 cm。茎平卧或斜升，紫红色，多分枝，节上丛生毛。叶密集于枝端，较下的叶分开，不规则互生，叶片细圆柱形，有时微弯，长 1 ~ 2.5 cm，直径 2 ~ 3 mm，先端圆钝，无毛；叶柄极短或近无柄，叶腋常生 1 撮白色长柔毛。花单生或数朵簇生枝端，直径 2.5 ~ 4 cm，日开夜闭；花瓣 5 或重瓣，倒卵形，先端微凹，长 12 ~ 30 mm，红色、紫色或黄白色；雄蕊多数，长 5 ~ 8 mm；花柱与雄蕊近等长，柱头 5 ~ 9 裂，线形。蒴果近椭圆形，盖裂；种子细小，多数，圆肾形，直径不及 1 mm，铅灰色、灰褐色

或灰黑色，有珍珠光泽，表面有小瘤状突起。花期 6 ~ 9 月，果期 8 ~ 11 月。

| **生境分布** | 生于山坡、田野间。分布于河北保定及滦平、围场等。

| **资源情况** | 野生资源丰富。药材主要来源于野生。

| **采收加工** | 夏、秋季采收，除去残根及杂质，洗净，鲜用，或略蒸烫后晒干。

| **药材性状** | 本品茎圆柱形，长 10 ~ 15 cm，直径 0.1 ~ 0.3 cm，有分枝，表面淡棕绿色或浅棕红色，有细密微隆起的纵皱纹，叶腋处常有白色长柔毛。叶多皱缩，线状，暗绿色，长 1 ~ 2.5 cm，直径约 1 mm；鲜叶扁圆柱形，肉质。枝端常有花着生，萼片 2，宽卵形，长约 6 mm，浅红色，卷成帽状，花瓣多干瘪皱缩成帽尖状，深紫红色。蒴果帽状圆锥形，浅棕黄色，外被白色长柔毛，盖裂，内含多数深灰黑色细小种子。种子扁圆形或类三角形，直径不及 1 mm，具金属样光泽，先端有歪向一侧的小尖，于解剖镜下可见表面密布细小疣状突起。气微香，味酸。

| **功能主治** | 淡、微苦，寒。清热解毒，散瘀止血。用于咽喉肿痛，疮疖，湿疹，跌打肿痛，烫火伤，外伤出血。

| **用法用量** | 内服煎汤，9 ~ 15 g，鲜品可用至 30 g。外用适量，捣汁含漱；或捣敷。

马齿苋科 Portulacaceae 马齿苋属 *Portulaca*

马齿苋 *Portulaca oleracea* L.

植物别名	胖娃娃菜、猪肥菜、五行菜。
药 材 名	马齿苋（药用部位：地上部分）、马齿苋子（药用部位：种子）。
形态特征	一年生草本，全株无毛。茎平卧或斜倚，伏地铺散，多分枝，圆柱形，淡绿色或带暗红色。叶互生，有时近对生，叶片扁平，肥厚，倒卵形，似马齿状，长 1 ~ 3 cm，宽 0.6 ~ 1.5 cm，先端圆钝或平截，有时微凹，基部楔形，全缘，上面暗绿色，下面淡绿色或带暗红色，中脉微隆起；叶柄粗短。花无梗，常 3 ~ 5 簇生枝端；苞片 2 ~ 6，叶状，膜质，近轮生；萼片 2，对生，绿色，盔形，左右压扁，先端急尖，背部具龙骨状突起，基部合生；花瓣 5，稀 4，黄色，倒卵形，长 3 ~ 5 mm，先端微凹，基部合生；雄蕊通常 8，

或更多，长约 12 mm，花药黄色；子房无毛，花柱比雄蕊稍长，柱头 4 ~ 6 裂，线形。蒴果卵球形，长约 5 mm，盖裂；种子细小，多数，偏斜球形，黑褐色，有光泽，直径不及 1 mm，具小疣状突起。花期 5 ~ 8 月，果期 6 ~ 9 月。

| 生境分布 | 生于菜园、农田、路旁，为田间常见杂草。分布于河北武安、兴隆、永年等。

| 资源情况 | 野生资源丰富。药材主要来源于野生。

| 采收加工 | **马齿苋：**夏、秋季采收，除去残根和杂质，洗净，略蒸或烫后晒干。
马齿苋子：夏、秋季果实成熟时，割取地上部分，收集种子，除去泥沙等杂质，干燥。

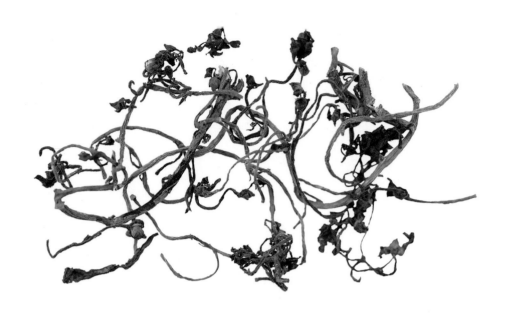

| 药材性状 | 马齿苋：本品多皱缩卷曲，常结成团。茎圆柱形，长可达 30 cm，直径 0.1 ~ 0.2 cm，表面黄褐色，有明显纵沟纹。叶对生或互生，易破碎，完整叶片倒卵形，长 1 ~ 2.5 cm，宽 0.5 ~ 1.5 cm；绿褐色，先端钝平或微缺，全缘。花小，3 ~ 5 生于枝端，花瓣 5，黄色。蒴果圆锥形，长约 5 mm，内含多数细小种子。气微，味微酸。

马齿苋子：本品呈扁圆形或类三角形，长约 0.94 mm，宽 0.83 mm，厚约 0.42 mm。表皮黑色，少数红棕色，于解剖镜下可见密布细小疣状突起。一端有 1 凹陷，凹陷旁有 1 白色种脐。质坚硬，难破碎。气微，味微酸。以粒饱满、色黑者为佳。

功能主治　马齿苋：酸，寒。归肝、大肠经。清热解毒，凉血止血，止痢。用于热毒血痢，痈肿疔疮，湿疹，丹毒，蛇虫咬伤，便血，痔血，崩漏下血。

马齿苋子：甘，寒。归肝、大肠经。清肝，化湿，明目。用于青盲白翳，泪囊炎。

用法用量　马齿苋：内服煎汤，9 ~ 15 g。外用适量，捣敷。

马齿苋子：内服煎汤，15 ~ 30 g。外用适量，鲜品捣敷。

附　注　本种始载于《本草经集注》，陶弘景于"苋实"项下云："今马苋别一种，布地生，实至微细，俗呼为马齿苋。亦可食，小酸。"他指出了马齿苋的特点是铺地而生，种子细小，味酸。《开宝本草》始将马齿苋单独列为一条。《本草图经》曰："马齿苋旧不著所出州土，今处处有之。虽名苋类而苗叶与人苋辈都不相似。又名五行草，以其叶青、梗赤、花黄、根白、子黑也。"《本草纲目》曰："马齿苋处处原野生之。柔茎布地，细叶对生。六七月开细花，结小尖实，实中细子如葶苈子状。人多采苗煮晒为蔬。"对照《本草图经》和《本草纲目》附图，上述植物形态与今所用马齿苋相一致。

落葵科 Basellaceae 落葵属 Basella

落葵
Basella alba L.

| 植物别名 |

蔫芭菜、胭脂菜、紫葵。

| 药 材 名 |

落葵（药用部位：全草或叶）、落葵子（药用部位：果实）、落葵花（药用部位：花）。

| 形态特征 |

一年生缠绕草本。茎长可达数米，无毛，肉质，绿色或略带紫红色。叶片卵形或近圆形，先端渐尖，基部微心形或圆形，下延成柄，全缘，背面叶脉微凸起；叶柄长1～3 cm，上有凹槽。穗状花序腋生，长3～15（～20）cm；苞片极小，早落；小苞片2，萼状，长圆形，宿存；花被片淡红色或淡紫色，卵状长圆形，全缘，先端钝圆，内折，下部白色，联合成筒；雄蕊着生于花被筒口，花丝短，基部扁宽，白色，花药淡黄色；柱头椭圆形。果实球形，直径5～6 mm，红色至深红色或黑色，多汁液，外包宿存小苞片及花被。花期5～9月，果期7～10月。

| 生境分布 |

生于海拔2 000 m以下的地区。河北各地均有分布。

| **资源情况** | 野生资源丰富。药材主要来源于野生。

| **采收加工** | 落葵：夏、秋季采收，洗净，除去杂质，鲜用或晒干。
落葵子：7 ～ 10 月果实成熟后采收，晒干。
落葵花：春、夏季花开时采摘，鲜用。

| **药材性状** | 落葵：本品茎肉质，圆柱形，直径 3 ～ 8 mm，稍弯曲，有分枝，绿色或淡紫色；质脆，易断，折断面鲜绿色。叶微皱缩，展平后呈宽卵形、心形或长椭圆形，长 2 ～ 14 cm，宽 2 ～ 12 cm，全缘，先端急尖，基部近心形或圆形；叶柄长 1 ～ 3 cm。气微，味甜，有黏性。

| **功能主治** | 落葵：甘、酸，寒。滑肠通便，清热利湿，凉血解毒，活血。用于大便秘结，小便短涩，痢疾，热毒疮疡，跌打损伤。

落葵子：润泽肌肤，美容。用于皮肤枯涩。

落葵花：苦，寒。凉血解毒。用于痘疹，乳头破裂。

| **用法用量** | 落葵：内服煎汤，30 ～ 60 g；或用鸡肉或猪瘦肉炖服。外用适量，捣敷。

落葵子：外用适量，研末调敷，作面脂。

落葵花：外用适量，鲜品捣汁涂。

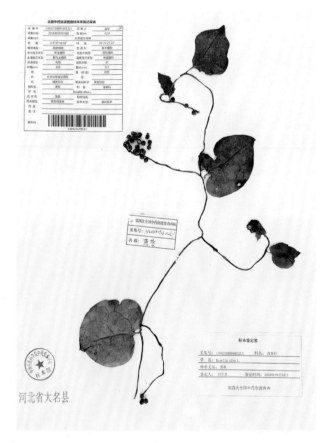

石竹科 Caryophyllaceae 鹅肠菜属 Myosoton

鹅肠菜 *Myosoton aquaticum* (L.) Moench

| 植物别名 | 鹅儿肠、大鹅儿肠、石灰菜。

| 药 材 名 | 鹅肠草（药用部位：全草）。

| 形态特征 | 二年生或多年生草本，具须根。茎上升，多分枝，长 50 ～ 80 cm，上部被腺毛。叶片卵形或宽卵形，长 2.5 ～ 5.5 cm，宽 1 ～ 3 cm，先端急尖，基部稍心形，有时边缘具毛；上部叶常无柄或具短柄，疏生柔毛。顶生二歧聚伞花序；苞片叶状，边缘具腺毛；花梗细，花后伸长并向下弯，密被腺毛；萼片卵状披针形或长卵形，先端较钝，边缘狭膜质，外面被腺柔毛，脉纹不明显；花瓣白色，2 深裂至基部，裂片线形或披针状线形；雄蕊 10，稍短于花瓣；子房长圆形，花柱短，线形。蒴果卵圆形，稍长于宿存萼；种子近肾形，

稍扁，褐色，具小疣。花期 5 ~ 8 月，果期 6 ~ 9 月。

| 生境分布 | 生于海拔 350 ~ 2 700 m 的河旁冲积沙地的低湿处、灌丛林缘或水沟旁。分布于河北行唐、武安、赞皇等。

| 资源情况 | 野生资源丰富。药材主要来源于野生。

| 采收加工 | 春季生长旺盛时采收，鲜用或晒干。

| 药材性状 | 本品长 20 ~ 60 cm。茎光滑，多分枝；表面略带紫红色，节部和嫩枝梢处更明显。叶对生，膜质；完整叶片宽卵形或卵状椭圆形，长 1.5 ~ 5.5 cm，宽 1 ~ 3 cm，先端锐尖，基部心形或圆形，全缘或呈浅波状；上部叶无柄或具极短柄，下部叶叶柄长 5 ~ 18 mm，疏生柔毛。花白色，生于枝端或叶腋。蒴果卵圆形。种子近圆形，褐色，密布显著的刺状突起。气微，味淡。

| 功能主治 | 甘，平。清热解毒，散瘀消肿。用于肺热喘咳，痢疾，痈疽，痔疮，牙痛，月经不调，小儿疳积。

| 用法用量 | 内服煎汤，15 ~ 30 g。

石竹科 Caryophyllaceae 繁缕属 *Stellaria*

叉歧繁缕 *Stellaria dichotoma* L.

| **植物别名** | 双歧繁缕、歧枝繁缕。

| **药 材 名** | 叉歧繁缕（药用部位：全草或根。别名：叉繁缕）。

| **形态特征** | 多年生草本，高 15 ~ 30（~ 60）cm，全株呈扁球形，被腺毛。主根粗壮，圆柱形。茎丛生，圆柱形，被腺毛或短柔毛。叶片卵形或卵状披针形，长 0.5 ~ 2 cm，宽 3 ~ 10 mm，先端急尖或渐尖，基部圆形或近心形，微抱茎，全缘，两面被腺毛或柔毛，稀无毛。聚伞花序顶生，具多数花；花梗细，被柔毛；萼片 5，披针形，长 4 ~ 5 mm，先端渐尖，边缘膜质，中脉明显；花瓣 5，白色，倒披针形，长 4 mm，2 深裂至 1/3 处或中部，裂片近线形；雄蕊 10，长仅为花瓣的 1/3 ~ 1/2；子房卵形或宽椭圆状倒卵形，花柱 3，线形。

蒴果宽卵形，比宿存萼短，6齿裂，含1～5种子；种子卵圆形，褐黑色，微扁，脊具少数疣状突起。花期5～6月，果期7～8月。

| **生境分布** | 生于海拔250～800 m或以上的草原、山坡石缝中或固定沙丘上。分布于河北赞皇、武安、平山等。

| **资源情况** | 野生资源一般。药材主要来源于野生。

| **采收加工** | 夏、秋季采收，除去泥土，晒干。

| **药材性状** | 本品全草长约60 cm。主根粗壮，圆柱形，多分枝。茎数回二歧分枝，密被腺毛。叶对生，完整叶片卵形、卵状长圆形或卵状披针形，先端急尖，基部圆钝，两面有腺毛或短柔毛，暗绿色。聚伞花序，花多数；萼片5，披针形；花瓣5，白色，长圆形，先端2裂；雄蕊10；花柱3，丝形，子房卵形。蒴果长于宿存萼。种子多数。气微，味淡。

| **功能主治** | 甘，微寒。归肝、肾经。清热凉血，退虚热。用于阴虚潮热，骨蒸盗汗，小儿疳积，久疟发热。

| **用法用量** | 内服煎汤，6～12 g。

石竹科 Caryophyllaceae 繁缕属 Stellaria

繁缕 Stellaria media (L.) Villars

| **植物别名** | 鸡儿肠、鹅耳伸筋、鹅肠菜。

| **药 材 名** | 繁缕（药用部位：全草。别名：繁蒌、滋草、鹅肠菜）。

| **形态特征** | 一年生或二年生草本，高 10 ~ 30 cm。茎俯仰或上升，基部多少分枝，常带淡紫红色，被 1（~ 2）列毛。叶片宽卵形或卵形，长 1.5 ~ 2.5 cm，宽 1 ~ 1.5 cm，先端渐尖或急尖，基部渐狭或近心形，全缘；基生叶具长柄，上部叶常无柄或具短柄。疏聚伞花序顶生；花梗细弱，具 1 列短毛，花后伸长，下垂；萼片 5，卵状披针形，先端稍钝或近圆形，边缘宽膜质，外面被短腺毛；花瓣白色，长椭圆形，比萼片短，2 深裂至基部，裂片近线形；雄蕊 3 ~ 5，短于花瓣；花柱 3，线形。蒴果卵形，稍长于宿存萼，先端 6 裂，具多

数种子；种子卵圆形至近圆形，稍扁，红褐色，表面具半球形瘤状突起，脊较显著。花期 6 ~ 7 月，果期 7 ~ 8 月。

| 生境分布 | 生于田野、路旁或村边杂草地。分布于河北磁县、蔚县、张北等。

| 资源情况 | 野生资源丰富。药材主要来源于野生。

| 采收加工 | 春、夏、秋季花开时采集，除去泥土，晒干。

| 药材性状 | 本品多扭缠成团。茎呈细圆柱形，直径约 2 mm，多分枝，有纵棱，表面黄绿色，一侧有 1 行灰白色短柔毛，节处有灰黄色细须根，质较韧。叶小，对生，无柄，展平后完整叶片呈卵形或卵圆形，先端锐尖，灰绿色，质脆，易碎。枝先端或叶腋有数朵或 1 小花，淡棕色，花梗纤细；萼片 5，花瓣 5。有时可见卵圆形小蒴果，内含数粒圆形小种子，黑褐色，表面有疣状小突起。气微，味淡。

| 功能主治 | 微苦、甘、酸，凉。归肝、大肠经。清热解毒，凉血消痈，活血止痛，下乳。用于痢疾，肠痈，肺痈，乳痈，疔疮肿毒，痔疮肿痛，出血，跌打伤痛，产后瘀滞腹痛，乳汁不下。

| 用法用量 | 内服煎汤，15 ~ 30 g，鲜品 30 ~ 60 g；或捣汁。外用适量，捣敷；或烧存性，研末调敷。

| 附　注 | 本种始载于《名医别录》，原作"蘩蒌"。该书同时又载"鸡肠草"条，两者功能主治不同，陶弘景亦分别做注。但唐代《新修本草》记载"此草（繁缕）即是鸡肠也，俱非正经所出，而二处说异，多生湿地坑渠之侧。流俗通谓鸡肠，雅士总名蘩蒌"，认为是一物二名。《本草图经》记载"叶似荇菜而小，夏秋间生小白黄花，其茎梗作蔓，断之有丝缕，又细而中空似鸡肠，因得此名"，并附有蘩蒌形态图。根据文中所记述的植物形态，并结合附图，不难看出这里所指的应为石竹科繁缕属植物。

石竹科 Caryophyllaceae 繁缕属 Stellaria

雀舌草
Stellaria alsine Grimm

| 植物别名 | 天蓬草、莩苈子。

| 药 材 名 | 天蓬草（药用部位：全草。别名：雪里花、寒草、小红娘）。

| 形态特征 | 二年生草本，高 15 ~ 25（~ 35）cm，全株无毛。须根细。茎丛生，稍铺散，上升，多分枝。叶无柄，叶片披针形至长圆状披针形，长 5 ~ 20 mm，宽 2 ~ 4 mm，先端渐尖，基部楔形，半抱茎，边缘软骨质，呈微波状，两面微显粉绿色。聚伞花序通常具 3 ~ 5 花，顶生，或花单生叶腋；花梗细，无毛，果时稍下弯，基部有时具 2 披针形苞片；萼片 5，披针形，先端渐尖，中脉明显，无毛；花瓣 5，白色，2 深裂几达基部，裂片条形，钝头；雄蕊 5（~ 10），有时 6 ~ 7，微短于花瓣；子房卵形，花柱 3（有时为 2），短线形。蒴果卵圆形，

与宿存萼等长或稍长，6齿裂，含多数种子；种子肾形，微扁，褐色，具皱纹状突起。花期5～6月，果期7～8月。

| 生境分布 | 生于田间、溪岸或潮湿地。分布于河北赤城、阜平、武安等。

| 资源情况 | 野生资源丰富。药材主要来源于野生。

| 采收加工 | 春季至秋初采收，洗净，鲜用或晒干。

| 药材性状 | 本品长15～30 cm，污绿色。叶对生，完整叶片长圆形或卵状披针形，长5～20 mm，宽2～3 mm，先端渐尖，全缘或浅波状。聚伞花序顶生或腋生；萼片5，披针形，先端尖，光滑；花瓣5，白色，2深裂；雄蕊5；花柱2～3。蒴果较宿存萼长，成熟时6齿裂。气微，味淡。

| 功能主治 | 辛，平。归肺、脾经。祛风除湿，活血消肿，解毒止血。用于伤风感冒，泄泻，痢疾，风湿骨痛，跌打损伤，骨折，痈疮肿毒，痔漏，毒蛇咬伤，吐血，衄血，外伤出血。

| 用法用量 | 内服煎汤，30～60 g。外用适量，捣敷；或研末调敷。

| 附　注 | 变种高山雀舌草 *Stellaria uliginosa* Murr. var. *alpina* (Schur) P. Ke 与本种的区别在于前者茎细长，柔弱。叶片较小，长约2 mm，宽约1 mm，有时为披针形。花单生先端或叶腋。蒴果长于宿存萼。

石竹科 Caryophyllaceae 繁缕属 Stellaria

银柴胡

Stellaria dichotoma var. *lanceolata* Bge.

| 植物别名 |

牛肚根、披针叶叉繁缕、披针叶繁缕。

| 药 材 名 |

银柴胡（药用部位：根）。

| 形态特征 |

主根粗壮，圆柱形。茎丛生，圆柱形。叶片线状披针形、披针形或长圆状披针形。聚伞花序顶生，具多数花。蒴果宽卵形，长约3 mm，比宿存萼短，6齿裂，常具1种子；种子卵圆形，褐黑色，微扁，脊具少数疣状突起。花期6 ~ 7月，果期7 ~ 8月。

| 生境分布 |

生于海拔1 250 ~ 3 100 m的石质山坡或石质草原。分布于河北灵寿、隆化、滦平等。

| 资源情况 |

野生资源较少。药材主要来源于栽培。

| 采收加工 |

春、夏季植株萌发或秋后莲叶枯萎时采挖；栽培品于种植后第3年9月中旬或第4年4月中旬采挖，除去残茎、须根及泥沙，晒干。

| **药材性状** | 本品呈类圆柱形，偶有分枝，长 15 ~ 40 cm，直径 0.5 ~ 2.5 cm。表面浅棕黄色至浅棕色，有扭曲的纵皱纹和支根痕，多具孔穴状或盘状凹陷，习称"砂眼"，从砂眼处折断可见棕色裂隙中有细砂散出。根头部略膨大，有密集的呈疣状凸起的芽苞、茎或根茎的残基，习称"珍珠盘"。质硬而脆，易折断，断面不平坦，较疏松，有裂隙，皮部甚薄，木部有黄白相间的放射状纹理。气微，味甘。栽培品有分枝，下部多扭曲，直径 0.6 ~ 1.2 cm。表面浅棕黄色或浅黄棕色，纵皱纹细腻明显，细支根痕多呈点状凹陷。几无砂眼。根头部有多数疣状突起。折断面质地较紧密，几无裂隙，略显粉性，木部放射状纹理不甚明显。味微甜。 |

| **功能主治** | 甘、微苦，凉。归肝、胆经。清虚热，除疳热。用于阴虚发热，骨蒸劳热，小儿疳热。 |

| **用法用量** | 内服煎汤，3 ~ 10 g。 |

石竹科 Caryophyllaceae 繁缕属 Stellaria

中国繁缕 *Stellaria chinensis* Regel

| **植物别名** | 雅雀子窝。

| **药 材 名** | 中国繁缕（药用部位：全草。别名：雅雀子窝）。

| **形态特征** | 多年生草本，高 30 ~ 100 cm。茎细弱，铺散或上升，具 4 棱，无毛。叶片卵形至卵状披针形，长 3 ~ 4 cm，宽 1 ~ 1.6 cm，先端渐尖，基部宽楔形或近圆形，全缘，两面无毛，有时带粉绿色，下面中脉明显凸起；叶柄短或近无，被长柔毛。聚伞花序疏散，具细长花序梗；苞片膜质；花梗细，长约 1 cm 或更长；萼片 5，披针形，长 3 ~ 4 mm，先端渐尖，边缘膜质；花瓣 5，白色，2 深裂，与萼片近等长；雄蕊 10，稍短于花瓣；花柱 3。蒴果卵形，比宿存萼稍

长或等长，6 齿裂；种子卵圆形，稍扁，褐色，具乳头状突起。花期 5 ~ 6 月，果期 7 ~ 8 月。

| 生境分布 | 生于海拔（160 ~ ）500 ~ 1 300（ ~ 2 500）m 的灌木林或冷杉林下、石缝或湿地。分布于河北阜平、井陉、武安等。

| 资源情况 | 野生资源丰富。药材主要来源于野生。

| 采收加工 | 春、夏、秋季采集，除去泥土，鲜用或晒干。

| 药材性状 | 本品长 50 ~ 100 cm。根须状。茎细弱，有纵棱。叶对生，完整叶片卵形至卵状披针形，长 3 ~ 4 cm，宽 1 ~ 1.6 cm。聚伞花序生于叶腋，有细长总花梗；萼片 5，披针形；花瓣 5，白色，先端 2 裂；雄蕊 10；花柱 3，丝形，子房卵形。蒴果卵形。种子卵形，褐色，表面有乳头状突起。气微，味淡。

| 功能主治 | 苦、辛，平。清热解毒，活血止痛。用于乳痈，肠痈，疖肿，跌打损伤，产后瘀痛，风湿骨痛，牙痛。

| 用法用量 | 内服煎汤，15 ~ 30 g。外用适量，捣敷。

石竹科 Caryophyllaceae 肥皂草属 Saponaria

肥皂草

Saponaria officinalis L.

| 植物别名 | 石碱花。

| 药 材 名 | 肥皂草（药用部位：根。别名：石碱花）。

| 形态特征 | 多年生草本，高 30 ~ 70 cm。主根肥厚，肉质。根茎细，多分枝。茎直立，不分枝或上部分枝，常无毛。叶片椭圆形或椭圆状披针形，长 5 ~ 10 cm，宽 2 ~ 4 cm，基部渐狭成短柄状，微合生，半抱茎，先端急尖，边缘粗糙，两面均无毛，具 3 或 5 基出脉。聚伞圆锥花序，小聚伞花序有 3 ~ 7 花；苞片披针形，长渐尖，边缘和中脉被稀疏短粗毛；花梗长 3 ~ 8 mm，被稀疏短毛；花萼筒状，长 18 ~ 20 mm，直径 2.5 ~ 3.5 mm，绿色，有时暗紫色，初期被毛，纵脉 20，不明显，萼齿宽卵形，具凸尖；雌雄蕊柄长约 1 mm；花

瓣白色或淡红色，爪狭长，无毛，瓣片楔状倒卵形，长 10 ~ 15 mm，先端微凹缺；副花冠片线形；雄蕊和花柱外露。蒴果长圆状卵形，长约 15 mm；种子圆肾形，长 1.8 ~ 2 mm，黑褐色，具小瘤。花期 6 ~ 9 月。

| **生境分布** | 生于干燥地及湿地上。分布于河北滦平、平泉等。

| **资源情况** | 野生资源丰富。药材主要来源于野生。

| **采收加工** | 秋季采挖，晒干。

| **功能主治** | 祛痰，止咳，利尿。用于身体水肿，小便不利，气管炎，咳嗽痰多等。

| **用法用量** | 内服适量，入丸、散剂。外用适量，研末点撒或调敷。

| **附　注** | 本种喜光，耐半阴，耐寒，耐修剪，栽培管理粗放，在干燥地及湿地上均可正常生长，对土壤要求也不严。

石竹科 Caryophyllaceae 孩儿参属 Pseudostellaria

孩儿参

Pseudostellaria heterophylla (Miq.) Pax

| 植物别名 | 异叶假繁缕、太子参。

| 药 材 名 | 太子参（药用部位：块根）。

| 形态特征 | 多年生草本，高 15 ~ 20 cm。块根长纺锤形，白色，稍带灰黄色。
茎直立，单生，被 2 列短毛。茎下部叶常 1 ~ 2 对，叶片倒披针形，
先端钝尖，基部渐狭成长柄状；上部叶 2 ~ 3 对，叶片宽卵形或菱
状卵形，长 3 ~ 6 cm，宽 2 ~ 17（~ 20）mm，先端渐尖，基部渐
狭，上面无毛，下面沿脉疏生柔毛。开花受精花 1 ~ 3，腋生或呈
聚伞花序；花梗有时长达 4 cm，被短柔毛；萼片 5，狭披针形，
先端渐尖，外面及边缘疏生柔毛；花瓣 5，白色，长圆形或倒卵形，
长 7 ~ 8 mm，先端 2 浅裂；雄蕊 10，短于花瓣；子房卵形，花柱 3，

微长于雄蕊，柱头头状。闭花受精花具短梗；萼片疏生多细胞毛。蒴果宽卵形，含少数种子，先端不裂或 3 瓣裂；种子褐色，扁圆形，长约 1.5 mm，具疣状突起。花期 4 ~ 7 月，果期 7 ~ 8 月。

| **生境分布** | 生于海拔 3 300 ~ 4 000 m 的高山草甸、林下富含腐殖质的深厚土壤中。分布于河北秦皇岛、迁西、景县等。

| **资源情况** | 野生资源一般。药材主要来源于野生。

| **采收加工** | 夏季茎叶大部分枯萎时采挖，洗净，除去须根，置沸水中略烫后晒干或直接晒干。

| **药材性状** | 本品呈细长纺锤形或细长条形，稍弯曲，长 3 ~ 10 cm，直径 0.2 ~ 0.6 cm。表面黄白色，较光滑，微有纵皱纹，凹陷处有须根痕，先端有茎痕。质硬而脆，断面平坦，淡黄白色，角质样；或类白色，有粉性。气微，味微甘。

| **功能主治** | 甘、微苦，平。归脾、肺经。益气健脾，生津润肺。用于脾虚体倦，食欲不振，病后虚弱，气阴不足，自汗口渴，肺燥干咳。

| **用法用量** | 内服煎汤，10 ~ 15 g。

| **附　　注** | 太子参之名始见于清代吴仪洛《本草从新》，随后的《本草纲目拾遗》中也有记载，书中所指均为五加科人参 *Panax ginseng* C. A. Mey.，并非本种。石竹科太子参入药始于何时尚不清楚，但其人工栽培已有近百年的历史了。

石竹科 Caryophyllaceae 剪秋罗属 Lychnis

剪秋罗
Lychnis fulgens Fisch.

植物别名

大花剪秋罗。

药 材 名

大花剪秋罗（药用部位：带根全草。别名：
山红花、剪秋罗、小尖叶参）。

形态特征

多年生草本，高 50 ～ 80 cm，全株被柔
毛。根簇生，纺锤形，稍肉质。茎直立，
不分枝或上部分枝。叶片卵状长圆形或卵
状披针形，长 4 ～ 10 cm，宽 2 ～ 4 cm，基
部圆形，稀宽楔形，不呈柄状，两面和边缘
均被粗毛。二歧聚伞花序具数花，稀多数花，
紧缩成伞房状；花直径 3.5 ～ 5 cm，花梗
长 3 ～ 12 mm；苞片卵状披针形，草质，
密被长柔毛和缘毛；花萼筒状棒形，后期上
部微膨大，被稀疏白色长柔毛，沿脉较密，
萼齿三角状，先端急尖；花瓣深红色，狭披
针形，具缘毛，瓣片倒卵形，深 2 裂达瓣片
的 1/2，裂片椭圆状条形，有时先端具不明
显的细齿，瓣片两侧中下部各具 1 线形小裂
片；副花冠片长椭圆形，暗红色，呈流苏状；
雄蕊微外露，花丝无毛。蒴果长椭圆状卵形，
长 12 ～ 14 mm；种子肾形，长约 1.2 mm，

肥厚，黑褐色，具乳突。花期 6 ～ 7 月，果期 8 ～ 9 月。

| 生境分布 | 生于海拔 400 ～ 2 000 m 的低山疏林下、灌丛草甸阴湿地。分布于河北涞源、阜平、滦平等。

| 资源情况 | 野生资源一般。药材主要来源于野生。

| 采收加工 | 秋后采收，除去杂质，鲜用或晒干。

| 药材性状 | 本品长 25 ～ 85 cm。茎单一，上部疏生柔毛。单叶对生，完整叶片长圆形或卵状长圆形，先端渐尖，基部钝圆，长 3.5 ～ 10 cm，宽达 3.5 cm，两面均被柔毛。聚伞花序或单花生于枝端或叶腋；萼筒棍棒状，先端 5 裂，密生柔毛；花瓣 5，暗红色，基部有爪，瓣片 4 裂，中 2 裂片较大；雄蕊 10；花柱 5，丝状，子房长圆状圆柱形。蒴果 5 瓣裂。种子小，暗黑色，表面有尖突起。气微，味淡。

| 功能主治 | 甘，寒。清热利尿，健脾，安神。用于小便不利，小儿疳积，盗汗，头痛，失眠。

| 用法用量 | 内服煎汤，10 ～ 30 g。

| 附　注 | 与本种同等入药的同属植物尚有浅裂剪秋罗 *Lychnis cognata* Maxim.、丝瓣剪秋罗 *Lychnis wilfordii* (Regel) Maxim.，分布于长白山地区。

石竹科 Caryophyllaceae 卷耳属 Cerastium

卷耳
Cerastium arvense subsp. *strictum* Gandin

| **植物别名** | 狭叶卷耳、细叶卷耳、五毛卷耳。

| **药 材 名** | 卷耳（药用部位：全草）。

| **形态特征** | 多年生草本，高达 35 cm。茎疏丛生，基部匍匐，上部直立，绿色带淡紫红色，下部被向下侧毛，上部兼有腺毛。叶线状披针形，长 1 ~ 2.5 cm，宽 1.5 ~ 4 mm，基部楔形，抱茎，疏被柔毛。聚伞花序具 3 ~ 7 花；苞片披针形，被柔毛；花梗长 1 ~ 1.5 cm，密被白色腺毛；萼片披针形，长约 6 mm，密被长柔毛；花瓣倒卵形，2 裂达 1/4 ~ 1/3；花柱 5。蒴果圆筒形，具 10 齿；种子多数，褐色，肾形，稍扁，具小瘤。花期 5 ~ 8 月，果期 7 ~ 9 月。

| **生境分布** | 生于海拔 1 200 ～ 2 600 m 的高山草地、林缘或丘陵区。分布于河北赤城、沽源、涞源等。

| **资源情况** | 野生资源丰富。药材主要来源于野生。

| **采收加工** | 春、夏季采收，晒干。

| **功能主治** | 清热解表，降血压，解毒。用于感冒发热，高血压；外用于乳腺炎，疔疮。

| **用法用量** | 内服煎汤，15 ～ 25 g。外用适量，鲜品捣敷。

石竹科 Caryophyllaceae 漆姑草属 Sagina

漆姑草
Sagina japonica (Sw.) Ohwi

| 植物别名 |

腺漆姑草、日本漆姑草、星宿草。

| 药 材 名 |

漆姑草（药用部位：全草。别名：牛毛粘、瓜槌草、蛇牙草）。

| 形态特征 |

一年生小草本，高5～20 cm，上部被稀疏腺柔毛。茎丛生，稍铺散。叶片线形，长5～20 mm，宽0.8～1.5 mm，先端急尖，无毛。花小形，单生枝端；花梗细，长1～2 cm，被稀疏短柔毛；萼片5，卵状椭圆形，长约2 mm，先端尖或钝，外面疏生短腺柔毛，边缘膜质；花瓣5，狭卵形，稍短于萼片，白色，先端圆钝，全缘；雄蕊5，短于花瓣；子房卵圆形，花柱5，线形。蒴果卵圆形，微长于宿存萼，5瓣裂；种子细，圆肾形，微扁，褐色，表面具尖瘤状突起。花期3～5月，果期5～6月。

| 生境分布 |

生于海拔3 800～4 000 m的撂荒地、河岸砂质地及路旁草地等阴湿处。分布于河北乐亭等。

| 资源情况 | 野生资源一般。药材主要来源于野生。

| 采收加工 | 4 ~ 5 月采集，洗净，鲜用或晒干。

| 药材性状 | 本品长 10 ~ 15 cm。茎基部分枝，上部疏生短细毛。叶对生，完整叶片圆柱状线形，长 5 ~ 20 mm，宽约 1 mm，先端尖，基部为薄膜连成的短鞘。花小，白色，生于叶腋或茎顶。蒴果卵形，5 瓣裂，比萼片约长 1/3。种子多数，细小，褐色，圆肾形，密生瘤状突起。气微，味淡。

| 功能主治 | 苦、辛，凉。归肝、胃经。凉血解毒，杀虫止痒。用于漆疮，秃疮，湿疹，丹毒，瘰疬，无名肿毒，毒蛇咬伤，鼻渊，龋齿痛，跌打损伤。

| 用法用量 | 内服煎汤，25 ~ 50 g。外用适量，捣敷；或取汁搽。

| 附 注 | 《本草拾遗》记载："漆姑草如鼠迹大，生阶墀间阴处，气辛烈……苏敬云此蜀羊泉，羊泉是大草，非细者，乃同名耳。"《植物名实图考》以"瓜槌草"为名，谓："生阴湿地及花盆中，高三四寸，细如乱丝，微似天门冬而小矮，纠结成簇，梢端叶际，结小实如珠，上擎累累。"书中所指及附图均为本种。

石竹科 Caryophyllaceae 石头花属 Gypsophila

长蕊石头花 *Gypsophila oldhamiana* Miq.

| **植物别名** | 长蕊丝石竹、霞草、山蚂蚱菜。

| **药材名** | 山银柴胡（药用部位：根）。

| **形态特征** | 多年生草本，高 60 ~ 100 cm。根粗壮，木质化，淡褐色至灰褐色。茎数个，由根颈处生出，二歧或三歧分枝，开展，老茎常红紫色。叶片近革质，稍厚，长圆形，长 4 ~ 8 cm，宽 5 ~ 15 mm，先端短凸尖，基部稍狭，两叶基相连成短鞘状，微抱茎，脉 3 ~ 5，中脉明显，上部叶较狭，近线形。伞房状聚伞花序较密集，顶生或腋生，无毛；花梗长 2 ~ 5 mm，直伸，无毛或疏生短柔毛；苞片卵状披针形，长渐尖尾状，膜质，大多具缘毛；花萼钟形或漏斗状，长 2 ~ 3 mm，萼齿卵状三角形，略急尖，脉绿色，伸达齿端，边缘白色，

膜质，具缘毛；花瓣粉红色，倒卵状长圆形，先端截形或微凹，长于花萼 1 倍；雄蕊长于花瓣；子房倒卵球形，花柱长线形，伸出。蒴果卵球形，稍长于宿存萼，先端 4 裂；种子近肾形，长 1.2 ~ 1.5 mm，灰褐色，两侧压扁，具条状突起，脊部具短尖的小疣状突起。花期 6 ~ 9 月，果期 8 ~ 10 月。

| **生境分布** | 生于海拔 2 000 m 的山坡草地、灌丛、沙滩乱石间或海滨沙地。分布于河北昌黎、兴隆、张北等。

| **资源情况** | 野生资源丰富。药材主要来源于野生。

| **采收加工** | 春、秋季采挖，除去泥土，切片，晒干。

| **药材性状** | 本品呈圆柱形或圆锥形，略扁，长 10 ~ 22 cm，直径 0.5 ~ 4.5 cm。根头部常分叉，有小形凸起的地上茎痕。表面棕黄色或灰棕黄色，有扭曲的纵沟纹，有的栓皮已除去，呈黄白色，形成棕黄相间的花纹；近根头处有多数凸起的圆形支根痕及细环纹。质坚实，不易折断，断面不平坦，有 3 ~ 4 层黄白相间排列而成的环状花纹（异型维管束）。气微，味苦、辛辣，有刺激感。

| **功能主治** | 甘，微寒。归肺、胃经。凉血，清虚热。用于阴虚肺痨，骨蒸潮热，盗汗，小儿疳热，久疟不止。

| **用法用量** | 内服煎汤，3 ~ 9 g。

石竹科 Caryophyllaceae 石头花属 Gypsophila

霞草
Gypsophila elegans M. Bieb.

| 植物别名 | 宿根满天星、丝石竹、山蚂蚱菜。

| 药 材 名 | 霞草（药用部位：根）。

| 形态特征 | 多年生草本，高达1m。茎丛生，二歧或三歧分枝，老茎常红紫色。叶长圆形，长4～8cm，宽0.5～1.5cm，先端短凸尖，两叶基相连成短鞘状，微抱茎，基出脉3～5，稍肉质。伞房状聚伞花序较密集，无毛；花梗长2～5mm，无毛或疏被柔毛；苞片卵状披针形，长渐尖尾状，膜质，多具缘毛；花萼钟形或漏斗状，长2～3mm，萼齿卵状三角形，脉绿色，边缘白色，膜质，具缘毛；花瓣粉红色，倒卵状长圆形，长于花萼1倍，先端平截或微凹；雄蕊长于花瓣；花柱伸出。蒴果卵圆形，稍长于宿萼，先端4裂；种子近肾形，长

1.2 ~ 1.5 mm，两侧扁，具条状突起，脊部具小尖疣。花期 6 ~ 9 月，果期 8 ~ 10 月。

| **生境分布** | 生于海拔 2 000 m 以下的山坡草地、灌丛、沙滩乱石间或海滨沙地。分布于河北抚宁、平泉、兴隆等。

| **资源情况** | 野生资源一般。药材主要来源于野生。

| **采收加工** | 春、秋季采挖，洗净泥土，切片，晒干。

| **功能主治** | 甘，微寒。归肝、胃经。清热凉血，活血散瘀，消肿止痛，化腐生肌。

| **用法用量** | 内服煎汤，3 ~ 9 g。

石竹科 Caryophyllaceae 石竹属 Dianthus

瞿麦
Dianthus superbus L.

| 植物别名 | 石竹子花、十样景花、洛阳花。

| 药 材 名 | 瞿麦（药用部位：地上部分）。

| 形态特征 | 多年生草本，高 50 ～ 60 cm，有时更高。茎丛生，直立，绿色，无毛，上部分枝。叶片线状披针形，长 5 ～ 10 cm，宽 3 ～ 5 mm，先端锐尖，中脉明显，基部合生成鞘状，绿色，有时带粉绿色。花 1 或 2 生于枝端，有时腋生；苞片 2 ～ 3 对，倒卵形，长 6 ～ 10 mm，约为花萼的 1/4，宽 4 ～ 5 mm，先端长尖；花萼圆筒形，直径 3 ～ 6 mm，常染紫红色晕，萼齿披针形，长 4 ～ 5 mm；花瓣长 4 ～ 5 cm，爪长 1.5 ～ 3 cm，包于萼筒内，瓣片宽倒卵形，边缘繸裂至中部或中部以上，通常淡红色或带紫色，稀白色，喉部具丝毛状鳞

片；雄蕊和花柱微外露。蒴果圆筒形，与宿存萼等长或微长，先端 4 裂；种子扁卵圆形，长约 2 mm，黑色，有光泽。花期 6 ~ 9 月，果期 8 ~ 10 月。

| 生境分布 | 生于海拔 400 ~ 3 700 m 的丘陵山地疏林下、林缘、草甸、沟谷溪边。分布于河北张北、怀来等。

| 资源情况 | 野生资源一般。药材主要来源于野生。

| 采收加工 | 夏、秋季花果期割取全草，除去杂草和泥土，切段或不切段，晒干。

| 药材性状 | 本品茎呈圆柱形，上部有分枝，长 30 ~ 60 cm；表面淡绿色或黄绿色，光滑，无毛，节明显，略膨大；断面中空。叶对生，多皱缩，展平者呈条形至条状披针形。枝端具花及果实，花萼筒状，长 2.7 ~ 3.7cm；苞片 4 ~ 6，宽卵形，长约为萼筒的 1/4；花瓣棕紫色或棕黄色，卷曲，先端深裂成丝状。蒴果长筒形，与宿萼等长。种子细小，多数。气微，味淡。

| 功能主治 | 苦，寒。归心、小肠经。利尿通淋，活血通经。用于热淋，血淋，石淋，小便不通，淋沥涩痛，闭经瘀阻。

| 用法用量 | 内服煎汤，9 ~ 15 g。

| 附 注 | 本种始载于《神农本草经》，被列为中品。《本草经集注》曰："今出近道，一茎生细叶，花红紫赤可爱……子颇似麦，故名瞿麦，此类乃两种，一种微大，花边有叉桠……复一种叶广，相似而有毛，花晚而甚赤。"《本草纲目》曰："石竹叶似地肤叶而尖小，又似出生小竹叶而细窄，其茎纤细有节，高尺余，梢间开花。田野生者，花大如钱，红紫色。人家栽者，花稍小而妩媚，有红白、粉红、紫赤、斑斓数色……结实如燕麦，内有小黑子。"按上述形态描述，古代瞿麦有 2 种，陶弘景所说的花边有叉桠的种，系指花瓣先端细裂成丝状的瞿麦，所说的另一种及《本草图经》所附"绛州瞿麦"图和李时珍的描述均与石竹相符。

石竹科 Caryophyllaceae 石竹属 Dianthus

石竹 *Dianthus chinensis* L.

| 植物别名 |

山竹子、大菊、瞿麦。

| 药 材 名 |

瞿麦（药用部位：地上部分）。

| 形态特征 |

多年生草本，全株无毛，带粉绿色。茎由根颈生出，疏丛生，直立，上部分枝。叶片线状披针形，长 3 ~ 5 cm，宽 2 ~ 4 mm，先端渐尖，基部稍狭，全缘或有细小齿，中脉较明显。花单生枝端或数花集成聚伞花序；花梗长 1 ~ 3 cm；苞片 4，卵形，先端长渐尖，长达花萼的 1/2 以上，边缘膜质，有缘毛；花萼圆筒形，有纵条纹，萼齿披针形，长约 5 mm，直伸，先端尖，有缘毛；花瓣长 16 ~ 18 mm，瓣片倒卵状三角形，长 13 ~ 15 mm，紫红色、粉红色、鲜红色或白色，顶缘不整齐齿裂，喉部有斑纹，疏生髯毛；雄蕊露出喉部外，花药蓝色；子房长圆形，花柱线形。蒴果圆筒形，包于宿存萼内，先端 4 裂；种子黑色，扁圆形。花期 5 ~ 6 月，果期 7 ~ 9 月。

| **生境分布** | 生于海拔 1 000 m 以下的山坡草丛、路旁或林下。分布于河北易县、涞源、阜平等。

| **资源情况** | 野生资源一般。药材来源于野生。

| **采收加工** | 夏、秋季花果期采割，除去杂草和泥土，切段或不切段，晒干。

| **药材性状** | 本品茎呈圆柱形，上部有分枝，长 30 ~ 60 cm；表面淡绿色或黄绿色，光滑，无毛，节明显，略膨大；断面中空。叶对生，多皱缩，展平者呈条形至条状披针形。枝端具花及果实，花萼筒状，长 2.7 ~ 3.7cm；苞片宽卵形；花瓣棕紫色或棕黄色，卷曲，先端深裂成丝状。蒴果长筒形，与宿萼等长。种子细小，多数。气微，味淡。

| **功能主治** | 苦，寒。归心、小肠经。利尿通淋，活血通经。用于热淋，血淋，石淋，小便不通，淋沥涩痛，闭经瘀阻。

| **用法用量** | 内服煎汤，9 ~ 15 g。

石竹科 Caryophyllaceae 无心菜属 Arenaria

老牛筋 Arenaria juncea M. Bieb.

| 植物别名 | 灯心草蚤缀、山银柴胡、毛轴鹅不食。

| 药 材 名 | 山银柴胡（药用部位：根）。

| 形态特征 | 多年生草本。根圆锥状，肉质，直径 0.5 ~ 3 cm，灰褐色或灰白色，上部具环纹，下部分枝。茎高 30 ~ 60 cm，基部宿存较硬的淡褐色枯萎叶茎，下部无毛，接近花序部分被腺柔毛。叶片细线形，长 10 ~ 25 cm，宽约 1 mm，基部较宽，呈鞘状抱茎，边缘具疏齿状短缘毛，先端渐尖，具 1 脉。聚伞花序，具数花至多花；苞片卵形，先端尖，边缘宽膜质，外面被腺柔毛；花梗长 1 ~ 2 cm，密被腺柔毛；萼片 5，卵形，先端渐尖或急尖，边缘宽膜质，具 1 ~ 3 脉；花瓣 5，白色，稀椭圆状矩圆形或倒卵形，长 8 ~ 10 mm，先端钝

圆，基部具短爪；雄蕊 10，花丝线形，长约 4 mm，与萼片对生者基部具腺体，花药黄色，椭圆形；子房卵圆形，长约 2 mm，花柱 3，长约 3 mm，柱头头状。蒴果卵圆形，黄色，稍长于宿存花萼或与宿存花萼等长，先端 3 瓣裂，裂片 2 裂；种子三角状肾形，褐色或黑色，背部具疣状突起。花果期 7～9 月。

| 生境分布 | 生于海拔 2 000 m 以下的石质山坡干燥处、海滨荒山及沙坡地。分布于河北围场、承德、崇礼等。

| 资源情况 | 野生资源一般。药材主要来源于野生。

| 采收加工 | 春、秋季采挖，除去泥土，切片，晒干。

| 药材性状 | 本品略呈圆锥形，直径 2～4 cm，有时有分枝。根头部有众多地上茎残基，紧接根头部有细环纹，下部有纵皱纹及支根痕。表面灰棕色或浅棕色，有的地方栓皮剥落成黄色斑痕。质较松，易折断，断面黄白色，有放射状纹理。气微，味略苦。

| 功能主治 | 甘，微寒。归肺、胃经。凉血，清虚热。用于阴虚肺痨，骨蒸潮热，盗汗，小儿疳热，久疟不止。

| 用法用量 | 内服煎汤，3～9 g。

石竹科 Caryophyllaceae 无心菜属 Arenaria

无心菜 *Arenaria serpyllifolia* L.

植物别名	卵叶蚤缀、鹅不食草、蚤缀。
药 材 名	小无心菜（药用部位：全草。别名：鹅不食草、大叶米栖草、鸡肠子草）。
形态特征	一年生或二年生草本，高 10 ~ 30 cm。主根细长，支根较多而纤细。茎丛生，直立或铺散，密生白色短柔毛，节间长 0.5 ~ 2.5 cm。叶片卵形，长 4 ~ 12 mm，宽 3 ~ 7 mm，基部狭，无柄，边缘具缘毛，先端急尖，两面近无毛或疏生柔毛，下面具 3 脉，茎下部的叶较大，茎上部的叶较小。聚伞花序，具多花；苞片草质，卵形，长 3 ~ 7 mm，通常密生柔毛；花梗长约 1 cm，纤细，密生柔毛或腺毛；萼片 5，披针形，长 3 ~ 4 mm，边缘膜质，先端尖，外面被柔毛，具

显著的 3 脉；花瓣 5，白色，倒卵形，长为萼片的 1/3 ~ 1/2，先端钝圆；雄蕊 10，短于萼片；子房卵圆形，无毛，花柱 3，线形。蒴果卵圆形，与宿存萼等长，先端 6 裂；种子小，肾形，表面粗糙，淡褐色。花期 6 ~ 8 月，果期 8 ~ 9 月。

| 生境分布 | 生于海拔 550 ~ 3 980 m 的砂质或石质荒地、田野、园圃、山坡草地。分布于河北武安、沙河、涞源等。

| 资源情况 | 野生资源一般。药材来源于野生。

| 采收加工 | 初夏采集，晒干或鲜用。

| 药材性状 | 本品长 10 ~ 30 cm。茎纤细，簇生，密被白色短柔毛。叶对生，完整叶卵形，无柄，长 4 ~ 12 mm，宽 2 ~ 3 mm，两面有稀疏毛茸。茎顶疏生白色小花，花瓣 5。气微，味淡。

| 功能主治 | 苦、辛，凉。归肝、肺经。清热，明目，止咳。用于肝热目赤，翳膜遮睛，肺痨咳嗽，咽喉肿痛，牙龈炎。

| 用法用量 | 内服煎汤，15 ~ 30 g。外用适量，捣敷；或塞鼻孔。

| 附　注 | 本种始载于《植物名实图考》，原名小无心菜，该书记载："比无心菜茎更细，纷乱如丝，叶圆有尖，春初有之。"书中所指即今石竹科无心菜。

石竹科 Caryophyllaceae 蝇子草属 Silene

狗筋蔓

Silene baccifera (Linnaeus) Roth

| 植物别名 |

抽筋草、大种鹅儿肠、小九股牛。

| 药 材 名 |

狗筋蔓（药用部位：带根全草。别名：小九牯牛、抽筋草、大种鹅儿肠）。

| 形态特征 |

多年生草本，全株被逆向短绵毛。根簇生，长纺锤形，白色，稍肉质；根颈粗壮，多头。茎铺散，长 50 ~ 150 cm，多分枝。叶片卵形、卵状披针形或长椭圆形，基部渐狭成柄状，先端急尖，边缘具短缘毛，两面沿脉被毛。圆锥花序疏松；花梗细，具 1 对叶状苞片；花萼宽钟形，长 9 ~ 11 mm，草质，沿纵脉多少被短毛，萼齿卵状三角形，与萼筒近等长，果期反折；雌雄蕊柄长约 1.5 mm，无毛；花瓣白色，倒披针形，长约 15 mm，宽约 2.5 mm，爪狭长，瓣片叉状浅 2 裂；副花冠片不明显，微呈乳头状；雄蕊不外露，花丝无毛；花柱细长，不外露。蒴果圆球形，呈浆果状，直径 6 ~ 8 mm，成熟时薄壳质，黑色，具光泽；种子圆肾形，肥厚，长约 1.5 mm，黑色，平滑，有光泽。花期 6 ~ 8 月。

| 生境分布 | 生于森林灌丛间、湿地及河边。分布于河北迁西、赞皇、武安等。

| 资源情况 | 野生资源一般。药材主要来源于野生。

| 采收加工 | 秋末冬初采挖，洗净，晒干或鲜用。

| 药材性状 | 本品根呈细长圆柱形，稍扭曲，常数条生于较短的根茎上，长 10 ~ 30 cm，直径 3 ~ 6 mm，表面黄白色，有纵皱纹，质硬而脆，易折断，断面黄白色。茎多分枝，表面黄绿色至黄棕色，节部膨大，有黄色毛，断面中央有白色的髓。叶对生，完整者卵状披针形或长圆形，长 2 ~ 4 cm，宽 7 ~ 15 mm，全缘，中脉有毛。茎枝先端有单生或 2 ~ 3 聚生的小花，花瓣 5，白色。气微，味甘、微苦。

| 功能主治 | 甘、苦，温。归肝、膀胱经。活血定痛，接骨生肌。用于跌打损伤，骨折，风湿骨痛，月经不调，瘰疬，痈疽。

| 用法用量 | 内服煎汤，9 ~ 15 g。外用适量，鲜品捣敷。

| 附　注 | （1）本种始载于《救荒本草》，以"狗筋蔓"名之，该书记载："小科就地拖蔓生。叶似狗掉尾巴而短小，又似月芽菜叶，微尖梢而软，亦多纹脉。两叶对生，梢间开白花。"书中所述及附图均指本种。
（2）本种对气候、土壤要求不严，全国各地均可栽培。种子繁殖方法如下：春播，行距 0.3 m，湿度适当，温度 18 ℃左右，约半月出苗，间苗 1 次。5 ~ 6 月有红蜘蛛为害，可用 40％水胺硫磷 1 500 倍液进行防治。

石竹科 Caryophyllaceae 蝇子草属 Silene

鹤草 *Silene fortunei* Vis.

| 植物别名 | 野蚊子草、蚊子草、蝇子草。

| 药 材 名 | 蝇子草（药用部位：全草。别名：洒线花、沙参、野蚊子草）。

| 形态特征 | 多年生草本，高 50 ~ 80（~ 100）cm。根粗壮，木质化。茎丛生，直立，多分枝，被短柔毛或近无毛，分泌黏液。基生叶叶片倒披针形或披针形，长 3 ~ 8 cm，宽 7 ~ 12（~ 15）mm，基部渐狭，下延成柄状，先端急尖，边缘具缘毛，中脉明显。聚伞状圆锥花序，小聚伞花序对生，具 1 ~ 3 花，有黏质，花梗细；苞片线形，被微柔毛；花萼长筒状，直径约 3 mm，无毛，基部截形，果期上部微膨大成筒状棒形，长 25 ~ 30 mm，纵脉紫色，萼齿三角状卵形，先端圆钝，边缘膜质，具短缘毛；雌雄蕊柄无毛；花瓣淡红色，爪微露

出花萼，倒披针形，无毛，瓣片平展，楔状倒卵形，2 裂达瓣片的 1/2 或更深，裂片呈撕裂状，副花冠片小，舌状；雄蕊微外露，花丝无毛；花柱微外露。蒴果长圆形，长 12 ~ 15 mm，直径约 4 mm，比宿存萼短或近等长；种子圆肾形，微侧扁，深褐色，长约 1 mm。花期 6 ~ 8 月，果期 7 ~ 9 月。

| **生境分布** | 生于平原、低山草坡或灌丛草地。分布于河北邢台及赞皇、武安等。

| **资源情况** | 野生资源一般。药材主要来源于野生。

| **采收加工** | 夏、秋季采集，洗净，鲜用或晒干。

| **药材性状** | 本品长 50 ~ 100 cm。根圆锥形或圆柱形，平直或扭曲，长 10 ~ 20 cm，宽 1 ~ 2 cm；表面浅黄色，具纵纹，纵纹上布有稍凸起的横纹；质坚硬，折断面坚实致密，较平坦，茎基部稍带木质，具粗糙短毛，中部以上多分枝，有柔毛或近无毛。叶对生；完整叶披针形或倒披针形，长 2 ~ 3.5 cm，宽 2 ~ 6 mm，先端锐尖，基部狭窄成短柄。聚伞花序顶生，花粉红色或白色。蒴果棍棒状。种子赤黄色，有瘤状突起。气微，根味微甘而后涩。

| **功能主治** | 辛、涩，凉。归大肠、膀胱经。清热利湿，活血解毒。用于痢疾，肠炎，热淋，带下，咽喉肿痛，劳伤发热，跌打损伤，毒蛇咬伤。

| **用法用量** | 内服煎汤，15 ~ 30 g；或捣汁。外用适量，鲜品捣敷。

| **附　注** | 本种始载于《植物名实图考》隰草类，以"鹤草"为名，该书记载："江西平野多有之。一名洒线花，或即呼为沙参。长根细白，叶似枸杞而小，秋开五瓣长白花，下作细筒，瓣梢有齿如剪。"书中所述及附图，与石竹科蝇子草一致。

石竹科 Caryophyllaceae 蝇子草属 Silene

坚硬女娄菜 Silene firma Sieb. et Zucc.

| 植物别名 |

光萼女娄菜、粗壮女娄菜、无毛女娄菜。

| 药 材 名 |

硬叶女娄菜（药用部位：全草。别名：大叶金石榴、女娄菜、光萼女娄菜）。

| 形态特征 |

一年生或二年生草本，高 50 ~ 100 cm，全株无毛，有时仅基部被短毛。茎单生或疏丛生，粗壮，直立，不分枝，稀分枝，有时下部暗紫色。叶片椭圆状披针形或卵状倒披针形，长 4 ~ 10（~ 16）cm，宽 8 ~ 25（~ 50）mm，基部渐狭成短柄状，先端急尖，仅边缘具缘毛。假轮伞状间断式总状花序；花梗直立，常无毛；苞片狭披针形；花萼卵状钟形，无毛，果期微膨大，长 10 ~ 12 mm，脉绿色，萼齿狭三角形，先端长渐尖，边缘膜质，具缘毛；雌雄蕊柄极短或近无；花瓣白色，不露出花萼，爪倒披针形，无毛和耳，瓣片倒卵形，2 裂；副花冠片小，具不明显齿；雄蕊内藏，花丝无毛；花柱不外露。蒴果长卵形，比宿存萼短；种子圆肾形，长约 1 mm，灰褐色，具棘凸。花期 6 ~ 7 月，果期 7 ~ 8 月。

| **生境分布** | 生于海拔 300 ~ 2 500 m 的草坡、灌丛或林缘草地。分布于河北易县、井陉、赞皇等。

| **资源情况** | 野生资源丰富。药材主要来源于野生。

| **采收加工** | 8 ~ 9 月种子成熟时采收，晒干。

| **药材性状** | 本品长 50 ~ 100 cm。茎不分枝或具 2 ~ 3 分枝，在节处或下部带暗紫色。叶对生，完整叶片披针形至长圆形，长 3 ~ 10 cm 或更长，宽 8 ~ 25 mm 或更宽。总状花序对生于枝上部叶腋；花梗被短柔毛；花萼管状，外面有 10 脉纹；花瓣 5，白色，稍长于萼，先端 2 裂，基部渐狭成爪；雄蕊 10；花柱 3，子房长圆形。蒴果长卵形。种子多数，肾形，褐色，有尖瘤状突起。气微，味淡。

| **功能主治** | 甘、淡，凉。归小肠、肝经。清热解毒，利尿，调经。用于咽喉肿痛，聤耳出脓，小便不利。

| **用法用量** | 内服煎汤，6 ~ 12 g。

| **附　注** | 本种的变种疏毛女娄菜 *Silene firma* Sieb. et Zucc. var. *pubescens* (Makino) S. Y. He 的茎、叶和花梗多少被短柔毛，花萼有时被柔毛，可与本种相区别。

石竹科 Caryophyllaceae 蝇子草属 Silene

麦瓶草 *Silene conoidea* L.

| 植物别名 |

米瓦罐、净瓶、面条棵。

| 药 材 名 |

麦瓶草（药用部位：全草。别名：净瓶、香炉草）、麦瓶草种子（药用部位：种子）。

| 形态特征 |

一年生草本，高 25 ~ 60 cm，全株被短腺毛。根为主根系，稍木质。茎单生，直立，不分枝。基生叶叶片匙形，茎生叶叶片长圆形或披针形，长 5 ~ 8 cm，宽 5 ~ 10 mm，基部楔形，先端渐尖，两面被短柔毛，边缘具缘毛，中脉明显。二歧聚伞花序具数花；花直立，直径约 20 mm；花萼圆锥形，直径 3 ~ 4.5 mm，绿色，基部脐形，果期膨大，下部宽卵状，直径 6.5 ~ 10 mm；纵脉 30，沿脉被短腺毛；萼齿狭披针形，长为花萼 1/3 或更长，边缘下部狭膜质，具缘毛；雌雄蕊柄几无；花瓣淡红色，爪不露出花萼，狭披针形，无毛，耳三角形，瓣片倒卵形，全缘或微凹缺，有时微啮蚀状；副花冠片狭披针形，白色，先端具数浅齿；雄蕊微外露或不外露，花丝具稀疏短毛；花柱微外露。蒴果梨状；种子肾形，暗褐色。花期 5 ~ 6 月，果期 6 ~ 7 月。

| 生境分布 | 生于麦田或荒草地。分布于河北灵寿、沽源、怀安等。

| 资源情况 | 野生资源丰富。药材主要来源于野生。

| 采收加工 | **麦瓶草**：春、夏季采收，洗净，晒干。
麦瓶草种子：5 ~ 6 月采收，晒干。

| 药材性状 | **麦瓶草**：本品密生腺毛，长 20 ~ 60 cm。主根细长，略木质。茎中部以上分枝较多。叶对生，基生叶略呈匙形，茎生叶披针形或矩圆形，基部阔，稍抱茎，具毛茸。聚伞花序顶生或腋生，花紫色或粉红色。蒴果卵形，具宿萼。种子多数，有疣状突起。气微，味淡。
麦瓶草种子：本品呈肾形，有成行的瘤状突起，突起以种脐为圆心，呈半环状排列数层。

| 功能主治 | **麦瓶草**：甘、苦，凉。归肺、肝经。养阴，清热，止血调经。用于吐血，衄血，虚劳咳嗽，咯血，尿血，月经不调。
麦瓶草种子：甘，平。止血，催乳。用于鼻衄，尿血，乳汁不下。

| 用法用量 | **麦瓶草**：内服煎汤，9 ~ 15 g；或炖肉、鸡。
麦瓶草种子：内服煎汤，10 ~ 20 g。

| 附　注 | 本种始载于《植物名实图考》群芳类，以"净瓶"为名，该书云："净瓶，细茎长叶如石竹，开五瓣粉紫花，如洋长春；而花跗如小瓶甚长，故名。"书中所述及附图，与石竹科麦瓶草相符。

石竹科 Caryophyllaceae 蝇子草属 Silene

蔓茎蝇子草 *Silene repens* Patr.

| 植物别名 |

匍生鹤草、匍生蝇子草、毛萼麦瓶草。

| 药 材 名 |

山银柴胡（药用部位：根）。

| 形态特征 |

多年生草本，高 15 ～ 50 cm，全株被短柔毛。根茎细长，分叉。茎疏丛生或单生，不分枝或有时分枝。叶片线状披针形、披针形、倒披针形或长圆状披针形，长 2 ～ 7 cm，宽 3 ～ 10 （～ 12） mm，基部楔形，先端渐尖，两面被柔毛，边缘基部具缘毛，中脉明显。总状圆锥花序，小聚伞花序常具 1 ～ 3 花；花梗长 3 ～ 8 mm；苞片披针形，草质；花萼筒状棒形，长 11 ～ 15 mm，直径 3 ～ 4.5 mm，常带紫色，被柔毛，萼齿宽卵形，先端钝，边缘膜质，具缘毛；雌雄蕊柄被短柔毛，长 4 ～ 8 mm；花瓣白色，稀黄白色，爪倒披针形，不露出花萼，无耳，瓣片平展，倒卵形，浅 2 裂或深达其中部；副花冠片长圆状，先端钝，有时具裂片；雄蕊微外露，花丝无毛；花柱微外露。蒴果卵形，长 6 ～ 8 mm，比宿存萼短；种子肾形，长约 1 mm，黑褐色。花期 6 ～ 8 月，果期 7 ～ 9 月。

| **生境分布** | 生于海拔 1 500 ~ 3 500 m 的林下、湿润草地、溪岸或石质草坡。分布于河北隆化、青龙、涿鹿等。

| **资源情况** | 野生资源一般。药材主要来源于栽培。

| **采收加工** | 春、秋季采挖，除去茎叶及须根，洗净，晒干，切片。

| **药材性状** | 本品呈细圆柱形，长 5 ~ 10 cm，宽 5 ~ 20 mm，偶有分枝。根头部有少数细小疣状突起，并有细小芽痕。外表黄色至棕黄色，略具细纵纹，并有侧根残基。质较脆，易折断，断面类白色，多裂隙。气微，味微辛。

| **功能主治** | 甘，微寒。归肺、肝、胆、肾、胃经。凉血，清虚热。用于阴虚肺痨，骨蒸潮热，盗汗，小儿疳热，久疟不止。

| **用法用量** | 内服煎汤，3 ~ 9 g。

石竹科 Caryophyllaceae 蝇子草属 Silene

女娄菜 *Silene aprica* Turcz. ex Fisch. et Mey.

| 植物别名 |

桃色女娄菜、王不留行、山蚂蚱菜。

| 药 材 名 |

女娄菜（药用部位：全草）、女娄菜根（药用部位：根、果实）。

| 形态特征 |

一年生或二年生草本，高 30 ~ 70 cm，全株密被灰色短柔毛。主根较粗壮，稍木质。茎单生或数个，直立，分枝或不分枝。基生叶叶片倒披针形或狭匙形，长 4 ~ 7 cm，宽 4 ~ 8 mm，基部渐狭成长柄状，先端急尖，中脉明显；茎生叶叶片倒披针形、披针形或线状披针形，比基生叶稍小。圆锥花序较大型；花梗长 5 ~ 20（~ 40）mm，直立；苞片披针形，草质，渐尖，具缘毛；花萼卵状钟形，长 6 ~ 8 mm，近草质，密被短柔毛，果期长达 12 mm，纵脉绿色，脉端多少连结，萼齿三角状披针形，边缘膜质，具缘毛；雌雄蕊柄极短或近无，被短柔毛；花瓣白色或淡红色，倒披针形，长 7 ~ 9 mm，微露出花萼或与花萼近等长，爪具缘毛，瓣片倒卵形，2 裂；副花冠片舌状；雄蕊不外露，花丝基部具缘毛；花柱不外露，基部具短毛。

蒴果卵形，长 8 ~ 9 mm，与宿存萼近等长或微长；种子圆肾形，灰褐色，长 0.6 ~ 0.7 mm，肥厚，具小瘤。花期 5 ~ 7 月，果期 6 ~ 8 月。

| 生境分布 | 生于海拔 3 800 m 以下的山坡草地或旷野路旁草丛中。分布于河北秦皇岛及蔚县等。

| 资源情况 | 野生资源丰富。药材主要来源于野生。

| 采收加工 | **女娄菜**：夏、秋季采集，除去泥沙，鲜用或晒干。
女娄菜根：夏、秋季采根，秋季采果实，晒干。

| 药材性状 | **女娄菜**：本品密被短柔毛，长 20 ~ 70 cm。根细长纺锤形，木质化。茎基部多分枝。叶对生，完整叶片线状披针形至披针形，长 4 ~ 7 cm，宽 4 ~ 8 mm，先端锐尖，基部渐窄；上部叶无柄。花粉红色，常 2 ~ 3 生于分枝上。蒴果椭圆形。种子肾形，细小，黑褐色，边缘具瘤状小突起。气微，味淡。

| 功能主治 | **女娄菜**：辛、苦，平。归肝、脾经。活血调经，下乳，健脾，利湿，解毒。用于月经不调，乳少，小儿疳积，脾虚浮肿，疔疮肿毒。
女娄菜根：苦、甘，平。利尿，催乳。用于小便短赤，乳少。

| 用法用量 | **女娄菜**：内服煎汤，9 ~ 15 g，大剂量可用至 30 g；或研末。外用适量，鲜品捣敷。
女娄菜根：内服煎汤，9 ~ 15 g。

| 附 注 | 本种始载于《救荒本草》，该书云："女娄菜……苗高一二尺，茎叉相对分生，叶似旋覆花叶，颇短，色微深绿，抪茎对生。稍间出青萼葖，开花微吐白蕊，结实青，子如枸杞微小。"书中所述及附图，均与本种相符。

石竹科 Caryophyllaceae 蝇子草属 Silene

蝇子草 *Silene gallica* L.

| **植物别名** | 西欧蝇子草、白花蝇子草、胀萼蝇子草。

| **药 材 名** | 蝇子草（药用部位：全草）。

| **形态特征** | 一年生草本，高 15 ~ 45 cm，全株被柔毛。茎单生，直立或上升，不分枝或分枝，被短柔毛和腺毛。叶片长圆状匙形或披针形，长 1.5 ~ 3 cm，宽 5 ~ 10 mm，先端圆或钝，有时急尖，两面被柔毛和腺毛。单歧式总状花序；花梗长 1 ~ 5 mm；苞片披针形，草质，长达 10 mm；花萼卵形，长约 8 mm，直径约 2 mm，被稀疏长柔毛和腺毛，纵脉先端多少连结，萼齿线状披针形，长约 2 mm，先端急尖，被腺毛；雌雄蕊柄几无；花瓣淡红色至白色，爪倒披针形，无毛，无耳，瓣片露出花萼，卵形或倒卵形，全缘，有时微凹缺；

副花冠片小，线状披针形；雄蕊不外露或微外露，花丝下部具缘毛。蒴果卵形，长 6 ~ 7 mm，比宿存萼微短或近等长；种子肾形，两侧耳状凹，长约 1 mm，暗褐色。花期 5 ~ 6 月，果期 6 ~ 7 月。

| **生境分布** | 生于山坡、林下及杂草丛中。分布于河北邢台及涉县、涿鹿等。

| **资源情况** | 野生资源一般。药材主要来源于野生。

| **采收加工** | 秋季采集，洗净，晒干。

| **功能主治** | 辛、涩，凉。清热利湿，解毒消肿。用于痢疾，肠炎；外用于蝮蛇咬伤，扭挫伤，关节肌肉酸痛。

| **用法用量** | 内服煎汤，25 ~ 50 g。外用适量，鲜品捣敷；或浸酒搽。

藜科 Chenopodiaceae 滨藜属 Atriplex

西伯利亚滨藜
Atriplex sibirica L.

| 植物别名 |

白蒺藜。

| 药 材 名 |

软蒺藜（药用部位：果实。别名：白蒺藜、藜）。

| 形态特征 |

一年生草本，高 20 ~ 50 cm。茎通常自基部分枝；枝外倾或斜伸，钝四棱形，无色条，有粉。叶片卵状三角形至菱状卵形，长 3 ~ 5 cm，宽 1.5 ~ 3 cm，先端微钝，基部圆形或宽楔形，边缘具疏锯齿，近基部的 1 对齿较大而呈裂片状，或仅有 1 对浅裂片而其余部分全缘，上面灰绿色，无粉或稍有粉，下面灰白色，有密粉；叶柄长 3 ~ 6 mm。团伞花序腋生；雄花花被 5 深裂，裂片宽卵形至卵形，雄蕊 5，花丝扁平，基部联合，花药宽卵形至短矩圆形，长约 0.4 mm；雌花的苞片联合成筒状，仅顶缘分离，果时膨胀，略呈倒卵形，长 5 ~ 6 mm（包括柄），宽约 4 mm，木质化，表面具多数不规则的棘状突起，顶缘薄，牙齿状，基部楔形。胞果扁平，卵形或近圆形；果皮膜质，白色，与种子贴伏；种子直立，红褐色或黄褐色，

直径 2 ~ 2.5 mm。花期 6 ~ 7 月，果期 8 ~ 9 月。

| 生境分布 | 生于盐碱荒漠、湖边、渠沿、河岸及固定沙丘等。分布于河北张家口等。

| 资源情况 | 野生资源丰富。药材主要来源于野生。

| 采收加工 | 秋季果实成熟后割取地上部分，晒干，打下果实，去净杂质。

| 药材性状 | 本品外被 2 宿存苞片，土黄色或浅绿色。苞片为扁平扇形，有 3 放射状隆起的主脉及网状细脉，无棘状突起，上部扇形，边缘波状或稍 5 浅裂。基部具棘状、软棘状或疣状突起，但不刺手。剥开 2 苞片，露出扁圆形胞果 1，胞果呈棕色，直径 3 mm。表面光滑，一侧有喙状突起。果皮与种皮均薄，剥开后呈淡黄色，富油质。气微弱，味微酸、咸。

| 功能主治 | 苦，平。归肺、肝经。清肝明目，祛风止痒，活血消肿，通乳。用于目赤肿痛，头痛，头晕，咳逆，喉痹，风疹，皮肤瘙痒，肿毒，乳汁不畅。

| 用法用量 | 内服煎汤，3 ~ 6 g。外用适量，煎汤洗。

藜科 Chenopodiaceae 滨藜属 Atriplex

中亚滨藜

Atriplex centralasiatica Iljin

| 药 材 名 | 软蒺藜（药用部位：果实。别名：白蒺藜、藜）。

| 形态特征 | 一年生草本，高 20 ~ 60 cm。茎通常自基部分枝；枝钝四棱形，黄绿色，无色条，有粉或下部近无粉。叶有短柄，枝上部的叶近无柄；叶片卵状三角形至菱状卵形，长 2 ~ 3 cm，宽 1 ~ 2.5 cm，边缘具疏锯齿，近基部的 1 对锯齿较大而呈裂片状，或仅有 1 对浅裂片而其余部分全缘，先端微钝，基部圆形至宽楔形，上面灰绿色，无粉或稍有粉，下面灰白色，有密粉；叶柄长 2 ~ 6 mm。花集成腋生团伞花序；雄花花被 5 深裂，裂片宽卵形，雄蕊 5，花丝扁平，基部联合，花药宽卵形至短矩圆形，长约 0.4 mm；雌花的苞片近半圆形至平面钟形，边缘近基部以下合生，果时长 6 ~ 8 mm，宽 7 ~

10 mm，近基部的中心部膨胀并木质化，表面具多数疣状或肉棘状附属物，边缘草质或硬化，边缘具不等大的三角形牙齿；苞柄长 1 ~ 3 mm。胞果扁平，宽卵形或圆形，果皮膜质，白色，与种子贴伏；种子直立，红褐色或黄褐色，直径 2 ~ 3 mm。花期 7 ~ 8 月，果期 8 ~ 9 月。

| **生境分布** | 生于戈壁、荒地、海滨及盐土荒漠，有时也侵入田间。分布于河北武安等。

| **资源情况** | 野生资源较丰富。药材主要来源于野生。

| **采收加工** | 秋季果实成熟后割取地上部分，晒干，打下果实，去净杂质。

| **药材性状** | 本品外被 2 宿存苞片，直径 4 ~ 14 mm，土黄色或浅绿色。苞片为扁平扇形，有 3 放射状隆起的主脉及网状细脉，无棘状突起，上部扇形，边缘波状或稍 5 浅裂，基部渐细成短果柄。剥开 2 苞片，露出扁圆形胞果 1，胞果呈棕色，直径 3 mm。表面光滑，一侧有喙状突起。果皮与种皮均薄，剥开后呈淡黄色，富油质。气微弱，味微酸、咸。

| **功能主治** | 苦，平。归肺、肝经。清肝明目，祛风止痒，活血消肿，通乳。用于目赤肿痛，头痛，头晕，咳逆，喉痹，风疹，皮肤瘙痒，肿毒，乳汁不畅。

| **用法用量** | 内服煎汤，3 ~ 6 g。外用煎汤洗。

| **附　　注** | 本种与西伯利亚滨藜 *Atriplex sibirica* L. 的区别在于本种中部茎生叶叶缘具疏锯齿；花簇全部腋生，不构成顶生穗状花序；苞片果时扇形至扁钟形，附属物刺状、软棘状或疣状，上部边缘草质，有不等大的三角形牙齿。

藜科 Chenopodiaceae　菠菜属 Spinacia

菠菜 *Spinacia oleracea* L.

| **植物别名** | 角菜、菠薐菜、菠薐。

| **药材名** | 菠菜（药用部位：全草。别名：菠薐、波棱菜、红根菜）、菠菜子（药用部位：种子。别名：刺蒺藜子）。

| **形态特征** | 植株高可达 1 m，无粉。根圆锥状，带红色，较少为白色。茎直立，中空，脆弱多汁，不分枝或有少数分枝。叶戟形至卵形，鲜绿色，柔嫩多汁，稍有光泽，全缘或有少数牙齿状裂片。雄花集成球形团伞花序，再于枝和茎的上部排列成有间断的穗状圆锥花序；花被片通常 4，花丝丝形，扁平，花药不具附属物；雌花团集于叶腋；小苞片两侧稍扁，先端残留 2 小齿，背面通常各具 1 棘状附属物；子房球形，柱头 4 或 5，外伸。胞果卵形或近圆形，直径约 2.5 mm，

两侧扁；果皮褐色。

| **生境分布** | 生于房屋边、道路旁。分布于河北平泉、永年等。河北多地有栽培。

| **资源情况** | 野生资源一般。药材主要来源于栽培。

| **采收加工** | 菠菜：冬、春季采收，除去泥土、杂质，洗净，鲜用。

菠菜子：6 ~ 7 月种子成熟时，割取地上部分，打下种子，除去杂质，晒干或鲜用。

| **药材性状** | 菠菜子：本品呈三角状类圆形，直径约 2.5 mm；表面略粗糙，在两端常各有1 角刺，灰白色；种皮坚硬，砸破后可见粉质白色胚乳。

| **功能主治** | 菠菜：甘，平。归肝、胃、大肠、小肠经。养血，止血，平肝，润燥。用于衄血，便血，头痛，目眩，目赤，夜盲症，消渴引饮，便闭，痔疮。

菠菜子：辛，温。归脾、肺经。清肝明目，止咳止喘。用于风火目赤肿痛，咳喘。

| **用法用量** | 菠菜：内服适量，煮食；或捣汁饮。

菠菜子：内服煎汤，9 ~ 15 g；或研末。

藜科 Chenopodiaceae 地肤属 *Kochia*

地肤
Kochia scoparia (L.) Schrad.

| 植物别名 | 扫帚苗、扫帚菜、观音菜。

| 药 材 名 | 地肤子（药用部位：果实。别名：地葵、地麦、落帚子）。

| 形态特征 | 一年生草本，高 50 ～ 100 cm。根略呈纺锤形。茎直立，圆柱状，淡绿色或带紫红色，有多数条棱，稍有短柔毛或下部几无毛；分枝稀疏，斜上。叶为平面叶，披针形或条状披针形，长 2 ～ 5 cm，宽 3 ～ 7 mm，无毛或稍有毛，先端短渐尖，基部渐狭入短柄，通常有 3 明显的主脉，边缘有疏生的锈色绢状缘毛；茎上部叶较小，无柄，1 脉。花两性或雌性，通常 1 ～ 3 生于上部叶腋，构成疏穗状圆锥状花序，花下有时有锈色长柔毛；花被近球形，淡绿色，花被裂片近三角形，无毛或先端稍有毛；翅端附属物三角形至倒卵形，有时

近扇形，膜质，脉不很明显，边缘微波状或具缺刻；花丝丝状，花药淡黄色；柱头 2，丝状，紫褐色，花柱极短。胞果扁球形，果皮膜质，与种子离生；种子卵形，黑褐色，长 1.5 ~ 2 mm，稍有光泽；胚环形，胚乳块状。花期 6 ~ 9 月，果期 7 ~ 10 月。

| **生境分布** | 生于田边、路旁、荒地等。分布于河北磁县、行唐、怀安等。

| **资源情况** | 野生资源一般。药材主要来源于野生。

| **采收加工** | 秋季果实成熟时采收植株，晒干，打下果实，除去杂质。

| **药材性状** | 本品呈扁球状五角星形，直径 1 ~ 3 mm。外被宿存花被，表面灰绿色或浅棕色，周围具膜质小翅 5，背面中心有微凸起的点状果柄痕及放射状脉纹 5 ~ 10；剥离花被，可见膜质半透明果皮。种子扁卵形，长约 1 mm，黑色。气微，味微苦。

| **功能主治** | 辛、苦，寒。归肾、膀胱经。清热利湿，祛风止痒。用于小便涩痛，阴痒带下，风疹，湿疹，皮肤瘙痒。

| **用法用量** | 内服煎汤，9 ~ 15 g。外用适量，煎汤洗。

| **附　　注** | 本种始载于《神农本草经》，被列为上品。《本草经集注》云："今田野间亦多，皆取茎苗为扫帚。子微细。"
《新修本草》云："地肤子，田野人名为地麦草，叶细茎赤，多出熟田中，苗极弱，不能胜举，今云堪为扫帚，恐人未识之。"
《蜀本草》云："叶细茎赤，初生薄地，花黄白，子青白色，今所在有。"《本草纲目》云："地肤嫩苗，可作蔬茹一科数十枝，攒簇团团直上，性最柔弱，故将老时可做帚，耐用。"书中所载叶细茎赤、花黄白、可作帚等特征，与今地肤子原植物一致。

藜科 Chenopodiaceae 碱蓬属 Suaeda

碱蓬 Suaeda glauca (Bunge) Bunge

| **植物别名** | 海英菜、碱蒿、盐蒿。

| **药 材 名** | 碱蓬（药用部位：全草。别名：盐蓬）

| **形态特征** | 一年生草本，高可达 1 m。茎直立，粗壮，圆柱状，浅绿色，有条棱，上部多分枝；枝细长，上升或斜伸。叶丝状条形，半圆柱状，通常长 1.5 ~ 5 cm，宽约 1.5 mm，灰绿色，光滑无毛，稍向上弯曲，先端微尖，基部稍收缩。花两性兼有雌性，单生或 2 ~ 5 团集，大多着生于叶的近基部处；两性花花被杯状，长 1 ~ 1.5 mm，黄绿色；雌花花被近球形，直径约 0.7 mm，较肥厚，灰绿色；花被裂片卵状三角形，先端钝，果时增厚，使花被略呈五角星状，干后变黑色；雄蕊 5，花药宽卵形至矩圆形，长约 0.9 mm；柱头 2，黑褐色，稍

外弯。胞果包在花被内，果皮膜质；种子横生或斜生，双凸镜形，黑色，直径约 2 mm，周边钝或锐，表面具清晰的颗粒状点纹，稍有光泽；胚乳很少。花果期 7 ～ 9 月。

| **生境分布** | 生于堤岸、洼地、荒野的盐碱土上。分布于河北丰宁、行唐、隆尧等。

| **资源情况** | 野生资源丰富。药材主要来源于野生。

| **采收加工** | 夏、秋季收割地上部分，晒干，除去泥沙、杂质，亦可鲜用。

| **药材性状** | 本品呈灰黄色。叶多破碎，完整者为丝状条形，无毛。花多着生于叶基部。果实包在宿存的花被内，果皮膜质。种子黑色，直径约 2 mm，表面具清晰的颗粒状点纹，稍有光泽。

| **功能主治** | 咸，凉。归肾经。清热，消积。用于食积停滞，发热。

| **用法用量** | 内服煎汤，6 ～ 9 g，鲜品 15 ～ 30 g。

藜科 Chenopodiaceae 藜属 Chenopodium

刺藜 *Chenopodium aristatum* L.

| 植物别名 | 针尖藜、刺穗藜。

| 药 材 名 | 刺藜（药用部位：全草。别名：红小扫帚苗、铁扫帚苗、野鸡冠子草）。

| 形态特征 | 一年生草本，植物体通常呈圆锥形，高 10 ~ 40 cm，无粉，秋后常带紫红色。茎直立，圆柱形或有棱，具色条，无毛或稍有毛，有多数分枝。叶条形至狭披针形，长达 7 cm，宽约 1 cm，全缘，先端渐尖，基部收缩成短柄，中脉黄白色。复二歧式聚伞花序生于枝端及叶腋，最末端的分枝针刺状；花两性，几无柄；花被裂片 5，狭椭圆形，先端钝或骤尖，背面稍肥厚，边缘膜质，果时开展。胞果顶基扁（底面稍凸），圆形；果皮透明，与种子贴生；种子横生，顶基扁，周

边平截或具棱。花期 8 ~ 9 月，果期 10 月。

| **生境分布** | 为农田杂草，多生于高粱、玉米、谷子田间，有时也见于山坡、荒地等。分布于河北青龙、迁西、张北等。

| **资源情况** | 野生资源丰富。药材主要来源于野生。

| **采收加工** | 夏、秋季收割，除去杂质，洗净，晒干。

| **药材性状** | 本品呈灰黄色至黄绿色。叶皱缩破碎，全缘。花序生于枝端及叶腋，最末端的分枝针刺状。胞果圆形，果皮透明膜质，与种子贴生。种子圆形，黑褐色，长不及 1 mm，有光泽。气微，味微苦。

| **功能主治** | 淡，平。活血，调经，祛风止痒。用于月经过多，痛经，闭经，过敏性皮炎，荨麻疹。

| **用法用量** | 内服煎汤，9 ~ 15 g。外用适量，煎汤洗。

藜科 Chenopodiaceae 藜属 Chenopodium

灰绿藜 *Chenopodium glaucum* L.

| 药 材 名 | 藜（药用部位：幼嫩全草。别名：莱、蔓华）。

| 形态特征 | 一年生草本，高20～40 cm。茎平卧或外倾，具条棱及绿色或紫红色色条。叶片矩圆状卵形至披针形，长2～4 cm，宽6～20 mm，肥厚，先端急尖或钝，基部渐狭，边缘具缺刻状牙齿，上面无粉，平滑，下面有粉而呈灰白色，有稍带紫红色；中脉明显，黄绿色；叶柄长5～10 mm。花两性兼有雌性，通常数花聚成团伞花序，再于分枝上排列成有间断而通常短于叶的穗状或圆锥状花序；花被裂片3～4，浅绿色，稍肥厚，通常无粉，狭矩圆形或倒卵状披针形，长不及1 mm，先端通常钝；雄蕊1～2，花丝不伸出花被，花药球形；柱头2，极短。胞果先端露出花被外，果皮膜质，黄白色；

种子扁球形，直径 0.75 mm，横生、斜生及直立，暗褐色或红褐色，边缘钝，表面有细点纹。花果期 5 ~ 10 月。

| **生境分布** | 生于盐碱地、水边、田间、荒地或路旁。分布于河北昌黎、磁县、丰宁等。

| **资源情况** | 野生资源丰富。药材主要来源于野生。

| **采收加工** | 春、夏季割取，除去杂质，鲜用或晒干。

| **药材性状** | 本品呈黄绿色。茎具细棱。叶片皱缩破碎，完整者展平后呈菱状卵形至宽披针形，叶上表面黄绿色，下表面灰黄绿色，被粉粒，边缘具不整齐锯齿；叶柄长 5 ~ 10 mm。圆锥花序腋生或顶生。

| **功能主治** | 微甘，平；有小毒。清热祛湿，解毒消肿，杀虫止痒。用于发热，咳嗽，痢疾，腹泻，腹痛，疝气，龋齿痛，湿疹，疥癣，白癜风，疮疡肿痛，毒虫咬伤。

| **用法用量** | 内服煎汤，15 ~ 30 g。外用适量，煎汤漱口或熏洗；或捣涂。

| **附　　注** | 本种与藜 *Chenopodium album* L. 极为相似，但本种植株较小；植株被粉；叶下面灰白色；花被片 3 ~ 4，基部合生，雄蕊 1 ~ 2，花丝不伸出花被；扁圆形的种子上有细点纹；花果期 5 ~ 10 月。

藜科 Chenopodiaceae 藜属 Chenopodium

藜

Chenopodium album L.

| 植物别名 | 灰条菜、灰藋。

| 药 材 名 | 藜（药用部位：幼嫩全草。别名：莱、蔓华）、藜实（药用部位：果实。别名：灰藜子、灰菜子）。

| 形态特征 | 一年生草本，高 30 ～ 150 cm。茎直立，粗壮，具条棱及绿色或紫红色色条，多分枝；枝条斜升或开展。叶片菱状卵形至宽披针形，长 3 ～ 6 cm，宽 2.5 ～ 5 cm，先端急尖或微钝，基部楔形至宽楔形，上面通常无粉，有时嫩叶的上面有紫红色粉，下面多少有粉，边缘具不整齐锯齿；叶柄与叶片近等长，或为叶片长度的 1/2。花两性，花簇于枝上部排列成或大或小的穗状或圆锥状花序；花被裂片 5，宽卵形至椭圆形，背面具纵隆脊，有粉，先端或微凹，边缘膜质；

雄蕊 5，花药伸出花被；柱头 2。果皮与种子贴生；种子横生，双凸透镜状，直径 1.2 ～ 1.5 mm，边缘钝，黑色，有光泽，表面具浅沟纹；胚环形。花果期 5 ～ 10 月。

| **生境分布** | 生于路旁、荒地、田间及宅旁等。分布于河北昌黎、赤城、抚宁等。

| **资源情况** | 野生资源丰富。药材来源于野生。

| **采收加工** | 藜：春、夏季割取，除去杂质，鲜用或晒干。
藜实：秋季果实成熟时割取全草，打下果实和种子，除去杂质，晒干或鲜用。

| **药材性状** | 藜：本品呈黄绿色。茎具细棱。叶片皱缩破碎，完整者展平后呈菱状卵形至宽披针形，叶上表面黄绿色，下表面灰黄绿色，被粉粒，边缘具不整齐锯齿；叶柄长约 3 cm。圆锥花序腋生或顶生。
藜实：本品呈五角状扁球形，直径 1 ～ 1.5 mm，花被紧包果外，黄绿色，先端 5 裂，裂片三角形，稍反卷，背面有 5 棱线，呈放射状；无翅；内有果实 1，果皮膜状，贴生于种子。种子半球形，黑色，有光泽，表面具浅沟纹。

| **功能主治** | 藜：微甘，平；有小毒。清热祛湿，解毒消肿，杀虫止痒。用于发热，咳嗽，痢疾，腹泻，腹痛，疝气，龋齿痛，湿疹，疥癣，白癜风，疮疡肿痛，毒虫咬伤。
藜实：苦、微甘，寒；有小毒。清热祛湿，杀虫止痒。用于小便不利，水肿，皮肤湿疮，头疮，耳聋。

| **用法用量** | 藜：内服煎汤，15 ～ 30 g。外用适量，煎汤漱口或熏洗；或捣涂。
藜实：内服煎汤，10 ～ 15 g。外用适量，煎汤洗；或烧灰调敷。

| **附　注** | 本种的果实在有些地区可代"地肤子"药用。

藜科 Chenopodiaceae 藜属 Chenopodium

土荆芥
Chenopodium ambrosioides L.

| **植物别名** | 臭草、杀虫芥、鹅脚草。

| **药 材 名** | 土荆芥（药用部位：带果穗全草。别名：鹅脚草、红泽兰、天仙草）。

| **形态特征** | 一年生或多年生草本，高 50 ~ 80 cm，有强烈香味。茎直立，多分枝，有色条及钝条棱；枝通常细瘦，有短柔毛并兼有具节的长柔毛，有时近无毛。叶片矩圆状披针形至披针形，先端急尖或渐尖，边缘具稀疏不整齐的大锯齿，基部渐狭具短柄，上面平滑无毛，下面有散生油点并沿叶脉稍有毛，下部的叶长达 15 cm，宽达 5 cm，上部叶逐渐狭小而近全缘。花两性及雌性，通常 3 ~ 5 团集，生于上部叶腋；花被裂片 5，较少为 3，绿色，果时通常闭合；雄蕊 5，花药长 0.5 mm；花柱不明显，柱头通常 3，较少为 4，丝形，伸出花被外。

胞果扁球形，完全包于花被内；种子横生或斜生，黑色或暗红色，平滑，有光泽，边缘钝，直径约 0.7 mm。花果期较长。

| 生境分布 | 生于村旁、路边、河岸等。分布于河北青龙、抚宁、昌黎等。

| 资源情况 | 野生资源丰富。药材主要来源于野生。

| 采收加工 | 8 月下旬至 9 月下旬采收全草，摊放通风处，或捆束悬挂阴干，避免日晒及雨淋。

| 药材性状 | 本品呈黄绿色。茎上有柔毛。叶皱缩破碎，叶缘常具稀疏、不整齐的钝锯齿；上表面光滑，下表面可见散生油点；叶脉有毛。花着生于叶腋。胞果扁球形，外被 1 薄层囊状而具腺毛的宿萼。种子黑色或暗红色，平滑，直径约 0.7 mm。具强烈而特殊的香气，味微辣而苦。

| 功能主治 | 辛、苦，微热；有大毒。归脾经。祛风除湿，杀虫止痒，活血消肿。用于钩虫病，蛔虫病，蛲虫病，头虱，皮肤湿疹，疥癣，风湿痹痛，闭经，痛经，口舌生疮，咽喉肿痛，跌打损伤，蛇虫咬伤。

| 用法用量 | 内服煎汤，3 ~ 15 g。外用适量，捣敷；或煎汤洗。

藜科 Chenopodiaceae 藜属 Chenopodium

小藜
Chenopodium ficifolium Smith

| 植物别名 | 灰菜。

| 药材名 | 灰藋（药用部位：全草。别名：金锁天、灰藜、水落藜）、灰藋子（药用部位：种子）。

| 形态特征 | 一年生草本，高 20 ～ 50 cm。茎直立，具条棱及绿色色条。叶片卵状矩圆形，长 2.5 ～ 5 cm，宽 1 ～ 3.5 cm，通常 3 浅裂；中裂片两边近平行，先端钝或急尖并具短尖头，边缘具深波状锯齿；侧裂片位于中部以下，通常各具 2 浅裂齿。花两性，数个团集，排列于上部的枝上形成较开展的顶生圆锥状花序；花被近球形，5 深裂，裂片宽卵形，不开展，背面具微纵隆脊并有密粉；雄蕊 5，开花时外伸；柱头 2，丝形。胞果包在花被内，果皮与种子贴生；种子双凸镜状，

黑色，有光泽，直径约 1 mm，边缘微钝，表面具六角形细洼；胚环形。4 ~ 5 月开始开花。

| **生境分布** | 为普通田间杂草，有时也生于荒地、道旁、垃圾堆等。分布于河北青龙、迁西、蠡县等。

| **资源情况** | 野生资源较丰富。药材主要来源于野生。

| **采收加工** | 灰藋：3 ~ 4 月采收，洗净，除去杂质，鲜用或晒干。

灰藋子：6 ~ 7 月间果实成熟时，割取全草，打下果实和种子，除去杂质，晒干。

| **药材性状** | 灰藋：本品呈灰黄色。叶片皱缩破碎，完整叶展平后通常 3 浅裂，裂片具波状锯齿。穗状花序腋生或顶生。胞果包在花被内，果皮膜质，有明显的蜂窝状网纹，果皮与种子贴生。

灰藋子：本品边缘有棱，直径不超过 2 mm，黑色，有光泽，表面具六角形细洼。

| **功能主治** | 灰藋：苦、甘，平。疏风清热，解毒祛湿，杀虫。用于风热感冒，腹泻，痢疾，荨麻疹，疮疡肿毒，疥癣，湿疮，口齿疳疮，白癜风，虫咬伤。

灰藋子：甘，平。杀虫。用于蛔虫病，绦虫病，蛲虫病。

| **用法用量** | 灰藋：内服煎汤，9 ~ 15 g。外用煎汤洗；或捣敷；或烧灰调敷。

灰藋子：内服煎汤，9 ~ 15 g。

藜科 Chenopodiaceae 藜属 Chenopodium

杂配藜 *Chenopodium hybridum* L.

| 植物别名 |

血见愁、大叶藜。

| 药 材 名 |

大叶藜（药用部位：全草。别名：血见愁、杂灰菜、八角灰菜）。

| 形态特征 |

一年生草本，高 40 ~ 120 cm。茎直立，粗壮，具淡黄色或紫色条棱，上部有疏分枝，无粉或枝上稍有粉。叶片宽卵形至卵状三角形，长 6 ~ 15 cm，宽 5 ~ 13 cm，两面均呈亮绿色，无粉或稍有粉，先端急尖或渐尖，基部圆形、截形或略呈心形，边缘掌状浅裂；裂片 2 ~ 3 对，不等大，略呈五角形，先端通常锐；上部叶较小，叶片多呈三角状戟形，边缘具较少数的裂片状锯齿，有时几全缘；叶柄长 2 ~ 7 cm。花两性兼有雌性，通常数个团集，在分枝上排列成开散的圆锥状花序；花被裂片 5，狭卵形，先端钝，背面具纵脊并稍有粉，边缘膜质；雄蕊 5。胞果双凸镜状；果皮膜质，有白色斑点，与种子贴生；种子横生，与胞果同形，直径通常 2 ~ 3 mm，黑色，无光泽，表面具明显的圆形深洼或凹凸不平；胚环形。花果期 7 ~ 9 月。

| 生境分布 | 生于林缘、山坡灌丛间、沟沿等。分布于河北邢台及张北、蔚县等。

| 资源情况 | 野生资源较丰富。药材主要来源于野生。

| 采收加工 | 6～8月割取带花、果全草，鲜用或切碎晒干。

| 药材性状 | 本品呈黄绿色。茎粗壮，具深纵棱。叶多皱缩破碎，完整叶展平后呈三角状卵形或卵形，长4～15 cm，宽2～13 cm；边缘掌状深裂或全缘。小花成团。胞果宿存膜质花被，灰绿色，先端5裂；胞果果皮膜质，有白色斑点。种子扁圆形，直径2～3 mm，黑色，无光泽，表面具明显的圆形深洼或凹凸不平。气微，味微苦。

| 功能主治 | 甘，平。调经止血，解毒消肿。用于月经不调，崩漏，吐血，衄血，咯血，尿血，血痢，便血，疮疡肿毒。

| 用法用量 | 内服煎汤，3～9 g；或熬膏。外用适量，捣敷。

藜科 Chenopodiaceae 沙蓬属 Agriophyllum

沙蓬
Agriophyllum squarrosum (L.) Moq.

| **植物别名** | 吉刺儿、沙米、蒺藜梗。

| **药 材 名** | 东廧子（药用部位：种子。别名：沙蓬米、沙米、登相干）、沙蓬（药用部位：全草）。

| **形态特征** | 一年生草本，高 14 ~ 60 cm。茎直立，坚硬，浅绿色，具不明显的条棱，幼时密被分枝毛，后脱落；由基部分枝，最下部的一层分枝通常对生或轮生，平卧，上部枝条互生，斜展。叶无柄，披针形、披针状条形或条形，长 1.3 ~ 7 cm，宽 0.1 ~ 1 cm，先端（渐尖具小尖头）向基部渐狭，叶脉浮凸，纵行，3 ~ 9。穗状花序紧密，卵圆状或椭圆状，无梗，1（~ 3）腋生；苞片宽卵形，先端急缩，具小尖头，后期反折，背部密被分枝毛；花被片 1 ~ 3，膜质；雄蕊

2 ~ 3，花丝锥形，膜质，花药卵圆形。果实卵圆形或椭圆形，两面扁平或背部稍凸，幼时在背部被毛，后期秃净，上部边缘略具翅缘；果喙深裂成 2 扁平的条状小喙，微向外弯，小喙先端外侧各具 1 小齿突；种子近圆形，光滑，有时具浅褐色的斑点。花果期 8 ~ 10 月。

| **生境分布** | 喜生于沙丘或流动沙丘之背风坡上。分布于河北沙河、涞源、涿鹿等。

| **资源情况** | 野生资源一般。药材主要来源于野生。

| **采收加工** | **东廧子**：秋季果实成熟后打下种子，除去杂质，晒干。

沙蓬：夏、秋季采收，除去杂质，切段，阴干

| **药材性状** | **东廧子**：本品呈近圆形，扁平，光滑，有时具浅褐色的斑点。

| **功能主治** | **东廧子**：甘，平。归肺、脾、胃经。健脾消食，发表解热，利水。用于饮食积滞，噎膈反胃，感冒发热，肾炎。

沙蓬：苦、涩，平。祛疫，清热，解毒，利尿。用于疫热增盛，头痛，身目俱黄，口糜，尿道灼痛，肾热等。

| **用法用量** | **东廧子**：内服煎汤，9 ~ 15 g；或煮食。

沙蓬：内服煮散剂，3 ~ 5 g；或入丸、散剂。

藜科 Chenopodiaceae 雾冰藜属 Bassia

雾冰藜

Bassia dasyphylla (Fisch. et Mey.) O. Kuntze

| 植物别名 | 肯诺藜、星状刺果藜、雾冰草。

| 药 材 名 | 五星蒿（药用部位：全草。别名：肯诺藜、巴锡藜、雾冰草）。

| 形态特征 | 植株高 3 ~ 50 cm，茎直立，密被水平伸展的长柔毛；分枝多，开展，与茎夹角通常大于 45°，有的几成直角。叶互生，肉质，圆柱状或半圆柱状条形，密被长柔毛，长 3 ~ 15 mm，宽 1 ~ 1.5 mm，先端钝，基部渐狭。花两性，单生或 2 花簇生，通常仅 1 花发育；花被筒密被长柔毛，裂齿不内弯，果时花被背部具 5 钻状附属物，三棱状，平直，坚硬，形成平展的五角星状；雄蕊 5，花丝条形，伸出花被外；子房卵状，具短的花柱和 2（~ 3）长的柱头。果实卵圆状；种子近圆形，光滑。花果期 7 ~ 9 月。

| **生境分布** | 生于戈壁、盐碱地、沙丘、草地、河滩、阶地及洪积扇上。分布于河北丰宁等。

| **资源情况** | 野生资源一般。药材主要来源于野生。

| **采收加工** | 夏季割取,除去杂质,晒干。

| **功能主治** | 甘,凉。祛风,清湿热。用于头皮屑。

| **用法用量** | 外用适量,煎汤洗。

藜科 Chenopodiaceae 猪毛菜属 Salsola

猪毛菜
Salsola collina Pall.

| 药 材 名 | 猪毛菜（药用部位：全草。别名：扎蓬棵、刺蓬、三叉明棵）。

| 形态特征 | 一年生草本，高 20 ~ 100 cm。茎自基部分枝，枝互生，伸展，茎、枝绿色，有白色或紫红色条纹，生短硬毛或近无毛。叶片丝状圆柱形，伸展或微弯曲，长 2 ~ 5 cm，宽 0.5 ~ 1.5 mm，生短硬毛，先端有刺状尖，基部边缘膜质，稍扩展而下延。花序穗状，生枝条上部；苞片卵形，顶部延伸，有刺状尖，边缘膜质，背部有白色隆脊；小苞片狭披针形，先端有刺状尖，苞片及小苞片与花序轴紧贴；花被片卵状披针形，膜质，先端尖，果时变硬，自背面中上部生鸡冠状突起；花被片在突起以上部分，近革质，先端为膜质，向中央折曲成平面，紧贴果实，有时在中央聚集成小圆锥体；花药长 1 ~

1.5 mm；柱头丝状，长为花柱的 1.5 ~ 2 倍。种子横生或斜生。花期 7 ~ 9 月，果期 9 ~ 10 月。

| 生境分布 | 生于村旁、路旁、荒地及含盐碱的砂质土壤上。分布于河北昌黎、丰宁、阜平等。

| 资源情况 | 野生资源一般。药材主要来源于野生。

| 采收加工 | 夏、秋季开花时割取全草，晒干，除去泥沙，打成捆。

| 药材性状 | 本品呈黄白色。叶多破碎，完整叶片丝状圆柱形，长 2 ~ 5 cm，宽 0.5 ~ 1 mm，先端有硬针刺。花序穗状，着生于枝上部，苞片硬，卵形，顶部延伸成刺尖，边缘膜质，背部有白色隆脊；花被片先端向中央折曲，紧贴果实，在中央聚成小圆锥体。种子直径约 1.5 mm，先端平。

| 功能主治 | 淡，凉。归肝经。平肝潜阳，润肠通便。用于高血压，头痛，眩晕，失眠，肠燥便秘。

| 用法用量 | 内服煎汤，15 ~ 30 g；或开水泡后代茶饮。

| 附　　注 | 本种和单翅猪毛菜 *Salsola monoptera* Bunge 近似，但后者花药较小，长约 0.3 mm，果时有 1 花被片生翅，植株较小，可以此相区别。

苋科 Amaranthaceae 牛膝属 Achyranthes

牛膝

Achyranthes bidentata Blume

| 植物别名 |

牛磕膝、倒扣草。

| 药材名 |

牛膝（药用部位：根。别名：百倍、牛茎、脚斯蹬）。

| 形态特征 |

多年生草本，高 70 ~ 120 cm。根圆柱形，直径 5 ~ 10 mm，土黄色。茎有棱角或四方形，绿色或带紫色，有白色贴生或开展柔毛，或近无毛，分枝对生。叶片椭圆形或椭圆状披针形，少数倒披针形，长 4.5 ~ 12 cm，宽 2 ~ 7.5 cm，先端尾尖，尖长 5 ~ 10 mm，基部楔形或宽楔形，两面有贴生或开展柔毛；叶柄长 5 ~ 30 mm，有柔毛。穗状花序顶生及腋生，长 3 ~ 5 cm，花期后反折；总花梗长 1 ~ 2 cm，有白色柔毛；花多数，密生，长 5 mm；苞片宽卵形，长 2 ~ 3 mm，先端长渐尖；小苞片刺状，长 2.5 ~ 3 mm，先端弯曲，基部两侧各有 1 卵形膜质小裂片，长约 1 mm；花被片披针形，长 3 ~ 5 mm，光亮，先端急尖，有 1 中脉；雄蕊长 2 ~ 2.5 mm；退化雄蕊先端平圆，稍有缺刻状细锯齿。胞果矩圆形，长 2 ~ 2.5 mm，黄褐色，光滑；种子矩圆形，长 1 mm，黄褐色。花期 7 ~ 9 月，果期 9 ~ 10 月。

| **生境分布** | 生于海拔 200 ~ 1 750 m 的山坡林下。分布于河北邢台及滦平、辛集等。

| **资源情况** | 野生资源一般。药材主要来源于栽培。

| **采收加工** | 冬季茎叶枯萎时采挖，除去须根及泥沙，捆成小把，晒至干皱后，将先端切齐，晒干。

| **药材性状** | 本品呈细长圆柱形，挺直或稍弯曲，长 15 ~ 70 cm，直径 4 ~ 10 mm。表面灰黄色或淡棕色，有微扭曲的细纵皱纹、排列稀疏的侧根痕和横长皮孔样的突起。质硬脆，易折断，受潮后变软，断面平坦，淡棕色，略呈角质样而油润，中心维管束木质部较大，黄白色，其外周散有多数黄白色点状维管束，断续排列成 2 ~ 4 轮。气微，味微甜而稍苦、涩。

| **功能主治** | 苦、酸，平。归肝、肾经。逐瘀通经，补肝肾，强筋骨，利尿通淋，引血下行。用于闭经，痛经，腰膝酸痛，筋骨无力，淋证，水肿，头痛，眩晕，牙痛，口疮，吐血，衄血。

| **用法用量** | 内服煎汤，5 ~ 12 g。

| **附　注** | 本种与少毛牛膝 *Achyranthes bidentata* Blume var. *japonica* Miq. 的区别在于后者根细瘦；全株毛少；穗状花序较长，花排列较疏；小苞片的刺比花被片短；花被片有 3 脉；退化雄蕊先端截形，有不整齐牙齿或不明显 2 浅裂。

苋科 Amaranthaceae 牛膝属 Achyranthes

土牛膝 *Achyranthes aspera* L.

植物别名	倒梗草、倒钩草、倒扣草。
药 材 名	倒扣草（药用部位：全草。别名：鸡豚草、土常山、牛舌大黄）、土牛膝（药用部位：根及根茎。别名：杜牛膝）。
形态特征	多年生草本，高20～120 cm。根细长，直径3～5 mm，土黄色。茎四棱形，有柔毛，节部稍膨大，分枝对生。叶片纸质，宽卵状倒卵形或椭圆状矩圆形，长1.5～7 cm，宽0.4～4 cm，先端圆钝，具突尖，基部楔形或圆形，全缘或波状缘，两面密生柔毛，或近无毛；叶柄长5～15 mm，密生柔毛或近无毛。穗状花序顶生，直立，长10～30 cm，花期后反折；总花梗具棱角，粗壮，坚硬，密生白色伏贴或开展柔毛；花长3～4 mm，疏生；苞片披针形，长3～4 mm，先端长渐尖，小苞片刺状，长2.5～4.5 mm，坚硬，光亮，常带紫色，基部两侧各有1薄膜质翅，长1.5～2 mm，全缘，全部贴生在刺部，

但易于分离；花被片披针形，长 3.5 ～ 5 mm，长渐尖，花后变硬且锐尖，具 1 脉；雄蕊长 2.5 ～ 3.5 mm；退化雄蕊先端截状或细圆齿状，有具分枝流苏状长缘毛。胞果卵形，长 2.5 ～ 3 mm；种子卵形，不扁压，长约 2 mm，棕色。花期 6 ～ 8月，果期 10 月。

| **生境分布** | 生于海拔 800 ～ 2 300 m 的山坡疏林或村庄附近空旷地。分布于河北迁西等。

| **资源情况** | 野生资源丰富。药材主要来源于野生。

| **采收加工** | **倒扣草：**夏、秋季采收全株，洗净，鲜用或晒干。

土牛膝：秋、冬季地上部分枯萎或早春发苗时采挖，除去地上部分及须根，洗净，干燥。

| **药材性状** | **倒扣草：**本品根呈圆柱形，微弯曲，长 20 ～ 30 cm，直径 3 ～ 5 mm，表面灰黄色，具细顺纹及侧根痕；质柔韧，不易折断，断面纤维性，小点状维管束排成数个轮环。茎类圆柱形，嫩枝略呈方柱形，有分枝，长 40 ～ 90 cm，直径 3 ～ 8 mm，表面褐绿色，嫩枝被柔毛，节膨大如膝状；质脆，易折断，断面黄绿色。叶对生，有柄；叶多皱缩，完整者呈长圆状倒卵形、倒卵形或椭圆形，长 1.5 ～ 7 cm，宽 0.4 ～ 4 cm，两面均被粗毛。穗状花序细长，花反折如倒钩。胞果卵形，黑色。气微，味甘。

土牛膝：本品根茎呈圆柱形，长 10 ～ 15 cm，直径 0.5 ～ 1 cm；表面灰褐色，上部有数个残存茎基，具节，节上着生根。根呈长圆形，稍弯曲，长 10 ～ 15 cm，直径 0.2 ～ 0.5 cm；表面灰黄色或灰棕色，有须根痕和扭曲的纵皱纹。根茎质硬，不易折断，断面纤维性，中空；根质较韧，不易折断，断面黄白色，散在点状维管束。气微，味微甘而后微苦、涩。

| **功能主治** | **倒扣草：**苦、酸，微寒。归肝、肺、膀胱经。活血化瘀，利尿通淋，清热解表。用于闭经，痛经，月经不调，跌打损伤，风湿关节痛，淋病，水肿，湿热带下，外感发热，疟疾，痢疾，咽痛，疔疮痈肿。

土牛膝：苦、酸，平。归肝、肾经。活血散瘀，祛湿利尿，清热解毒。用于淋病，尿血，闭经，癥瘕，风湿关节痛，脚气，水肿，痢疾，疟疾，白喉，痈肿，跌打损伤。

| **用法用量** | **倒扣草：**内服煎汤，10 ～ 15 g。外用适量，捣敷；或研末吹喉。

土牛膝：内服煎汤，9 ～ 15 g，鲜品 30 ～ 60 g。外用适量，捣敷；或捣汁滴耳；或研末吹喉。

苋科　Amaranthaceae　青葙属　*Celosia*

鸡冠花
Celosia cristata L.

| 药 材 名 | 鸡冠花（药用部位：花序。别名：鸡髻花、鸡公花、鸡角枪）。

| 形态特征 | 一年生草本，高 0.3 ~ 1 m，全体无毛。茎直立，有分枝，绿色或红色，具明显条纹。叶片卵形、卵状披针形或披针形，长 5 ~ 8 cm，宽 2 ~ 6 cm，绿色常带红色，先端急尖或渐尖，具小芒尖，基部渐狭；叶柄长 2 ~ 15 mm，或无叶柄。花多数，极密生，成扁平肉质而呈鸡冠状、卷冠状或羽毛状的穗状花序，长 3 ~ 10 cm，1 大花序下面有数个较小的分枝，圆锥状矩圆形，表面羽毛状；苞片及小苞片披针形，长 3 ~ 4 mm，白色，光亮，先端渐尖，延长成细芒，具 1 中脉，在背部隆起；花被片矩圆状披针形，长 6 ~ 10 mm，花被片红色、紫色、黄色、橙色或红黄相间，先端渐尖，具 1 中脉，在背面凸起；花丝长 5 ~ 6 mm，分离部分长 2.5 ~ 3 mm，花药紫

色；子房有短柄，花柱紫色，长 3 ~ 5 mm。胞果卵形，长 3 ~ 3.5 mm，包裹在宿存花被片内；种子凸透镜状肾形，直径约 1.5 mm。花果期 7 ~ 9 月。

| **生境分布** | 生于房屋边、道路旁。分布于河北赤城、蠡县、平泉等。河北多地有栽培。

| **资源情况** | 野生资源一般。药材主要来源于栽培。

| **采收加工** | 秋季花盛开时采收，晒干。

| **药材性状** | 本品为穗状花序，多扁平而肥厚，呈鸡冠状，宽 5 ~ 20 cm，上缘宽，具折皱，密生线状鳞片，下端渐窄，常残留扁平的茎。表面红色、紫红色或黄白色。中部以下密生多数小花，每花宿存的苞片和花被片均呈膜质。体轻，质柔韧。气微，味淡。

| **功能主治** | 甘、涩，凉。归肝、大肠经。收敛止血，止带，止痢。用于吐血，崩漏，便血，痔血，赤白带下，久痢不止。

| **用法用量** | 内服煎汤，6 ~ 19 g；或入丸、散剂。外用适量，煎汤洗。

苋科 Amaranthaceae 青葙属 Celosia

青葙
Celosia argentea L.

| **植物别名** | 狗尾草、百日红、鸡冠花。

| **药 材 名** | 青葙子（药用部位：种子。别名：草决明、野鸡冠花子、狗尾巴子）。

| **形态特征** | 一年生草本，高 0.3 ~ 1 m，全体无毛；茎直立，有分枝，绿色或红色，具显明条纹。叶片矩圆状披针形、披针形或披针状条形，少数卵状矩圆形，长 5 ~ 8 cm，宽 1 ~ 3 cm，绿色常带红色，先端急尖或渐尖，具小芒尖，基部渐狭；叶柄长 2 ~ 15 mm，或无叶柄。花多数，密生，在茎端或枝端成单一、无分枝的塔状或圆柱状穗状花序，长 3 ~ 10 cm；苞片及小苞片披针形，长 3 ~ 4 mm，白色，光亮，先端渐尖，延长成细芒，具 1 中脉，在背部隆起；花被片矩圆状披针形，长 6 ~ 10 mm，初为白色先端带红色，或全部粉红色，

后成白色，先端渐尖，具 1 中脉，在背面凸起；花丝长 5 ~ 6 mm，分离部分长 2.5 ~ 3 mm，花药紫色；子房有短柄，花柱紫色，长 3 ~ 5 mm。胞果卵形，长 3 ~ 3.5 mm，包裹在宿存花被片内；种子凸透镜状肾形，直径约 1.5 mm。花期 5 ~ 8 月，果期 6 ~ 10 月。

| 生境分布 | 生于海拔 1 100 m 的平原、田边、丘陵、山坡。分布于河北滦平等。

| 资源情况 | 野生资源一般。药材主要来源于野生。

| 采收加工 | 秋季果实成熟时采割植株或摘取果穗，晒干，收集种子，除去杂质。

| 药材性状 | 本品呈扁圆形，少数呈圆肾形，直径 1 ~ 1.5 mm。表面黑色或红黑色，光亮，中间微隆起，侧边微凹处有种脐。种皮薄而脆。气微，味淡。

| 功能主治 | 苦，微寒。归肝经。清肝泻火，明目退翳。用于肝热目赤，目生翳膜，视物昏花，肝火眩晕。

| 用法用量 | 内服煎汤，9 ~ 15 g。

| 附　注 | 鸡冠花 *Celosia cristata* L. 和本种极为相近，但前者叶片卵形、卵状披针形或披针形，宽 2 ~ 6 cm；花多数，极密生，成扁平肉质而呈鸡冠状、卷冠状或羽毛状的穗状花序，1 大花序下面有数个较小的分枝，圆锥状矩圆形，表面羽毛状；花被片红色、紫色、黄色、橙色或红黄相间；花果期 7 ~ 9 月。

苋科 Amaranthaceae 苋属 Amaranthus

凹头苋
Amaranthus blitum Linnaeus

| **植物别名** | 野苋。 |

| **药材名** | 野苋菜（药用部位：全草或根。别名：野苋、光苋菜）、野苋子（药用部位：种子。别名：苋菜子、青葙子、西风谷）。 |

| **形态特征** | 一年生草本，高 10 ~ 30 cm，全体无毛。茎伏卧而上升，从基部分枝，淡绿色或紫红色。叶片卵形或菱状卵形，长 1.5 ~ 4.5 cm，宽 1 ~ 3 cm，先端凹缺，有 1 芒尖，或微小不显，基部宽楔形，全缘或稍呈波状；叶柄长 1 ~ 3.5 cm。花成腋生花簇，直至下部叶的腋部，生在茎端和枝端者为直立穗状花序或圆锥花序；苞片及小苞片矩圆形，长不及 1 mm；花被片矩圆形或披针形，长 1.2 ~ 1.5 mm，淡绿色，先端急尖，边缘内曲，背部有 1 隆起中脉；雄蕊比花被片 |

稍短；柱头 3 或 2，果实成熟时脱落。胞果扁卵形，长 3 mm，不裂，微皱缩而近平滑，超出宿存花被片；种子环形，直径 1 ~ 2 mm，黑色至黑褐色，边缘具环状边。花期 7 ~ 8 月，果期 8 ~ 9 月。

| 生境分布 | 生于田野、民宅附近的杂草地上。分布于河北抚宁、张北等。

| 资源情况 | 野生资源丰富。药材主要来源于野生。

| 采收加工 | 野苋菜：春、夏、秋季采收，洗净，鲜用。
野苋子：秋季采收果实，日晒，搓揉种子，干燥。

| 药材性状 | 野苋菜：本品主根较直。茎长 10 ~ 30 cm，基部分枝，浅绿色至暗紫色。叶片皱缩，展平后呈卵形或菱状卵形，长 1.5 ~ 4.5 cm，宽 1 ~ 3 cm，先端凹缺，有 1 芒尖，或不显，基部阔楔形；叶柄与叶片近等长。穗状花序。胞果扁卵形，不裂，近平滑。气微，味淡。

野苋子：本品呈环形，直径 0.8 ~ 1.5 mm。表面红黑色至黑褐色，具环状边缘。气微，味淡。

| 功能主治 | 野苋菜：甘，微寒。归大肠、小肠经。清热解毒，利尿。用于痢疾，腹泻，疔疮肿毒，毒蛇咬伤，蜂螫伤，小便不利，水肿。
野苋子：甘，凉。归肝、膀胱经。清肝明目，利尿。用于肝热目赤，翳障，小便不利。

| 用法用量 | 野苋菜：内服煎汤，9 ~ 30 g；或捣汁。外用适量，捣敷。
野苋子：内服煎汤，6 ~ 12 g。

| 附 注 | 本种和皱果苋 *Amaranthus viridis* L. 形态相近，但本种的茎伏卧而上升，由基部分枝，胞果微皱缩而近平滑，可以此相区别。

苋科 Amaranthaceae 苋属 *Amaranthus*

刺苋 *Amaranthus spinosus* L.

| 植物别名 | 勒苋菜、笋苋菜。

| 药 材 名 | 簕苋菜（药用部位：全草或根。别名：刺苋、野苋菜、土苋菜）。

| 形态特征 | 一年生草本，高 30 ~ 100 cm。茎直立，圆柱形或钝棱形，多分枝，有纵条纹，绿色或带紫色，无毛或稍有柔毛。叶片菱状卵形或卵状披针形，长 3 ~ 12 cm，宽 1 ~ 5.5 cm，先端圆钝，具微凸头，基部楔形，全缘，无毛或幼时沿叶脉稍有柔毛；叶柄长 1 ~ 8 cm，无毛，在其旁有 2 刺，刺长 5 ~ 10 mm。圆锥花序腋生及顶生，长 3 ~ 25 cm，下部顶生花穗常全部为雄花；苞片在腋生花簇及顶生花穗的基部者变成尖锐直刺，长 5 ~ 15 mm，在顶生花穗的上部者狭披针形，长 1.5 mm，先端急尖，具凸尖，中脉绿色；小苞片狭披针形，

长约 1.5 mm；花被片绿色，先端急尖，具凸尖，边缘透明，中脉绿色或带紫色，在雄花者矩圆形，长 2 ~ 2.5 mm，在雌花者矩圆状匙形，长 1.5 mm；雄蕊花丝略和花被片等长或较短；柱头 3，有时 2。胞果矩圆形，长 1 ~ 1.2 mm，在中部以下不规则横裂，包裹在宿存花被片内；种子近球形，直径约 1 mm，黑色或带棕黑色。花果期 7 ~ 11 月。

| **生境分布** | 生于旷地或园圃。河北各地均有分布。

| **资源情况** | 野生资源一般。药材主要来源于野生。

| **采收加工** | 春、夏、秋季均可采收，洗净，鲜用或晒干。

| **药材性状** | 本品主根呈长圆锥形，有的具分枝，稍木质。茎圆柱形，多分枝，棕红色或棕绿色。叶互生，叶片皱缩，展平后呈卵形或菱状卵形，长 4 ~ 10 cm，宽 1 ~ 3 cm，先端有细刺，全缘或微波状；叶柄与叶片等长或稍短，叶腋有尖刺 1 对。雄花集成顶生圆锥花序，雌花簇生于叶腋。胞果近卵形，盖裂。气微，味淡。

| **功能主治** | 甘，微寒。凉血止血，清利湿热，解毒消痈。用于胃出血，便血，痔血，胆囊炎，胆石症，痢疾，湿热泄泻，带下，小便涩痛，咽喉肿痛，湿疹，痈肿，牙龈糜烂，蛇咬伤。

| **用法用量** | 内服煎汤，9 ~ 15 g，鲜品 30 ~ 60 g。外用捣敷；或煎汤洗。

| **附　注** | 本种叶腋有刺，且部分苞片变形成刺，极易与本属的其他种相区别。

苋科 Amaranthaceae 苋属 Amaranthus

反枝苋 *Amaranthus retroflexus* L.

植物别名

西风谷、苋菜。

药材名

野苋菜（药用部位：全草或根。别名：野苋、光苋菜）、野苋子（药用部位：种子。别名：苋菜子、青葙子、西风谷）。

形态特征

一年生草本，高 20 ~ 80 cm，有时达 1 m。茎直立，粗壮，单一或分枝，淡绿色，有时具带紫色条纹，稍具钝棱，密生短柔毛。叶片菱状卵形或椭圆状卵形，长 5 ~ 12 cm，宽 2 ~ 5 cm，先端锐尖或尖凹，有小凸尖，基部楔形，全缘或波状缘，两面及边缘有柔毛，下面毛较密；叶柄长 1.5 ~ 5.5 cm，淡绿色，有时淡紫色，有柔毛。圆锥花序顶生及腋生，直立，直径 2 ~ 4 cm，由多数穗状花序形成，顶生花穗较侧生者长；苞片及小苞片钻形，长 4 ~ 6 mm，白色，背面有 1 龙骨状突起，伸出先端成白色尖芒；花被片矩圆形或矩圆状倒卵形，长 2 ~ 2.5 mm，薄膜质，白色，有 1 淡绿色细中脉，先端急尖或尖凹，具凸尖；雄蕊比花被片稍长；柱头 3，有时 2。胞果扁卵形，长约 1.5 mm，环状横裂，薄膜质，淡绿色，包裹在宿存花被片内；种子近球形，直径 1 ~ 2 mm，棕色或黑色，边缘钝。花期 7 ~ 8 月，果期 8 ~ 9 月。

| 生境分布 | 生于田园内、农地旁、民宅附近的草地上，有时生在瓦房上。分布于河北行唐、怀安、井陉等。

| 资源情况 | 野生资源丰富。药材来源于野生。

| 采收加工 | **野苋菜**：春、夏、秋季采收，洗净，鲜用。
野苋子：秋季采收果实，日晒，搓揉种子，干燥。

| 药材性状 | **野苋菜**：本品主根较直。茎长 10 ~ 30 cm，基部分枝，浅绿色至暗紫色。叶片皱缩，展平后呈卵形或菱状卵形，长 1.5 ~ 4.5 cm，宽 1 ~ 3 cm，先端凹缺，有 1 芒尖，或不显，基部阔楔形；叶柄与叶片近等长。穗状花序。胞果扁卵形，不裂，近平滑。气微，味淡。
野苋子：本品呈环形，直径 0.8 ~ 1.5 mm。表面红黑色至黑褐色，具环状边缘。气微，味淡。

| 功能主治 | **野苋菜**：甘，微寒。归大肠、小肠经。清热解毒，利尿。用于痢疾，腹泻，疔疮肿毒，毒蛇咬伤，蜂螫伤，小便不利，水肿。
野苋子：甘，凉。归肝、膀胱经。清肝明目，利尿。用于肝热目赤，翳障，小便不利。

| 用法用量 | **野苋菜**：内服煎汤，9 ~ 30 g；或捣汁。外用适量，捣敷。
野苋子：内服煎汤，6 ~ 12 g。

| 附　　注 | 变种短苞反枝苋 *Amaranthus retroflexus* L. var. *delilei* (Richter et Loret) Thell. 与本种的区别在于前者茎较细且少棱角，毛也较少；叶片基部骤狭成叶柄，下面稍有斑；苞片长 3 ~ 4 mm，先端不很尖锐，仅稍超过花被片。

苋科 Amaranthaceae 苋属 Amaranthus

繁穗苋 *Amaranthus paniculatus* Linnaeus

| 植物别名 |

天雪米、鸦谷、老鸦谷。

| 药 材 名 |

红粘谷（药用部位：全草。别名：老粘谷、
风迎花、红苋菜）、红粘谷子（药用部位：
种子）。

| 形态特征 |

一年生草本，高达 15 m。茎直立，粗壮，
具钝棱角，单一或稍分枝，绿色，或常带
粉红色，幼时有短柔毛，后渐脱落。叶片
菱状卵形或菱状披针形，长 4 ~ 15 cm，宽
2 ~ 8 cm，先端短渐尖或圆钝，具凸尖，基
部宽楔形，稍不对称，全缘或波状缘，绿色
或红色，除在叶脉上稍有柔毛外，两面无毛；
叶柄长 1 ~ 15 cm，绿色或粉红色，疏生柔毛。
圆锥花序直立或以后下垂，花穗先端尖，有
多数分枝，中央分枝特长，由多数穗状花序
形成，先端钝，花密集成雌花和雄花混生的
花簇；苞片及小苞片披针形，长 3 mm，红色，
透明，先端尾尖，边缘有疏齿，背面有 1 中
脉；花被片和胞果等长，红色，透明，先端
具凸尖，边缘互压，有 1 中脉，苞片及花
被片先端芒刺明显；雄花的花被片矩圆形，

雌花的花被片矩圆状披针形；雌花苞片长为花被片的 1.5 倍，花被片先端圆钝；雄蕊稍超出花被片；柱头 3，长不及 1 mm。胞果近球形，直径 3 mm，上半部红色，超出花被片；种子近球形，直径 1 mm，淡棕黄色，有厚的环。花期 6 ~ 7 月，果期 9 ~ 10 月。

| 生境分布 | 生于海拔 2 150 m 处。分布于河北阜平、武安、永年等。

| 资源情况 | 野生资源稀少。药材主要来源于野生。

| 采收加工 | 红粘谷：春、夏季未开花前采收，洗净，鲜用。
红粘谷子：夏、秋季种子成熟时采收，日晒，搓揉，取种子，干燥。

| 功能主治 | 红粘谷：甘，凉。清热解毒，利湿。用于痢疾，黄疸。
红粘谷子：甘、苦，微寒。归肝、大肠经。清热解毒，活血消肿。用于痢疾，胁痛，跌打损伤，痈疮肿毒。

| 用法用量 | 红粘谷：内服煎汤，30 ~ 60 g。
红粘谷子：内服煎汤，9 ~ 15 g。外用适量，研末调敷。

苋科 Amaranthaceae 苋属 Amaranthus

尾穗苋 *Amaranthus caudatus* L.

植物别名

老枪谷、籽粒苋。

药材名

老枪谷根（药用部位：根。别名：老枪谷、红苋菜、尾穗苋）、老枪谷叶（药用部位：叶。别名：尾穗苋叶）、老枪谷子（药用部位：种子）。

形态特征

一年生草本，高达 15 m。茎直立，粗壮，具钝棱角，单一或稍分枝，绿色，或常带粉红色，幼时有短柔毛，后渐脱落。叶片菱状卵形或菱状披针形，长 4 ~ 15 cm，宽 2 ~ 8 cm，先端短渐尖或圆钝，具凸尖，基部宽楔形，稍不对称，全缘或波状缘，绿色或红色，除在叶脉上稍有柔毛外，两面无毛；叶柄长 1 ~ 15 cm，绿色或粉红色，疏生柔毛。圆锥花序顶生，下垂，有多数分枝，中央分枝特长，由多数穗状花序形成，先端钝，花密集成雌花和雄花混生的花簇；苞片及小苞片披针形，长 3 mm，红色，透明，先端尾尖，边缘有疏齿，背面有 1 中脉；花被片长 2 ~ 2.5 mm，红色，透明，先端具凸尖，边缘互压，有 1 中脉，雄花的花被片矩圆形，雌花的花被片矩圆状披针形；雄蕊稍超出花被片；柱头 3，长不及 1 mm。胞果近球形，直径 3 mm，上半部红色，超出花被片；种子近球形，直径 1 mm，淡棕黄色，有厚的环。花期 7～8 月，果期 9～10 月。

| 生境分布 | 河北多地有栽培。

| 资源情况 | 栽培资源丰富。药材主要来源于栽培。

| 采收加工 | 老枪谷根：夏、秋季采挖，除去茎叶，洗净，鲜用或晒干。
老枪谷叶：夏、秋季采收，洗净，鲜用。
老枪谷子：秋季果实成熟时剪下果穗，晒干，搓下种子，干燥。

| 功能主治 | 老枪谷根：甘，平。归脾、胃经。健脾，消疳。用于脾胃虚弱之倦怠乏力、食少，小儿疳积。
老枪谷叶：解毒消肿。用于疔疮疖肿，风疹瘙痒。
老枪谷子：辛，凉。清热透表。用于小儿水痘，麻疹。

| 用法用量 | 老枪谷根：内服煎汤，10～30 g。
老枪谷叶：外用适量，鲜品捣敷；或酒炖擦。
老枪谷子：内服煎汤，3～6 g。

苋科 Amaranthaceae 苋属 Amaranthus

苋

Amaranthus tricolor L.

植物别名

三色苋、老来少、老少年。

药材名

苋（药用部位：茎叶）、苋实（药用部位：种子。别名：莫实、苋子、苋菜子）、苋根（药用部位：根。别名：地筋）。

形态特征

一年生草本，高 80 ~ 150 cm。茎粗壮，绿色或红色，常分枝，幼时有毛或无毛。叶片卵形、菱状卵形或披针形，长 4 ~ 10 cm，宽 2 ~ 7 cm，绿色或常呈红色、紫色或黄色，或部分绿色夹杂其他颜色，先端圆钝或尖凹，具凸尖，基部楔形，全缘或边缘波状，无毛；叶柄长 2 ~ 6 cm，绿色或红色。花簇腋生，直至下部叶的叶腋，或同时具顶生花簇，成下垂的穗状花序；花簇球形，直径 5 ~ 15 mm，雄花和雌花混生；苞片及小苞片呈卵状披针形，长 2.5 ~ 3 mm，透明，先端有 1 长芒尖，背面具 1 绿色或红色隆起中脉；花被片矩圆形，长 3 ~ 4 mm，绿色或黄绿色，先端有 1 长芒尖，背面具 1 绿色或紫色隆起中脉；雄蕊比花被片长或短。胞果卵状矩圆形，长 2 ~ 2.5 mm，环状横裂，包裹在宿存的花被片内；种子近圆形或倒卵形，直径约 1 mm，黑色或黑棕色，边缘钝。花期 5 ~ 8 月，果期 7 ~ 9 月。

| **生境分布** | 生于气候温暖的地方。分布于河北灵寿、内丘、迁安等。河北有栽培。

| **资源情况** | 野生资源一般。药材来源于野生。

| **采收加工** | 苋：春、夏季采收，洗净，鲜用或晒干。

苋实：秋季采收地上部分，晒后搓揉，脱下种子，扬净，晒干。

苋根：春、夏、秋季均可采挖，除去茎叶，洗净，鲜用或晒干。

| **药材性状** | 苋：本品茎长 80 ~ 150 cm，绿色或红色，常分枝。叶互生，叶片皱缩，展平后呈菱状卵形至披针形，长 4 ~ 10 cm，宽 2 ~ 7 cm，先端钝或尖凹，具凸尖，绿色或红色、紫色、黄色，或绿色带有彩斑；叶柄长 2 ~ 6 cm。穗状花序。胞果卵状矩圆形，盖裂。气微，味淡。

苋实：本品近圆形或倒卵形，黑褐色，平滑，有光泽。气微，味淡。

| **功能主治** | 苋：甘，寒。归大肠、小肠经。清热解毒，通利二便。用于痢疾，二便不利，蛇虫螫伤，疮毒。

苋实：甘，寒。归肝、大肠、膀胱经。清肝明目，通利二便。用于青盲翳障，视物昏暗，白浊血尿，二便不利。

苋根：辛，寒。归肝、大肠经。清热解毒，散瘀止痛。用于痢疾，泄泻，痔疮，牙痛，漆疮，阴囊肿痛，跌打损伤，崩漏，带下。

| **用法用量** | 苋：内服煎汤，30 ~ 60 g；或煮粥。外用适量，捣敷；或煎汤熏洗。

苋实：内服煎汤，6 ~ 9 g；或研末。

苋根：内服煎汤，9 ~ 15 g，鲜品 15 ~ 30 g；或浸酒。外用适量，捣敷；或煅存性研末，干撒或调敷；或煎汤熏洗。

苋科 Amaranthaceae 苋属 Amaranthus

皱果苋 *Amaranthus viridis* L.

| 植物别名 |

绿苋。

| 药 材 名 |

白苋（药用部位：全草或根。别名：细苋、糠苋、野苋）。

| 形态特征 |

一年生草本，高 40 ~ 80 cm，全体无毛。茎直立，有不明显棱角，稍有分枝，绿色或带紫色。叶片卵形、卵状矩圆形或卵状椭圆形，长 3 ~ 9 cm，宽 2.5 ~ 6 cm，先端尖凹或凹缺，少数圆钝，有 1 芒尖，基部宽楔形或近截形，全缘或边缘微呈波状；叶柄长 3 ~ 6 cm，绿色或带紫红色。圆锥花序顶生，长 6 ~ 12 cm，宽 1.5 ~ 3 cm，有分枝，由穗状花序形成，圆柱形，细长、直立，顶生花穗比侧生者长；总花梗长 2 ~ 2.5 cm；苞片及小苞片呈披针形，长不及 1 mm，先端具凸尖；花被片呈矩圆形或宽倒披针形，长 1.2 ~ 1.5 mm，内曲，先端急尖，背部有 1 绿色隆起中脉；雄蕊比花被片短；柱头 3 或 2。胞果扁球形，直径约 2 mm，绿色，不裂，极皱缩，超出花被片；种子近球形，直径约 1 mm，黑色或黑褐色，具薄且锐的环状边

缘。花期6～8月，果期8～10月。

| **生境分布** | 生于杂草地上或田野间。分布于河北宽城、隆化、平泉等。

| **资源情况** | 野生资源丰富。药材主要来源于野生。

| **采收加工** | 春、夏、秋季均可采收，洗净，鲜用或晒干。

| **药材性状** | 本品全体紫红色或棕红色。主根呈圆锥形。茎长40～80 cm，分枝较少。叶互生，叶片皱缩，展平后呈卵形至卵状矩圆形，长2～9 cm，宽2.5～6 cm，先端圆钝而微凹，具小芒尖，基部近楔形；叶柄长3～6 cm。胞果扁球形，不裂，极皱缩，超出宿存花被片；种子细小，褐色或黑色，略有光泽。气微，味淡。

| **功能主治** | 甘、淡，寒。归大肠、小肠经。清热，利湿，解毒。用于痢疾，泄泻，小便赤涩，疮肿，蛇虫螫伤，牙疳。

| **用法用量** | 内服煎汤，15～30 g，鲜品加倍；或捣汁。外用适量，捣敷；或煅烧外擦；或煎汤熏洗。

木兰科 Magnoliaceae 玉兰属 Yulania

玉兰
Yulania denudata (Desr.) D. L. Fu

| 植物别名 |

白玉兰、木兰、玉兰花。

| 药 材 名 |

辛夷（药用部位：花蕾。别名：辛矧、侯桃、房木）。

| 形态特征 |

落叶乔木，高达 25 m，胸径 1 m，枝广展，形成宽阔的树冠。树皮深灰色，粗糙开裂；小枝稍粗壮，灰褐色；冬芽及花梗密被淡灰黄色长绢毛。叶纸质，呈倒卵形、宽倒卵形或倒卵状椭圆形，基部徒长枝叶呈椭圆形，长 10 ~ 15（~ 18）cm，宽 6 ~ 10（~ 12）cm，先端宽圆、平截或稍凹，具短突尖，中部以下渐狭成楔形，叶上面深绿色，嫩时被柔毛，后仅中脉及侧脉留有柔毛，下面淡绿色，沿脉上被柔毛，侧脉每边 8 ~ 10，网脉明显；叶柄长 1 ~ 2.5 cm，被柔毛，上面具狭纵沟；托叶痕为叶柄长的 1/4 ~ 1/3。花蕾卵圆形，花先叶开放，直立，芳香，直径 10 ~ 16 cm；花梗显著膨大，密被淡黄色长绢毛；花被片 9，白色，基部常带粉红色，近相似，长圆状倒卵形，长 6 ~ 8（~ 10）cm，宽 2.5 ~ 4.5（~ 6.5）cm；

雄蕊长 7 ~ 12 mm，花药长 6 ~ 7 mm，侧向开裂，药隔宽约 5 mm，先端伸出成短尖头；雌蕊群淡绿色，无毛，圆柱形，长 2 ~ 2.5 cm，雌蕊狭卵形，长 3 ~ 4 mm，具长 4 mm 的锥尖花柱。聚合果圆柱形（在庭园栽培种常因部分心皮不育而弯曲），长 12 ~ 15 cm，直径 3.5 ~ 5 cm；菁葖果厚木质，褐色，具白色皮孔；种子心形，侧扁，高约 9 mm，宽约 10 mm，外种皮红色，内种皮黑色。花期 2 ~ 3 月（亦常于 7 ~ 9 月再开一次花），果期 8 ~ 9 月。

| **生境分布** | 生于海拔 500 ~ 1 000 m 的林中。分布于河北涞源、滦平等。

| **资源情况** | 野生资源一般。药材主要来源于栽培。

| **采收加工** | 冬末春初花未开放时采收，除去枝梗，阴干。

| **药材性状** | 本品长 1.5 ~ 3 cm，直径 1 ~ 1.5 cm。基部枝梗较粗壮，皮孔浅棕色。苞片外表面密被灰白色或灰绿色茸毛。花被片 9，内外轮同型。

| **功能主治** | 辛，温。归肺、胃经。散风寒，通鼻窍。用于风寒头痛，鼻塞流涕，鼻衄，鼻渊。

| **用法用量** | 内服煎汤，3 ~ 10 g，包煎。外用适量。

木兰科 Magnoliaceae 玉兰属 Yulania

紫玉兰
Yulania liliiflora (Desr.) D. L. Fu

| 植物别名 | 辛夷、木笔。

| 药 材 名 | 辛夷（药用部位：花）。

| 形态特征 | 落叶灌木，高达 3 m，常丛生。树皮灰褐色，小枝绿紫色或淡褐紫色。叶呈椭圆状倒卵形或倒卵形，长 8 ~ 18 cm，宽 3 ~ 10 cm，先端急尖或渐尖，基部渐狭，沿叶柄下延至托叶痕，上面深绿色，幼嫩时疏生短柔毛，下面灰绿色，沿脉有短柔毛；侧脉每边 8 ~ 10；叶柄长 8 ~ 20 mm，托叶痕长约为叶柄长之半。花蕾呈卵圆形，被淡黄色绢毛；花叶同时开放，呈瓶形，直立于粗壮、被毛的花梗上，稍有香气；花被片 9 ~ 12，外轮 3 呈萼片状，紫绿色，披针形，长 2 ~ 3.5 cm，常早落，内 2 轮肉质，外面紫色或紫红色，内面带白

色，花瓣状，椭圆状倒卵形，长 8 ~ 10 cm，宽 3 ~ 4.5 cm；雄蕊紫红色，长 8 ~ 10 mm，花药长约 7 mm，侧向开裂，药隔伸出成短尖头；雌蕊群长约 1.5 cm，淡紫色，无毛。聚合果深紫褐色，变褐色，圆柱形，长 7 ~ 10 cm；成熟菁葖果近圆球形，先端具短喙。花期 3 ~ 4 月，果期 8 ~ 9 月。

| **生境分布** | 生于海拔 300 ~ 1 600 m 的山坡林缘。分布于河北涞源、滦平等。

| **资源情况** | 野生资源一般。药材主要来源于栽培。

| **采收加工** | 冬末春初花未开时采收，拣去杂质及花梗，簸去泥屑。

| **功能主治** | 辛，温。归肺、胃经。发散风寒，通鼻窍。用于鼻炎，头痛。

| **用法用量** | 内服煎汤，3 ~ 10 g，包煎。外用适量。

五味子 *Schisandra chinensis* (Turcz.) Baill.

| 植物别名 | 北五味子。

| 药 材 名 | 五味子（药用部位：果实。别名：玄及、会及、五梅子）。

| 形态特征 | 落叶木质藤本，除幼叶背面被柔毛及芽鳞具缘毛外，余均无毛。幼枝红褐色，老枝灰褐色，常起皱纹，片状剥落。叶膜质，宽椭圆形、卵形、倒卵形、宽倒卵形或近圆形，长（3 ~）5 ~ 10（~ 14）cm，宽（2 ~）3 ~ 5（~ 9）cm，先端急尖，基部楔形，上部边缘具胼胝质的疏浅锯齿，近基部全缘；侧脉每边 3 ~ 7，网脉纤细不明显；叶柄长 1 ~ 4 cm，两侧具极狭的翅。雄花花梗长 5 ~ 25 mm，中部以下具狭卵形、长 4 ~ 8 mm 的苞片，花被片 6 ~ 9，粉白色或粉红色，长圆形或椭圆状长圆形，长 6 ~ 11 mm，宽 2 ~ 5.5 mm，外面

的较狭小，雄蕊长约 2 mm，花药长约 1.5 mm，无花丝或外 3 雄蕊具极短的花丝，药隔凹入或稍凸出钝尖头，雄蕊仅 5（～6），互相靠贴，直立排列于长约 0.5 mm 的柱状花托先端，形成近倒卵圆形的雄蕊群；雌花花梗长 17～38 mm，花被片和雄花相似，雌蕊群近卵圆形，长 2～4 mm，心皮 17～40，子房卵圆形或卵状椭圆体形，柱头呈鸡冠状，下端下延成长 1～3 mm 的附属体。聚合果长 1.5～8.5 cm，聚合果柄长 1.5～6.5 cm；小浆果红色，近球形或倒卵圆形，直径 6～8 mm，果皮具不明显腺点；种子 1～2，肾形，长 4～5 mm，宽 2.5～3 mm，淡褐色，种皮光滑，种脐明显凹入成 "U" 形。花期 5～7 月，果期 7～10 月。

| **生境分布** | 生于海拔 1 200～1 700 m 的沟谷、溪旁、山坡。分布于河北迁安、隆化、涿鹿等。

| **资源情况** | 野生资源一般。药材主要来源于栽培。

| **采收加工** | 秋季果实成熟时采摘，晒干或蒸后晒干，除去果柄和杂质。

| **药材性状** | 本品呈不规则的球形或扁球形，直径 5～8 mm。表面红色、紫红色或暗红色，皱缩，油润，果肉柔软，有的表面呈黑红色或出现 "白霜"。种子 1～2，肾形，表面棕黄色，有光泽，种皮薄而脆。果肉气微，味酸。

| **功能主治** | 酸，温。归肺、心、肾经。收敛固涩，益气生津，补肾宁心。用于久咳虚喘，梦遗滑精，遗尿尿频，久泻不止，自汗盗汗，津伤口渴，内热消渴，心悸失眠。

| **用法用量** | 内服煎汤，2～6 g。

毛茛科 Ranunculaceae 白头翁属 Pulsatilla

白头翁 *Pulsatilla chinensis* (Bunge) Regel

植物别名

毫笔花、毛姑朵花、老姑子花。

药材名

白头翁（药用部位：根。别名：野丈人、胡王使者、白头公）。

形态特征

多年生草本，高 15 ~ 35 cm。根茎直径 0.8 ~ 1.5 cm。基生叶 4 ~ 5，通常在开花时生出，有长柄，叶片宽卵形，长 4.5 ~ 14 cm，宽 6.5 ~ 16 cm，3 全裂，中全裂片有柄或近无柄，宽卵形，3 深裂，中深裂片呈楔状倒卵形，少有狭楔形或倒梯形，全缘或有齿，侧深裂片不等 2 浅裂，侧全裂片无柄或近无柄，不等 3 深裂，表面变无毛，背面有长柔毛；叶柄长 7 ~ 15 cm，密生长柔毛。花葶 1（~ 2），有柔毛；苞片 3，基部合生成长 3 ~ 10 mm 的筒，3 深裂，深裂片线形，不分裂或上部 3 浅裂，背面密被长柔毛；花梗长 2.5 ~ 5.5 cm，果期长达 23 cm；花直立；萼片蓝紫色，长圆状卵形，长 2.8 ~ 4.4 cm，宽 0.9 ~ 2 cm，背面密被柔毛；雄蕊长约为萼片长之半。聚合果直径 9 ~ 12 cm；瘦果纺锤形，扁，长 3.5 ~ 4 mm，有长柔毛，宿存花柱长 3.5 ～ 6.5 cm，有向上斜展的长柔毛。4 ～ 5 月开花。

| 生境分布 | 生于海拔 200 ～ 1 900 m 的平原和低山山坡草丛中、林边或干旱多石的坡地。分布于河北昌黎、赤城、怀安等。

| 资源情况 | 野生资源一般。药材主要来源于栽培。

| 采收加工 | 春、秋季采挖，除去泥沙，干燥。

| 药材性状 | 本品呈类圆柱形或圆锥形，稍扭曲，长 6 ～ 20 cm，直径 0.5 ～ 2 cm。表面黄棕色或棕褐色，具不规则纵皱纹或纵沟，皮部易脱落，露出黄色的木部，有的有网状裂纹或裂隙，近根头处常有朽状凹洞。根头部稍膨大，有白色绒毛，有的可见鞘状叶柄残基。质硬而脆，断面皮部黄白色或淡黄棕色，木部淡黄色。气微，味微苦、涩。

| 功能主治 | 苦，寒。归胃、大肠经。清热解毒，凉血止痢。用于热毒血痢，阴痒带下。

| 用法用量 | 内服煎汤，9 ～ 15 g。

| 附　　注 | 本种为河北一级保护植物。

毛茛科 Ranunculaceae 白头翁属 Pulsatilla

细叶白头翁 Pulsatilla turczaninovii Kryl. et Serg.

| **药 材 名** | 白头翁茎叶（药用部位：地上部分。别名：白头翁草）。

| **形态特征** | 多年生草本，高 15 ~ 25 cm。基生叶 4 ~ 5，有长柄，为三回羽状复叶，在开花时开始发育；叶片呈狭椭圆形，有时卵形，长7 ~ 8.5 cm，宽 2.5 ~ 4 cm，羽片 3 ~ 4 对，下部的有柄，上部的无柄，卵形，2 回羽状细裂，末回裂片线状披针形或线形，有时卵形，宽 1 ~ 1.5（~ 2.5）mm，先端常锐尖，边缘稍反卷，表面变无毛，背面疏被柔毛；叶柄长 5 ~ 8 cm，有柔毛。花葶有柔毛；总苞呈钟形，长 2.8 ~ 3.4 cm，筒长 5 ~ 6 mm，苞片细裂，末回裂片线形或线状披针形，宽 1 ~ 1.5 mm，背面有柔毛；花梗长约 1.5 cm，果期长达 15 cm；花直立，萼片蓝紫色，卵状长圆形或椭圆形，长

2.2 ～ 4.2 cm，宽 1 ～ 1.3 cm，先端微尖或钝，背面有长柔毛。聚合果直径约 5 cm；瘦果纺锤形，长约 4 mm，密被长柔毛，宿存花柱长约 3 cm，有向上斜展的长柔毛。5 月开花。

| 生境分布 | 生于草原、山地草坡或林边。分布于河北怀安、蔚县、涉县等。

| 资源情况 | 野生资源一般。药材主要来源于野生。

| 采收加工 | 秋季采收，洗净，鲜用或晒干。

| 药材性状 | 本品叶为三出复叶，有长柄，密被长柔毛，基部较宽或呈鞘状；中央小叶有柄或近无柄，3 裂，裂片倒卵形，侧生小叶先端有 1 ～ 3 不规则浅裂片，上面绿色，疏被白色柔毛，下面浅绿色，密被白色长柔毛。老叶的裂片呈倒卵状披针形，先端浅裂，叶片与叶柄均近无毛。气微，味微苦、涩。

| 功能主治 | 苦，寒。归肝、胃经。泻火解毒，止痛，利尿消肿。用于风火牙痛，四肢关节疼痛，秃疮，浮肿。

| 用法用量 | 内服煎汤，9 ～ 15 g。

| 附　　注 | 本种为河北二级保护植物。

毛茛科 Ranunculaceae 翠雀属 Delphinium

翠雀
Delphinium grandiflorum L.

| 植物别名 | 百部草、鸽子花、大花飞燕草。

| 药 材 名 | 小草乌（药用部位：全草或根。别名：鸡爪连、猫眼花、飞燕草）。

| 形态特征 | 多年生草本，稀为一年生或二年生草本。茎高 35 ~ 65 cm，与叶柄均被反曲而贴伏的短柔毛，上部有时变无毛，等距离生叶，分枝。基生叶和茎下部叶有长柄；叶片圆五角形，长 2.2 ~ 6 cm，宽 4 ~ 8.5 cm，3 全裂，中央全裂片近菱形，1 ~ 2 回 3 裂至近中脉，小裂片线状披针形至线形，宽 0.6 ~ 2.5（~ 3.5）mm，边缘干时稍反卷，侧全裂片扇形，不等 2 深裂至近基部，两面疏被短柔毛或近无毛；叶柄长为叶片的 3 ~ 4 倍，基部具短鞘。总状花序有花 3 ~ 15；下部苞片呈叶状，其他苞片线形；花梗长 1.5 ~ 3.8 cm，

与花轴密被贴伏的白色短柔毛；小苞片生花梗中部或上部，线形或丝形，长3.5～7 mm；萼片紫蓝色，椭圆形或宽椭圆形，长1.2～1.8 cm，外面有短柔毛，距钻形，长1.7～2（～2.3）cm，直或末端稍向下弯曲；花瓣蓝色，无毛，先端圆形；退化雄蕊蓝色，瓣片近圆形或宽倒卵形，先端全缘或微凹，腹面中央有黄色髯毛；雄蕊无毛；心皮3，子房密被贴伏的短柔毛。蓇葖果直，长1.4～1.9 cm；种子呈倒卵状四面体形，长约2 mm，沿棱有翅。5～10月开花。

| **生境分布** | 生于海拔500～2 800 m的山地草坡或丘陵沙地。分布于河北邢台及兴隆、张北等。

| **资源情况** | 野生资源一般。药材来源于野生。

| **采收加工** | 7～8月采收全草，切段，晒干；秋、冬季采挖根，洗去泥土，剪去须根，切片，晒干。

| **药材性状** | 本品根呈圆锥形，长2～8 cm，直径1～5 mm；表面黄棕色至棕褐色，微具网状纹理；根头残留叶柄残基及中空的茎基；质硬脆，易折断，断面黄白色；气微，味辛、苦。茎呈青黄色，具纵棱，表面被反曲而贴伏的短柔毛。叶柄长，基部具鞘；叶片黄绿色，展平后呈圆五角形，长2～6 cm，宽4～8.5 cm，3全裂，裂片再1～2回细裂。总状花序有花3～15；下部苞片叶状，其他苞片线形；萼片5，紫蓝色，椭圆形，距钻形；花瓣2，蓝色；退化雄蕊瓣状，蓝色，具黄色髯毛；子房密被短柔毛。蓇葖果长1.4～1.9 cm；种子倒卵状四面体形，沿棱有翅。质脆。气微，味苦。

| **功能主治** | 苦，寒；有毒。归肺、胃经。祛风除湿，止痛，杀虫止痒。用于风热牙痛，风湿痹痛，疮痈癣癞。

| **用法用量** | 本品有毒，不可内服。外用适量，煎汤含漱；或捣汁浸洗；或研末水调涂擦。

毛茛科 Ranunculaceae 碱毛茛属 Halerpestes

碱毛茛 *Halerpestes sarmentosa* (Adams) Komarov & Alissova

| 植物别名 | 圆叶碱毛茛、水葫芦苗。

| 药 材 名 | 圆叶碱毛茛（药用部位：全草）。

| 形态特征 | 多年生草本。匍匐茎细长，横走。叶多数；叶片纸质，多近圆形，或肾形、宽卵形，长 0.5 ~ 2.5 cm，宽稍大于长，基部圆心形、截形或宽楔形，边缘有 3 ~ 7 圆齿，有时 3 ~ 5 裂，无毛；叶柄长 2 ~ 12 cm，稍有毛。花葶 1 ~ 4，高 5 ~ 15 cm，无毛；苞片线形；花小，直径 6 ~ 8 mm；萼片绿色，卵形，长 3 ~ 4 mm，无毛，反折；花瓣 5，狭椭圆形，与萼片近等长，先端圆形，基部有长约 1 mm 的爪，爪上端有点状蜜槽；花药长 0.5 ~ 0.8 mm，花丝长约 2 mm；花托呈圆柱形，长约 5 mm，有短柔毛。聚合果呈椭圆球形，直径约

5 mm；瘦果小且极多，呈斜倒卵形，长 1.2 ~ 1.5 mm，两面稍鼓起，有 3 ~ 5 纵肋，无毛，喙极短，呈点状。花果期 5 ~ 9 月。

| **生境分布** | 生于盐碱性沼泽地或湖边。分布于河北昌黎等。

| **资源情况** | 野生资源一般。药材主要来源于栽培。

| **采收加工** | 7 ~ 9 月采收，洗净，晒干。

| **功能主治** | 甘、淡，寒。利水消肿，祛风除湿。用于水肿，腹水，小便不利，风湿痹痛。

| **用法用量** | 内服煎汤，1.5 ~ 4.5 g。

| **附　　注** | 本种以瘦果细小且极多、近无喙而易与三裂碱毛茛 *Halerpestes tricuspis* (Maxim.) Hand.-Mazz. 相区别。

毛莨科 Ranunculaceae 类叶升麻属 Actaea

类叶升麻 *Actaea asiatica* Hara

| 药 材 名 | 绿豆升麻（药用部位：根茎）。

| 形态特征 | 根茎横走，质坚实，外皮黑褐色，生多数细长的根。茎高30～80 cm，圆柱形，直径4～（6～9）mm，微具纵棱，下部无毛，中部以上被白色短柔毛，不分枝。叶2～3，茎下部叶为三回三出近羽状复叶，具长柄；叶片三角形，宽达27 cm；顶生小叶卵形至宽卵状菱形，长4～8.5 cm，宽3～8 cm，3裂，边缘有锐锯齿，侧生小叶卵形至斜卵形，表面近无毛，背面变无毛；叶柄长10～17 cm；茎上部叶的形状与茎下部叶相似，但较小，具短柄。总状花序长2.5～4（～6）cm；花序轴和花梗密被白色或灰色短柔毛；苞片线状披针形，长约2 mm；花梗长5～8 mm；萼片倒卵

形，长约 2.5 mm；花瓣匙形，长 2 ～ 2.5 mm，下部渐狭成爪；花药长约 0.7 mm，花丝长 3 ～ 5 mm；心皮与花瓣近等长。果序长 5 ～ 17 cm，与茎上部叶等长或更长；果柄直径约 1 mm；果实紫黑色，直径约 6 mm；种子约 6，卵形，有 3 纵棱，长约 3 mm，宽约 2 mm，深褐色。5 ～ 6 月开花，7 ～ 9 月结果。

| **生境分布** | 生于海拔 350 ～ 3 100 m 的山地林下、草地或沟边背阴处。分布于河北宽城、滦平、青龙等。

| **资源情况** | 野生资源丰富。药材主要来源于野生。

| **采收加工** | 春、秋季采挖，洗净泥土，切片，晒干。

| **功能主治** | 辛、苦，平。归肺经。散风热，祛风湿，透疹，解毒。用于风热头痛，咽喉肿痛，风湿疼痛，风疹块，麻疹不透，百日咳，子宫脱垂，犬咬伤。

| **用法用量** | 内服煎汤，3 ～ 9 g。外用适量，捣敷。

| **附　　注** | 在山西以南的本种植株的果序较短，长 3 ～ 6 cm，比茎上部叶短或近等长；在河北及其以北的本种植株的果序较长，长 5 ～ 17 cm，与茎上部叶等长或更长。

毛茛科 Ranunculaceae 楼斗菜属 Aquilegia

楼斗菜 *Aquilegia viridiflora* Pall.

植物别名

绿花楼斗菜。

药材名

楼斗菜（药用部位：带根全草。别名：血见愁、漏斗菜）。

形态特征

根肥大，圆柱形，直径达 1.5 cm，简单或有少数分枝，外皮黑褐色。茎高 15 ~ 50 cm，常在上部分枝，除被柔毛外，还密被腺毛。基生叶少数，为二回三出复叶；叶片宽 4 ~ 10 cm，中央小叶具长 1 ~ 6 mm 的短柄，楔状倒卵形，长 1.5 ~ 3 cm，宽近相等或更宽，上部 3 裂，裂片常有 2 ~ 3 圆齿，表面绿色，无毛，背面淡绿色至粉绿色，被短柔毛或近无毛；叶柄长达 18 cm，疏被柔毛或无毛，基部有鞘。茎生叶数枚，为一至二回三出复叶，向上渐变小。花 3 ~ 7，倾斜或微下垂；苞片 3 全裂；花梗长 2 ~ 7 cm；萼片黄绿色，长椭圆状卵形，长 1.2 ~ 1.5 cm，宽 0.6 ~ 0.8 cm，先端微钝，疏被柔毛；花瓣瓣片与萼片同色，直立，倒卵形，比萼片稍长或稍短，先端近截形，距直或微弯，长 1.2 ~ 1.8 cm；雄蕊长达 2 cm，伸出花外，花药长椭圆形，黄色；退化雄蕊白色，膜质，线状长椭圆形，长 7 ~ 8 mm；心皮密被伸展的腺状柔毛，花柱比子房长或与之等长。蓇葖果长 1.5 cm；种子黑色，狭倒卵形，长约 2 mm，具微凸起的纵棱。5 ~ 7 月开花，7 ~ 8 月结果。

| 生境分布 | 生于海拔 200 ~ 2 300 m 的山地路旁、河边或潮湿草地。分布于河北磁县、怀安、涞源等。

| 资源情况 | 野生资源一般。药材主要来源于野生。

| 采收加工 | 6 ~ 7 月采收，晒干。

| 功能主治 | 微苦、辛、甘，平。活血调经，凉血止血，清热解毒。用于痛经，崩漏，痢疾。

| 用法用量 | 内服煎汤，3 ~ 6 g；或熬膏。

毛茛科 Ranunculaceae 驴蹄草属 Caltha

驴蹄草
Caltha palustris L.

| 植物别名 | 马蹄草、马蹄叶。

| 药材名 | 驴蹄草（药用部位：全草。别名：马蹄草、马蹄叶）。

| 形态特征 | 多年生草本，全体无毛。有多数肉质须根。茎高（10 ~）20 ~ 48 cm，直径（1.5 ~）3 ~ 6 mm，实心，具细纵沟，在中部或中部以上分枝，稀不分枝。基生叶 3 ~ 7，有长柄；叶片圆形、圆肾形或心形，长（1.2 ~）2.5 ~ 5 cm，宽（2 ~）3 ~ 9 cm，先端圆形，基部深心形或基部 2 裂片互相覆压，边缘全部密生正三角形小牙齿；叶柄长（4 ~）7 ~ 24 cm。茎生叶通常向上逐渐变小，稀与基生叶近等大，圆肾形或三角状心形，具较短的叶柄或最上部叶完全不具柄。茎或分枝顶部有由 2 花组成的简单的单歧聚伞花序；苞片三角

状心形，边缘具牙齿；花梗长（1.5～）2～10 cm；萼片 5，黄色，倒卵形或狭倒卵形，长 1～1.8（～2.5）cm，宽 0.6～1.2（～1.5）cm，先端圆形；雄蕊长 4.5～7（～9）mm，花药长圆形，长 1～1.6 mm，花丝狭线形；心皮（5～）7～12，与雄蕊近等长，无柄，有短花柱。蓇葖果长约 1 cm，宽约 3 mm，具横脉，喙长约 1 mm；种子呈狭卵球形，长 1.5～2 mm，黑色，有光泽，有少数纵皱纹。5～9 月开花，6 月开始结果。

| **生境分布** | 生于海拔 600～1 400 m 的山地、山谷溪边、湿草甸、草坡或林下较阴湿处。分布于河北平泉等。

| **资源情况** | 野生资源稀少。药材主要来源于野生。

| **采收加工** | 夏、秋季采收，洗净，鲜用或晒干。

| **功能主治** | 辛、微苦，凉。归脾、肺经。祛风，解暑，活血消肿。用于伤风感冒，中暑，跌打损伤，烫火伤。

| **用法用量** | 内服煎汤，9～15 g；或浸酒。外用适量，捣敷；或拌酒糟，烘热外敷；或煎汤洗。

毛茛科 Ranunculaceae 毛茛属 *Ranunculus*

茴茴蒜
Ranunculus chinensis Bunge

| **植物别名** | 回回蒜。 |

| **药 材 名** | 茴茴蒜（药用部位：全草。别名：水胡椒、蝎虎草、黄花草）、茴茴蒜果（药用部位：果实）。 |

| **形态特征** | 一年生草本。须根多数簇生。茎直立粗壮，高 20 ~ 70 cm，直径在5 mm 以上，中空，有纵条纹，分枝多，与叶柄均密生开展的淡黄色糙毛。基生叶与下部叶有长达 12 cm 的叶柄，为三出复叶，叶片呈宽卵形至三角形，长 3 ~ 8（~ 12）cm，小叶 2 ~ 3 深裂，裂片呈倒披针状楔形，宽 5 ~ 10 mm，上部有不等的粗齿或缺刻，或 2 ~ 3裂，先端尖，两面伏生糙毛，小叶柄长 1 ~ 2 cm 或侧生小叶柄较短，生开展的糙毛；上部叶较小且叶柄较短，叶片 3 全裂，裂片有 |

粗牙齿或再分裂。花序有较多疏生的花，花梗贴生糙毛；花直径 6 ～ 12 mm；萼片狭卵形，长 3 ～ 5 mm，外面生柔毛；花瓣 5，宽卵圆形，与萼片近等长或稍长，黄色或上面白色，基部有短爪，蜜槽有卵形小鳞片；花药长约 1 mm；花托在果期显著伸长，圆柱形，长达 1 cm，密生白色短毛。聚合果长圆形，直径 6 ～ 10 mm；瘦果扁平，长 3 ～ 3.5 mm，宽约 2 mm，为厚度的 5 倍以上，无毛，边缘有宽约 0.2 mm 的棱，喙极短，呈点状，长 0.1 ～ 0.2 mm。花果期 5 ～ 9 月。

| **生境分布** | 生于海拔 700 ～ 2 500 m 的平原与丘陵、溪边、田旁的水湿草地。分布于河北邱县、磁县、赞皇等。

| **资源情况** | 野生资源一般。药材主要来源于野生。

| **采收加工** | 茴茴蒜：夏季采收，鲜用或晒干。

茴茴蒜果：6 ～ 7 月采摘，鲜用或晒干。

| **功能主治** | 茴茴蒜：淡，温；有毒。归肝经。解毒退黄，截疟，定喘，镇痛。用于肝炎，黄疸，肝硬化腹水，疮癞，牛皮癣，疟疾，哮喘，牙痛，胃痛，风湿痛。

茴茴蒜果：苦，微温。明目，截疟。用于夜盲，疟疾。

| **用法用量** | 茴茴蒜：内服煎汤，3 ～ 9 g。外用适量，敷于患处或穴位；或鲜品洗净，绞汁涂擦；或煎汤洗。

茴茴蒜果：内服煎汤，3 ～ 9 g。外用适量，捣敷。

毛茛科 Ranunculaceae 毛茛属 Ranunculus

毛茛
Ranunculus japonicus Thunb.

| 植物别名 | 五虎草、老虎脚迹。

| 药 材 名 | 毛茛（药用部位：全草或根。别名：水茛、毛建、毛建草）。

| 形态特征 | 多年生草本。须根多数簇生。茎直立，高 30 ~ 70 cm，中空，具槽，分枝，生开展或贴伏的柔毛。基生叶多数，叶片圆心形或五角形，长、宽均为 3 ~ 10 cm，基部心形或截形，通常 3 深裂，不达基部，中裂片呈倒卵状楔形、宽卵圆形或菱形，3 浅裂，边缘有粗齿或缺刻，侧裂片不等地 2 裂，两面贴生柔毛，下面或幼时的毛较密，叶柄长达 15 cm，生开展柔毛；下部叶与基生叶相似，向上叶柄渐变短，叶片较小，3 深裂，裂片呈披针形，有尖牙齿或再分裂，最上部叶线形，全缘，无柄。聚伞花序有多数花，疏散；花直径 1.5 ~

2.2 cm；花梗长达 8 cm，贴生柔毛；萼片呈椭圆形，长 4 ~ 6 mm，生白色柔毛；花瓣 5，倒卵状圆形，长 6 ~ 11 mm，宽 4 ~ 8 mm，基部有长约 0.5 mm 的爪，蜜槽鳞片长 1 ~ 2 mm；花药长约 1.5 mm；花托短小，无毛。聚合果近球形，直径 6 ~ 8 mm；瘦果扁平，长 2 ~ 2.5 mm，上部最宽处与长近相等，约为厚度的 5 倍，边缘有宽约 0.2 mm 的棱，无毛，喙短直或外弯，长约 0.5 mm。花果期 4 ~ 9 月。

| 生境分布 | 生于海拔 200 ~ 2 500 m 的田沟旁和林缘、路边的湿草地上。分布于河北丰宁、抚宁、阜平等。

| 资源情况 | 野生资源一般。药材主要来源于栽培。

| 采收加工 | 7 ~ 8 月采收，洗净，阴干。

| 药材性状 | 本品茎与叶柄均有伸展的柔毛。叶片五角形，长达 6 cm，宽达 7 cm，基部心形。萼片 5，船状椭圆形，长 4 ~ 6 mm，有白色柔毛；花瓣 5，倒卵形，长 6 ~ 11 mm。聚合果近球形，直径 4 ~ 5 mm。

| 功能主治 | 辛，温；有毒。归肝、胆、心、胃经。退黄，定喘，截疟，镇痛，消翳。用于黄疸，哮喘，疟疾，偏头痛，牙痛，鹤膝风，风湿关节痛，目生翳膜，瘰疬，痈疮肿毒。

| 用法用量 | 外用适量，捣敷；或煎汤洗。

毛茛科 Ranunculaceae 毛茛属 Ranunculus

石龙芮 *Ranunculus sceleratus* L.

|药材名|

石龙芮（药用部位：全草。别名：水堇、姜苔、水姜苔）、石龙芮子（药用部位：果实。别名：鲁果能、地椹、天豆）。

|形态特征|

一年生草本。须根簇生。茎直立，高 10 ~ 50 cm，直径 2 ~ 5 mm，有时直径达 1 cm，上部多分枝，具多数节，下部节上有时生根，无毛或疏生柔毛。基生叶多数，叶片肾状圆形，长 1 ~ 4 cm，宽 1.5 ~ 5 cm，基部心形，3 深裂，不达基部，裂片呈倒卵状楔形，不等地 2 ~ 3 裂，先端钝圆，有粗圆齿，无毛，叶柄长 3 ~ 15 cm，近无毛；茎生叶多数，下部叶与基生叶相似，上部叶较小，3 全裂，裂片呈披针形至线形，全缘，无毛，先端钝圆，基部扩大成膜质宽鞘抱茎。聚伞花序有多数花；花小，直径 4 ~ 8 mm；花梗长 1 ~ 2 cm，无毛；萼片呈椭圆形，长 2 ~ 3.5 mm，外面有短柔毛；花瓣 5，倒卵形，与花萼等长或稍长，基部有短爪，蜜槽呈棱状袋穴形；雄蕊 10 或更多，花药卵形，长约 0.2 mm；花托在果期伸长增大成圆柱形，长 3 ~ 10 mm，直径 1 ~ 3 mm，生短柔毛。聚合果长圆形，长 8 ~ 12 mm，为宽的 2 ～ 3 倍；瘦果极多数，近百枚，紧密排列，倒卵球形，稍扁，长 1 ～ 1.2 mm，无毛，喙短至近无，长 0.1 ～ 0.2 mm。花果期 5 ～ 8 月。

| **生境分布** | 生于河沟边及平原湿地。分布于河北迁西、乐亭、青龙等。

| **资源情况** | 野生资源一般。药材主要来源于栽培。

| **采收加工** | 石龙芮：在开花末期 5 月左右采收，洗净，鲜用或阴干。
石龙芮子：夏季采收，除去杂质，晒干。

| **药材性状** | 石龙芮：本品长 10 ～ 45 cm，疏生短柔毛或无毛。基生叶及下部叶具长柄，叶片肾状圆形，棕绿色，长 0.7 ～ 3 cm，3 深裂，中央裂片 3 浅裂；茎上部叶变小。聚伞花序有多数小花，花托被毛；萼片 5，船形，外面被短柔毛；花瓣 5，狭倒卵形。聚合果矩圆形；瘦果小而极多，倒卵形，稍扁，长约 1.2 mm。气微，味苦、辛。

| **功能主治** | 石龙芮：苦、辛，平；有毒。归心、肺经。清热解毒，消肿散结，止痛，截疟。用于痈疖肿毒，毒蛇咬伤，痰核瘰疬，风湿关节肿痛，牙痛，疟疾。
石龙芮子：苦，平。归心经。和胃，益肾，明目，祛风湿。用于心腹烦满，肾虚遗精，阳痿阴冷，不育无子，风寒湿痹。

| **用法用量** | 石龙芮：内服煎汤，3 ～ 9 g；或炒研为散，每次 1 ～ 1.5 g。外用适量，捣敷；或煎膏涂于患处及穴位。
石龙芮子：内服煎汤，3 ～ 9 g。

| **附　注** | 误食本种可致口腔灼热，随后出现口腔肿胀、咀嚼困难、剧烈腹泻、脉搏缓慢、呼吸困难、瞳孔散大等症状，严重者可致死亡。

| 毛茛科 Ranunculaceae | 升麻属 Cimicifuga |

单穗升麻 *Cimicifuga simplex* Wormsk.

| 植物别名 | 野菜升麻。

| 药 材 名 | 野升麻（药用部位：根茎）。

| 形态特征 | 多年生草本。根茎粗壮，横走，外皮带黑色。茎单一，高 1 ~ 1.5 m，
直径 4 ~ 7 mm，无毛。下部茎生叶有长柄，为二至三回三出近羽状
复叶，叶片卵状三角形，宽达 30 cm，顶生小叶有柄，宽披针形至
菱形，长 4.5 ~ 8.5 cm，宽 2 ~ 5.5 cm，常 3 深裂或浅裂，边缘有
锯齿，侧生小叶通常无柄，狭斜卵形，比顶生小叶小，表面无毛，
背面沿脉疏生白色长柔毛；叶柄长达 26 cm；上部茎生叶较小，一
至二回三出羽状。总状花序长达 35 cm，不分枝或有时在基部有少
数短分枝；苞片钻形，远较花梗短；花梗长 5 ~ 8 mm，和花序轴

均密被灰色腺毛及柔毛；萼片呈宽椭圆形，长约 4 mm；退化雄蕊椭圆形至宽椭圆形，先端膜质，2 浅裂，花药黄白色，长约 1 mm，花丝狭线形，长 5 ~ 8 mm，中央有 1 脉；心皮 2 ~ 7，密被灰色短绒毛，具柄，柄在近果期时延长。菁葵果长 7 ~ 9 mm，宽 4 ~ 5 mm，被贴伏的短柔毛，下面具长达 5 mm 的柄；种子 4 ~ 8，椭圆形，长约 3.5 mm，四周被膜质翼状鳞翅。8 ~ 9 月开花，9 ~ 10 月结果。

| **生境分布** | 生于海拔 300 ~ 2 300 m 的山地草坪、潮湿的灌丛、草丛或草甸的草墩中。分布于河北涉县、阜平、武安等。

| **资源情况** | 野生资源丰富。药材主要来源于野生。

| **采收加工** | 9 ~ 10 月采挖，除去泥沙，晒干或烘干后，撞掉须根。

| **药材性状** | 本品呈不规则块状，稍弯曲，长约 20 cm，直径 5 ~ 9 cm。表面棕黑色至黑色，有横向纹理，上方残留多个大形茎基残痕，下方及两侧有多数点状须根痕。质坚硬，不易折断。横断面可见形成层，呈棕黑色，皮部有浅黑色纵走条纹，有的木部朽蚀成空洞，皮部有菱形纹理。气微，味辛、微苦。

| **功能主治** | 甘、辛、微苦，微寒。归肺、脾、大肠经。散风解毒，升阳发表。用于伤风咳嗽。

| **用法用量** | 内服煎汤，3 ~ 9 g。

毛茛科 Ranunculaceae 升麻属 Cimicifuga

升麻 *Cimicifuga foetida* L.

| 植物别名 | 绿升麻。

| 药 材 名 | 升麻（药用部位：根茎。别名：周升麻、周麻、鬼脸升麻）。

| 形态特征 | 多年生草本。根茎粗壮，坚实，表面黑色，有许多内陷的圆洞状老茎残迹。茎高 1 ~ 2 m，基部直径达 1.4 cm，微具槽，分枝，被短柔毛。叶为二至三回三出羽状复叶；茎下部叶呈三角形，宽达30 cm，顶生小叶具长柄，菱形，长 7 ~ 10 cm，宽 4 ~ 7 cm，常浅裂，边缘有锯齿，侧生小叶具短柄或无柄，斜卵形，比顶生小叶略小，表面无毛，背面沿脉疏被白色柔毛，叶柄长达 15 cm；茎上部叶较小，具短柄或无柄。花序具 3 ~ 20 分枝，长达 45 cm，下部的分枝长达 15 cm；花序轴密被灰色或锈色腺毛及短毛；苞片钻形，比

花梗短；花两性；萼片呈倒卵状圆形，白色或绿白色，长 3 ~ 4 mm；退化雄蕊呈宽椭圆形，长约 3 mm，先端微凹或 2 浅裂，近膜质；雄蕊长 4 ~ 7 mm，花药黄色或黄白色；心皮 2 ~ 5，密被灰色毛，无柄或有极短的柄。蓇葖果长圆形，长 8 ~ 14 mm，宽 2.5 ~ 5 mm，有伏毛，基部渐狭成长 2 ~ 3 mm 的柄，先端有短喙；种子椭圆形，褐色，长 2.5 ~ 3 mm，有横向的膜质鳞翅，四周有鳞翅。7 ~ 9 月开花，8 ~ 10 月结果。

| **生境分布** | 生于海拔 1 700 ~ 2 300 m 的山地林缘、林中或路旁草丛中。分布于河北阜平、宽城、灵寿等。

| **资源情况** | 野生资源一般。药材主要来源于栽培。

| **采收加工** | 秋季采挖，除去泥沙，晒至须根干时，燎去或除去须根，晒干。

| **药材性状** | 本品呈不规则的长形块状，多分枝，呈结节状，长 10 ~ 20 cm，直径 2 ~ 4 cm。表面黑褐色或棕褐色，粗糙不平，有坚硬的细须根残留，上面有数个圆形空洞的茎基痕，洞内壁有网状沟纹；下面凹凸不平，具须根痕。体轻，质坚硬，不易折断，断面不平坦，有裂隙，纤维性，黄绿色或淡黄白色。气微，味微苦、涩。

| **功能主治** | 辛、微甘，微寒。归肺、脾、胃、大肠经。发表透疹，清热解毒，升举阳气。用于风热头痛，齿痛，口疮，咽喉肿痛，麻疹不透，阳毒发斑，脱肛，子宫脱垂。

| **用法用量** | 内服煎汤，3 ~ 10 g。

毛茛科 Ranunculaceae 升麻属 Cimicifuga

兴安升麻

Cimicifuga dahurica (Turcz. ex Fischer et C. A. Meyer) Maxim.

| 植物别名 |

莽牛卡架、龙眼根、窟窿牙根。

| 药 材 名 |

升麻（药用部位：根茎。别名：周升麻、周麻、鸡骨升麻）。

| 形态特征 |

多年生草本。根茎粗壮，多弯曲，表面黑色，有许多下陷的圆洞状老茎残基。茎高达 1 m 或更高，微有纵槽，无毛或微被毛。茎下部叶为二回或三回三出复叶，叶片三角形，宽达 22 cm，顶生小叶宽菱形，长 5 ～ 10 cm，宽 3.5 ～ 9 cm，3 深裂，基部通常微心形或圆形，边缘有锯齿，侧生小叶长椭圆状卵形，稍斜，表面无毛，背面沿脉疏被柔毛，叶柄长达 17 cm；茎上部叶与下部叶相似，但较小，具短柄。雌雄异株。花序复总状，雄株花序大，长达 30 cm 或更长，具 7 ～ 20 分枝，雌株花序稍小，分枝少；花序轴和花梗被灰色腺毛和短毛；苞片钻形，渐尖；萼片宽椭圆形至宽倒卵形，长 3 ～ 3.5 mm；退化雄蕊叉状 2 深裂，先端有 2 乳白色空花药；花药长约 1 mm，花丝丝形，长 4 ～ 5 mm；心皮 4 ～ 7，疏被灰色柔毛或近无毛，无柄或

有短柄。蓇葖果生于长 1 ~ 2 mm 的心皮柄上，长 7 ~ 8 mm，宽 4 mm，先端近截形，被贴伏的白色柔毛；种子 3 ~ 4，椭圆形，长约 3 mm，褐色，四周生膜质鳞翅，中央生横鳞翅。7 ~ 8 月开花，8 ~ 9 月结果。

| **生境分布** | 生于海拔 300 ~ 1 200 m 的山地林缘、林中或山坡草地。分布于河北怀安、宽城、隆化等。

| **资源情况** | 野生资源一般。药材主要来源于栽培。

| **采收加工** | 秋季采挖，除去泥沙，晒至须根干时，燎去或除去须根，晒干。

| **药材性状** | 本品呈不规则的长形块状，多分枝，呈结节状，长 10 ~ 20 cm，直径 2 ~ 4 cm。表面黑褐色或棕褐色，粗糙不平，有坚硬的细须根残留，上面有数个圆形空洞的茎基痕，洞内壁有网状沟纹；下面凹凸不平，具须根痕。体轻，质坚硬，不易折断，断面不平坦，有裂隙，纤维性，黄绿色或淡黄白色。气微，味微苦、涩。

| **功能主治** | 辛、甘，微寒。归肺、脾、胃、大肠经。发表透疹，清热解毒，升举阳气。用于风热头痛，齿痛，口疮，咽喉肿痛，麻疹不透，阳毒发斑，脱肛，子宫脱垂。

| **用法用量** | 内服煎汤，3 ~ 10 g。

毛茛科 Ranunculaceae 唐松草属 Thalictrum

瓣蕊唐松草 *Thalictrum petaloideum* L.

植物别名

查存-其其格、马尾黄连。

药材名

瓣蕊唐松草（药用部位：根及根茎。别名：唐松草、马尾黄连）。

形态特征

多年生草本，植株全部无毛。茎高20～80 cm，上部分枝。基生叶数个，有短或稍长的柄，为三至四回三出或羽状复叶，叶片长5～15 cm；小叶草质，形状变异很大，小叶柄长5～7 mm，顶生小叶倒卵形、宽倒卵形、菱形或近圆形，长3～12 mm，宽2～15 mm，先端钝，基部呈圆楔形或楔形，3浅裂至3深裂，裂片全缘，叶脉平，脉网不明显；叶柄长达10 cm，基部有鞘。花序伞房状，有少数或多数花；花梗长0.5～2.5 cm；萼片4，白色，早落，卵形，长3～5 mm；雄蕊多数，长5～12 mm，花药呈狭长圆形，长0.7～1.5 mm，先端钝，花丝上部呈倒披针形，比花药宽；心皮4～13，无柄，花柱短，腹面密生柱头组织。瘦果卵形，长4～6 mm，有8纵肋，宿存花柱长约1 mm。6～7月开花。

| **生境分布** | 生于海拔 800 ~ 1 800 m 的山坡草地中。分布于河北昌黎、灵寿、内丘等。 |

| **资源情况** | 野生资源一般。药材主要来源于栽培。 |

| **采收加工** | 夏、秋季采挖，除去茎叶及泥土，切段，晒干。 |

| **药材性状** | 本品根茎极短。须根较稀疏，长 3 ~ 5 cm，直径 1 ~ 1.2 mm；表面褐色，具数条细纵棱；质脆，易折断。气微，味稍甜，嚼之粘牙。 |

| **功能主治** | 苦，寒。归肝、胃、大肠经。清热，燥湿，解毒。用于湿热泻痢，黄疸，肺热咳嗽，目赤肿痛，痈肿疮疖，渗出性神经性皮炎。 |

| **用法用量** | 内服煎汤，9 ~ 15 g。外用适量，研末撒；或鲜品调敷。 |

毛茛科 Ranunculaceae 唐松草属 Thalictrum

贝加尔唐松草 *Thalictrum baicalense* Turcz.

植物别名

马尾黄连。

药材名

马尾连（药用植物：根及根茎。别名：马尾黄连）。

形态特征

多年生草本，植株全部无毛。茎高 45 ~ 80 cm，不分枝或分枝。茎中部叶有短柄，为三回三出复叶，叶片长 9 ~ 16 cm，小叶草质，顶生小叶宽菱形、扁菱形或菱状宽倒卵形，长 1.8 ~ 4.5 cm，宽 2 ~ 5 cm，基部宽楔形或近圆形，3 浅裂，裂片有圆齿，叶脉在背面隆起，脉网稍明显，小叶柄长 0.2 ~ 3 cm；叶柄长 1 ~ 2.5 cm，基部有狭鞘；托叶狭，膜质。花序呈圆锥状，长 2.5 ~ 4.5 cm；花梗细，长 4 ~ 9 mm；萼片 4，绿白色，早落，椭圆形，长约 2 mm；雄蕊（10 ~) 15 ~ 20，长 3.5 ~ 4 mm，花药长圆形，长约 0.8 mm，花丝上部呈狭倒披针形，与花药近等宽，下部丝形；心皮 3 ~ 7，花柱直，长约 0.5 mm，柱头生于花柱先端腹面，椭圆形，长 0.2 ~ 0.3 mm。瘦果卵球形或宽椭圆球形，稍扁，长约 3 mm，有 8 纵肋，心皮柄长约 0.2 mm。5 ～ 6 月开花。

| **生境分布** | 生于海拔 900 ～ 1 500 m 的山地林下或湿润草坡。分布于河北丰宁、抚宁、灵寿等。

| **资源情况** | 野生资源丰富。药材主要来源于野生。

| **采收加工** | 春、秋季采挖，除去地上茎叶及泥土，晒干。

| **药材性状** | 本品细根数十条密生于根茎上。表面黄褐色，细根软而扭曲。

| **功能主治** | 苦，寒。归心、肝、胆、大肠经。清热燥湿，凉血，解毒。用于目赤肿痛，口舌生疮，咽喉肿痛，湿热黄疸，痈肿疔疮。

| **用法用量** | 内服煎汤，3 ～ 15 g；或研末；或制成冲剂。外用适量，鲜品捣敷；或煎汤洗；或干品研末撒；或制成软膏敷。

长柄唐松草 *Thalictrum przewalskii* Maxim.

| 植物别名 | 甘青唐松草。

| 药 材 名 | 青海马尾连（药用部位：根及根茎）。

| 形态特征 | 多年生草本。茎高 50 ～ 120 cm，无毛，通常分枝，约有 9 叶。基生叶和近基部的茎生叶在开花时枯萎；下部茎生叶长达 25 cm，为四回三出复叶，叶片长达 28 cm，小叶薄草质，顶生小叶卵形、菱状椭圆形、倒卵形或近圆形，长 1 ～ 3 cm，宽 0.9 ～ 2.5 cm，先端钝或圆形，基部圆形、浅心形或宽楔形，3 裂常达中部，有粗齿，背面脉稍隆起，有短毛；叶柄长约 6 cm，基部具鞘；托叶膜质，半圆形，边缘不规则开裂。圆锥花序多分枝，无毛；花梗长 3 ～ 5 mm；萼片白色或稍带黄绿色，狭卵形，长 2.5 ～ 5 mm，宽约 1.5 mm，有

3 脉，早落；雄蕊多数，长 4.5 ~ 10 mm，花药长圆形，长约 0.8 mm，比花丝宽，花丝白色，上部线状倒披针形，下部丝形；心皮 4 ~ 9，有子房柄，花柱与子房等长。瘦果扁，斜倒卵形，长 0.6 ~ 1.2 cm（包括柄），有 4 纵肋，子房柄长 0.8 ~ 3 mm，宿存花柱长约 1 mm。6 ~ 8 月开花。

| 生境分布 | 生于海拔 750 ~ 1 700 m 的山地灌丛边、林下或草坡上。分布于河北涿鹿等。

| 资源情况 | 野生资源丰富。药材主要来源于野生。

| 采收加工 | 全年均可采收，洗净泥土，晒干。

| 药材性状 | 本品根茎由数个结节连生。细根数十条密生于根茎下，长 5 ~ 10 cm，直径 0.5 ~ 1.5 mm；表面灰棕色；质较软，断面纤维性。气浓，味甜。

| 功能主治 | 苦，寒。归肝、大肠经。清热燥湿，泻火解毒。用于痢疾，肠炎，黄疸，肝炎，目赤肿痛。

| 用法用量 | 内服煎汤，3 ~ 9 g。

毛茛科 Ranunculaceae 唐松草属 Thalictrum

东亚唐松草 *Thalictrum minus* L. var. *hypoleucum* (Sieb. et Zucc.) Miq.

| 植物别名 | 穷汉子腿、佛爷指甲、金鸡脚下黄。

| 药 材 名 | 烟窝草（药用植物：根及根茎。别名：马尾黄连、金鸡脚下、马尾连）。

| 形态特征 | 多年生草本，植株全部无毛。茎下部叶有稍长柄或短柄，茎中部叶有短柄或近无柄，为四回三出羽状复叶；叶片长达 20 cm；小叶纸质或薄革质，顶生小叶呈楔状倒卵形、宽倒卵形、近圆形或狭菱形，长 1.5 ~ 4（~ 5）cm，宽 1.5 ~ 4（~ 5）cm，基部呈楔形至圆形，3 浅裂或有疏牙齿，偶不裂，背面有白粉，粉绿色，叶脉隆起，脉网明显；叶柄长达 4 cm，基部有狭鞘。圆锥花序长达 30 cm；花梗长 3 ~ 8 mm；萼片 4，淡黄绿色，脱落，狭椭圆形，长约 3.5 mm；

雄蕊多数，长约 6 mm，花药呈狭长圆形，长约 2 mm，先端有短尖头，花丝丝形；心皮 3 ~ 5，无柄，柱头呈三角状箭头形。瘦果狭椭圆状球形，稍扁，长约 3.5 mm，有 8 纵肋。6 ~ 7 月开花。

| **生境分布** | 生于丘陵或山地林边或山谷沟边。分布于河北蔚县、武安、张北等。

| **资源情况** | 野生资源丰富。药材主要来源于野生。

| **采收加工** | 夏、秋季间采收，洗净，晒干。

| **药材性状** | 本品根茎由数至十数个结节连生，常中空。细根数十至百余条密生于根茎下面，长 10 ~ 20（~ 30）cm，直径 1 ~ 1.5 mm，软而扭曲，常缠绕成团；表面浅棕色，疏松，皮层常脱落，脱落处现棕黄色木心；断面纤维性。气微，味稍苦。

| **功能主治** | 苦，寒；有小毒。清热解毒燥湿。用于百日咳，痈疮肿毒，牙痛，湿疹。

| **用法用量** | 内服煎汤，6 ~ 9 g。外用适量，研末敷；或煎汤洗；或捣敷。

箭头唐松草 *Thalictrum simplex* L.

|药 材 名| 硬水黄连（药用部位：全草或根。别名：水黄连、金鸡脚下黄、硬杆水黄连）。

|形态特征| 多年生草本，植株全部无毛。茎高 54 ~ 100 cm，不分枝或在下部分枝。茎生叶向上近直展，为二回羽状复叶；茎下部的叶片长达 20 cm，小叶较大，圆菱形、菱状宽卵形或倒卵形，长 2 ~ 4 cm，宽 1.4 ~ 4 cm，基部呈圆形，3 裂，裂片先端钝或圆形，有圆齿，叶脉在背面隆起，脉网明显；茎上部叶渐变小，小叶倒卵形或楔状倒卵形，基部圆形、钝形或楔形，裂片先端急尖；茎下部叶有稍长柄，上部叶无柄。圆锥花序长 9 ~ 30 cm，分枝与轴成 45° 角斜上；花梗长达 7 mm；萼片 4，早落，狭椭圆形，长约 2.2 mm；雄蕊约

15，长约 5 mm，花药呈狭长圆形，长约 2 mm，先端有短尖头，花丝丝形；心皮 3 ~ 6，无柄，柱头宽三角形。瘦果呈狭椭圆形或狭卵球形，长约 2 mm，有8 纵肋。7 月开花。

| **生境分布** | 生于海拔 1 400 ~ 2 400 m 的山地草坡或沟边。分布于河北抚宁、隆化、平泉等。

| **资源情况** | 野生资源一般。药材主要来源于栽培。

| **采收加工** | 栽培 3 ~ 4 年即可采收，春、秋季采收全草，剪下地上茎叶，洗去泥土，地上茎叶和根分别晒干。

| **药材性状** | 本品根茎由数个结节连生，细根数至数十条密生于根茎下，长 5 ~ 10 cm，直径1 ~ 2 mm；表面土黄色，外皮脱落处浅黄色；质较软，断面纤维性。气微，味苦。

| **功能主治** | 苦，寒。归肝、肺、大肠经。清热解毒，利湿退黄，止痢。用于黄疸，痢疾，肺热咳嗽，目赤肿痛，鼻疳。

| **用法用量** | 内服煎汤，根 3 ~ 9 g，全草 10 ~ 15 g。外用适量，煎汤熏洗；或研末调敷。

毛茛科 Ranunculaceae 唐松草属 Thalictrum

唐松草
Thalictrum aquilegiifolium L. var. sibiricum L.

| **植物别名** | 白蓬草、草黄连、马尾连。

| **药 材 名** | 唐松草（药用部位：根及根茎）。

| **形态特征** | 多年生草本，高 60 ~ 150 cm，全株无毛。茎直立，有分枝。叶互生，叶柄长 4.5 ~ 8 cm，有鞘；托叶膜质，顶生小叶倒卵形或近圆形，长 1.5 ~ 2.5 cm，宽 1.2 ~ 3 cm，先端圆或微钝，基部圆楔形或圆形，3 浅裂，裂片全缘或有 1 ~ 2 牙齿，侧生小叶多斜楔形，叶背面脉稍隆起；上部叶几无柄。单歧聚伞花序呈伞房状，分枝多，有多数密集的花；花两性，花梗长 4 ~ 17 cm；萼片 4，花瓣状，宽椭圆形，长 3 ~ 3.5 mm，白色或淡紫色，早落；无花瓣；雄蕊多数，长 6 ~ 9 mm，花丝上部宽，下部丝状，花药长圆形，长约 1.2 mm，先端

钝；心皮 6 ~ 8，有长柄，花柱短，柱头生于腹面。瘦果呈倒卵形，长 4 ~ 7 mm，有 3 宽纵翅，基部变狭，果柄长 3 ~ 5 mm，宿存花柱甚短。花期 6 ~ 8 月，果期 7 ~ 9 月。

| **生境分布** | 生于海拔 500 ~ 1 800 m 的草原、山地林边或林中。分布于河北昌黎、怀安、宽城等。

| **资源情况** | 野生资源丰富。药材主要来源于野生。

| **采收加工** | 春、秋季采挖，除去茎叶，洗去泥土，晒干。

| **药材性状** | 本品根茎短缩。细根数十条密生于根茎下，长 8 ~ 15 cm，直径 1 ~ 1.5 mm，四棱形；表面棕褐色；质较脆，易折断，断面略呈粉性。气微，味微涩。

| **功能主治** | 苦，寒。归心、肝、大肠经。清热泻火，燥湿解毒。用于热病心烦，湿热泻痢，肺热咳嗽，目赤肿痛，痈肿疮疖，肠炎，痢疾，淋巴结结核，淋巴结炎，蛇咬伤。

| **用法用量** | 内服煎汤，5 ~ 10 g；或制成糖浆。外用适量，研末调敷。

展枝唐松草 *Thalictrum squarrosum* Steph. ex Willd.

| 植物别名 | 猫爪子。

| 药 材 名 | 猫爪子（药用部位：全草或根及根茎。别名：歧序唐松草、坚唐松草）。

| 形态特征 | 多年生草本，植株全部无毛。根茎细长，自节生出长须根。茎高 60 ~ 100 cm，有细纵槽，通常自中部近二歧状分枝。基生叶在开花时枯萎；茎下部及中部叶有短柄，为二至三回羽状复叶，叶片长 8 ~ 18 cm，小叶坚纸质或薄革质，顶生小叶呈楔状倒卵形、宽倒卵形、长圆形或圆卵形，长 0.8 ~ 2（~ 3.5）cm，宽 0.6 ~ 1.5（~ 2.6）cm，先端急尖，基部呈楔形至圆形，通常 3 浅裂，裂片全缘或有 2 ~ 3 小齿，表面脉常稍下陷，背面有白粉，叶脉平或稍隆起，脉网稍明显，

叶柄长 1 ～ 4 cm。花序呈圆锥状，近二歧状分枝；花梗细，长 1.5 ～ 3 cm，在结果时稍增长；萼片 4，淡黄绿色，狭卵形，长约 3 mm，宽约 0.8 mm，脱落；雄蕊 5 ～ 14，长 3 ～ 5 mm，花药长圆形，长约 2.2 mm，有短尖头，花丝丝形；心皮 1 ～ 3（～ 5），无柄，柱头呈箭头状。瘦果呈狭倒卵状球形或近纺锤形，稍斜，长 4 ～ 5.2 mm，有 8 粗纵肋，柱头长约 1.6 mm。7 ～ 8 月开花。

| **生境分布** | 生于海拔 200 ～ 1 900 m 的平原草地、田边或干燥草坡。分布于河北阜平、滦平、武安等。

| **资源情况** | 野生资源丰富。药材主要来源于野生。

| **采收加工** | 秋季采收，洗去泥土，晒干。

| **药材性状** | 本品根茎横生，结节状。细根数十条密生于根茎下，长 10 ～ 15 cm，直径 0.5 ～ 1 mm；表面浅棕色，外皮常脱落，脱落处黄色；质脆，易折断，断面略呈纤维性；气微，味苦。叶黄绿色，光滑无毛，纤细，多碎断；叶柄基部加宽，膜质，鞘状；叶片近革质，卵形或广倒卵形，先端具 3 钝牙齿或全缘。

| **功能主治** | 苦，寒；有毒。归肝、大肠经。清热解毒，制酸，发汗。用于急性结膜炎，病毒性肝炎，痢疾，吐酸。

| **用法用量** | 内服煎汤，3 ～ 10 g。

粗齿铁线莲 *Clematis grandidentata* (Rehder & E. H. Wilson) W. T. Wang

| **植物别名** | 小木通、线木通。

| **药 材 名** | 大木通（药用部位：茎藤。别名：接骨丹、白头公公、黄藤通）。

| **形态特征** | 落叶藤本。小枝密生白色短柔毛，老时外皮剥落。一回羽状复叶，有 5 小叶，有时茎端为三出叶；小叶片呈卵形或椭圆状卵形，长 5 ~ 10 cm，宽 3.5 ~ 6.5 cm，先端渐尖，基部呈圆形、宽楔形或微心形，常不明显 3 裂，边缘有粗大锯齿状牙齿，上面疏生短柔毛，下面密生白色短柔毛至毛较疏，或近无毛。腋生聚伞花序常有 3 ~ 7 花，或顶生圆锥状聚伞花序具多花，花序较叶短；花直径 2 ~ 3.5 cm；萼片 4，开展，白色，近长圆形，长 1 ~ 1.8 cm，宽约 5 mm，先端钝，两面有短柔毛，内面毛较疏至近无；雄蕊无毛。瘦

果呈扁卵圆形，长约 4 mm，被柔毛，宿存花柱长达 3 cm。花期 5 ~ 7 月，果期 7 ~ 10 月。

| **生境分布** | 生于海拔 300 ~ 1 800 m 的山坡或山沟灌丛中。分布于河北永年、井陉、赞皇等。

| **资源情况** | 野生资源丰富。药材主要来源于野生。

| **采收加工** | 全年均可采收，除去枝、叶及粗皮，切段，晒干。

| **药材性状** | 本品茎呈圆柱形，直径 1.2 ~ 3.5 cm，最粗可达 4.5 cm。表面有 6 粗大纵棱和 6 纵槽，每粗大纵棱有多个细纵棱，每纵槽中有 2 细纵棱，粗皮呈长片状层层纵向脱落。横切面皮部有 6 内陷，木部黄白色，导管孔较大。鲜品横切面有灰黑色或灰黄色胶质物。气微，味微苦。

| **功能主治** | 苦，平。行气活血，祛风湿，止痛。用于风湿筋骨痛，跌打损伤，瘀血疼痛，肢体麻木等。

| **用法用量** | 内服煎汤，6 ~ 12 g。外用捣敷；或煎汤洗。

| **附　注** | 丽江铁线莲 Clematis argentilucida (Lévl. et Vant.) W. T. Wang var. *likiangensis* (Rehd.) W. T. Wang 与本种的区别在于其子房、瘦果无毛。

毛茛科 Ranunculaceae 铁线莲属 Clematis

大叶铁线莲 *Clematis heracleifolia* DC.

| 植物别名 | 气死大夫、草本女萎、草牡丹。

| 药材名 | 草牡丹（药用部位：全草。别名：牡丹藤）。

| 形态特征 | 直立草本或半灌木，高 0.3 ~ 1 m，有粗大的主根，木质化，表面棕黄色。茎粗壮，有明显的纵条纹，密生白色糙绒毛。三出复叶；小叶片亚革质或厚纸质，卵圆形、宽卵圆形至近圆形，长 6 ~ 10 cm，宽 3 ~ 9 cm，先端短尖，基部圆形或楔形，有时偏斜，边缘有不整齐的粗锯齿，齿尖有短尖头，上面暗绿色，近无毛，下面有曲柔毛，尤以叶脉上为多，主脉及侧脉在上面平坦，在下面显著隆起，叶柄粗壮，长达 15 cm，被毛；顶生小叶叶柄长，侧生小叶叶柄短。聚伞花序顶生或腋生，花梗粗壮，有淡白色糙茸毛，每花下有 1 线状

披针形苞片；花杂性，雄花与两性花异株；花直径 2 ~ 3 cm，花萼下半部呈管状，先端常反卷；萼片 4，蓝紫色，长椭圆形至宽线形，常在反卷部分增宽，长 1.5 ~ 2 cm，宽 5 mm，内面无毛，外面有白色厚绢状短柔毛，边缘密生白色茸毛；雄蕊长约 1 cm，花丝线形，无毛，花药线形，与花丝等长，药隔疏生长柔毛；心皮被白色绢状毛。瘦果呈卵圆形，两面凸起，长约 4 mm，红棕色，被短柔毛，宿存花柱丝状，长达 3 cm，有白色长柔毛。花期 8 ~ 9 月，果期 10 月。

| 生境分布 | 生于海拔 1 200 ~ 1 700 m 的山坡沟谷、林边及路旁的灌丛中。分布于河北昌黎、隆化、易县等。

| 资源情况 | 野生资源丰富。药材主要来源于野生。

| 采收加工 | 夏、秋季采收，切段，晒干。

| 药材性状 | 本品根粗大，木质化；表面棕黄色。茎圆柱形，多切成段，直径 5 ~ 8 mm，下段茎木质，上段茎草质，黄绿色或绿褐色，具纵棱。叶对生，完整叶为三出复叶，先端小叶较大，宽卵形，长、宽均为 6 ~ 13 cm，先端短尖，基部楔形，不分裂或 3 浅裂，边缘有粗锯齿，具柄；侧生小叶近无柄，较小。聚伞花序顶生或腋生，花梗粗壮，有白色糙毛，花淡蓝色。气微，味微苦。

| 功能主治 | 辛、甘、苦，微温。归肝、大肠经。清热解毒，祛风除湿。用于肠炎，痢疾，风湿关节肿痛；外用于疮疖肿毒，结核性溃疡，结核性瘘管。

| 用法用量 | 内服煎汤，9 ~ 15 g；或浸酒。外用适量，煎汤熏洗。

| 附 注 | 本种为直立粗壮草本，三出复叶，聚伞花序，花杂性，花萼基部呈管状，上部反卷，蓝紫色，较易于与本属其他种相区别。

短尾铁线莲 *Clematis brevicaudata* DC.

| 植物别名 | 连架拐、石通、林地铁线莲。

| 药 材 名 | 红钉耙藤（药用部位：藤茎、根。别名：山木通、小木通、石通）。

| 形态特征 | 藤本。枝有棱，小枝疏生短柔毛或近无毛。一至二回羽状复叶或二回三出复叶，有 5 ~ 15 小叶，有时茎上部为三出叶；小叶片长卵形、卵形至宽卵状披针形或披针形，长（1 ~）1.5 ~ 6 cm，宽 0.7 ~ 3.5 cm，先端渐尖或长渐尖，基部圆形、截形至浅心形，有时楔形，边缘疏生粗锯齿或牙齿，有时 3 裂，两面近无毛或疏生短柔毛。圆锥状聚伞花序腋生或顶生，常比叶短；花梗长 1 ~ 1.5 cm，有短柔毛；花直径 1.5 ~ 2 cm；萼片 4，开展，白色，狭倒卵形，长约 8 mm，两面均有短柔毛，内面较疏或近无毛；雄蕊无毛，花药长 2 ~

2.5 mm。瘦果呈卵形，长约 3 mm，宽约 2 mm，密生柔毛，宿存花柱长 1.5 ～ 2（～ 3）cm。花期 7 ～ 9 月，果期 9 ～ 10 月。

| 生境分布 | 生于海拔 460 ～ 3 200 m 的灌丛或疏林中。分布于河北蔚县、武安、兴隆等。

| 资源情况 | 野生资源一般。药材主要来源于野生。

| 采收加工 | 全年均可采收藤茎，夏、秋季采收根，除去须根及枝叶，洗净泥土，晒干。

| 药材性状 | 本品藤茎长达数米，缠绕或切成段，呈细长圆柱形，直径 2 ～ 5 mm，表面绿褐色或褐紫色，具纵棱，嫩藤可见柔毛；质脆，易折断，断面类白色。有的具叶，叶对生，叶柄较长，可达 4 cm，二回三出复叶，完整的小叶先端渐尖，基部圆形，边缘疏生粗锯齿，有时 3 裂，枯绿色。气微，味微苦、涩。

| 功能主治 | 苦，凉。归肝、膀胱经。清热利水，祛风湿，通经下乳。用于湿热淋证，风湿痹痛，产妇乳汁不通。

| 用法用量 | 内服煎汤，6 ～ 10 g。

| 附　注 | 本种与毛果扬子铁线莲 *Clematis ganpiniana* (Lévl. et Vant.) Tamura var. *tenuisepala* (Rehd. et Wils.) C. T. Ting 的区别在于后者花梗较长，长 1.5 ～ 6 cm，花序较疏展；萼片干时变褐色至黑色；花药较短，长 1 ～ 2 mm；瘦果较大，长约 5 mm，宽约 3 mm。

钝萼铁线莲 *Clematis peterae* Hand.-Mazz.

| 植物别名 | 细木通、线木通、柴木通。

| 药 材 名 | 风藤草（药用部位：藤茎、叶。别名：小木通、细木通、木通）、风藤草根（药用部位：根）。

| 形态特征 | 藤本。一回羽状复叶，有 5 小叶，偶尔基部 1 对叶有 3 小叶；小叶片卵形或长卵形，少数卵状披针形，长（2 ~ ）3 ~ 9 cm，宽（1 ~ ）2 ~ 4.5 cm，先端常锐尖或短渐尖，少数长渐尖，基部圆形或浅心形，边缘疏生 1 至数个锯齿状牙齿或全缘，两面疏生短柔毛至近无毛。圆锥状聚伞花序具多花；花序梗、花梗密生短柔毛，花序梗基部常有 1 对叶状苞片；花直径 1.5 ~ 2 cm；萼片 4，开展，白色，倒卵形至椭圆形，长 0.7 ~ 1.1 cm，先端钝，两面有短柔毛，外面边缘

密生短绒毛；雄蕊无毛；子房无毛。瘦果呈卵形，稍扁平，无毛或近花柱处稍有柔毛，长约 4 mm，宿存花柱长达 3 cm。花期 6 ~ 8 月，果期 9 ~ 12 月。

| **生境分布** | 生于山坡、沟边杂木林中。分布于河北磁县、灵寿、涉县等。

| **资源情况** | 野生资源稀少。药材主要来源于野生。

| **采收加工** | 风藤草：秋季采收，洗净，鲜用或晒干。
风藤草根：秋季采挖，洗净，晒干。

| **药材性状** | 风藤草：本品藤茎草黄色或褐色，有条纹，嫩枝有时被毛。羽状复叶对生，叶柄长达 7 cm，有条纹及淡褐色毛；小叶 3 ~ 5，卵形，长 2 ~ 9 cm，宽 2 ~ 4 cm，全缘或具 2 ~ 3 阔齿，两面疏生短毛至近无毛。气微，味稍苦。

| **功能主治** | 风藤草：苦，凉。归肺、脾经。祛风清热，和络止痛。用于风湿关节痛，风疹瘙痒，疮疥，肿毒，火眼疼痛，小便不利。
风藤草根：淡，平。祛风湿，利小便，活血止痛。用于风湿痹痛，小便不利，水肿，淋浊，癃闭，闭经，跌打损伤。

| **用法用量** | 风藤草：内服煎汤，6 ~ 12 g；或捣汁。外用适量，煎汤洗；或捣敷。
风藤草根：内服煎汤，9 ~ 12 g。外用适量，捣敷。

| **附   注** | 本种为河北二级保护植物。

毛茛科 Ranunculaceae 铁线莲属 Clematis

黄花铁线莲 Clematis intricata Bunge

| 植物别名 | 透骨草、蓼吊秧。

| 药材名 | 铁线透骨草（药用部位：全草。别名：透骨草、狗肠草）。

| 形态特征 | 草质藤本。茎纤细，多分枝，有细棱，近无毛或有疏短毛。一至二回羽状复叶；小叶有柄，2 ~ 3 全裂或深裂、浅裂，中间裂片呈线状披针形、披针形或狭卵形，长 1 ~ 4.5 cm，宽 0.2 ~ 1.5 cm，先端渐尖，基部楔形，全缘或有少数牙齿，两侧裂片较短，下部常 2 ~ 3 浅裂。聚伞花序腋生，通常具 3 花，有时单花；花序梗较粗，长 1.2 ~ 3.5 cm，有时极短，疏被柔毛；中间花梗无小苞片，侧生花梗下部有 2 对生的小苞片，苞片叶状，较大，全缘或 2 ~ 3 浅裂至全裂；萼片 4，黄色，狭卵形或长圆形，先端尖，长 1.2 ~ 2.2 cm，宽

4 ~ 6 mm，两面无毛，偶尔内面有极稀柔毛，外面边缘有短绒毛；花丝线形，有短柔毛，花药无毛。瘦果呈卵形至椭圆状卵形，扁，长 2 ~ 3.5 mm，边缘增厚，被柔毛，宿存花柱长 3.5 ~ 5 cm，被长柔毛。花期 6 ~ 7 月，果期 8 ~ 9 月。

| **生境分布** | 生于山坡、路旁或灌丛中。分布于河北隆化、赤城、沽源等。

| **资源情况** | 野生资源丰富。药材主要来源于野生。

| **采收加工** | 夏、秋季采割，除去杂质，晒干。

| **药材性状** | 本品茎呈细长圆柱形，盘绕或捆扎成把，长 10 ~ 15 cm，直径 1 ~ 3 mm；表面黄绿色至灰绿色，基部老茎黄棕色至红棕色，有明显的纵纹，节稍膨大；质脆，易折断，断面灰黄白色。叶对生，二回羽状复叶，多破碎，完整的小叶呈披针形或狭卵形，全缘或有疏牙齿。气微，味淡。

| **功能主治** | 辛、咸，温；有小毒。归肺、脾经。祛风除湿，通络止痛。用于风湿性关节炎，四肢麻木、拘挛疼痛，牛皮癣，疥癞。

| **用法用量** | 内服煎汤，6 ~ 9 g。外用适量，煎汤熏洗；或捣敷。

| **附　注** | 本种为河北三级保护植物。

毛茛科 Ranunculaceae 铁线莲属 Clematis

棉团铁线莲
Clematis hexapetala Pall.

植物别名

野棉花、棉花子花、山蓼。

药材名

威灵仙（药用部位：根及根茎。别名：能消、铁脚威灵仙、灵仙）。

形态特征

直立草本，高 30 ~ 100 cm。根茎呈短柱状，长 1 ~ 4 cm，直径 0.5 ~ 1 cm；根长 4 ~ 20 cm，直径 0.1 ~ 0.2 cm；表面棕褐色至棕黑色。老枝圆柱形，有纵沟；茎疏生柔毛，后变无毛。叶片近革质，绿色，干后常变黑色，单叶至复叶，1 ~ 2 回羽状深裂，裂片呈线状披针形、长椭圆状披针形至椭圆形或线形，长 1.5 ~ 10 cm，宽 0.1 ~ 2 cm，先端锐尖或凸尖，有时钝，全缘，两面或沿叶脉疏生长柔毛或近无毛，网脉突出。花序顶生，聚伞花序为总状或圆锥状，有时花单生，花直径 2.5 ~ 5 cm；萼片 4 ~ 8，通常 6，白色，长椭圆形或狭倒卵形，长 1 ~ 2.5 cm，宽 0.3 ~ 1（~ 1.5）cm，外面密生绵毛，花蕾时像棉花球，内面无毛；雄蕊无毛。瘦果倒卵形，扁平，密生柔毛，宿存花柱长 1.5 ~ 3 cm，有灰白色长柔毛。花期 6 ~ 8

月，果期 7 ～ 10 月。

| 生境分布 | 生于海拔 80 ～ 150 m 的山坡、山谷灌丛、沟边路旁草丛中。分布于河北昌黎、蔚县、永年等。

| 资源情况 | 野生资源丰富。药材来源于野生。

| 采收加工 | 秋季采挖，除去泥沙，晒干。

| 药材性状 | 本品根茎呈短柱状，长 1 ～ 4 cm，直径 0.5 ～ 1 cm。根长 4 ～ 20 cm，直径 0.1 ～ 0.2 cm；表面棕褐色至棕黑色；断面木部圆形。味咸。

| 功能主治 | 辛、咸，温。归膀胱经。祛风湿，通经络。用于风湿痹痛，肢体麻木，筋脉拘挛，关节屈伸不利。

| 用法用量 | 内服煎汤，6 ～ 10 g。

| 附　注 | 长冬草 Clematis hexapetala Pall. var. *tchefouensis* (Debeaux) S. Y. Hu 与本种的区别在于前者叶片两面无毛或下面疏生长柔毛；萼片除外面边缘有绒毛外，其余无毛；花期 6 ～ 8 月，果期 8 ～ 9 月。

毛茛科 Ranunculaceae 铁线莲属 Clematis

芹叶铁线莲 *Clematis aethusifolia* Turcz.

| 植物别名 |

透骨草、断肠草。

| 药 材 名 |

细叶铁线莲（药用部位：地上部分。别名：透骨草、断肠草、狗肚子筋）。

| 形态特征 |

多年生草质藤本，幼时直立，以后匍匐，长0.5 ~ 4 m。根细长，棕黑色。茎纤细，有纵沟纹，微被柔毛或无毛。二至三回羽状复叶或羽状细裂，连叶柄长达 7 ~ 10 cm，稀达15 cm，末回裂片线形，宽 2 ~ 3 mm，先端渐尖或钝圆，背面幼时微被柔毛，以后近无毛，具 1 中脉，中脉在表面下陷，在背面隆起；小叶柄短，长 0.5 ~ 1 cm，边缘有时具翅，小叶间隔 1.5 ~ 3.5 cm；叶柄长 1.5 ~ 2 cm，微被绒毛或无毛。聚伞花序腋生，常具 1（~ 3）花；苞片羽状细裂；花钟状下垂，直径 1 ~ 1.5 cm；萼片 4，淡黄色，长方椭圆形或狭卵形，长 1.5 ~ 2 cm，宽 5 ~ 8 mm，两面近无毛，外面仅边缘上密被乳白色绒毛，内面有 3 直的中脉；雄蕊长为萼片之半，花丝扁平，线形或披针形，中部宽达 1.5 mm，两端渐窄，中上部被稀疏柔毛，其余无毛；

子房扁平，卵形，被短柔毛，花柱被绢状毛。瘦果扁平，宽卵形或圆形，成熟后呈棕红色，长 3 ～ 4 mm，被短柔毛，宿存花柱长 2 ～ 2.5 cm，密被白色柔毛。花期 7 ～ 8 月，果期 9 月。

| **生境分布** | 生于海拔 300 ～ 1 700 m 的山坡及水沟边。分布于河北武安、滦平、沙河等。

| **资源情况** | 野生资源丰富。药材主要来源于野生。

| **采收加工** | 6 ～ 7 月采割，除去枯枝，洗净，晒干。

| **药材性状** | 本品细而缠绕，直径 0.5 ～ 2.5 cm，表面灰黄绿色至红棕色，断面灰白色。二至三回羽状复叶，叶柄较短，裂片细小，倒披针形或条状披针形，宽 0.5 ～ 2 mm，全缘。气微香且特异，味淡。

| **功能主治** | 辛，温；有毒。归肝、胃经。祛风通络，止痛，健胃消食，杀虫。用于风湿痹痛，消化不良，呕吐，肝棘球蚴病，阴囊湿疹，疮痈肿毒。

| **用法用量** | 内服煎汤，9 ～ 15 g。外用适量，煎汤熏洗；或捣敷。

| **附　　注** | 宽芹叶铁线莲 Clematis aethusifolia Turcz. var. latisecta Maxim. 与本种的区别在于前者常为一回羽状复叶，有 2 ～ 3 对小叶，小叶片长 2 ～ 3.5 cm，3 深裂，裂片呈宽倒卵形或近圆形，边缘有圆锯齿或浅裂。

铁线莲 *Clematis florida* Thunb.

| **植物别名** | 东北铁线莲、架子菜。

| **药 材 名** | 铁线莲（药用部位：全草或根）。

| **形态特征** | 草质藤本，长 1 ~ 2 m。茎棕色或紫红色，具 6 纵纹，节部膨大，被稀疏短柔毛。二回三出复叶，连叶柄长达 12 cm；小叶片狭卵形至披针形，长 2 ~ 6 cm，宽 1 ~ 2 cm，先端钝尖，基部圆形或阔楔形，全缘，极稀有分裂，两面均不被毛，脉纹不明显，小叶柄清晰能见，短或长达 1 cm；叶柄长 4 cm。花单生于叶腋；花梗长 6 ~ 11 cm，近无毛，在中下部生 1 对叶状苞片，苞片呈宽卵状圆形或卵状三角形，长 2 ~ 3 cm，基部无柄或具短柄，被黄色柔毛；花开展，直径约 5 cm；萼片 6，白色，倒卵圆形或匙形，长达 3 cm，宽约 1.5 cm，

先端较尖，基部渐狭，内面无毛，外面沿 3 直的中脉形成 1 线状披针形带，密被绒毛，边缘无毛；雄蕊紫红色，花丝呈宽线形，无毛，花药侧生，长矩圆形，较花丝短；子房呈狭卵形，被淡黄色柔毛，花柱短，上部无毛，柱头膨大成头状，微 2 裂。瘦果呈倒卵形，扁平，边缘增厚；宿存花柱伸长成喙状，细瘦，下部有开展的短柔毛，上部无毛，膨大的柱头 2 裂。花期 1 ~ 2 月，果期 3 ~ 4 月。

| **生境分布** | 生于海拔 1 700 m 的低山区的丘陵灌丛、山谷、路旁及小溪边。分布于河北赤城、怀安、灵寿等。

| **资源情况** | 野生资源丰富。药材主要来源于野生。

| **采收加工** | 7 ~ 8 月采收全草，切段，鲜用或晒干。秋、冬季采挖根，洗净，晒干。

| **药材性状** | 本品茎细长圆柱形，常缠绕；表面黄棕色或紫棕色，有 6 纵棱，节膨大。叶对生，二回三出复叶，小叶片呈狭卵形或卵状披针形，全缘或具 1 ~ 2 裂片。花单生，较大，直径约 5 cm，黄白色；气微，味微苦。根茎呈不规则圆柱形，棕褐色，两侧和下方生有少数粗壮的根，长约 25 cm，直径 2 ~ 5 mm；表面棕褐色，有明显的纵纹；折断面不甚平坦，木部较大，纤维性，可见导管小孔；气微，味淡。

| **功能主治** | 苦、辛，温。归脾、肾经。利尿，通络，理气通便，解毒。用于风湿性关节炎，小便不利，闭经，便秘腹胀，风火牙痛，眼起星翳，蛇虫咬伤，黄疸。

| **用法用量** | 内服煎汤，15 ~ 30 g；或研末，3 ~ 5 g。外用适量，鲜品浸酒；或加食盐，捣敷。

| **附　注** | 重瓣铁线莲 Clematis florida Thunb. var. plena D. Don 与本种的区别在于前者雄蕊全部呈花瓣状，白色或淡绿色，较外轮萼片短。

毛茛科 Ranunculaceae 铁线莲属 Clematis

威灵仙
Clematis chinensis Osbeck

| 植物别名 | 铁脚威灵仙、九里火、粉威仙。

| 药 材 名 | 威灵仙（药用部位：根及根茎。别名：能消、铁脚威灵仙、灵仙）。

| 形态特征 | 木质藤本，干后变黑色。茎、小枝近无毛或疏生短柔毛。一回羽状复叶有 5 小叶，有时 3 或 7，偶尔基部 1 对以至第 2 对叶 2 ~ 3 裂至有 2 ~ 3 小叶；小叶片纸质，卵形至卵状披针形或线状披针形、卵圆形，长 1.5 ~ 10 cm，宽 1 ~ 7 cm，先端锐尖至渐尖，偶有微凹，基部呈圆形、宽楔形至浅心形，全缘，两面近无毛或疏生短柔毛。圆锥状聚伞花序具多花，腋生或顶生；花直径 1 ~ 2 cm；萼片 4（~ 5），开展，白色，长圆形或长圆状倒卵形，长 0.5 ~ 1（~ 1.5）cm，先端常凸尖，外面边缘密生绒毛或中间有短柔毛，雄蕊无毛。瘦果

3 ～ 7，扁，卵形至宽椭圆形，长 5 ～ 7 mm，有柔毛，宿存花柱长 2 ～ 5 cm。花期 6 ～ 9 月，果期 8 ～ 11 月。

| 生境分布 | 生于山坡、山谷灌丛中或沟边、路旁草丛中。分布于河北丰宁、宽城、内丘等。

| 资源情况 | 野生资源一般。药材主要来源于栽培。

| 采收加工 | 秋季采挖，除去泥沙，晒至须根干时，燎去或除去须根，晒干。

| 药材性状 | 本品呈不规则的段。表面黑褐色、棕褐色或棕黑色，有细纵纹，有的皮部脱落，露出黄白色木部。切面皮部较广，木部淡黄色，略呈方形或近圆形，皮部与木部间常有裂隙。

| 功能主治 | 辛、咸，温。归膀胱经。祛风湿，通经络。用于风湿痹痛，肢体麻木，筋脉拘挛，关节屈伸不利。

| 用法用量 | 内服煎汤，6 ～ 10 g。

北乌头

Aconitum kusnezoffii Reichb.

| 植物别名 | 勒革拉花、小叶芦、穴种。

| 药 材 名 | 草乌（药用部位：块根）。

| 形态特征 | 多年生草本。块根圆锥形或胡萝卜形，长 2.5 ～ 5 cm，直径 7 ～ 10 cm。茎高（65 ～）80 ～ 150 cm，无毛，等距离生叶，通常分枝。茎下部叶有长柄，在开花时枯萎；茎中部叶有稍长柄或短柄，叶片纸质或近革质，五角形，长 9 ～ 16 cm，宽 10 ～ 20 cm，基部呈心形，3 全裂，中央全裂片呈菱形，渐尖，近羽状分裂，小裂片披针形，侧全裂片斜扇形，不等 2 深裂，表面疏被短曲毛，背面无毛，叶柄长为叶片的 1/3 ～ 2/3，无毛。顶生总状花序具 9 ～ 22 花，通常与其下的腋生花序形成圆锥花序，花序轴和花梗无毛；下部苞片

3 裂，其他苞片呈长圆形或线形；下部花梗长 1.5 ~ 3.5（~ 5）cm；小苞片生于花梗中部或下部，线形或钻状线形，长 3.5 ~ 5 mm，宽 1 mm；萼片紫蓝色，外面有疏曲柔毛或几无毛，上萼片盔形或高盔形，高 1.5 ~ 2.5 cm，有短或长喙，下缘长约 1.8 cm，侧萼片长 1.4 ~ 1.6（~ 1.7）cm，下萼片长圆形；花瓣无毛，瓣片宽 3 ~ 4 mm，唇长 3 ~ 5 mm，距长 1 ~ 4 mm，向后弯曲或近拳卷；雄蕊无毛，花丝全缘或有 2 小齿；心皮（4 ~）5，无毛。蓇葖果直，长（0.8 ~）1.2 ~ 2 cm；种子长约 2.5 mm，扁椭圆状球形，沿棱具狭翅，只在一面生横膜翅。7 ~ 9 月开花。

| 生境分布 | 生于海拔 1 000 ~ 2 400 m 的山地草坡或疏林中。分布于河北丰宁、宽城、涞源等。

| 资源情况 | 野生资源一般。药材主要来源于栽培。

| 采收加工 | 秋季茎叶枯萎时采挖，除去须根及泥沙，干燥。

| 药材性状 | 本品呈不规则长圆锥形，略弯曲，长 2 ~ 7 cm，直径 0.6 ~ 1.8 cm。先端常有残茎和少数不定根残基，有的先端一侧有 1 枯萎的芽，另一侧有 1 圆形或扁圆形不定根残基。表面灰褐色或黑棕褐色，皱缩，有纵皱纹、点状须根痕和数个瘤状侧根。质硬，断面灰白色或暗灰色，有裂隙，形成层环纹多角形或类圆形，髓部较大或中空。无臭，味辛辣、麻舌。

| 功能主治 | 辛、苦，热；有大毒。归心、肝、肾、脾经。祛风除湿，温经止痛。用于风寒湿痹，关节疼痛，心腹冷痛，寒疝作痛，麻醉止痛。

| 用法用量 | 内服煎汤，1.5 ~ 3 g，一般炮制后用，宜先煎、久煎。

| 附　　注 | 本种有 2 个变种。伏毛北乌头 *Aconitum kusnezoffii* Reichb. var. *crispulum* W. T. Wang 与本种的区别在于前者花梗上部或先端有反曲的短柔毛；分布于河北、黑龙江、吉林、辽宁。宽裂北乌头 *Aconitum kusnezoffii* Reichb. var. *gibbiferum* (Reichb.) Regel 与本种的区别在于前者叶分裂程度较小，全裂片较宽，浅裂；产于辽宁。

毛茛科 Ranunculaceae 乌头属 *Aconitum*

高乌头
Aconitum sinomontanum Nakai

| **植物别名** | 七连环、龙蹄叶、九连环。

| **药 材 名** | 高乌头（药用部位：根。别名：麻布七）。

| **形态特征** | 多年生草本。根长达 20 cm，圆柱形。茎高（60 ～）95 ～ 150 cm，中部以下近无毛，上部近花序处被反曲的短柔毛，生 4 ～ 6 叶，不分枝或分枝。基生叶 1，与茎下部叶具长柄，叶片肾形或圆肾形，长 12 ～ 14.5 cm，宽 20 ～ 28 cm，基部呈宽心形，3 深裂约至叶片长的 6/7 处，中深裂片较小，楔状狭菱形，渐尖，裂片边缘有不整齐的三角形锐齿，侧深裂片呈斜扇形，不等 3 裂，稍超过中部，两面疏被短柔毛或无毛；叶柄长 30 ～ 50 cm，具浅纵沟，近无毛。总状花序长（20 ～）30 ～ 50 cm，具密集的花；花序轴及花梗多少密

被紧贴的短柔毛；苞片比花梗长，下部苞片呈叶状，其他苞片不分裂，线形，长 0.7 ~ 1.8 cm；下部花梗长 2 ~ 5（~ 5.5）cm，中部以上花梗长 0.5 ~ 1.4 cm；小苞片通常生于花梗中部，狭线形，长 3 ~ 9 mm；萼片蓝紫色或淡紫色，外面密被短曲柔毛，上萼片圆筒形，高 1.6 ~ 2（~ 3）cm，直径 4 ~ 7（~ 9）mm，外缘在中部之下稍缢缩，下缘长 1.1 ~ 1.5 cm；花瓣无毛，长达 2 cm，唇舌形，长约 3.5 mm，距长约 6.5 mm，向后拳卷；雄蕊无毛，花丝大多具 1 ~ 2 小齿；心皮 3，无毛。蓇葖果长 1.1 ~ 1.7 cm；种子呈倒卵形，具 3 棱，长约 3 mm，褐色，密生横狭翅。6 ~ 9 月开花。

| 生境分布 | 生于海拔 200 ~ 450 m 的山坡或草甸上。分布于河北赤城、沽源、涿鹿等。

| 资源情况 | 野生资源丰富。药材主要来源于野生。

| 采收加工 | 秋季采挖，除去须根及地上部分，洗净泥土，晒干。

| 药材性状 | 本品呈倒长圆锥形，下部偶有分枝，扭曲，长 5 ~ 20 cm，直径 1 ~ 4 cm。表面棕褐色至棕黑色，粗糙，有时因后生皮层脱落而露出木质部，扭裂，剥去栓皮，木质部由多个细根状分生中柱缠绕成绳状或辫子状。质轻且松脆。

| 功能主治 | 辛、苦，温；有毒。祛风，散寒，止痛；外用杀虫。用于风寒湿痹，脘腹冷痛，跌打损伤。

| 用法用量 | 内服煎汤，3 ~ 9 g；或浸酒；或入散剂。外用适量，捣敷；或浸酒搽。

黄花乌头
Aconitum coreanum (Lévl.) Rapaics

| 植物别名 | 黄乌拉花、竹节白附、白附子。

| 药 材 名 | 关白附（药用部位：子根、母根。别名：白附子、节附、两头尖）。

| 形态特征 | 多年生草本。块根倒卵球形或纺锤形，长约 2.8 cm。茎高 30 ～ 100 cm，疏被反曲的短柔毛，密生叶，不分枝或分枝。茎下部叶在开花时枯萎，中部叶具稍长的柄；叶片呈宽菱状卵形，长 4.2 ～ 6.4 cm，宽 3.6 ～ 6.4 cm，3 全裂，全裂片细裂，小裂片呈线形或线状披针形，干时边缘稍反卷，两面近无毛；叶柄长为叶片的 1/4 或比叶片稍短，长 1.4 ～ 4.5 cm，无毛，具狭鞘。顶生总状花序短，有 2 ～ 7 花；花序轴和花梗密被反曲的短柔毛；下部苞片羽状分裂，其他苞片不分裂，线形；下部花梗长 0.8 ～ 2 cm；小苞片生于花梗

中部，狭卵形至线形，长 1.5 ~ 2.6 mm；萼片淡黄色，外面密被曲柔毛，上萼片呈船状盔形或盔形，高 1.5 ~ 2 cm，下缘长 1.4 ~ 1.7 cm，外缘在下部缢缩，喙短，侧萼片斜宽倒卵形，下萼片呈斜椭圆状卵形；花瓣无毛，爪细，瓣片狭长，长约 6.5 mm，距极短，头形；花丝全缘，疏被短毛；心皮 3，子房密被紧贴的短柔毛。蓇葖果直，长约 1 cm；种子长 2 ~ 2.5 mm，椭圆形，具 3 纵棱，表面稍皱，沿棱具狭翅。8 ~ 9 月开花。

| 生境分布 | 生于海拔 200 ~ 900 m 的山地草坡或疏林中。分布于河北宽城、隆化、平泉等。

| 资源情况 | 野生资源丰富。药材主要来源于野生。

| 采收加工 | 秋季采挖，除去须根，洗净，干燥。

| 药材性状 | 本品子根呈卵形或椭圆形，长 1.5 ~ 5 cm，直径 0.7 ~ 2 cm；表面灰褐色或棕褐色，有细纵皱纹和点状根痕，先端有芽痕；质硬，难折断，断面类白色，富粉性。母根呈长圆锥形，长 2 ~ 7 cm，直径 0.5 ~ 1.5 cm；表面灰褐色或暗棕色，有纵皱及沟纹，并有横长凸起的根痕散在或横列，近节状，先端有茎基；体轻，断面有裂隙，粉性小。气微，味辛、麻舌。

| 功能主治 | 辛、甘，温；有毒。归肝、胃、肺经。祛风，化痰，燥湿。用于中风痰壅，口眼㖞斜，偏正头风，风痰眩晕，痰厥头痛；外用于疥癣风疮，阴下湿痒。

| 用法用量 | 内服煎汤，1.5 ~ 4.5 g，一般炮制后用，多入丸、散剂。外用适量，生品研末涂敷。

| 附 注 | 本种与拟黄花乌头 *Aconitum anthoroideum* DC. 形态相似，但花序和子房都有贴伏的短毛，花瓣的爪不膝状弯曲，心皮 3，可以此区别。

毛茛科 Ranunculaceae 乌头属 Aconitum

两色乌头
Aconitum alboviolaceum Kom.

| 药材名 | 两色乌头（药用部位：根）。

| 形态特征 | 多年生草本。根圆柱形，长 10 ~ 15 cm。茎缠绕，长 1 ~ 2.5 m，疏被反曲的短柔毛或变无毛。基生叶 1，与茎下部叶具长柄，茎上部叶变小，具较短柄；叶片呈五角状肾形，长 6.5 ~ 9.5 cm，宽 9.5 ~ 17（~ 25）cm，基部呈心形，3 深裂，裂片稍超过中部或近中部，深裂片互相稍分开，中央深裂片呈菱状倒梯形、宽菱形或菱形，先端钝或微尖，稀短渐尖，不分裂或上部不明显 3 浅裂，边缘自中部以上具粗牙齿，侧深裂片斜扇形，不等 2 浅裂至近中部，上浅裂片似中深裂片，两面被极稀疏的短伏毛。总状花序长 6 ~ 14 cm，具 3 ~ 8 花；花序轴及花梗密被伸展的短柔毛；苞片呈线形，长 3 ~

3.5 mm；花梗长 9 mm；小苞片生于花梗基部或中部，形状似苞片，但较小；萼片淡紫色或近白色，被伸展的柔毛，上萼片呈圆筒形，长 1.3 ~ 2 cm，中部直径 2.8 ~ 5 mm，喙短，稍向下弯，下缘长 1 ~ 1.3 cm；花瓣无毛，与上萼片近等长，距细，比唇长，拳卷；雄蕊无毛，花丝全缘；心皮 3，子房疏被伸展的短毛或无毛。蓇葖果直立，长约 1.2 cm；种子呈倒圆锥状三角形，长约 2.5 mm，生横狭翅。8 ~ 9 月开花。

| **生境分布** | 生于海拔 350 ~ 1 400 m 的山谷灌丛间或林中。分布于河北阜平、武安等。

| **资源情况** | 野生资源丰富。药材主要来源于野生。

| **采收加工** | 春、秋季采挖，除去残茎、泥土，晒干。

| **功能主治** | 苦，温；有毒。归心、肝、脾经。祛风，除湿，止痛。用于风湿痹痛。

| **用法用量** | 内服煎汤，1.5 ~ 3 g。

| **附　注** | 直立两色乌头（变种）*Aconitum alboviolaceum* Kom. var. *erectum* W. T. Wang 与本种的区别在于前者茎直立，高约 30 cm；心皮无毛。

毛茛科 Ranunculaceae 乌头属 Aconitum

牛扁

Aconitum barbatum Pers. var. *puberulum* Ledeb.

| 植物别名 |

扁桃叶根。

| 药材名 |

牛扁（药用部位：根。别名：扁特、扁毒）。

| 形态特征 |

多年生草本。根近直立，圆柱形，长达 15 cm，直径约 8 mm。茎高 55 ~ 90 cm，直径 2.5 ~ 5 mm，被反曲而紧贴的短柔毛，生 2 ~ 4 叶，于花序之下分枝。基生叶 2 ~ 4，与茎下部叶均具长柄，叶片肾形或圆肾形，长 4 ~ 8.5 cm，宽 7 ~ 20 cm；叶分裂程度较小，中全裂片分裂不近中脉，末回小裂片呈三角形或狭披针形，表面疏被短毛，背面被长柔毛；叶柄长 13 ~ 30 cm，被反曲而紧贴的短柔毛，基部具鞘。顶生总状花序长 13 ~ 20 cm，具密集的花；花序轴及花梗密被紧贴的短柔毛；下部苞片呈狭线形，长 4.5 ~ 7.5 mm，中部苞片呈披针状钻形，长约 2.5 mm，上部苞片呈三角形，长 1 ~ 1.5 mm，被短柔毛；花梗直展，长 0.2 ~ 1 cm；小苞片生于花梗中部附近，狭三角形，长 1.2 ~ 1.5 mm；萼片黄色，外面密被短柔毛，上萼片呈圆筒形，高

1.3 ～ 1.7 cm，直径约 3.8 mm，直，下缘近直，长 1 ～ 1.2 cm；花瓣无毛，唇长约 2.5 mm，距比唇稍短，直或稍向后弯曲；花丝全缘，无毛或有短毛；心皮 3。蓇葖果长约 1 cm，疏被紧贴的短毛；种子呈倒卵球形，长约 2.5 mm，褐色，密生横狭翅。7 ～ 8 月开花。

| 生境分布 | 生于海拔 400 ～ 2 700 m 的山地疏林下或较阴湿处。分布于河北赤城、灵寿、内丘等。

| 资源情况 | 野生资源丰富。药材主要来源于野生。

| 采收加工 | 春、秋季采挖，晒干。

| 药材性状 | 本品圆锥形，长 10 ～ 15 cm。外皮脱落至深棕色，表面暗棕色，粗糙，略显网纹；根头部常有多数根茎聚生，其下根分数股，每股有几个裂生根，互相扭成辫子状。质轻且松脆，易折断，断面不平坦，木心淡黄褐色。气微，味苦、微辛。

| 功能主治 | 苦，温；有毒。祛风止痛，止咳平喘，化痰。用于风湿关节肿痛，腰腿痛，喘咳。

| 用法用量 | 内服煎汤，3 ～ 6 g。外用适量，煎汤洗。

毛茛科 Ranunculaceae 乌头属 Aconitum

乌头

Aconitum carmichaelii Debeaux

| **植物别名** | 堇、芨。

| **药 材 名** | 川乌（药用部位：母根。别名：五毒根）。

| **形态特征** | 多年生草本。块根倒圆锥形。茎高 60 ~ 150（~ 200）cm，中部以上疏被反曲的短柔毛，等距离生叶，分枝。茎下部叶在开花时枯萎；茎中部叶有长柄，叶片薄革质或纸质，五角形，长 6 ~ 11 cm，宽 9 ~ 15 cm，浅心形 3 裂达基部或近基部，中央全裂片宽菱形，有时呈倒卵状菱形或菱形，急尖，有时短渐尖近羽状分裂，二回裂片约 2 对，斜三角形，生 1 ~ 3 牙齿，间或全缘，侧全裂片不等 2 深裂，表面疏被短伏毛，背面通常只沿脉疏被短柔毛；叶柄长 1 ~ 2.5 cm，疏被短柔毛。顶生总状花序长 6 ~ 10

（～25）cm；花序轴及花梗多少密被反曲而紧贴的短柔毛；下部苞片 3 裂，
其他苞片呈狭卵形至披针形；花梗长 1.5～3（～5.5）cm；小苞片生于花梗中
部或下部，长 3～5（～10）mm，宽 0.5～0.8（～2）mm；萼片蓝紫色，外
面被短柔毛，上萼片呈高盔形，高 2～2.6 cm，自基部至喙长 1.7～2.2 cm，下
缘稍凹，喙不明显，侧萼片长 1.5～2 cm；花瓣无毛，瓣片长约 1.1 cm，唇长
约 6 mm，微凹，距长（1～）2～2.5 mm，通常拳卷；雄蕊无毛或疏被短毛，
花丝有 2 小齿或全缘；心皮 3～5，子房疏或密被短柔毛，稀无毛。蓇葖果长
1.5～1.8 cm；种子长 3～3.2 mm，呈三棱形，只有 2 面密生横膜翅。9～10
月开花。

| 生境分布 | 生于山地草坡或灌丛中。分布于河北怀安、宽城、隆化等。

| 资源情况 | 野生资源一般。药材主要来源于栽培。

| 采收加工 | 6 月下旬至 8 月上旬采挖，除去子根、须根及泥沙，晒干。

| 药材性状 | 本品呈不规则圆锥形，稍弯曲，先端常有残茎，中部多向一侧膨大，长 2～
7.5 cm，直径 1.2～2.5 cm。表面棕褐色或灰棕色，皱缩，有小瘤状侧根及子根
脱离后的痕迹。质坚实，断面类白色或浅灰黄色，形成层环纹呈多角形。气微，
味辛辣、麻舌。

| **功能主治** | 辛、苦，热；有大毒。归心、肝、肾、脾经。祛风除湿，温经止痛。用于风寒湿痹，关节疼痛，心腹冷痛，寒疝作痛，麻醉止痛。 |

| **用法用量** | 内服煎汤，1.5 ~ 3 g，一般炮制后用，先煎、久煎。 |

| **附 注** | 本种与北乌头 Aconitum kusnezoffii Reichb. 的形态最为相似，二者的共同特征是：上萼片呈高盔形，花瓣瓣片大，且在前面上部膨大。二者的区别在于：北乌头叶的中央全裂片较狭，先端渐尖或长渐尖，花序轴和花轴无毛，萼片外面通常也无毛或近无毛。但是，本种其中一个变种黄山乌头 Aconitum carmichaeli Debx. var. *hwangshanicum* W. T. Wang et Hsiao 的叶的中央全裂片也常较狭，先端也常渐尖；另一方面，北乌头的变种伏毛北乌头 Aconitum kusnezoffii Reichb. var. *crispulum* W. T. Wang 的花梗顶部有反曲的短柔毛。通过这些类型说明本种与北乌头的区别不是绝对的。本种的另一变种展毛乌头 Aconitum carmichaeli Debx. var. *truppelianum* W. T. Wang et Hsiao 的花序轴与花梗有开展的柔毛，与鸭绿乌头 Aconitum jaluense Kom. 的形态相近，后者的花序轴和花梗也有开展的柔毛，但叶的中央全裂片为狭菱形或菱状披针形，先端渐尖，分裂程度很小，不明显3浅裂，而展毛乌头的叶的中央全裂片为菱形或宽菱形，先端急尖，明显3裂。 |

鸭绿乌头的变种光梗鸭绿乌头 *Aconitum jaluense* Kom. var. *glabrescens* Nakai 的花序只在花梗上部有毛，这又与北乌头相似。上述乌头属植物以及其他近缘种在华北北部和东北一带分布广泛，相互间呈现出颇为错综复杂的关系，是在分类学方面较难处理的一分类群。

毛茛科 Ranunculaceae 银莲花属 Anemone

大火草

Anemone tomentosa (Maxim.) Péi

| 植物别名 | 大头翁、野棉花。

| 药 材 名 | 大火草根（药用部位：根及根茎。别名：野棉花根、土白头翁、打火草）。

| 形态特征 | 多年生草本，高 40 ~ 150 cm。根茎直径 0.5 ~ 2 cm。基生叶 3 ~ 4，叶柄长 16 ~ 48 cm，密被白色短绒毛，三出复叶，间或有 1 ~ 2 叶为单叶；小叶呈卵形，长 9 ~ 16 cm，宽 7 ~ 12 cm，先端急尖，基部呈心形或圆形，3 裂，边缘有不规则小裂片和锯齿，上面有糙伏毛，下面密被白色绒毛，中央小叶柄长 5.2 ~ 7.5 cm；侧生小叶稍斜，形状似中央小叶，但叶柄较短。聚伞花序 2 ~ 3 回分枝，密被白色短绒毛；苞片 3，轮生，叶状，不等大，有时为 1，3 深裂；

花梗长 3.5 ~ 6.8 cm，有短绒毛；花两性，萼片 5，花瓣状，粉红色或白色，倒卵形或宽倒卵形，长 1.5 ~ 2.2 cm，宽 1 ~ 2 cm，下面被短绒毛；花瓣无；雄蕊多数，长约为萼片的 1/4；心皮 400 ~ 500，长约 1 mm，密被绒毛。花期 7 ~ 10 月，果期 8 ~ 11 月。

| **生境分布** | 生于海拔 700 ~ 800 m 的山地草坡或路边阳处。分布于河北平山、涉县、武安等。

| **资源情况** | 野生资源丰富。药材主要来源于栽培。

| **采收加工** | 春季或秋季采挖，除去茎叶，晒干。

| **药材性状** | 本品根茎较粗短，直径达 2 cm；上端可见茎基、干枯的叶基或棕褐色毛状物。根呈不规则锥形或条形，稍弯曲，长 10 ~ 20 cm，直径 0.8 ~ 1.2 cm；表面棕褐色，粗糙，可见不规则的纵直皱纹及少数须根痕；根端常分为数股。质坚脆，易折断，断面棕色。气微，味苦、辛。

| **功能主治** | 苦，寒；有小毒。化痰，散瘀，消食化积，截疟，解毒，杀虫。用于劳伤咳喘，跌打损伤，小儿疳积，疟疾，疮疖痈肿，顽癣。

| **用法用量** | 内服煎汤，3 ~ 9 g；或研末。外用适量，捣敷。

毛茛科 Ranunculaceae 银莲花属 Anemone

野棉花

Anemone vitifolia Buch.-Ham.

| 植物别名 | 小白头翁、土羌活、土白头翁。

| 药 材 名 | 野棉花（药用部位：根。别名：满天星、清水胆、铁蒿）。

| 形态特征 | 落叶灌木，一般高约 1 m，多分枝。根茎斜，木质，直径 0.8 ~ 1.5 cm。基生叶 2 ~ 5，有长柄；叶片呈心状卵形或心状宽卵形，长（5.2 ~）11 ~ 22 cm，宽（6 ~）12 ~ 26 cm，先端急尖，3 ~ 5 浅裂，边缘有小牙齿，表面疏被短糙毛，背面密被白色短绒毛，叶柄长（6.5 ~）25 ~ 60 cm，有柔毛。花葶粗壮，有密或疏的柔毛；聚伞花序长 20 ~ 60 cm，2 ~ 4 回分枝；苞片 3，形状似基生叶，但较小，有柄，柄长 1.4 ~ 7 cm；花梗长 3.5 ~ 5.5 cm，密被短绒毛；萼片 5，白色或带粉红色，倒卵形，长 1.4 ~ 1.8 cm，宽 8 ~ 13 mm，

外面有白色绒毛；雄蕊长约为萼片的 1/4，花丝丝形；心皮约 400，子房密被绵毛。聚合果球形，直径约 1.5 cm；瘦果有细柄，长约 3.5 mm，密被绵毛。7 ～ 10 月开花。

| 生境分布 | 生于山地草坡、沟边或疏林中。分布于河北邢台等。

| 资源情况 | 野生资源丰富。药材主要来源于栽培。

| 采收加工 | 全年均可采挖，洗净，切片，晒干。

| 药材性状 | 本品常扭曲，长 10 ～ 15 cm，直径 0.8 ～ 1.5 cm，少分枝；表面棕色或棕褐色，具不规则的纵皱纹及少数侧根痕。根头部有茎基、叶基及棕黄色须状叶基维管束。质坚实，木质，断面不平整，黄棕色。气微，味苦。

| 功能主治 | 苦、辛；有毒。归肺、肝、胆经。清湿热，解毒杀虫，理气散瘀。用于泄泻，痢疾，黄疸，疟疾，蛔虫病，蛲虫病，小儿疳积，脚气肿痛，风湿骨痛，跌打损伤，痈疽肿毒，蜈蚣咬伤。

| 用法用量 | 内服煎汤，6 ～ 12 g；或入丸、散剂。外用适量，捣敷。

小檗科 Berberidaceae 小檗属 Berberis

黄芦木

Berberis amurensis Rupr.

| 植物别名 | 大叶小檗、小檗、三颗针。

| 药 材 名 | 黄芦木（药用部位：根、茎、枝。别名：狗奶根、刀口药、黄连）。

| 形态特征 | 落叶灌木，高 2 ~ 3.5 m。老枝淡黄色或灰色，稍具棱槽，无疣点；节间 2.5 ~ 7 cm；茎刺 3 分叉，稀单一，长 1 ~ 2 cm。叶纸质，倒卵状椭圆形、椭圆形或卵形，长 5 ~ 10 cm，宽 2.5 ~ 5 cm，先端急尖或圆形，基部呈楔形，上面暗绿色，中脉和侧脉凹陷，网脉不显，背面淡绿色，无光泽，中脉和侧脉微隆起，网脉微显，叶缘平展，每边具 40 ~ 60 细刺齿，叶柄长 5 ~ 15 mm。总状花序具 10 ~ 25 花，长 4 ~ 10 cm，无毛，总梗长 1 ~ 3 cm；花梗长 5 ~ 10 mm；花黄色；萼片 2 轮，外萼片呈倒卵形，长约 3 mm，宽约 2 mm，

内萼片与外萼片同形,长
5.5 ~ 6 mm,宽3 ~ 3.4 mm;
花瓣呈椭圆形,长4.5 ~
5 mm,宽2.5 ~ 3 mm,先端浅
缺裂,基部稍呈爪状,具2
分离腺体;雄蕊长约2.5 mm,
药隔先端不延伸,平截;
胚珠2。浆果长圆形,长约
10 mm,直径约6 mm,红色,
先端不具宿存花柱,不被白
粉或仅基部微被霜粉。花期
4 ~ 5 月,果期8 ~ 9 月。

| 生境分布 | 生于海拔1 100 ~ 2 850 m 的
山地灌丛、沟谷、林缘、疏林、
溪旁或岩石旁。分布于河北
丰宁、阜平、沽源等。

| 资源情况 | 野生资源稀少。药材来源于
栽培。

| 采收加工 | 春、秋季采收,洗净,晒干。

| 功能主治 | 苦,寒。清热燥湿,解毒。
用于肠炎,痢疾,慢性胆囊
炎,急、慢性肝炎,无名肿毒,
丹毒湿疹,烫火伤,目赤,
口疮。

| 用法用量 | 内服煎汤,5 ~ 20 g。外用
适量,研末撒布或调敷;或
煎汤洗或点眼。

小檗科 Berberidaceae 小檗属 Berberis

日本小檗 *Berberis thunbergii* DC.

| 植物别名 | 红叶小檗、紫叶小檗。

| 药 材 名 | 一颗针（药用部位：根或根皮、枝叶。别名：黄连、三颗针、刺榴根）。

| 形态特征 | 落叶灌木，一般高约 1 m，多分枝。枝条开展，具细条棱，幼枝淡红色带绿色，无毛，老枝暗红色；茎刺单一，偶 3 分叉，长 5 ~ 15 mm；节间长 1 ~ 1.5 cm。叶薄纸质，倒卵形、匙形或菱状卵形，长 1 ~ 2 cm，宽 0.5 ~ 1.2 cm，先端骤尖或钝圆，基部狭，呈楔形，全缘，上面绿色，背面灰绿色，中脉微隆起，两面网脉不显，无毛，叶柄长 2 ~ 8 mm。花 2 ~ 5 组成具总梗的伞形花序或近簇生的伞形花序或无总梗而呈簇生状；花梗长 5 ~ 10 mm，无毛；小苞片呈卵状披针形，长约 2 mm，带红色；花黄色；外萼片呈卵状椭圆形，

长 4 ~ 4.5 mm，宽 2.5 ~ 3 mm，先端近钝形，带红色，内萼片呈阔椭圆形，长 5 ~ 5.5 mm，宽 3.3 ~ 3.5 mm，先端钝圆；花瓣呈长圆状倒卵形，长 5.5 ~ 6 mm，宽 3 ~ 4 mm，先端微凹，基部略呈爪状，具 2 近靠的腺体；雄蕊长 3 ~ 3.5 mm，药隔不延伸，先端平截；子房含胚珠 1 ~ 2，无珠柄。浆果呈椭圆形，长约 8 mm，直径约 4 mm，亮鲜红色，无宿存花柱；种子 1 ~ 2，棕褐色。花期 4 ~ 6 月，果期 7 ~ 10 月。

| **生境分布** | 生于路旁或沟边。分布于河北丰宁、涞源、平泉等。河北各地均有栽培。

| **资源情况** | 野生资源丰富。药材主要来源于栽培。

| **采收加工** | 秋季采挖根或剥取根皮，夏季采枝叶，洗净，切段，晒干。

| **药材性状** | 本品根呈圆锥形或圆柱形，稍扭曲，直径 0.2 ~ 1.5 cm，根头部稍粗大，有分枝；表面棕色至灰棕色，粗糙，具纵皱，老根外皮部分开裂或剥落；质硬，老根较难折断，折断面纤维性，横切面可见明显年轮环，皮部棕色至黄棕色，木部黄色，中央呈枯朽状；气无，味苦。茎枝圆柱形，长短不一，老枝暗红色，嫩枝淡红带绿色，有纵棱和针刺，针刺单一，长 0.5 ~ 1.8 cm；质脆；气微，味苦。枝叶纸质，倒卵形或菱状卵形，长 1 ~ 2 cm，宽 0.5 ~ 1.2 cm，先端骤尖或钝圆，呈楔形，全缘，上面深绿色，背面灰绿色，两面网脉不明显，中脉微隆起，无毛。气微，味苦。

| **功能主治** | 苦，寒。归胃经。清热燥湿，泻火解毒。用于湿热泄泻，痢疾，胃热疼痛，目赤肿痛，口疮，咽喉肿痛，急性湿疹，烫火伤。

| **用法用量** | 内服煎汤，15 ~ 20 g。外用适量，煎汤洗眼。

小檗科 Berberidaceae 小檗属 Berberis

细叶小檗
Berberis poiretii Schneid.

| 药 材 名 | 三颗针（药用部位：根。别名：铜针刺）。

| 形态特征 | 落叶灌木，高 1 ~ 2 m。老枝灰黄色，幼枝紫褐色，生黑色疣点，具条棱；茎刺缺如或单一，有时 3 分叉，长 4 ~ 9 mm。叶纸质，倒披针形至狭倒披针形，偶披针状匙形，长 1.5 ~ 4 cm，宽 0.5 ~ 1 cm，先端渐尖或急尖，具小尖头，基部渐狭，上面深绿色，中脉凹陷，背面淡绿色或灰绿色，中脉隆起，侧脉和网脉明显，两面无毛，叶缘平展，全缘，偶中上部边缘具数枚细小刺齿；近无柄。穗状总状花序具 8 ~ 15 花，长 3 ~ 6 cm，包括总梗长 1 ~ 2 cm，常下垂；花梗长 3 ~ 6 mm，无毛；花黄色；苞片条形，长 2 ~ 3 mm；小苞片 2，披针形，长 1.8 ~ 2 mm；萼片 2 轮，外萼片呈椭圆形或长圆

状卵形，长约 2 mm，宽 1.3 ～ 1.5 mm，内萼片呈长圆状椭圆形，长约 3 mm，宽约 2 mm；花瓣呈倒卵形或椭圆形，长约 3 mm，宽约 1.5 mm，先端锐裂，基部微缢缩，略呈爪状，具 2 分离腺体；雄蕊长约 2 mm，药隔先端不延伸，平截；胚珠通常单生，有时 2。浆果呈长圆形，红色，长约 9 mm，直径 4 ～ 5 mm，先端无宿存花柱，不被白粉。花期 5 ～ 6 月，果期 7 ～ 9 月。

| 生境分布 | 生于海拔 600 ～ 2 300 m 的山地灌丛、砾质地、草原化荒漠、山沟河岸或林下。分布于河北宽城、涞源、灵寿等。

| 资源情况 | 野生资源丰富。药材主要来源于栽培。

| 采收加工 | 春、秋季采挖，除去泥沙和须根，晒干或切片晒干。

| 药材性状 | 本品呈类圆柱形，稍扭曲，有少数分枝，长 10 ～ 15 cm，直径 1 ～ 3 cm。根头粗大，向下渐细。外皮灰棕色，有细皱纹，易剥落。质坚硬，不易折断，切面不平坦，鲜黄色。切片近圆形或长圆形，稍显放射状纹理，髓部棕黄色。气微，味苦。

| 功能主治 | 苦，寒；有毒。归肝、胃、大肠经。清热燥湿，泻火解毒。用于湿热泻痢，黄疸，湿疹，咽痛目赤，聤耳流脓，痈肿疮毒。

| 用法用量 | 内服煎汤，9 ～ 15 g。

防己科 Menispermaceae 蝙蝠葛属 Menispermum

蝙蝠葛
Menispermum dauricum DC.

植物别名

北豆根。

药材名

北豆根（药用部位：根茎。别名：蝙蝠葛根、北山豆根、马串铃）。

形态特征

草质落叶藤本。根茎褐色，垂直生，茎自位于近顶部的侧芽生出。一年生茎纤细，有条纹，无毛。叶纸质或近膜质，常呈心状扁圆形，长、宽均为 3 ~ 12 cm，边缘有 3 ~ 9 角或 3 ~ 9 裂，很少近全缘，基部呈心形至近截平，两面无毛，下面有白粉；掌状脉 9 ~ 12，其中向基部伸展的 3 ~ 5 脉很纤细，均在背面凸起；叶柄长 3 ~ 10 cm 或稍长，有条纹。圆锥花序单生，有时双生，有细长的总梗，有花数至 20 余朵；花密集或稍疏散，花梗纤细，长 5 ~ 10 mm。雄花萼片 4 ~ 8，膜质，绿黄色，倒披针形至倒卵状椭圆形，长 1.4 ~ 3.5 mm，自外至内渐大；花瓣 6 ~ 8 或多至 9 ~ 12，肉质，凹成兜状，有短爪，长 1.5 ~ 2.5 mm；雄蕊通常 12，有时稍多或较少，长 1.5 ~ 3 mm。雌花退化雄蕊 6 ~ 12，长约 1 mm，雌蕊群具长 0.5 ~

1 mm 的柄。核果紫黑色；果核宽约 10 mm，高约 8 mm，基部弯缺深约 3 mm。花期 6 ~ 7 月，果期 8 ~ 9 月。

| **生境分布** | 生于路边灌丛或疏林中。分布于河北灵寿、隆化、兴隆等。

| **资源情况** | 野生资源丰富。药材主要来源于栽培。

| **采收加工** | 春、秋季采挖，除去须根及泥沙，干燥。

| **药材性状** | 本品呈细长圆柱形，弯曲，有分枝，长可达 50 cm，直径 0.3 ~ 0.8 cm。表面黄棕色至暗棕色，多有弯曲的细根，并可见凸起的根痕和纵皱纹，外皮易剥落。质韧，不易折断，断面不整齐，纤维性，木部淡黄色，呈放射状排列，中心有髓。气微，味苦。

| **功能主治** | 苦，寒；有小毒。归肺、胃、大肠经。清热解毒，祛风止痛。用于咽喉肿痛，肠炎，痢疾，风湿痹痛。

| **用法用量** | 内服煎汤，3 ~ 9 g。

睡莲科 Nymphaeaceae 莲属 Nelumbo

莲 *Nelumbo nucifera* Gaertn.

| 植物别名 | 荷花、菡萏、芙蓉。

| 药 材 名 | 莲子（药用部位：种子。别名：水芝丹、莲实、泽芝）、莲子心（药用部位：成熟种子中的幼叶及胚根。别名：苦薏、莲薏、莲心）、莲房（药用部位：花托。别名：莲蓬壳、莲壳、莲蓬）、莲须（药用部位：雄蕊。别名：金樱草、莲花须、莲花蕊）。

| 形态特征 | 多年生水生草本。根茎横生，肥厚，节间膨大，内有多数纵行的通气孔道，节部缢缩，上生黑色鳞叶，下生须状不定根。叶圆形，盾状，直径 25 ～ 90 cm，全缘，稍呈波状，上面光滑，具白粉，下面叶脉从中央射出，有 1 ～ 2 次叉状分枝；叶柄粗壮，圆柱形，长 1 ～ 2 m，中空，外面散生小刺。花梗和叶柄等长或较叶柄稍长，散

生小刺；花直径 10 ～ 20 cm，美丽，芳香；花瓣红色、粉红色或白色，矩圆状椭圆形至倒卵形，长 5 ～ 10 cm，宽 3 ～ 5 cm，由外向内渐小，有时变成雄蕊，先端圆钝或微尖；花药条形，花丝细长，着生在花托之下；花柱极短，柱头顶生；花托（莲房）直径 5 ～ 10 cm。坚果呈椭圆形或卵形，长 1.8 ～ 2.5 cm，果皮革质，坚硬，成熟时黑褐色；种子（莲子）卵形或椭圆形，长 1.2 ～ 1.8 cm，种皮红色或白色。花期 6 ～ 8 月，果期 8 ～ 10 月。

| **生境分布** | 生于池塘或水田内。分布于河北磁县、滦平、永年等。

| **资源情况** | 野生资源一般。药材主要来源于栽培。

| **采收加工** | 莲子：秋季果实成熟时采割莲房，取出果实，除去果皮，干燥。

莲子心：取出成熟种子中的幼叶及胚根，晒干。

莲房：秋季果实成熟时采收，除去果实，晒干。

莲须：夏季花开时选晴天采收，盖纸晒干或阴干。

| **药材性状** | 莲子：本品略呈椭圆形或类球形，长 1.2 ~ 1.8 cm，直径 0.8 ~ 1.4 cm。表面红棕色，有细纵纹和较宽的脉纹。一端中心呈乳头状凸起，棕褐色，多有裂口，其周边略下陷。质硬，种皮薄，不易剥离。子叶 2，黄白色，肥厚，中有空隙，具绿色莲子心。气微，味甘、微涩。

莲子心：本品略呈细圆柱形，长 1 ~ 1.4 cm，直径约 0.2 cm。幼叶绿色，1 长 1 短，卷成箭形，先端向下反折，两幼叶间可见细小胚芽。胚根圆柱形，长约 3 mm，黄白色。质脆，易折断，断面有数个小孔。气微，味苦。

莲房：本品呈倒圆锥状或漏斗状，多撕裂，直径 5 ~ 8 cm，高 4.5 ~ 6 cm。表面灰棕色至紫棕色，具细纵纹和皱纹。顶面有多数圆形孔穴，基部有花梗残基。质疏松，破碎面呈海绵样，棕色。气微，味微涩。

莲须：本品呈线形。花药扭转，纵裂，长 1.2 ~ 1.5 cm，直径约 0.1 cm，淡黄色或棕黄色。花丝纤细，稍弯曲，长 1.5 ~ 1.8 cm，淡紫色。气微香，味涩。

| **功能主治** | 莲子：甘、涩，平。归脾、肾、心经。补脾止泻，止带，益肾涩精，养心安神。用于脾虚泄泻，带下，遗精，心悸失眠。

莲子心：苦，寒。归心、肾经。清心安神，交通心肾，涩精止血。用于热入心包，神昏谵语，心肾不交，失眠遗精，血热吐血。

莲房：苦、涩，温。归肝经。化瘀止血。用于崩漏，尿血，痔疮出血，产后瘀阻，恶露不尽。

莲须：甘、涩，平。归心、肾经。固肾涩精。用于遗精滑精，带下，尿频。

| 用法用量 | 莲子：内服煎汤，6 ~ 15 g。

莲子心：内服煎汤，2 ~ 5 g。

莲房：内服煎汤，5 ~ 10 g。

莲须：内服煎汤，3 ~ 5 g。

河北省遵化县

睡莲科 Nymphaeaceae 睡莲属 *Nymphaea*

睡莲
Nymphaea tetragona Georgi

| 植物别名 | 子午莲、粉色睡莲、野生睡莲。

| 药 材 名 | 睡莲（药用部位：花。别名：睡莲菜、瑞莲、子午莲）。

| 形态特征 | 多年水生草本。根茎短粗。叶纸质，心状卵形或卵状椭圆形，长5 ~ 12 cm，宽 3.5 ~ 9 cm，基部具深弯缺，约占叶片全长的 1/3，裂片急尖，稍开展或近重合，全缘，上面光亮，下面带红色或紫色，两面皆无毛，具小点；叶柄长达 60 cm。花直径 3 ~ 5 cm；花梗细长；花萼基部呈四棱形，萼片革质，宽披针形或窄卵形，宿存；花瓣白色，宽披针形、长圆形或倒卵形，内轮不变成雄蕊；雄蕊比花瓣短，花药条形；柱头具 5 ~ 8 辐射线。浆果球形，为宿存萼片包裹；种子呈椭圆形，黑色。花期 6 ~ 8 月，果期 8 ~ 10 月。

| **生境分布** | 生于湖塘、池沼中。分布于河北安新、滦平等。

| **资源情况** | 野生资源丰富。药材主要来源于野生。

| **采收加工** | 夏季采收，洗净，除去杂质，晒干。

| **药材性状** | 本品直径 4 ~ 5 cm，白色。萼片 4，基部呈四方形；花瓣 8 ~ 17；雄蕊多数，花药黄色；花柱 4 ~ 8 裂，柱头广卵形，呈茶匙状，呈放射状排列。

| **功能主治** | 甘、苦，平。归肝、脾经。消暑，解酒，定惊。用于中暑，醉酒烦渴，小儿惊风。

| **用法用量** | 内服煎汤，6 ~ 9 g。

马兜铃科 Aristolochiaceae 马兜铃属 Aristolochia

北马兜铃 Aristolochia contorta Bunge

| 植物别名 | 马斗铃、茶叶包、河沟精。

| 药 材 名 | 马兜铃（药用部位：果实。别名：兜铃、马兜零、马兜铃）。

| 形态特征 | 草质藤本。茎长达 2 m 以上，无毛。叶纸质，卵状心形或三角状心形，长 3 ~ 13 cm，宽 3 ~ 10 cm，先端短尖或钝，基部呈心形，两侧裂片圆形，下垂或扩展，长约 1.5 cm，全缘，上面绿色，下面浅绿色，两面均无毛；基出脉 5 ~ 7，邻近中脉的 2 侧脉平行向上，略叉开，各级叶脉在两面均明显且稍凸起；叶柄柔弱，长 2 ~ 7 cm。总状花序有 2 ~ 8 花，或有时仅 1 花生于叶腋；花序梗和花序轴极短或近无；花梗长 1 ~ 2 cm，无毛，基部有小苞片；小苞片呈卵形，长约 1.5 cm，宽约 1 cm，具长柄；花被长 2 ~ 3 cm，基部膨大成球形，

直径达 6 mm，向上收狭成长管状，管长约 1.4 cm，绿色，外面无毛，内面具腺体状毛，管口扩大成漏斗状；檐部一侧极短，有时边缘下翻或稍 2 裂，另一侧渐扩大成舌片；舌片呈卵状披针形，先端长渐尖，具延伸成长 1 ~ 3 cm、线形且弯扭的尾尖，黄绿色，常具紫色纵脉和网纹；花药呈长圆形，贴生于合蕊柱近基部，并单个与其裂片对生；子房呈圆柱形，长 6 ~ 8 mm，具 6 棱；合蕊柱先端 6 裂，裂片渐尖，向下延伸成波状圆环。蒴果呈宽倒卵形或椭圆状倒卵形，直径 2.5 ~ 4 cm，先端圆形且微凹，具 6 棱，平滑无毛，成熟时呈黄绿色，由基部向上 6 瓣开裂；果柄下垂，长 2.5 cm，随果开裂；种子呈三角状心形，灰褐色，长、宽均为 3 ~ 5 mm，扁平，具小疣点，具宽 2 ~ 4 mm、浅褐色的膜质翅。花期 5 ~ 7 月，果期 8 ~ 10 月。

| **生境分布** | 生于海拔 500 ~ 1 200 m 的山坡灌丛、沟谷两旁及林缘。分布于河北磁县、行唐、井陉等。

| **资源情况** | 野生资源一般。药材主要来源于野生。

| **采收加工** | 秋季果实由绿色变黄色时采收，干燥。

| **药材性状** | 本品呈卵圆形，长 3 ~ 7 cm，直径 2 ~ 4 cm。表面黄绿色、灰绿色或棕褐色，有 12 纵棱线，由棱线分出多数横向平行的细脉纹。先端平钝，基部有细长果柄。果皮轻而脆，易裂为 6 瓣，果柄也分裂为 6 条。果皮内表面平滑且带光泽，有较密的横向脉纹。果实分 6 室，每室种子多数，平叠整齐排列。种子扁平而薄，钝三角形或扇形，长 6 ~ 10 mm，宽 8 ~ 12 mm，边缘有翅，淡棕色。气特异，味微苦。

| **功能主治** | 苦，微寒。归肺、大肠经。清肺降气，止咳平喘，清肠消痔。用于肺热咳喘，痰中带血，肠热痔血，痔疮肿痛。

| **用法用量** | 内服煎汤，3 ~ 9 g。

马兜铃科 Aristolochiaceae   马兜铃属 *Aristolochia*

马兜铃

Aristolochia debilis Sieb. et Zucc.

| **植物别名** | 兜铃根、独行根、青木香。

| **药 材 名** | 马兜铃（药用部位：果实。别名：兜铃、马兜零）、青木香（药用部位：根。别名：土青木香、青藤香、蛇参根）。

| **形态特征** | 草质藤本。根圆柱形，直径 3 ~ 15 mm，外皮黄褐色。茎柔弱，无毛，暗紫色或绿色，有腐肉味。叶纸质，卵状三角形、长圆状卵形或戟形，长 3 ~ 6 cm，基部宽 1.5 ~ 3.5 cm，上部宽 1.5 ~ 2.5 cm，先端钝圆或短渐尖，基部呈心形，两侧裂片圆形，下垂或稍扩展，长 1 ~ 1.5 cm，两面无毛；基出脉 5 ~ 7，邻近中脉的 2 侧脉平行向上，略开叉，其余向侧边延伸，各级叶脉在两面均明显；叶柄长 1 ~ 2 cm，柔弱。花单生或 2 花聚生于叶腋；花梗长 1 ~ 1.5 cm，

开花后期近先端常稍弯，基部具小苞片；小苞片呈三角形，长 2 ~ 3 mm，易脱落；花被长 3 ~ 5.5 cm，基部膨大成球形，与子房连接处具关节，直径 3 ~ 6 mm，向上收狭成长管状，管长 2 ~ 2.5 cm，直径 2 ~ 3 mm，管口扩大成漏斗状，黄绿色，口部有紫斑，外面无毛，内面有腺体状毛；檐部一侧极短，另一侧渐延伸成舌片；舌片呈卵状披针形，向上渐狭，长 2 ~ 3 cm，先端钝；花药卵形，贴生于合蕊柱近基部，并单个与其裂片对生；子房呈圆柱形，长约 10 mm，6 棱；合蕊柱先端 6 裂，稍具乳头状突起，裂片先端钝，向下延伸形成波状圆环。蒴果近球形，先端圆形而微凹，长约 6 cm，直径约 4 cm，具 6 棱，成熟时黄绿色，由基部向上沿室间 6 瓣开裂；果柄长 2.5 ~ 5 cm，常撕裂成 6 条；种子扁平，钝三角形，长、宽均约 4 mm，边缘具白色的膜质宽翅。花期 7 ~ 8 月，果期 9 ~ 10 月。

| **生境分布** | 生于海拔 200 ~ 1 500 m 的山谷、沟边、路旁阴湿处及山坡灌丛中。分布于河北昌黎、永年、涿鹿等。 |

| **资源情况** | 野生资源一般。药材主要来源于野生。 |

| **采收加工** | 马兜铃：秋季果实由绿色变黄色时采收，干燥。
青木香：春、秋季采挖，除去须根及泥沙，晒干。 |

| **药材性状** | 马兜铃：本品呈卵圆形，长 3 ~ 6 cm，直径 2 ~ 4 cm。表面黄绿色、灰绿色或棕褐色，有 12 纵棱线，由棱线分出多数横向平行的细脉纹。先端平钝，基部有细长果柄。果皮轻而脆，易裂为 6 瓣，果柄也分裂为 6 条。果皮内表面平滑而 |

带光泽，有较密的横向脉纹。果实分 6 室，每室种子多数，平叠整齐排列。种子扁平而薄，钝三角形或扇形，长 6 ~ 10 mm，宽 8 ~ 12 mm，边缘有翅，淡棕色。气特异，味微苦。

青木香：本品呈圆柱形或扁圆柱形，略弯曲，长 3 ~ 15 cm，直径 0.5 ~ 1.5 cm。表面黄褐色或灰棕色，粗糙不平，有纵皱纹及须根痕。质脆，易折断，断面不平坦，皮部淡黄色，木部宽广，射线类白色，放射状排列，形成层环明显，黄棕色。气香特异，味苦。

| **功能主治** | **马兜铃：**苦，微寒。归肺、大肠经。清肺降气，止咳平喘，清肠消痔。用于肺热咳喘，痰中带血，肠热痔血，痔疮肿痛。

青木香：辛、苦，寒。归肺、胃经。平肝止痛，解毒消肿。用于眩晕头痛，胸腹胀痛，痈肿疔疮，蛇虫咬伤。

| **用法用量** | **马兜铃：**内服煎汤，3 ~ 9 g。

青木香：内服煎汤，3 ~ 9 g。外用适量，研末敷。

芍药科 Paeoniaceae 芍药属 Paeonia

牡丹
Paeonia suffruticosa Andr.

| **植物别名** | 鼠姑、鹿韭、白茸。

| **药 材 名** | 牡丹皮（药用部位：根皮。别名：丹皮、粉丹皮、木芍药）。

| **形态特征** | 多年生落叶灌木。茎高达 2 m，分枝短而粗。叶通常为二回三出复叶，偶尔近枝顶的叶为 3 小叶；顶生小叶呈宽卵形，长 7 ~ 8 cm，宽 5.5 ~ 7 cm，3 裂至中部，裂片不裂或 2 ~ 3 浅裂，表面绿色，无毛，背面淡绿色，有时具白粉，沿叶脉疏生短柔毛或近无毛，小叶柄长 1.2 ~ 3 cm；侧生小叶呈狭卵形或长圆状卵形，不等 2 裂至 3 浅裂或不裂，近无柄；叶柄长 5 ~ 11 cm，叶柄和叶轴均无毛。花单生枝顶，直径 10 ~ 17 cm；花梗长 4 ~ 6 cm；苞片 5，长椭圆形，大小不等；萼片 5，绿色，宽卵形，大小不等；花瓣 5，或为重瓣，

玫瑰色、红紫色、粉红色至白色，通常变异很大，倒卵形，先端呈不规则波状；雄蕊长 1 ~ 1.7 cm，花丝紫红色、粉红色，上部白色，长约 1.3 cm，花药长圆形，长 4 mm；花盘革质，杯状，紫红色，先端有数个锐齿或裂片，完全包住心皮，在心皮成熟时开裂；心皮 5，稀更多，密生柔毛。蓇葖果长圆形，密生黄褐色硬毛。花期 5 月，果期 6 月。

| **生境分布** | 生于庭院、道路旁。分布于河北平泉、涉县等。河北各地均有栽培。

| **资源情况** | 野生和栽培资源丰富。药材主要来源于栽培。

| **采收加工** | 秋季采挖根，除去细根和泥沙，剥取根皮，晒干；或刮去粗皮，除去木心，晒干。前者习称"连丹皮"，后者习称"刮丹皮"。

| **药材性状** | 本品连丹皮呈筒状或半筒状，有纵剖开的裂缝，略向内卷曲或张开，长 5 ~ 20 cm，直径 0.5 ~ 1.2 cm，厚 0.1 ~ 0.4 cm。外表面灰褐色或黄褐色，有多数横长皮孔样突起和细根痕，栓皮脱落处粉红色。内表面淡灰黄色或浅棕色，有明显的细纵纹，常见发亮的结晶。质硬而脆，易折断，断面较平坦，淡粉红色，呈粉性。气芳香，味微苦、涩。刮丹皮外表面有刮刀削痕，红棕色或淡灰黄色，有时可见灰褐色斑点状残存外皮。

| **功能主治** | 苦、辛，微寒。归心、肝、肾经。清热凉血，活血化瘀。用于热入营血，温毒发斑，吐血，衄血，夜热早凉，无汗骨蒸，闭经，痛经，跌扑伤痛，痈肿疮毒。

| **用法用量** | 内服煎汤，6 ~ 12 g。

芍药科 Paeoniaceae 芍药属 Paeonia

芍药
Paeonia lactiflora Pall.

| 植物别名 | 野芍药、土白芍、芍药花。

| 药 材 名 | 白芍（药用部位：除去外皮的根。别名：白芍药、金芍药）、赤芍（药用部位：根。别名：木芍药、赤芍药、红芍药）。

| 形态特征 | 多年生草本。根粗壮，分枝黑褐色。茎高 40 ~ 70 cm，无毛。下部茎生叶为二回三出复叶，上部茎生叶为三出复叶；小叶呈狭卵形、椭圆形或披针形，先端渐尖，基部楔形或偏斜，边缘具白色骨质细齿，两面无毛，背面沿叶脉疏生短柔毛。花数朵，生于茎顶和叶腋，有时仅先端 1 朵开放，而近先端叶腋处有发育不好的花芽，直径 8 ~ 11.5 cm；苞片 4 ~ 5，披针形，大小不等；萼片 4，宽卵形或近圆形，长 1 ~ 1.5 cm，宽 1 ~ 1.7 cm；花瓣 9 ~ 13，倒卵形，

长 3.5 ~ 6 cm，宽 1.5 ~ 4.5 cm，白色，有时基部具深紫色斑块；花丝长 0.7 ~
1.2 cm，黄色；花盘浅杯状，包裹心皮基部，先端裂片钝圆；心皮（2 ~）4 ~ 5，
无毛。蓇葖果长 2.5 ~ 3 cm，直径 1.2 ~ 1.5 cm，先端具喙。花期 5 ~ 6 月，果
期 8 月。

| 生境分布 | 生于山坡、山沟、杂木林下。分布于河北隆化、滦平、平泉等。

| 资源情况 | 野生和栽培资源丰富。药材主要来源于野生。

| 采收加工 | **白芍：** 夏、秋季采挖，洗净，除去头尾及细根，置沸水中煮后，除去外皮，再煮，
晒干。

赤芍：春、秋季采挖，除去根茎、须根及泥沙，晒干。

| **药材性状** | **白芍**：本品呈圆柱形，平直或稍弯曲，两端平截，长 5 ~ 18 cm，直径 1 ~ 2.5 cm。表面类白色或淡棕红色，光洁或有纵皱纹及细根痕，偶有残存的棕褐色外皮。质坚实，不易折断，断面较平坦，类白色或微带棕红色，形成层环明显，射线放射状。气微，味微苦、酸。

赤芍：本品呈圆柱形，稍弯曲，长 5 ~ 40 cm，直径 0.5 ~ 3 cm。表面棕褐色，粗糙，有纵沟和皱纹，并有须根痕和横长的皮孔样突起，有的外皮易脱落。质硬而脆，易折断，断面粉白色或粉红色，皮部窄，木部放射状纹理明显，有的有裂隙。气微香，味微苦、酸、涩。

| **功能主治** | **白芍**：苦、酸，微寒。归肝、脾经。养血调经，敛阴止汗，柔肝止痛，平抑肝阳。用于血虚萎黄，月经不调，自汗，盗汗，胁痛，腹痛，四肢挛痛，头痛眩晕。

赤芍：苦，微寒。归肝经。清热凉血，散瘀止痛。用于热入营血，温毒发斑，吐血衄血，目赤肿痛，肝郁胁痛，闭经痛经，癥瘕腹痛，跌扑损伤，痈肿疮疡。

| **用法用量** | **白芍**：内服煎汤，6 ~ 15 g。

赤芍：内服煎汤，6 ~ 12 g。

| **附　注** | 本种始载于《神农本草经》，位列中品。陶弘景始分赤、白2种，云："今出白山、蒋山、茅山最好，白而长大。余处亦有而多赤，赤者小利。"《开宝本草》载："此有两种，赤者利小便下气，白者止痛散血，其花亦有红白二色。"《本草图经》载："芍药二种，一者金芍药，二者木芍药。救病用金芍药，色白多

脂肉，木芍药色紫瘦多脉。"又载："今处处有之，淮南者胜。春生红芽作丛，茎上三枝五叶，似牡丹而狭长，高一二尺。夏开花，有红白紫数种，子似牡丹子而小。秋时采根。"《本草别说》载："《本经》芍药生丘陵川谷，今世所用者多是人家种植。欲其花叶肥大，必加粪壤。每岁八九月取其根分削，因利以为药。"由此可知，宋代已采用栽培的芍药入药，且已分色白多脂肉者和色紫瘦多脉者2种。这和现今以家种、经加工而成者为白芍，以野生、细瘦多筋、未加工者为赤芍有相似之处。但《本草纲目》曾云："根之赤白，随花之色也。"在《本草品汇精要》中又确实有白芍开白花，赤芍开红花的彩色图。这说明明代以前确实也有以这样的标准来分辨赤、白芍的历史。花之赤白有时会影响根皮的色泽，但不一定能作为区别芍药种类的依据。河北主产区多栽培单瓣芍药入药，这和《植物名实图考》中所说"今入药用单瓣者"一致。而赤芍尚有多种野生种类。

狝猴桃科 Actinidiaceae 狝猴桃属 Actinidia

狗枣狝猴桃 *Actinidia kolomikta* (Maxim. et Rupr.) Maxim.

| 植物别名 | 深山木天蓼、狗枣子、海棠狝猴桃。

| 药 材 名 | 狗枣狝猴桃（药用部位：果实。别名：狗枣子、猫人参）。

| 形态特征 | 多年生大型落叶藤本。小枝紫褐色，直径约3 mm，短花枝基本无毛，有较显著的带黄色皮孔；长花枝幼嫩时顶部薄被短茸毛，有不甚显著的皮孔；隔年枝褐色，直径约5 mm，有光泽，皮孔相当显著，稍凸起；髓褐色，片层状。叶膜质或薄纸质，阔卵形、长方卵形至长方倒卵形，长6～15 cm，宽5～10 cm，先端急尖至短渐尖，基部呈心形，少数圆形至截形，两侧不对称，边缘有单锯齿或重锯齿，两面近同色，上部往往变为白色，后渐变为紫红色，两面近无毛，或沿中脉及侧脉略被尘埃状柔毛，腹面散生软弱的小刺毛，

背面侧脉腋上有髯毛或无毛，叶脉不发达，近扁平状，侧脉 6～8 对；叶柄长
2.5～5 cm，初时略被少量尘埃状柔毛，后无毛。雄聚伞花序具 3 花，雌聚伞花
序通常 1 花单生；花序柄和花柄纤弱，或多或少地被黄褐色微绒毛，花序柄长
8～12 mm，花柄长 4～8 mm；苞片小，钻形，长不及 1 mm；花白色或粉红色，
芳香，直径 15～20 mm；萼片 5，长方卵形，长 4～6 mm，两面被极微弱
的短绒毛，边缘有睫毛；花瓣 5，长方倒卵形，长 6～10 mm；花丝丝状，长
5～6 mm，花药黄色，长方箭头状，长约 2 mm；子房呈圆柱状，长约 3 mm，
无毛，花柱长 3～5 mm。果实呈柱状长圆形、卵形或球形，有时为扁长圆形，
长达 2.5 cm，果皮洁净无毛，无斑点，未熟时暗绿色，成熟时淡橘红色，并有
深色的纵纹；果实成熟时花萼脱落；种子长约 2 mm。花期 5 月下旬（四川）至
7 月初（黑龙江、吉林、辽宁），果熟期 9～10 月。

| **生境分布** | 生于山地混交林或杂木林中的开旷地。分布于河北滦平等。

| **资源情况** | 野生资源一般。药材来源于野生。

| **采收加工** | 秋季采收，晒干。

| **药材性状** | 本品呈柱状长圆形、卵形或球
形，有的呈扁长圆形，长达
2.5 cm。表面皱缩，洁净无毛，
亦无斑点，暗绿色或淡橙红色，
后者有深色纵纹；花萼脱落或
残存；种子细小，暗褐色，长
约 2 mm。气微，味酸、甘。

| **功能主治** | 酸、甘，平。滋养强壮。用于
维生素 C 缺乏症。

| **用法用量** | 内服煎汤，9～15 g。

獭猴桃科 Actinidiaceae 獭猴桃属 Actinidia

软枣猕猴桃 *Actinidia arguta* (Sieb. et Zucc.) Planch. ex Miq.

| 植物别名 | 软枣子、紫果猕猴桃、心叶猕猴桃。

| 药 材 名 | 软枣子（药用部位：果实。别名：软枣、猿枣、圆枣）、猕猴梨根（药用部位：根。别名：藤梨根）、猕猴梨叶（药用部位：叶。）

| 形态特征 | 多年生大型落叶藤本。小枝基本无毛，或幼嫩时星散地薄被柔软绒毛或茸毛，长 7 ~ 15 cm，隔年枝灰褐色，直径约 4 mm，洁净无毛或部分表皮呈污灰色皮屑状，皮孔呈长圆形至短条形，不显著至很不显著；髓白色至淡褐色，片层状。叶膜质或纸质、卵形、长圆形、阔卵形至近圆形，长 6 ~ 12 cm，宽 5 ~ 10 cm，先端急短尖，基部呈圆形至浅心形，等侧或稍不等侧，边缘具繁密的锐锯齿，腹面深绿色，无毛，背面绿色，侧脉腋上有髯毛，或中脉和侧脉下段的两

侧沿生少量卷曲柔毛，有的被卷曲柔毛，横脉和网状小脉细且不发达，可见或不可见，侧脉稀疏，6～7对，分叉或不分叉；叶柄长3～6（～10）cm，无毛或略被微弱的卷曲柔毛。花序腋生或腋外生，1～2回分枝，具1～7花，或厚或薄地被淡褐色短绒毛，花序梗长7～10 mm，花梗长8～14 mm，苞片线形，长1～4 mm。花绿白色或黄绿色，芳香，直径1.2～2 cm；萼片4～6，卵圆形至长圆形，长3.5～5 mm，边缘较薄，有不甚显著的缘毛，两面薄被粉末状短茸毛，或外面毛较少至近无毛；花瓣 4 ~ 6，楔状倒卵形或瓢状倒阔卵形，长 7 ~ 9 mm，花具 4 瓣，其中 1 瓣 2 裂至中部；花丝丝状，长 1.5 ~ 3 mm，花药黑色或暗紫色，长圆形箭头状，长 1.5 ~ 2 mm；子房呈瓶状，长 6 ~ 7 mm，洁净无毛，花柱长 3.5 ~ 4 mm。果实呈圆球形至柱状长圆形，长 2 ~ 3 cm，有喙或喙不明显，无毛，无斑点，不具宿存萼片，成熟时呈绿黄色或紫红色；种子纵径约 2.5 mm。

| 生境分布 | 生于混交林或水分充足的杂木林中。分布于河北阜平、灵寿、武安等。

| 资源情况 | 野生资源一般。药材来源于野生。

| 采收加工 | **软枣子**：秋季果实成熟时采摘，鲜用或晒干。

猕猴梨根：秋、冬季采挖，洗净，切片，晒干。

猕猴梨叶：夏、秋季采收，晒干。

| 药材性状 | **软枣子**：本品呈近球形、圆柱形、倒卵形或椭圆形，长 2 ~ 3 cm，直径 1.5 ~ 2.5 cm。表面皱缩，暗褐色或紫红色，光滑或有浅棱。先端有喙，基部果柄长 1 ~ 1.5 cm。果肉淡黄色，种子细小，椭圆形，长 2.5 mm。气微，味酸、甘、微涩。

猕猴梨根：本品呈圆柱形，略弯曲，长短不一，直径 1.5 ~ 4 cm。表面黄棕色或棕褐色，具纵沟和横裂纹，皮部常断裂而露出木部。质硬，难折断，断面不平坦，皮部暗红棕色或棕褐色，皮部内侧可见白色胶丝样物，木部黄白色或黄棕色，具许多小孔。气微，味淡、微涩。

猕猴梨叶：本品为纸质，长圆形、卵形、阔卵形至近圆形，长 6 ~ 12 cm，宽 5 ~ 10 cm，先端急短尖，基部呈浅心形，稍不等侧，边缘具繁密的锐锯齿，侧脉腋上有髯毛。气微，味甘。

| 功能主治 | **软枣子**：甘、酸，微寒。归胃经。滋阴清热，除烦止渴，通淋。用于热病津伤，阴血不足，烦渴引饮，砂淋，石淋，维生素 C 缺乏症，牙龈出血，肝炎。

猕猴梨根：淡、微涩，平。清热利湿，祛风除痹，解毒消肿，止血。用于黄疸，消化不良，呕吐，风湿痹痛，消化道恶性肿瘤，痈疡疮疖，跌打损伤，外伤出血，乳汁不下。

猕猴梨叶：甘，平。止血。用于外伤出血。

| 用法用量 | **软枣子**：内服煎汤，3 ~ 15 g。 |

猕猴梨根：内服煎汤，15 ~ 60 g；或捣汁饮。

猕猴梨叶：外用适量，焙干，研末撒敷。

藤黄科 Guttiferae 金丝桃属 Hypericum

赶山鞭

Hypericum attenuatum Choisy

| 植物别名 |

小茶叶、小金雀、女儿茶。

| 药 材 名 |

赶山鞭（药用部位：全草。别名：小金丝桃、小茶叶、小金雀）。

| 形态特征 |

多年生草本，高（15 ~ ）30 ~ 74 cm。根茎具发达的侧根及须根。茎数个丛生，直立，圆柱形，常有 2 纵线棱，且全面散生黑色腺点。叶无柄；叶片呈卵状长圆形或卵状披针形至长圆状倒卵形，长（0.8 ~ ）1.5 ~ 2.5（~ 3.8）cm，宽（0.3 ~ ）0.5 ~ 1.2 cm，先端圆钝或渐尖，基部渐狭或微心形，略抱茎，全缘，两面通常光滑，下面散生黑色腺点，侧脉 2 对，与中脉在上面凹陷，下面凸起，边缘脉及脉网不明显。花序顶生，多花或有时少花，为近伞房状或圆锥花序；苞片呈长圆形，长约 0.5 cm；花直径 1.3 ~ 1.5 cm，平展；花蕾呈卵珠形；花梗长 3 ~ 4 mm；萼片呈卵状披针形，长约 5 mm，宽 2 mm，先端锐尖，表面及边缘散生黑色腺点；花瓣淡黄色，长圆状倒卵形，长 1 cm，宽约 0.4 cm，先端钝形，表面及边缘有稀疏的黑

色腺点，宿存；雄蕊 3 束，每束有雄蕊约 30，花药具黑色腺点；子房呈卵珠形，长约 3.5 mm，3 室，花柱 3，自基部离生，与子房等长或稍长于子房。蒴果呈卵珠形或长圆状卵珠形，长 0.6 ～ 10 mm，宽约 4 mm，具长短不等的条状腺斑；种子黄绿色、浅灰黄色或浅棕色，圆柱形，微弯，长 1.2 ～ 1.3 mm，宽约 0.5 mm，两端钝形且具小凸尖，两侧有龙骨状突起，表面有细蜂窝纹。花期 7 ～ 8 月，果期 8 ～ 9 月。

| **生境分布** | 生于海拔 1 100 m 以下的田野、半湿草地、草原、山坡草地、石砾地、草丛、林内及林缘等。分布于河北赤城、青龙、蔚县等。

| **资源情况** | 野生资源丰富。药材来源于野生。

| **采收加工** | 秋季采收，晒干。

| **功能主治** | 苦，平。归心经。止血，镇痛，通乳。用于咯血，吐血，子宫出血，风湿关节痛，神经痛，跌打损伤，乳汁缺乏，乳腺炎；外用于创伤出血，痈疖肿毒。

| **用法用量** | 内服煎汤，9 ～ 15 g。外用适量，鲜品捣敷；或干品研末撒敷。

藤黄科 Guttiferae 金丝桃属 Hypericum

贯叶连翘

Hypericum perforatum L.

| **植物别名** | 小贯叶金丝桃、贯叶金丝桃。

| **药 材 名** | 贯叶金丝桃（药用部位：地上部分。别名：过路黄、小种黄、赶山鞭）。

| **形态特征** | 多年生草本，高 20 ~ 60 cm，全体无毛。茎直立，多分枝，茎及分枝两侧各有 1 纵线棱。叶无柄，彼此靠近密集，椭圆形至线形，长 1 ~ 2 cm，宽 0.3 ~ 0.7 cm，先端钝形，基部近心形且抱茎，全缘，背卷，呈坚纸质，上面绿色，下面白绿色，全面散布淡色但有时黑色的腺点，侧脉每边约 2，自中脉基部 1/3 以下生出，斜升，至叶缘连结，与中脉在两面明显，脉网稀疏，不明显。花序为具 5 ~ 7 花的二歧聚伞花序，生于茎及分枝先端，多个聚伞花序再

组成顶生圆锥花序；苞片及小苞片呈线形，长达 4 mm；萼片呈长圆形或披针形，长 3 ~ 4 mm，宽 1 ~ 1.2 mm，先端渐尖至锐尖，边缘有黑色腺点，全面有 2 行腺条和腺斑，果时直立，略增大，长达 4.5 mm；花瓣黄色，长圆形或长圆状椭圆形，两侧不相等，长约 1.2 mm，宽 0.5 mm，边缘及上部常有黑色腺点；雄蕊多数，3 束，每束有雄蕊约 15，花丝长短不一，长达 8 mm，花药黄色，具黑色腺点；子房呈卵珠形，长 3 mm，花柱 3，自基部极少开张，长 4.5 mm。蒴果呈长圆状卵珠形，长约 5 mm，宽 3 mm，具背生腺条及侧生黄褐色囊状腺体；种子黑褐色，圆柱形，长约 1 mm，具纵向条棱，两侧无龙骨状突起，表面有细蜂窝纹。花期 7 ~ 8 月，果期 9 ~ 10 月。

| 生境分布 | 生于海拔 500 ~ 2 100 m 的山坡、路旁、草地、林下及河边等。分布于河北丰宁、宽城、围场等。

| 资源情况 | 野生资源丰富。药材主要来源于野生。

| 采收加工 | 夏、秋季开花时采割，阴干或低温烘干。

| 药材性状 | 本品茎呈圆柱形，长 20 ~ 60 cm，多分枝，茎和分枝两侧各具 1 纵棱，小枝细瘦，对生于叶腋。单叶对生，无柄、抱茎，叶片呈披针形或长椭圆形，长 1 ~ 2 cm，宽 0.3 ~ 0.7 cm，散布透明或黑色的腺点，黑色腺点大多分布于叶片边缘或近先端。聚伞花序顶生，花黄色，花萼、花瓣各 5，长圆形或披针形，边缘有黑色腺点；雄蕊多数，合生为 3 束，花柱 3。气微，味微苦、涩。

| 功能主治 | 辛，寒。归肝经。疏肝解郁，清热利湿，消肿通乳。用于肝气郁结，情志不畅，心胸郁闷，关节肿痛，乳痈，乳少。

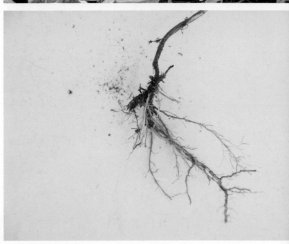

| 用法用量 | 内服煎汤，2 ~ 3 g。

藤黄科 Guttiferae 金丝桃属 Hypericum

黄海棠

Hypericum ascyron L.

植物别名

长柱金丝桃、短柱金丝桃。

药材名

红旱莲（药用部位：地上部分。别名：黄花刘寄奴、金丝蝴蝶、伞旦花）。

形态特征

多年生草本，高 0.5 ~ 1.3 m。茎直立或在基部上升，单一或数茎丛生，不分枝或上部具分枝，有时于叶腋抽出小枝条，茎及枝条幼时具 4 棱，后明显具 4 纵线棱。叶无柄，叶片呈披针形、长圆状披针形或长圆状卵形至椭圆形或狭长圆形，长（2 ~）4 ~ 10 cm，宽（0.4 ~）1 ~ 2.7（~ 3.5）cm，先端渐尖、锐尖或钝形，基部呈楔形或心形且抱茎，全缘，坚纸质，上面绿色，下面通常淡绿色且散布淡色腺点，中脉、侧脉及近边缘脉在下面明显，脉网较密。花序具 1 ~ 35 花，顶生，近伞房状至狭圆锥状，后者包括多数分枝；花直径（2.5 ~）3 ~ 8 cm，平展或外反；花蕾呈卵珠形，先端圆形或钝形；花梗长 0.5 ~ 3 cm；萼片呈卵形或披针形至椭圆形或长圆形，长（3 ~）5 ~ 15（~ 25）mm，宽 1.5 ~ 7 mm，先端锐尖至钝形，全缘，结果时直立；花瓣金黄色，倒披针形，长 1.5 ~ 4 cm，宽 0.5 ~ 2 cm，十分弯曲，具腺斑或无腺斑，宿存；雄蕊极多数，5 束，每束有雄蕊约 30，花药金黄色，具松脂状腺点；子房呈宽卵珠形至狭卵珠状三角形，长 4 ~ 7（~ 9）mm，5 室，具中央空腔，花柱 5，长为子房的 1/2 至为其 2 倍，自基部或至上部 4/5 处分离。蒴果为或宽或狭的卵珠形或卵珠状三角形，长 0.9 ~ 2.2 cm，宽 0.5 ~ 1.2 cm，棕褐色，成熟后先端 5 裂，柱头常折落；种子棕色或黄褐色，圆柱形，微弯，长 1 ~ 1.5 mm，有明显的龙骨状突起或狭翅和细的蜂窝纹。花期 7 ~ 8 月，果期 8 ~ 9 月。

| **生境分布** | 生于海拔 2 800 m 以下的山坡林下、林缘、灌丛间、草丛或草甸中、溪旁及河岸湿地等，也有的广为庭园栽培。分布于河北青龙、涉县、围场等。

| **资源情况** | 野生资源一般，栽培资源丰富。药材来源于野生。

| **采收加工** | 夏季果实近成熟时采割，晒干。

| **药材性状** | 本品长 40 ~ 70 cm，无毛，红棕色或棕褐色。茎上部类四方形，具 4 棱，基部呈圆柱形。叶多皱缩，展平后呈广披针形，长 5 ~ 10 cm，宽 1 ~ 2 cm，全缘，散有腺点。花偶见，棕黄色，萼片 5，花瓣 5，雄蕊 5 束，与花瓣对生。蒴果圆锥形，长约 1.5 cm，直径 0.8 ~ 1 cm，萼片常宿存，纵裂成 5 瓣；种子细小，红棕色。气微，味微苦、涩。

| **功能主治** | 苦，寒。凉血止血，清热解毒。用于吐血，咯血，衄血，子宫出血，黄疸，肝炎；外用于创伤出血，烫火伤，湿疹，黄水疮。

| **用法用量** | 内服煎汤，5 ~ 10 g。外用适量，捣敷；或研末调敷。

| **附　注** | 本种变异很大，特别是花的大小和排列方式、萼片的大小和形状以及花柱的长短和分离程度在不同的居群中，甚至在同一居群中变异幅度都比较大，但这些变异都表现出连续性且无地理依赖性，因此难于以此作为区分种或种下等级的依据。

藤黄科 Guttiferae 金丝桃属 Hypericum

金丝桃

Hypericum monogynum L.

植物别名

金丝海棠、金线蝴蝶。

药材名

金丝桃（药用部位：全株。别名：土连翘、五心花、金丝海棠）、金丝桃果（药用部位：果实）。

形态特征

多年生灌木，高 0.5 ～ 1.3 m，丛状或通常有疏生的开张枝条。茎红色，幼时具 2（～ 4）纵线棱，两侧压扁，很快为圆柱形；皮层橙褐色。叶对生，无柄或具短柄，柄长达 1.5 mm；叶片呈倒披针形或椭圆形至长圆形，较稀为披针形至卵状三角形或卵形，长 2 ～ 11.2 cm，宽 1 ～ 4.1 cm，先端锐尖至圆形，通常具细小凸尖，基部呈楔形至圆形，或上部者有时呈截形至心形，边缘平坦，坚纸质，上面绿色，下面淡绿色但不呈灰白色，主侧脉 4 ～ 6 对，分枝，中脉常不明显分枝，第 3 级脉网密集，不明显，腹腺体无，叶片腺体小，点状。花序具 1 ～ 15（～ 30）花，自茎端第 1 节生出，呈疏松的近伞房状，有时亦自茎端第 1 ～ 3 节生出，稀有 1 ～ 2 对次生分枝；花梗长 0.8 ～ 2.8（～ 5）cm；苞片小，线状披针形，早落；花直径 3 ～

6.5 cm，星状；花蕾卵珠形，先端近锐尖至钝形；萼片呈宽或狭椭圆形或长圆形至披针形或倒披针形，先端锐尖至圆形，全缘，中脉分明，细脉不明显，有或多或少的腺体，在基部的线形至条纹状，向先端的点状；花瓣金黄色至柠檬黄色，无红晕，开张，三角状倒卵形，长 2 ～ 3.4 cm，宽 1 ～ 2 cm，长为萼片的 2.5 ～ 4.5 倍，全缘，无腺体，有侧生的小凸尖，小凸尖先端锐尖至圆形或消失；雄蕊 5 束，每束有雄蕊 25 ～ 35，最长者长 1.8 ～ 3.2 cm，与花瓣近等长，花药黄色至暗橙色；子房呈卵珠形或卵珠状圆锥形至近球形，长 2.5 ～ 5 mm，宽 2.5 ～ 3 mm，花柱长 1.2 ～ 2 cm，长为子房的 3.5 ～ 5 倍，合生几达先端，然后向外弯，或极少有合生至全长的 1/2，柱头小。蒴果呈宽卵珠形，稀为卵珠状圆锥形至近球形，长 6 ～ 10 mm，宽 4 ～ 7 mm；种子深红褐色，圆柱形，长约 2 mm，有狭窄的龙骨状突起，有浅的线状网纹至线状蜂窝纹。花期 5 ～ 8 月，果期 8 ～ 9 月。

| **生境分布** | 生于山坡、路边或灌丛中。分布于河北赤城、蔚县等。

| **资源情况** | 野生资源一般。药材来源于栽培。

| **采收加工** | **金丝桃：**全年均可采收，洗净，晒干。
金丝桃果：秋季果实成熟时采摘，鲜用或晒干。

| **药材性状** | **金丝桃：**本品长约 80 cm，光滑无毛。根呈圆柱形，表面棕褐色，栓皮易呈片状剥落，断面不整齐，中心可见极小的空洞。老茎较粗，圆柱形，直径 4 ～ 6 mm；表面浅棕褐色，可见对生叶痕，栓皮易呈片状脱落；质脆，易折断，断面不整齐，中空明显。幼茎较细，直径 1.5 ～ 3 mm；表面较光滑，节间呈浅棕绿色，节部呈深棕绿色，断面中空。叶对生，略皱缩，易破碎，完整叶片展开呈长椭圆形，全缘，上面绿色，下面灰绿色，中脉明显凸起，叶片可见透明腺点。气微香，味微苦。

| **功能主治** | **金丝桃：**苦，凉。归心、肝经。清热解毒，散瘀止痛，祛风湿。用于肝炎，肝脾肿大，急性咽喉炎，结膜炎，疮疖肿毒，蛇咬伤，蜂螫伤，跌打损伤，风寒腰痛。
金丝桃果：甘，凉。润肺止咳。用于虚热咳嗽，百日咳。

| **用法用量** | **金丝桃：**内服煎汤，15 ～ 30 g。外用适量，鲜品捣敷。
金丝桃果：内服煎汤，6 ～ 10 g。

| **附　注** | 本种为温带树种，喜湿润半阴之地。因本种不甚耐寒，北方地区应将植株种植于向阳处，并于秋末寒流到来之前在它的根部拥土，以保护植株安全越冬。

罂粟科 Papaveraceae 白屈菜属 Chelidonium

白屈菜 Chelidonium majus L.

| **植物别名** | 山黄连、水黄连、水黄草。

| **药 材 名** | 白屈菜（药用部位：全草。别名：地黄连、牛金花、土黄连）。

| **形态特征** | 多年生草本，高 30 ~ 60（~ 100）cm。主根粗壮，圆锥形，侧根多，暗褐色。茎聚伞状，多分枝，分枝常被短柔毛，节上毛较密，后变无毛。基生叶少，早落，叶片呈倒卵状长圆形或宽倒卵形，长8 ~ 20 cm，羽状全裂，全裂片 2 ~ 4 对，倒卵状长圆形，具不规则的深裂片或浅裂片，裂片边缘圆齿状，表面绿色，无毛，背面具白粉，疏被短柔毛，叶柄长 2 ~ 5 cm，被柔毛或无毛，基部扩大成鞘；茎生叶叶片长 2 ~ 8 cm，宽 1 ~ 5 cm，叶柄长 0.5 ~ 1.5 cm，其他同基生叶。伞形花序具多花；花梗纤细，长 2 ~ 8 cm，幼时被长柔

毛，后变无毛；苞片小，卵形，长 1 ~ 2 mm；花芽卵圆形，直径 5 ~ 8 mm；
萼片呈卵圆形，舟状，长 5 ~ 8 mm，无毛或疏生柔毛，早落；花瓣呈倒卵形，
长约 1 cm，全缘，黄色；雄蕊长约 8 mm，花丝丝状，黄色，花药长圆形，长
约 1 mm；子房呈线形，长约 8 mm，绿色，无毛，花柱长约 1 mm，柱头 2 裂。
蒴果呈狭圆柱形，长 2 ~ 5 cm，直径 2 ~ 3 mm，近念珠状，果柄通常比果实短；
种子卵形，长约 1 mm 或更小，暗褐色，具光泽及蜂窝状小格。花果期 4 ~ 9 月。

| 生境分布 | 生于海拔 500 ~ 2 200 m 的山坡、山谷林缘草地或路旁、石缝。分布于河北行唐、
井陉、宽城等。

| 资源情况 | 野生资源丰富。药材主要来源于野生。

| 采收加工 | 夏、秋季采收，除去泥沙，阴干或晒干。

| 药材性状 | 本品根呈圆锥状，多有分枝，密生
须根。茎干瘪中空，表面黄绿色或
绿褐色，有的可见白粉。叶互生，
多皱缩、破碎，完整者为 1 ~ 2 回
羽状分裂，裂片近对生，先端钝，
边缘具不整齐的缺刻；上表面黄绿
色，下表面绿灰色，具白色柔毛，
脉上毛尤多。花瓣 4，卵圆形，
黄色，雄蕊多数，雌蕊 1。蒴果呈
细圆柱形；种子多数，卵形，细小，
黑色。气微，味微苦。

| 功能主治 | 苦，凉；有毒。归肺、胃经。解痉
止痛，止咳平喘。用于胃脘挛痛，
咳嗽气喘，百日咳。

| 用法用量 | 内服煎汤，9 ~ 18 g。

| 附 注 | 白屈菜药材曾被收录于 1977 年版
《中国药典》，为罂粟科白屈菜的
全草。

罂粟科 Papaveraceae 博落回属 Macleaya

博落回 *Macleaya cordata* (Willd.) R. Br.

| 植物别名 |

勃逻回、勃勒回、落回。

| 药 材 名 |

博落回（药用部位：全草或根。别名：落回、
号筒草、勃勒回）。

| 形态特征 |

直立草本，基部木质化，具乳黄色浆汁。
茎高 1 ~ 4 m，绿色，光滑，多被白粉，中
空，上部多分枝。叶片宽卵形或近圆形，长
5 ~ 27 cm，宽 5 ~ 25 cm，先端急尖、渐尖、
钝或圆形，通常 7 或 9 深裂或浅裂，裂片半
圆形、方形、三角形等，边缘波状、缺刻状、
具粗齿或多细齿，表面绿色，无毛，背面多
被白粉，被易脱落的细绒毛，基出脉通常 5，
侧脉 2 对，稀 3 对，细脉网状，常呈淡红色；
叶柄长 1 ~ 12 cm，上面具浅沟槽。大型圆
锥花序具多数花，长 15 ~ 40 cm，顶生和
腋生；花梗长 2 ~ 7 mm；苞片狭披针形；
花芽棒状，近白色，长约 1 cm；萼片倒卵状
长圆形，长约 1 cm，舟状，黄白色；花瓣无；
雄蕊 24 ~ 30，花丝丝状，长约 5 mm，花
药条形，与花丝等长；子房倒卵形至狭倒卵
形，长 2 ~ 4 mm，先端圆，基部渐狭，花

柱长约 1 mm，柱头 2 裂，下延于花柱上。蒴果狭倒卵形或倒披针形，长 1.3 ～ 3 cm，直径 5 ～ 7 mm，先端圆或钝，基部渐狭，无毛；种子 4 ～ 6（～ 8），卵珠形，长 1.5 ～ 2 mm，生于缝线两侧，无柄，种皮具排成行且整齐的蜂窝状孔穴，有狭的种阜。花果期 6 ～ 11 月。

| **生境分布** | 生于海拔 150 ～ 830 m 的丘陵或低山林中、灌丛中或草丛间。分布于河北涉县等。

| **资源情况** | 野生资源丰富。药材主要来源于野生。

| **采收加工** | 秋、冬季采收，将根茎与茎叶分开，晒干。

| **药材性状** | 本品根及根茎肥壮。茎圆柱形，中空；表面有白粉；易折断，鲜品断面有黄色乳汁流出。单叶互生，有柄，柄基部略抱茎；叶片宽卵形或近圆形，7 或 9 掌状浅裂，裂片边缘波状或具波状牙齿。花序圆锥状。蒴果狭倒卵形或倒披针形，扁平，下垂；种子 4 ～ 8。

| **功能主治** | 辛、苦，寒；有大毒。归心、肝、胃经。散瘀，祛风，解毒，止痛，杀虫。用于痈疮疔肿，臁疮，痔疮，湿疹，蛇虫咬伤，跌打肿痛，风湿关节痛，龋齿痛，顽癣，滴虫性阴道炎及酒渣鼻。

| **用法用量** | 外用适量，捣敷；或煎汤熏洗；或研末调敷。

| 罂粟科 | Papaveraceae | 荷包牡丹属 | Lamprocapnos

荷包牡丹 *Lamprocapnos spectabilis* (L.) Fukuhara

| **植物别名** | 滴血的心、活血草、土当归。

| **药 材 名** | 荷包牡丹根（药用部位：根茎。别名：土当归、活血草）。

| **形态特征** | 直立草本，高 30 ～ 60 cm 或更高。茎圆柱形，带紫红色。叶片三角形，长（15 ～）20 ～ 30（～ 40）cm，宽（10 ～）14 ～ 17（～ 20）cm，2 回三出全裂，第 1 回裂片具长柄，中裂片的柄较侧裂片的柄长，第 2 回裂片近无柄，2 或 3 裂，小裂片通常全缘，表面绿色，背面具白粉，两面叶脉明显；叶柄长约 10 cm。总状花序长约 15 cm，有（5 ～）8 ～ 11（～ 15）花，于花序轴的一侧下垂；花梗长 1 ～ 1.5 cm；苞片钻形或线状长圆形，长 0.3 ～ 0.5（～ 1）cm，宽约 0.1 cm；花长 2.5 ～ 3 cm，宽约 2 cm，长为宽的 1 ～ 1.5 倍，

基部心形；萼片披针形，长 0.3 ~ 0.4 cm，玫瑰色，于花开前脱落；外花瓣紫红色至粉红色，稀白色，下部囊状，囊长约 1.5 cm，宽约 1 cm，具数条脉纹，上部变狭并向下反曲，长约 1 cm，宽约 0.2 cm，内花瓣长约 2.2 cm，花瓣片略呈匙形，长 1 ~ 1.5 cm，先端圆形部分紫色，背部鸡冠状突起自先端延伸至瓣片基部，高达 3 mm，爪长圆形至倒卵形，长约 1.5 cm，宽 0.2 ~ 0.5 cm，白色；雄蕊束弧曲上升，花药长圆形；子房狭长圆形，长 1 ~ 1.2 cm，直径 0.1 ~ 0.15 cm，胚珠数枚，2 行排列于子房的下半部；花柱细，长 0.5 ~ 1.1 cm，每边具 1 沟槽，柱头狭长方形，长约 0.1 cm，宽约 0.05 cm，先端 2 裂，基部近箭形。花期 4 ~ 6 月。

| **生境分布** | 生于海拔 780 ~ 2 800 m 的湿润草地和山坡。分布于河北迁西等。

| **资源情况** | 野生资源一般，栽培资源丰富。药材来源于野生。

| **采收加工** | 夏季采挖，洗净，晒干或鲜用。

| **功能主治** | 辛、苦，温。归肝经。祛风，活血，镇痛。用于金疮，疮毒，胃痛。

| **用法用量** | 内服酒煎；或捣汁，酒冲服。

罂粟科 Papaveraceae 蓟罂粟属 Argemone

蓟罂粟
Argemone mexicana L.

| 植物别名 | 刺罂粟。

| 药 材 名 | 蓟罂粟（药用部位：全草。别名：老鼠竻）、蓟罂粟根（药用部位：根）、蓟罂粟子（药用部位：种子）。

| 形态特征 | 一年生草本（栽培者常为多年生，灌木状），通常粗壮，高30～100 cm。茎具分枝，多短枝，疏被黄褐色平展的刺。基生叶密集，叶片宽倒披针形、倒卵形或椭圆形，长5～20 cm，宽2.5～7.5 cm，先端急尖，基部楔形，边缘羽状深裂，裂片具波状齿，齿端具尖刺，两面无毛，沿脉散生尖刺，表面绿色，沿脉两侧灰白色，背面灰绿色，叶柄长0.5～1 cm；茎生叶互生，与基生叶同形，但上部叶较小，无柄，常半抱茎。花单生于短枝先端，有时似少花的聚伞花序；花

梗极短;花芽卵形,长约 1.5 cm;萼片 2,舟状,长约 1 cm,先端具距,距尖成刺,外面无毛或散生刺,花开时即脱落;花瓣 6,宽倒卵形,长 1.7 ~ 3 cm,先端圆,基部宽楔形,黄色或橙黄色;花丝长约 7 mm,花药狭长圆形,长 1.5 ~ 2 mm,开裂后弯成半圆形至圆形;子房椭圆形或长圆形,长 0.7 ~ 1 cm,被黄褐色伸展的刺,花柱极短,柱头 4 ~ 6 裂,深红色。蒴果长圆形或宽椭圆形,长 2.5 ~ 5 cm,宽 1.5 ~ 3 cm,疏被黄褐色的刺,4 ~ 6 瓣自先端开裂至全长的 1/4 ~ 1/3 处;种子球形,直径 1.5 ~ 2 mm,具明显的网纹。花果期 3 ~ 10 月。

| 生境分布 |　河北多地有栽培。

| 资源情况 |　栽培资源一般。药材主要来源于栽培。

| 采收加工 |　蓟罂粟:春、夏季采收,晒干。

蓟罂粟根:秋季采挖,晒干。

蓟罂粟子:夏末采收成熟果实,晒干,压破,除去果壳,取种子。

| 功能主治 |　蓟罂粟:辛、苦,凉。归脾、肺、胆经。发汗利水,清热解毒,止痛止痒。用于感冒无汗,黄疸,淋病,水肿,眼睑裂伤,疝痛,疥癣,梅毒。

蓟罂粟根:利小便,杀虫。用于淋证,绦虫病。

蓟罂粟子:缓泻,催吐,解毒,止痛。用于便秘,疝痛,牙痛,梅毒。

| 用法用量 |　蓟罂粟:内服煎汤,3 ~ 6 g。外用适量,捣汁涂。

蓟罂粟根:内服煎汤,3 ~ 6 g;或研末,0.5 ~ 1.5 g。

蓟罂粟子:内服煎汤,2 ~ 4 g。

罂粟科 Papaveraceae 角茴香属 Hypecoum

角茴香 *Hypecoum erectum* L.

| 植物别名 | 咽喉草、麦黄草、黄花草。

| 药 材 名 | 角茴香（药用部位：全草或根。别名：山黄连、野茴香）。

| 形态特征 | 一年生草本，高 15 ～ 30 cm。根圆柱形，长 8 ～ 15 cm，向下渐狭，具少数侧根。花茎多，圆柱形，二歧状分枝。基生叶多数，叶片倒披针形，长 3 ～ 8 cm，多回羽状细裂，裂片线形，先端尖，叶柄细，基部扩大成鞘；茎生叶同基生叶，但较小。二歧聚伞花序具多数花；苞片钻形，长 2 ～ 5 mm；萼片卵形，长约 2 mm，先端渐尖，全缘；花瓣淡黄色，长 1 ～ 1.2 cm，无毛，外面 2 倒卵形或近楔形，先端宽，3 浅裂，中裂片三角形，长约 2 mm，里面 2 倒三角形，长约 1 cm，3 裂至中部以上，侧裂片较宽，长约 5 mm，具微缺刻，中裂

片狭，匙形，长约 3 mm，先端近圆形；雄蕊 4，长约 8 mm，花丝宽线形，长约 5 mm，扁平，下半部加宽，花药狭长圆形，长约 3 mm；子房狭圆柱形，长约 1 cm，直径约 0.5 mm，花柱长约 1 mm，柱头 2 深裂，裂片细，向两侧伸展。蒴果长圆柱形，长 4 ~ 6 cm，直径 1 ~ 1.5 mm，直立，先端渐尖，两侧稍压扁，成熟时分裂成 2 果瓣；种子多数，近四棱形，两面均具十字形的突起。花果期 5 ~ 8 月。

| **生境分布** | 生于海拔 400 ~ 1 200（ ~ 4 500）m 的山坡草地或河边沙地。分布于河北武安、灵寿、平山等。

| **资源情况** | 野生资源丰富。药材来源于野生。

| **采收加工** | 春季开花前采挖全草或根，晒干。

| **药材性状** | 本品根呈圆柱形或圆锥形，长 5 ~ 10 cm，直径 2 ~ 4 mm；表面淡黄色或黄棕色，具纵皱；质硬而脆，断面不平坦；皮部白色，木部黄白色。茎圆柱形，多扁缩，直径 1 ~ 2 mm；表面光滑，绿色或黄绿色，具纵棱；质脆，易折断，断面中空。茎生叶多皱缩成团，叶片多破碎，完整者展开后 2 回羽状全裂，偶见花朵。蒴果条形。气微，味苦。

| **功能主治** | 苦、辛，凉。归肺、大肠、肝经。清热解毒，镇咳止痛。用于感冒发热，咳嗽，咽喉肿痛，肝热目赤，肝炎，胆囊炎，痢疾，关节疼痛。

| **用法用量** | 内服煎汤，6 ~ 9 g；或研末，1 ~ 1.5 g。

罂粟科 Papaveraceae　角茴香属 Hypecoum

细果角茴香
Hypecoum leptocarpum Hook. f. et Thoms.

| 植物别名 |

节裂角茴香。

| 药 材 名 |

细果角茴香（药用部位：全草。别名：角苗香、咽喉草、麦黄草）。

| 形态特征 |

一年生草本，略被白粉，高 4 ~ 60 cm。茎丛生，长短不一，铺散而先端向上，多分枝。基生叶多数，蓝绿色，叶柄长 1.5 ~ 10 cm，叶片狭倒披针形，长 5 ~ 20 cm，2 回羽状全裂，裂片 4 ~ 9 对，宽卵形或卵形，长 0.4 ~ 2.3 cm，疏离，近无柄，羽状深裂，小裂片披针形、卵形、狭椭圆形至倒卵形，长 0.3 ~ 2 mm，先端锐尖；茎生叶同基生叶，但较小，具短柄或近无柄。花茎多数，高 5 ~ 40 cm，通常二歧状分枝；苞叶轮生，卵形或倒卵形，长 0.5 ~ 3 cm，2 回羽状全裂，向上渐变小，至最上部者为线形。花小，排列成二歧聚伞花序，花直径 5 ~ 8 mm，花梗细长，每花具数枚刚毛状小苞片；萼片卵形或卵状披针形，长 2 ~ 3（~ 4）mm，宽 1 ~ 1.5（~ 2）mm，绿色，边缘膜质，全缘，稀具小牙齿；花瓣淡紫色，外面2宽倒卵形，长0.5～1 cm，宽4～7 mm，先端绿色，全缘，近革质，里面2较小，3裂几达基部，中裂片匙状圆形，具短柄或无柄，边缘内弯，极全缘，侧裂片较长，长卵形或宽披针形，先端钝且极全缘；雄蕊4，与花瓣对生，长4～7 mm，花丝丝状，黄褐色，扁平，基部扩大，花药卵形，长约1 mm，黄色；子房圆柱形，长5～8 mm，直径约1 mm，无毛，胚珠多数，花柱短，柱头2裂，裂片外弯。蒴果直立，圆柱形，长3～4 cm，两侧压扁，成熟时在关节处分离成数小节，每节具1种子；种子扁平，宽倒卵形。花果期6～9月。

| **生境分布** | 常生于海拔（1 700～）2 700～5 000 m的山坡、草地、山谷、河滩、砾石坡、砂质地。分布于河北围场、蔚县、张北等。

| **资源情况** | 野生资源丰富。药材来源于野生。

| **采收加工** | 夏、秋季采集，晒干。

| **药材性状** | 本品根呈圆柱形或圆锥形，长5～10 cm，直径2～4 mm；表面淡黄色或黄棕色，具纵皱；质硬而脆，断面不平坦；皮部白色，木部黄白色。茎圆柱形，多扁缩，直径1～2 mm；表面光滑，绿色或黄绿色，具纵棱；质脆，易折断，断面中空。基生叶多皱缩成团，叶片多破碎，完整者展开后2回羽状全裂。偶见花朵。蒴果条形。气微，味苦。

| **功能主治** | 苦，寒；有小毒。归肺、肝、胆经。清热解毒，凉血。用于感冒发热，头痛，咽喉疼痛，目赤肿痛，关节疼痛，肺炎，肝炎，胆囊炎，痢疾，吐血，衄血，便血。

| **用法用量** | 内服煎汤，6～9 g；或研末。

罂粟科 Papaveraceae 秃疮花属 *Dicranostigma*

秃疮花 *Dicranostigma leptopodum* (Maxim.) Fedde

| 植物别名 | 秃子花、勒马回。

| 药 材 名 | 秃疮花 (药用部位 : 全草。别名 : 秃子花、勒马回、兔子花)。

| 形态特征 | 多年生草本，高 25 ~ 80 cm，全体含淡黄色液汁，被短柔毛，稀无毛。主根圆柱形。茎多，绿色，具粉，上部具多数等高的分枝。基生叶丛生，叶片狭倒披针形，长 10 ~ 15 cm，宽 2 ~ 4 cm，羽状深裂，裂片 4 ~ 6 对，再次羽状深裂或浅裂，小裂片先端渐尖，先端小裂片 3 浅裂，表面绿色，背面灰绿色，疏被白色短柔毛，叶柄条形，长 2 ~ 5 cm，疏被白色短柔毛，具数条纵纹；茎生叶少数，生于茎上部，长 1 ~ 7 cm，羽状深裂、浅裂或 2 回羽状深裂，裂片具疏齿，先端三角状渐尖，无柄。花 1 ~ 5 于茎和分枝先端排列成聚

伞花序；花梗长 2 ～ 2.5 cm，无毛，具苞片；花芽宽卵形，长约 1 cm；萼片卵形，长 0.6 ～ 1 cm，先端渐尖成距，距末明显扩大成匙形，无毛或被短柔毛；花瓣倒卵形至圆形，长 1 ～ 1.6 cm，宽 1 ～ 1.3 cm，黄色；雄蕊多数，花丝丝状，长 0.3 ～ 0.4 cm，花药长圆形，长 0.15 ～ 0.2 cm，黄色；子房狭圆柱形，长约 0.6 cm，绿色，密被疣状短毛，花柱短，柱头 2 裂，直立。蒴果线形，长 4 ～ 7.5 cm，直径约 0.2 cm，绿色，无毛，2 瓣自先端开裂至近基部；种子卵珠形，长约 0.05 cm，红棕色，具网纹。花期 3 ～ 5 月，果期 6 ～ 7 月。

| 生境分布 | 生于海拔 400 ～ 2 900（～ 3 700）m 的草坡或路旁，也常见于田埂、墙头、屋顶。分布于河北涉县、阜平、井陉等。

| 资源情况 | 野生资源丰富。药材主要来源于野生。

| 采收加工 | 夏、秋季采收，除去杂质，阴干或鲜用。

| 药材性状 | 本品根肥厚。茎呈圆柱形，扭曲，长 20 ～ 50 cm，直径 0.2 ～ 0.6 cm；茎表面灰绿色，疏被柔毛，老茎上具 1 ～ 2 纵沟。基生叶呈莲座状生于根头，具柄，叶片卷折皱缩，展平后呈狭长椭圆形，长 8 ～ 15 cm，宽 1.5 ～ 4 cm，羽状全裂或深裂，裂片具缺刻或浅裂；茎生叶卵形，羽状全裂，背面疏生柔毛。花瓣黄色；花萼外被柔毛；雄蕊多数。蒴果长圆柱形；种子多数，卵形。气微，味微苦。

| 功能主治 | 苦、涩，凉；有毒。清热解毒，消肿镇痛，杀虫。用于风火牙痛，咽喉痛，扁桃体炎，淋巴结结核，秃疮，疮疖疥癣，痈疽等。

| 用法用量 | 内服煎汤，9 ～ 15 g。外用适量，捣敷；或煎汤洗。

罂粟科 Papaveraceae 罂粟属 Papaver

野罂粟 *Papaver nudicaule* L.

| 植物别名 | 山大烟、山米壳、野大烟。

| 药 材 名 | 野罂粟（药用部位：带花的全草或果实。别名：山大烟、山罂粟、毛罂粟）、野罂粟壳（药用部位：果壳）。

| 形态特征 | 多年生草本，高 20 ~ 60 cm。主根圆柱形，延长，上部直径 2 ~ 5 mm，向下渐狭，或为纺锤状；根茎短，增粗，通常不分枝，密被麦秆色、覆瓦状排列的残枯叶鞘。茎极缩短。叶全部基生，叶片卵形至披针形，长 3 ~ 8 cm，羽状浅裂、深裂或全裂，裂片 2 ~ 4 对，全缘，或再次羽状浅裂或深裂，小裂片狭卵形、狭披针形或长圆形，先端急尖、钝或圆，两面稍具白粉，密被或疏被刚毛，极稀近无毛；叶柄长（1 ~）5 ~ 12 cm，基部扩大成鞘，被斜展的刚毛。花葶 1

至数枚，圆柱形，直立，密被或疏被斜展的刚毛；花单生于花葶先端；花蕾宽卵形至近球形，长 1.5 ~ 2 cm，密被褐色刚毛，通常下垂；萼片 2，舟状椭圆形，早落；花瓣 4，宽楔形或倒卵形，长（1.5 ~）2 ~ 3 cm，边缘具浅波状圆齿，基部具短爪，淡黄色、黄色或橙黄色，稀红色；雄蕊多数，花丝钻形，长 0.6 ~ 1 cm，黄色或黄绿色，花药长圆形，长 1 ~ 2 mm，黄白色、黄色，稀带红色；子房倒卵形至狭倒卵形，长 0.5 ~ 1 cm，密被紧贴的刚毛，柱头 4 ~ 8，辐射状。蒴果狭倒卵形、倒卵形或倒卵状长圆形，长 1 ~ 1.7 cm，密被紧贴的刚毛，具 4 ~ 8 淡色的宽肋；柱头盘平扁，具疏离、缺刻状的圆齿；种子多数，近肾形，小，褐色，表面具条纹和蜂窝小孔穴。花果期 5 ~ 9 月。

| 生境分布 | 生于海拔（580 ~）1 000 ~ 2 500（~ 3 500）m 的林下、林缘、山坡草地。分布于河北兴隆、阜平、灵寿等。

| 资源情况 | 野生资源稀少。药材主要来源于野生。

| 采收加工 | **野罂粟**：7 ~ 10 月采收，除去须根、泥土，晒干。
野罂粟壳：秋季果实成熟时采收，晒干。

| 功能主治 | **野罂粟**：酸、微苦，微寒；有毒。敛肺止咳，涩肠止泻，镇痛。用于久咳喘息，泻痢，便血，脱肛，遗精，带下，头痛，胃痛，痛经。
野罂粟壳：酸、微苦，微寒；有毒。敛肺，固涩，镇痛。用于慢性肠炎，慢性痢疾，久咳，喘息，胃痛，神经性头痛，偏头痛，痛经，带下，遗精，脱肛。

| 用法用量 | **野罂粟**：内服煎汤，3 ~ 6 g。
野罂粟壳：内服煎汤，3 ~ 6 g。

罂粟 *Papaver somniferum* L.

| **植物别名** | 大烟花、鸦片烟花。

| **药 材 名** | 罂粟壳（药用部位：果壳。别名：御米壳、米囊皮、米罂皮）。

| **形态特征** | 一年生草本，无毛，稀在植株下部或总花梗上被极少的刚毛，高 30 ~ 60（~ 100）cm，栽培者可达 1.5 m。主根近圆锥状，垂直。茎直立，不分枝，无毛，具白粉。叶互生，叶片卵形或长卵形，长 7 ~ 25 cm，先端渐尖至钝，基部心形，边缘具不规则的波状锯齿，两面无毛，具白粉，叶脉明显，略凸起；下部叶具短柄，上部叶无柄、抱茎。花单生；花梗长达 25 cm，无毛或稀散生刚毛；花蕾卵圆状长圆形或宽卵形，长 1.5 ~ 3.5 cm，宽 1 ~ 3 cm，无毛；萼片 2，宽卵形，绿色，边缘膜质；花瓣 4，近圆形或近扇形，长 4 ~ 7 cm，

宽 3 ~ 11 cm，边缘浅波状或各式分裂，白色、粉红色、红色、紫色或杂色；雄蕊多数，花丝线形，长 1 ~ 1.5 cm，白色，花药长圆形，长 3 ~ 6 mm，淡黄色；子房球形，直径 1 ~ 2 cm，绿色，无毛，柱头（5 ~ ）8 ~ 12（ ~ 18），辐射状，联合成扁平的盘状体，盘边缘深裂，裂片具细圆齿。蒴果球形或长圆状椭圆形，长 4 ~ 7 cm，直径 4 ~ 5 cm，无毛，成熟时褐色；种子多数，黑色或深灰色，表面呈蜂窝状。花果期 3 ~ 11 月。

| 生境分布 | 河北安国、易县、涞源等有栽培。

| 资源情况 | 栽培资源一般。药材主要来源于栽培。

| 采收加工 | 秋季将成熟果实或已割取浆汁后的成熟果实摘下、破开，除去种子和枝梗，晒干。

| 药材性状 | 本品呈椭圆形或瓶状卵形，多已破碎成片状，直径 1.5 ~ 5 cm，长 3 ~ 7 cm。外表面黄白色、浅棕色至淡紫色，平滑，略有光泽，无割痕，或有纵向或横向的割痕，先端有 6 ~ 14 放射状排列成圆盘状的残留柱头，基部有短柄。内表面淡黄色，微有光泽，有纵向排列的假隔膜，棕黄色，密布略凸起的棕褐色小点。体轻，质脆。气微清香，味微苦。

| 功能主治 | 酸、涩，平；有毒。归肺、大肠、肾经。敛肺，涩肠，止痛。用于久咳，久泻，脱肛，脘腹疼痛。

| 用法用量 | 内服煎汤，3 ~ 6 g。

| 罂粟科 | Papaveraceae | 罂粟属 | Papaver |

虞美人 *Papaver rhoeas* L.

| 植物别名 |

丽春花、赛牡丹、锦被花。

| 药 材 名 |

丽春花（药用部位：全草或花、果实。别名：赛牡丹、锦被花、百般娇）。

| 形态特征 |

一年生草本，全体被伸展的刚毛，稀无毛。茎直立，高 25 ~ 90 cm，具分枝，被淡黄色刚毛。叶互生，披针形或狭卵形，长 3 ~ 15 cm，宽 1 ~ 6 cm，羽状分裂，下部全裂，全裂片披针形或 2 回羽状浅裂，上部深裂或浅裂，裂片披针形，最上部呈粗齿状羽状浅裂，顶生裂片通常较大，小裂片先端均渐尖，两面被淡黄色刚毛，叶脉在背面凸起，在表面略凹；下部叶具柄，上部叶无柄。花单生于茎和分枝先端；花梗长 10 ~ 15 cm，被淡黄色平展的刚毛；花蕾长圆状倒卵形，下垂；萼片 2，宽椭圆形，长 1 ~ 1.8 cm，绿色，外面被刚毛；花瓣 4，圆形、横向宽椭圆形或宽倒卵形，长 2.5 ~ 4.5 cm，全缘，稀圆齿状或先端缺刻状，紫红色，基部通常具深紫色斑点；雄蕊多数，花丝丝状，长约 8 mm，深紫红色，花药长圆形，长约

1 mm，黄色；子房倒卵形，长 7 ~ 10 mm，无毛，柱头 5 ~ 18，辐射状，联合成扁平、边缘圆齿状的盘状体。蒴果宽倒卵形，长 1 ~ 2.2 cm，无毛，具不明显的肋；种子多数，肾状长圆形，长约 1 mm。花果期 3 ~ 8 月。

| **生境分布** | 河北多地有栽培。

| **资源情况** | 栽培资源丰富。药材来源于栽培。

| **采收加工** | 夏、秋季采收全草，晒干。夏季花盛开时采收花，晒干。夏、秋季分批采收成熟果实，撕开果皮将种子抖入容器内。

| **药材性状** | 本品鲜时花径长 5 ~ 8 cm，宽几与长相等，花瓣 4，呈广椭圆形，平滑而带光泽，全缘，稀具圆齿状波边，橘红色、猩红色或红紫堇色。干时皱缩成团，多变为深紫色，松脆易碎。鲜时具特异的芳香气，干时则味淡而具黏液性。

| **功能主治** | 苦、涩，微寒；有毒。归大肠经。镇咳，镇痛，止泻。用于咳嗽，偏头痛，腹痛，痢疾。

| **用法用量** | 内服煎汤，全草 3 ~ 6 g，花 1.5 ~ 3 g，果实 3 ~ 6 g。

罂粟科 Papaveraceae 紫堇属 Corydalis

齿瓣延胡索 Corydalis turtschaninovii Bess.

| 植物别名 | 蓝雀花、蓝花菜。

| 药 材 名 | 齿瓣延胡索（药用部位：块茎。别名：蓝雀花、蓝花菜）。

| 形态特征 | 多年生草本，高 10 ~ 30 cm。块茎圆球形，直径 1 ~ 3 cm，有时瓣裂。茎多少直立或斜伸，通常不分枝，基部以上具一大而反卷的鳞片，鳞片腋内有时具一腋生的块茎或枝条；茎生叶叶腋通常无枝条，但枝条有时生于栽培条件下的个体。茎生叶通常 2，二回或近三回三出，末回小叶变异极大，全缘，或具粗齿和深裂，或篦齿状分裂，裂片宽椭圆形、倒披针形或线形，钝或具短尖。总状花序花期密集，具 6 ~ 20（~ 30）花；苞片楔形，篦齿状多裂，稀分裂较少，约与花梗等长；花梗花期长 5 ~ 10 mm，果期长 10 ~ 20 mm；萼片小，

不明显；花蓝色、白色或紫蓝色；外花瓣宽展，边缘常具浅齿，先端下凹，具短尖；上花瓣长 2 ~ 2.5 cm；距直或先端稍下弯，长 1 ~ 1.4 cm；蜜腺体占距长的 1/3 ~ 1/2，末端钝；内花瓣长 9 ~ 12 mm；柱头扁四方形，先端具 4 乳突，基部下延成 2 尾状突起。蒴果线形，长 1.6 ~ 2.6 cm，具 1 列种子，多少扭曲；种子平滑，直径约 1.5 mm；种阜远离。

| **生境分布** | 生于林缘和林间空地。分布于河北涉县、武安、蔚县等。

| **资源情况** | 野生资源较少。药材主要来源于野生。

| **采收加工** | 5 月上旬茎叶枯萎时采挖，搓去浮皮，洗净，按大、中、小分成 3 档，大、中块茎放入 80 ~ 90 ℃的水中煮 3 ~ 4 分钟，小块茎煮 2 分钟，随时翻动，至内无白心、呈黄色时捞出，晒干。

| **药材性状** | 本品块茎呈扁球形、宽锥形或细锥状，单一或少数呈分瓣状，直径 0.5 ~ 2.5 cm；表面鲜黄色或黄色，外皮全脱落；底部有不定根痕，上部有少数疙瘩状侧块茎，主、侧块茎上部凹陷处有茎痕及芽。质坚硬，断面鲜黄色，角质，有蜡样光泽。气微，味苦。

| **功能主治** | 辛、苦，温。归肝、胃经。活血，散瘀，理气，止痛。用于心腹腰膝诸痛，月经不调，癥瘕，崩中，产后血晕，恶露不尽，跌打损伤等。

| **用法用量** | 内服煎汤，3 ~ 10 g；或研末，1.5 ~ 3 g；或入丸、散剂。

罂粟科 Papaveraceae 紫堇属 Corydalis

地丁草

Corydalis bungeana Turcz.

| **植物别名** | 堇、苦地丁、地丁。

| **药 材 名** | 苦地丁（药用部位：全草。别名：地丁、地丁草、紫花地丁）。

| **形态特征** | 二年生灰绿色草本，高 10 ~ 50 cm，具主根。茎自基部铺散分枝，灰绿色，具棱。基生叶多数，长 4 ~ 8 cm，叶柄约与叶片等长，基部多少具鞘，边缘膜质；叶片上面绿色，下面苍白色，2 ~ 3 回羽状全裂，一回羽片 3 ~ 5 对，具短柄，二回羽片 2 ~ 3 对，先端分裂成短小的裂片，裂片先端圆钝；茎生叶与基生叶同形。总状花序长 1 ~ 6 cm，多花，先密集，后疏离，果期伸长；苞片叶状，具柄至近无柄，明显长于长梗；花梗短，长 2 ~ 5 mm；萼片宽卵圆形至三角形，长 0.7 ~ 1.5 mm，具齿，常早落；花粉红色至淡紫色，平展；

外花瓣先端多少下凹，具浅鸡冠状突起，边缘具浅圆齿；上花瓣长 1.1 ~ 1.4 cm；距长 4 ~ 5 mm，稍向上斜伸，末端多少囊状膨大；蜜腺体约占距长的 2/3，末端稍增粗；下花瓣稍向前伸出；爪向后渐狭，稍长于瓣片；内花瓣先端深紫色；柱头小，圆肾形，先端稍下凹，两侧基部稍下延，无乳突而具膜质的边缘。蒴果椭圆形，下垂，长 1.5 ~ 2 cm，宽 4 ~ 5 mm，具 2 列种子；种子直径 2 ~ 2.5 mm，边缘具 4 ~ 5 列小凹点；种阜鳞片状，长 1.5 ~ 1.8 cm。

| **生境分布** | 生于近海平面至海拔 1 500 m 的多石坡地或河水泛滥地段。分布于河北武安、内丘、蔚县等。

| **资源情况** | 野生资源丰富。药材来源于野生。

| **采收加工** | 夏季花果期采收，除去杂质，晒干。

| **药材性状** | 本品皱缩成团，长 10 ~ 30 cm。主根圆锥形，表面棕黄色。茎细，多分枝，表面灰绿色或黄绿色，具 5 纵棱，质软，断面中空。叶多皱缩破碎，暗绿色或灰绿色，完整叶片 2 ~ 3 回羽状全裂。花少见，花冠唇形，有距，淡紫色。蒴果扁长椭圆形，呈荚果状；种子扁心形，黑色，有光泽。气微，味苦。

| **功能主治** | 苦，寒。归心、肝、大肠经。清热解毒，散结消肿。用于时疫感冒，咽喉肿痛，疔疮肿痛，痈疽发背，痄腮，丹毒。

| **用法用量** | 内服煎汤，9 ~ 15 g。外用适量，煎汤洗。

罂粟科 Papaveraceae 紫堇属 Corydalis

黄堇
Corydalis pallida (Thunb.) Pers.

| 植物别名 | 山黄堇、珠果黄堇、黄花地丁。

| 药 材 名 | 深山黄堇（药用部位：全草或根。别名：石莲、断肠草、田饭酸）。

| 形态特征 | 灰绿色丛生草本，高 20 ~ 60 cm。具主根，少数侧根发达，呈须根状。茎 1 至多条，发自基生叶叶腋，具棱，常上部分枝。基生叶多数，莲座状，花期枯萎；茎生叶稍密集，下部的具柄，上部的近无柄，上面绿色，下面苍白色，2 回羽状全裂，一回羽片 4 ~ 6 对，具短柄至无柄，二回羽片无柄，卵圆形至长圆形，顶生的较大，长 1.5 ~ 2 cm，宽 1.2 ~ 1.5 cm，3 深裂，裂片边缘具圆齿状裂片，裂片先端圆钝，近具短尖，侧生的较小，常具 4 ~ 5 圆齿。总状花序顶生和腋生，有时对叶生，长约 5 cm，疏具多花和或长或短的花序

轴；苞片披针形至长圆形，具短尖，约与花梗等长；花梗长 0.4 ~ 0.7 cm；花黄色至淡黄色，较粗大，平展；萼片近圆形，中央着生，直径约 0.1 cm，边缘具齿；外花瓣先端勺状，具短尖，无鸡冠状突起，或有时仅上花瓣具浅鸡冠状突起，上花瓣长 1.7 ~ 2.3 cm，距约占花瓣全长的 1/3，背部平直，腹部下垂，稍下弯；蜜腺体约占距长的 2/3，末端钩状弯曲；下花瓣长约 1.4 cm，内花瓣长约 1.3 cm，具鸡冠状突起，爪约与瓣片等长；雄蕊束披针形；子房线形，柱头具横向伸出的 2 臂，各枝先端具 3 乳突。蒴果线形，念珠状，长 2 ~ 4 cm，宽约 0.2 cm，斜伸至下垂，具 1 列种子；种子黑亮，直径约 0.2 cm，表面密具圆锥状突起，中部较低平；种阜帽状，约包裹种子的 1/2。

| **生境分布** | 生于林间空地、火烧迹地、林缘、河岸或多石坡地。分布于河北兴隆、围场、抚宁等。

| **资源情况** | 野生资源丰富。药材来源于野生。

| **采收加工** | 春、夏季采收，鲜用或晒干。

| **药材性状** | 茎无毛。叶 2 回羽状全裂。总状花序较长，花大，圆筒状，长 5 ~ 6 cm。蒴果串珠状；种子黑色，密生圆锥形小突起。

| **功能主治** | 微苦，凉；有毒。归肝、肺、大肠经。清热利湿，解毒。用于湿热泄泻，赤白痢疾，带下，痈疮热疖，丹毒，风火赤眼。

| **用法用量** | 内服煎汤，3 ~ 6 g，鲜品 15 ~ 30 g；或捣汁。外用适量，捣敷；或用根以酒、醋磨汁搽。

罂粟科 Papaveraceae 紫堇属 Corydalis

刻叶紫堇 *Corydalis incisa* (Thunb.) Pers.

| **植物别名** | 地锦苗、断肠草、羊不吃。

| **药材名** | 紫花鱼灯草（药用部位：全草或根。别名：天奎草、千年老鼠矢、爆竹花）。

| **形态特征** | 灰绿色直立草本，高 15 ~ 60 cm。根茎短而肥厚，椭圆形。茎不分枝或少分枝，具叶。叶具长柄，基部具鞘，叶片 2 回三出，一回羽片具短柄，二回羽片近无柄，菱形或宽楔形，长约 2 cm，宽 1 cm，3 深裂，裂片具缺刻状齿。总状花序长 3 ~ 12 cm，多花，先密集，后疏离；苞片约与花梗等长，菱形或楔形，具缺刻状齿；花梗长约 1 cm；萼片小，长约 0.1 cm，丝状深裂；花紫红色至紫色，稀淡蓝色至苍白色，平展，大小的变异幅度较大；外花瓣先端

圆钝，平截至多少下凹，先端稍后具陡峭的鸡冠状突起；上花瓣长（1.6～）2～2.5 cm；距圆筒形，近直，约与瓣片等长或稍短；蜜腺体短，占距长的 1/4～1/3，末端稍圆钝；下花瓣基部常具小距或浅囊，有时发育不明显；内花瓣先端深紫色；柱头近扁四方形，先端具 4 短柱状乳突，侧面具 2 对无柄的双生乳突。蒴果线形至长圆形，长 1.5～2 cm，具 1 列种子。

| 生境分布 | 生于近海平面至海拔 1 800 m 的林缘、路边或疏林下。分布于河北平泉、蔚县、易县等。

| 资源情况 | 野生资源丰富。药材来源于野生。

| 采收加工 | 花期采收全草，夏季枯萎后采挖根，除去泥土和杂质，鲜用或晒干。

| 功能主治 | 苦、辛，寒；有毒。归肺、胃经。解毒，杀虫。用于疮疡肿毒，疥癞顽癣，湿疹，毒蛇咬伤。

| 用法用量 | 外用适量，捣敷；或煎汤洗；或用酒、醋磨汁搽。

罂粟科 Papaveraceae 紫堇属 Corydalis

全叶延胡索 *Corydalis repens* Mandl et Muehld.

| 药 材 名 | 东北延胡索（药用部位：块茎。别名：延胡索、蓝花菜、蓝花豆）。

| 形态特征 | 多年生草本，高 8 ~ 14（~ 20）cm。块茎球形，直径 1 ~ 1.5 cm，有时瓣裂，内质近白色，微苦。茎细长，基部以上具 1 鳞片，枝条发自鳞片腋内。叶二回三出，小叶披针形至倒卵形，全缘，有时分裂，长 0.6 ~ 2.5（~ 4）cm，宽 0.5 ~ 1.6（~ 2）cm，常具浅白色的条纹或斑点，光滑或边缘具粗糙的小乳突。总状花序具（3 ~ ）6 ~ 14 花；苞片披针形至卵圆形，全缘或先端稍分裂，下部的长约 1 cm，宽 0.4 ~ 0.6 cm；花梗纤细，一般长 0.6 ~ 1.4 cm，有时果期长达 20 cm，多少具乳突状毛；花浅蓝色、蓝紫色或紫红色；外花瓣宽展，具平滑的边缘，先端下凹；上花瓣长 1.5 ~ 1.9 cm，瓣片常上弯；

距圆筒形，直或末端稍下弯，长 0.7 ~ 0.9 cm；蜜腺体约贯穿距长的 1/2，渐尖；下花瓣略向前伸，长 0.6 ~ 0.8 cm；内花瓣长 0.5 ~ 0.7 cm，具半圆形且伸出先端的鸡冠状突起；柱头小，扁圆形，具不明显的 6 ~ 8 乳突。蒴果宽椭圆形或卵圆形，长 0.8 ~ 1 cm，具 4 ~ 6 种子，2 列；种子直径约 0.15 cm，光滑，种阜鳞片状，白色。

| **生境分布** | 生于海拔 700 ~ 1 000 m 的灌木林下或林缘。分布于河北武安、永年、磁县等。

| **资源情况** | 野生资源丰富。药材来源于野生。

| **采收加工** | 5 ~ 6 月挖取，除去外皮，用开水煮至内部变黄，晒干。

| **药材性状** | 本品呈球形、扁球形或长球状，直径 5 ~ 10 mm；表面黄色或黄棕色，无明显皱纹；上端微凹处有茎痕，底部可见不定根痕。质坚硬，断面白色或黄白色。气微，味较苦。

| **功能主治** | 辛、苦，温。归肝、胃经。活血，散瘀，理气，止痛。用于心腹腰膝诸痛，痛经，月经不调，产后瘀滞腹痛，崩漏，跌打损伤。

| **用法用量** | 内服煎汤，3 ~ 9 g；或研末入丸、散剂。

罂粟科 Papaveraceae 紫堇属 Corydalis

蛇果黄堇
Corydalis ophiocarpa Hook. f. et Thoms.

| 植物别名 |

弯果黄堇、断肠草。

| 药 材 名 |

蛇果黄堇（药用部位：全草）。

| 形态特征 |

丛生灰绿色草本，高 30 ～ 120 cm，具主根。茎常多条，具叶，分枝，枝条花葶状，对叶生。基生叶多数，长 10 ～ 50 cm，叶柄约与叶片等长，边缘具膜质翅，延伸至叶片基部，叶片长圆形，1 ～ 2 回羽状全裂，一回羽片 4 ～ 5 对，具短柄，二回羽片 2 ～ 3 对，无柄，倒卵圆形至长圆形，3 ～ 5 裂，裂片长 3 ～ 10 mm，宽 1 ～ 5 mm，具短尖；茎生叶与基生叶同形，下部的具长柄，上部的具短柄，近 1 回羽状全裂，叶柄边缘延伸至叶片基部的翅较基生叶更明显。总状花序长 10 ～ 30 cm，多花，具短花序轴；苞片线状披针形，长约 5 mm；花梗长 5 ～ 7 mm；花淡黄色至苍白色，平展；外花瓣先端着色较深，渐尖；上花瓣长 9 ～ 12 mm；距短囊状，占花瓣全长的 1/4 ～ 1/3，多少上升；蜜腺体约贯穿距长的 1/2；下花瓣舟状，多少向前伸出；内花瓣先端暗紫红色至暗绿

色，具伸出先端的鸡冠状突起，爪短于瓣片；雄蕊束披针形，上部缢缩成丝状；子房线形，稍长于花柱；柱头宽浅，具 4 乳突，顶生 2 呈广角状分叉，侧生 2 呈两臂状伸出，先下弯再弧形上伸。蒴果线形，长 1.5 ～ 2.5 cm，宽约 1 mm，蛇形弯曲，具 1 列种子；种子小，黑亮，具伸展狭直的种阜。

| 生境分布 | 生于海拔（200 ～）1 100 ～ 2 700（～ 4 000）m 的沟谷林缘。分布于河北阜平、灵寿、武安等。

| 资源情况 | 野生资源丰富。药材来源于野生。

| 采收加工 | 春、夏季采收，洗净，晒干或鲜用。

| 功能主治 | 苦、辛，温；有毒。活血止痛，祛风止痒。用于跌打损伤，皮肤瘙痒症。

| 用法用量 | 内服煎汤，6 ～ 10 g。外用适量，捣敷。

线叶齿瓣延胡索 *Corydalis remota* Fisch. ex Maxim. var. *lineariloba* Maxim.

| 药 材 名 | 北延胡索（药用部位：块茎）。

| 形态特征 | 多年生草本，高 10 ~ 30 cm。块茎圆球形，直径 1 ~ 3 cm，有时瓣裂。茎多少直立或斜伸，通常不分枝，基部以上具一大而反卷的鳞片，鳞片腋内有时具一腋生的块茎或枝条；茎生叶叶腋通常无枝条，但枝条有时生于栽培条件下的个体。茎生叶通常 2，二回或近三回三出，叶的末回裂片狭披针形至长圆状线形，全缘，具锐尖头。总状花序花期密集，具 6 ~ 20（~ 30）花；苞片楔形，篦齿状多裂，稀分裂较少，约与花梗等长；花梗花期长 5 ~ 10 mm，果期长 10 ~ 20 mm；萼片小，不明显；花蓝色、白色或紫蓝色；外花瓣宽展，边缘常具浅齿，先端下凹，具短尖；上花瓣长 2 ~ 2.5 cm；距

直或先端稍下弯，长 1 ~ 1.4 cm；蜜腺体占距长的 1/3 ~ 1/2，末端钝；内花瓣长 9 ~ 12 mm；柱头扁四方形，先端具 4 乳突，基部下延成 2 尾状突起。蒴果线形，长 1.6 ~ 2.6 cm，具 1 列种子，多少扭曲；种子平滑，直径约 1.5 mm；种阜远离。

| **生境分布** | 多生于林下或林缘灌丛间。分布于河北承德及三河等。

| **资源情况** | 野生资源丰富。药材来源于野生。

| **采收加工** | 6 月采挖，除去地上部分及须根，洗净泥土，以沸水煮透，晒干。

| **功能主治** | 辛、苦，温。活血散瘀，行气止痛。用于胸胁胀痛，月经不调，腹痛，积聚痞块。

| **用法用量** | 内服煎汤，5 ~ 15 g。

罂粟科 Papaveraceae 紫堇属 Corydalis

延胡索

Corydalis yanhusuo W. T. Wang

| 植物别名 | 元胡、长距元胡。

| 药 材 名 | 延胡索（药用部位：块茎。别名：元胡）。

| 形态特征 | 多年生草本，高 10 ～ 30 cm。块茎圆球形，直径（0.5 ～）1 ～ 2.5 cm。
茎直立，常分枝，基部以上具 1 鳞片，有时具 2 鳞片，通常具 3 ～ 4
茎生叶，鳞片和下部茎生叶常具腋生块茎。叶二回三出或近三回
三出，小叶 3 裂，具全缘的披针形裂片，裂片长 2 ～ 2.5 cm，宽
5 ～ 8 mm；下部茎生叶常具长柄，叶柄基部具鞘。总状花序疏生
5 ～ 15 花，苞片披针形或狭卵圆形，全缘，有时下部的稍分裂，长
约 8 mm；花梗花期长约 1 cm，果期长约 2 cm；花紫红色；萼片小，
早落；外花瓣宽展，具齿，先端微凹，具短尖；上花瓣长（1.5 ～）

2 ～ 2.2 cm，瓣片与距常上弯；距圆筒形，长 1.1 ～ 1.3 cm；蜜腺体约贯穿距长的 1/2，末端钝；下花瓣具短爪，向前渐增大成宽展的瓣片；内花瓣长 8 ～ 9 mm，爪长于瓣片；柱头近圆形，具 8 较长的乳突。蒴果线形，长 2 ～ 2.8 cm，具 1 列种子。

| **生境分布** | 生于丘陵草地。分布于河北兴隆、滦平、丰宁等。

| **资源情况** | 野生资源一般。药材主要来源于栽培。

| **采收加工** | 夏初茎叶枯萎时采挖，除去须根，洗净，置沸水中煮至无白心时，取出，晒干。

| **药材性状** | 本品呈不规则的扁球形，直径 0.5 ～ 1.5 cm。表面黄色或黄褐色，有不规则网状皱纹。先端中间有略凹陷的茎痕，底部常有疙瘩状突起。质硬而脆，断面黄色，角质样，有蜡样光泽。气微，味苦。

| **功能主治** | 辛、苦，温。归肝、脾经。活血，利气，止痛。用于胸胁、脘腹疼痛，胸痹心痛，闭经痛经，产后瘀阻，跌仆肿痛。

| **用法用量** | 内服煎汤，3 ～ 10 g；或研末吞服，1 次 1.5 ～ 3 g。

罂粟科 Papaveraceae 紫堇属 Corydalis

紫堇
Corydalis edulis Maxim.

| 植物别名 | 闷头花。

| 药 材 名 | 紫堇（药用部位：全草或根。别名：野花生、断肠草、蝎子花）。

| 形态特征 | 一年生灰绿色草本，高 20 ～ 50 cm，具主根。茎分枝，具叶；花枝花葶状，常与叶对生。基生叶具长柄，叶片近三角形，长 5 ～ 9 cm，上面绿色，下面苍白色，1 ～ 2 回羽状全裂，一回羽片 2 ～ 3 对，具短柄，二回羽片近无柄，倒卵圆形，羽状分裂，裂片狭卵圆形，先端钝，近具短尖；茎生叶与基生叶同形。总状花序疏具 3 ～ 10 花；苞片狭卵圆形至披针形，渐尖，全缘，有时下部的疏具齿，约与花梗等长或稍长；花梗长约 5 mm；萼片小，近圆形，直径约 1.5 mm，具齿。花粉红色至紫红色，平展；外花瓣较宽展，先端微凹，无

鸡冠状突起；上花瓣长 1.5 ~ 2 cm；距圆筒形，基部稍下弯，约占花瓣全长的 1/3；蜜腺体长，近伸达距末端，大部分与距贴生，末端不变狭；下花瓣近基部渐狭；内花瓣具鸡冠状突起；爪纤细，稍长于瓣片；柱头横向纺锤形，两端各具 1 乳突，上面具沟槽，槽内具极细小的乳突。蒴果线形，下垂，长 3 ~ 3.5 cm，具 1 列种子；种子直径约 1.5 mm，密生环状小凹点，种阜小，紧贴种子。

| **生境分布** | 生于海拔 400 ~ 1 200 m 的丘陵、沟边或多石地。分布于河北井陉、涞源、滦平等。

| **资源情况** | 野生资源丰富。药材来源于野生。

| **采收加工** | 春、夏季采挖，除去杂质，洗净，阴干或鲜用。

| **功能主治** | 苦、涩，凉；有毒。归肺、肾、脾经。清热解毒，杀虫止痒。用于疮疡肿毒，聤耳流脓，咽喉疼痛，顽癣，秃疮，毒蛇咬伤。

| **用法用量** | 内服煎汤，4 ~ 10 g。外用适量，捣敷；或研末调敷；或煎汤洗。

十字花科 Brassicaceae 白芥属 Sinapis

白芥

Sinapis alba Linnaeus

| 药 材 名 | 芥子（药用部位：种子。别名：芥菜子、青菜子、黄芥子）。

| 形态特征 | 一年生草本，高达 75（~ 100）cm。茎直立，有分枝，具稍外折的硬单毛。下部叶大头羽裂，长 5 ~ 15 cm，宽 2 ~ 6 cm，有 2 ~ 3 对裂片，顶裂片宽卵形，长 3.5 ~ 6 cm，宽 3.5 ~ 4.5 cm，常 3 裂，侧裂片长 1.5 ~ 2.5 cm，宽 0.5 ~ 1.5 cm，二者先端皆圆钝或急尖，基部和叶轴汇合，边缘有不规则粗锯齿，两面粗糙，有柔毛或近无毛，叶柄长 1 ~ 1.5 cm；上部叶卵形或长圆卵形，长 2 ~ 4.5 cm，边缘有缺刻状裂齿，叶柄长 3 ~ 10 mm。总状花序具多数花，果期长达 30 cm，无苞片；花淡黄色，直径约 1 cm；花梗开展或稍外折，长 5 ~ 14 mm；萼片长圆形或长圆状卵形，长 4 ~ 5 mm，无毛或稍有

毛，具白色膜质边缘；花瓣倒卵形，长 8 ～ 10 mm，具短爪。长角果近圆柱形，长 2 ～ 4 cm，宽 0.3 ～ 0.4 cm，直立或弯曲，具糙硬毛，果瓣有 3 ～ 7 平行脉；喙稍扁压，剑状，长 6 ～ 15 mm，常弯曲，向先端渐细，有 0 ～ 1 种子；种子每室 1 ～ 4，球形，直径约 2 mm，黄棕色，有细窝穴。花果期 6 ～ 8 月。

| **生境分布** | 生于海拔 1 300 ～ 1 900 m 的紫色土或砂壤土中。分布于河北唐山及围场等。河北多地有栽培。

| **资源情况** | 野生资源稀少。药材主要来源于栽培。

| **采收加工** | 夏末秋初果实成熟时采割植株，晒干，打下种子，除去杂质。

| **药材性状** | 本品呈球形，直径 1.5 ～ 2.5 mm。表面灰白色至淡黄色，具细微的网纹，有明显的点状种脐。种皮薄而脆，破开后内有白色、折叠的子叶，有油性。气微，味辛、辣。

| **功能主治** | 辛，温。归肺经。温肺豁痰理气，散结通络止痛。用于寒痰咳嗽，胸胁胀痛，痰滞经络，关节麻木、疼痛，痰湿流注，阴疽肿毒。

| **用法用量** | 内服煎汤，3 ～ 9 g。外用适量。

十字花科 Brassicaceae 播娘蒿属 Descurainia

播娘蒿

Descurainia sophia (L.) Webb. ex Prantl

| 植物别名 | 腺毛播娘蒿。

| 药 材 名 | 葶苈子（药用部位：种子。别名：丁历、大适、大室）。

| 形态特征 | 一年生草本，高 20 ~ 80 cm，有毛或无毛，毛为叉状毛，以下部茎生叶为多，向上渐少。茎直立，分枝多，常于下部呈淡紫色。叶为 3 回羽状深裂，长 2 ~ 12（~ 15）cm，末端裂片条形或长圆形，裂片长（2 ~）3 ~ 5（~ 10）mm，宽 0.8 ~ 1.5（~ 2）mm，下部叶具柄，上部叶无柄。花序伞房状，果期伸长；萼片直立，早落，长圆条形，背面有分叉的细柔毛；花瓣黄色，长圆状倒卵形，长 2 ~ 2.5 mm，或稍短于萼片，具爪；雄蕊 6，比花瓣长 1/3。长角果圆筒状，长 2.5 ~ 3 cm，宽约 0.1 mm，无毛，稍内曲，与果柄不成

1 条直线，果瓣中脉明显；果柄长 1 ~ 2 cm；种子每室 1 行，形小，多数，长圆形，长约 1 mm，稍扁，淡红褐色，表面有细网纹。花期 4 ~ 5 月。

| 生境分布 | 生于山坡、田野及农田。分布于河北阜平、定州、井陉等。

| 资源情况 | 野生资源一般。药材主要来源于野生。

| 采收加工 | 夏季果实成熟时采割植株，晒干，搓出种子，除去杂质。

| 药材性状 | 本品呈长圆形，略扁，长 0.8 ~ 1.2 mm，宽约 0.5 mm。表面棕色或红棕色，微有光泽，具 2 纵沟，其中 1 条较明显。一端钝圆，另一端微凹或较平截，种脐类白色，位于凹入端或平截处。气微，味微辛、苦，略带黏性。

| 功能主治 | 辛、苦，大寒。归肺、膀胱经。泻肺平喘，行水消肿。用于痰涎壅肺之喘咳痰多，胸胁胀满，不得平卧，胸腹水肿，小便不利。

| 用法用量 | 内服煎汤，3 ~ 10 g，包煎。

豆瓣菜

Nasturtium officinale R. Br.

| 植物别名 | 水生菜。

| 药 材 名 | 西洋菜干（药用部位：全草。别名：豆瓣菜、无心菜、西洋菜）。

| 形态特征 | 多年生水生草本，高 20 ~ 40 cm，全体光滑无毛。茎匍匐或浮水生，多分枝，节上生不定根。奇数羽状复叶，小叶片 3 ~ 7（~ 9），宽卵形、长圆形或近圆形，先端 1 较大，长 2 ~ 3 cm，宽 1.5 ~ 2.5 cm，具钝头或微凹，近全缘或呈浅波状，基部平截，小叶柄细而扁；侧生小叶与顶生小叶相似，基部不对称，叶柄基部呈耳状，略抱茎。总状花序顶生，花多数；萼片长卵形，长 2 ~ 3 mm，宽约 1 mm，边缘膜质，基部略呈囊状；花瓣白色，倒卵形或宽匙形，具脉纹，长 3 ~ 4 mm，宽 1 ~ 1.5 mm，先端圆，基部渐狭成细爪。长角果

圆柱形而扁，长 15 ~ 20 mm，宽 1.5 ~ 2 mm；果柄纤细，开展或微弯；花柱短；种子每室 2 行，卵形，直径约 1 mm，红褐色，表面具网纹。花期 4 ~ 5 月，果期 6 ~ 7 月。

| **生境分布** | 生于水沟边、山涧河边、沼泽地或水田中。分布于河北行唐、灵寿、平泉等。

| **资源情况** | 野生资源一般。药材主要来源于栽培。

| **采收加工** | 春季或冬季采收，晒干。

| **药材性状** | 本品匍匐茎细长，缠绕成团，节上具多数纤细的不定根，易断。叶多皱缩，奇数羽状复叶，叶片宽卵形或长椭圆形，先端 1 较大，全缘或波状，基部宽楔形；侧生小叶基部不对称，叶柄基部下延成耳状，略抱茎。长角果圆柱形而扁，先端有宿存的短花柱；种子扁圆形或近椭圆形，红褐色，有网状纹理。气微，味苦、辛。

| **功能主治** | 甘、淡，凉。归肺经。清肺凉血，利尿，解毒。用于肺热燥咳，淋证，疔毒肿痛，皮肤瘙痒。

| **用法用量** | 内服煎汤，10 ~ 15 g；或煮食。外用适量，捣敷。

十字花科 Brassicaceae 独行菜属 Lepidium

独行菜
Lepidium apetalum Willdenow

| 植物别名 | 腺独行菜、腺茎独行菜。

| 药 材 名 | 葶苈子（药用部位：种子。别名：丁历、大适、大室）。

| 形态特征 | 一年生或二年生草本，高 5 ~ 30 cm。茎直立，有分枝，无毛或具微小头状毛。基生叶窄匙形，1 回羽状浅裂或深裂，长 3 ~ 5 cm，宽 1 ~ 1.5 cm；叶柄长 1 ~ 2 cm；茎上部叶线形，有疏齿或全缘。总状花序在果期可延长至 5 cm；萼片早落，卵形，长约 0.8 mm，外面具柔毛；花瓣不存或退化成丝状，比萼片短；雄蕊 2 或 4。短角果近圆形或宽椭圆形，扁平，长 2 ~ 3 mm，宽约 2 mm，先端微缺，上部有短翅，隔膜宽不到 1 mm；果柄弧形，长约 3 mm；种子椭圆形，长约 1 mm，平滑，棕红色。花果期 5 ~ 7 月。

| **生境分布** | 生于海拔 400 ~ 2 000 m 的山坡、山沟、路旁及村庄附近。分布于河北昌黎、赤城、定州等。

| **资源情况** | 野生资源丰富。药材主要来源于栽培。

| **采收加工** | 夏季果实成熟时采割植株，晒干，搓出种子，除去杂质。

| **药材性状** | 本品呈扁卵形，长 1 ~ 1.5 mm，宽 0.5 ~ 1 mm。一端钝圆，另一端尖而微凹，种脐位于凹入端。味微辛辣，黏性较强。

| **功能主治** | 辛、苦，大寒。归肺、膀胱经。泻肺平喘，行水消肿。用于痰涎壅肺之喘咳痰多，胸胁胀满，不得平卧，胸腹水肿，小便不利。

| **用法用量** | 内服煎汤，3 ~ 10 g，包煎。

十字花科 Brassicaceae 独行菜属 Lepidium

宽叶独行菜
Lepidium latifolium Linnaeus

| 植物别名 | 光果宽叶独行菜。

| 药 材 名 | 宽叶独行菜（药用部位：全草）。

| 形态特征 | 多年生草本，高30～150 cm。茎直立，上部多分枝，基部稍木质化，无毛或疏生单毛。基生叶及茎下部叶革质，长圆状披针形或卵形，长3～6 cm，宽3～5 cm，先端急尖或圆钝，基部楔形，全缘或具牙齿，两面被柔毛，叶柄长1～3 cm；茎上部叶披针形或长圆状椭圆形，长2～5 cm，宽5～15 mm，无柄。总状花序圆锥状；萼片脱落，卵状长圆形或近圆形，长约1 mm，先端圆形；花瓣白色，倒卵形，长约2 mm，先端圆形，爪明显或不明显；雄蕊6。短角果宽卵形或近圆形，长1.5～3 mm，先端全缘，基部圆钝，无翅，

有柔毛，花柱极短；果柄长 2 ~ 3 mm；种子宽椭圆形，长约 1 mm，压扁，浅棕色，无翅。花期 5 ~ 7 月，果期 7 ~ 9 月。

| **生境分布** | 生于海拔 1 800 ~ 4 250 m 的村旁、田边、山坡及盐化草甸。分布于河北张北等。

| **资源情况** | 野生资源一般。药材主要来源于栽培。

| **采收加工** | 夏季采收，洗净，晒干或鲜用。

| **功能主治** | 清热燥湿。用于细菌性痢疾，肠炎。

| **用法用量** | 内服煎汤，25 ~ 50 g。

十字花科 Brassicaceae 蔊菜属 Rorippa

风花菜

Rorippa globosa (Turcz.) Hayek.

| 植物别名 | 球果蔊菜、圆果蔊菜、银条菜。

| 药 材 名 | 风花菜（药用部位：全草）。

| 形态特征 | 一年生或二年生直立粗壮草本，高 20 ~ 80 cm，植株被白色硬毛或近无毛。茎单一，基部木质化，下部被白色长毛，上部近无毛，分枝或不分枝。茎下部叶具柄，上部叶无柄，叶片长圆形至倒卵状披针形，长 5 ~ 15 cm，宽 1 ~ 2.5 cm，基部渐狭，下延成短耳状而半抱茎，边缘具不整齐粗齿，两面被疏毛，尤以叶脉为明显。总状花序多数，呈圆锥花序式排列，果期伸长；花小，黄色，具细梗，长 4 ~ 5 mm；萼片 4，长卵形，长约 1.5 mm，开展，基部等大，边缘膜质；花瓣 4，倒卵形，与萼片等长或稍短，基部渐狭成短爪；

雄蕊6，四强或近等长。短角果近球形，直径约2 mm，果瓣隆起，平滑无毛，有不明显网纹，先端具宿存短花柱；果柄纤细，水平开展或稍向下弯，长4～6 mm；种子多数，淡褐色，极细小，扁卵形，一端微凹；子叶缘倚胚根。花期4～6月，果期7～9月。

| 生境分布 | 生于海拔30～2 500 m的河岸、湿地、路旁、沟边、草丛中和干旱处。分布于河北滦平、平泉、迁西等。

| 资源情况 | 野生资源丰富。药材来源于栽培。

| 采收加工 | 夏季采收，除去杂质，晒干，切段。

| 功能主治 | 辛，凉。归心、肝、肺经。清热利尿，解毒消肿。用于水肿，黄疸，淋病，腹水，咽痛，痈肿，烫火伤。

| 用法用量 | 内服煎汤，6～15 g。外用适量，捣敷。

十字花科 Brassicaceae 蔊菜属 Rorippa

蔊菜
Rorippa indica (L.) Hiern

| 植物别名 | 印度蔊菜、塘葛菜、葶苈。

| 药材名 | 蔊菜（药用部位：全草）。

| 形态特征 | 一年生或二年生直立草本，高 20 ~ 40 cm，植株较粗壮，无毛或具疏毛。茎单一或分枝，表面具纵沟。叶互生，基生叶及茎下部叶具长柄，叶形多变化，通常大头羽状分裂，长 4 ~ 10 cm，宽 1.5 ~ 2.5 cm，先端裂片大，卵状披针形，边缘具不整齐牙齿，侧裂片 1 ~ 5 对；茎上部叶宽披针形或匙形，边缘具疏齿，具短柄或基部耳状抱茎。总状花序顶生或侧生，花小，多数，具细花梗；萼片 4，卵状长圆形，长 3 ~ 4 mm；花瓣 4，黄色，匙形，基部渐狭成短爪，与萼片近等长；雄蕊 6，2 稍短。长角果线状圆柱形，短而粗，长 1 ~

2 cm，宽 1 ~ 1.5 mm，直立或稍内弯，成熟时果瓣隆起；果柄纤细，长 3 ~ 5 mm，斜升或近水平开展；种子每室 2 行，多数，细小，卵圆形而扁，一端微凹，表面褐色，具细网纹；子叶缘倚胚根。花期 4 ~ 6 月，果期 6 ~ 8 月。

| **生境分布** | 生于海拔 230 ~ 1 450 m 的路旁、田边、园圃、河边、屋边墙脚及山坡路旁等较潮湿处。分布于河北昌黎、行唐、迁安、赞皇等。

| **资源情况** | 野生资源一般。药材主要来源于栽培。

| **采收加工** | 5 ~ 7 月采收，晒干。

| **药材性状** | 本品呈类卵圆形或椭圆形，稍扁，长 2.5 ~ 4 mm，宽 2 ~ 3 mm。表面黄棕色、红棕色或灰棕色。一端有深棕色圆形种脐，一侧有数条纵沟。种皮薄而脆，子叶 2，黄白色，有油性。气微，味淡、微苦辛。

| **功能主治** | 辛、苦，微温。祛痰止咳，解表散寒，解毒利湿。用于咳嗽痰喘，感冒发热，麻疹透发不畅，风湿痹痛，咽喉肿痛，疔疮痈肿，漆疮，闭经，跌打损伤，黄疸，水肿。

| **用法用量** | 内服煎汤，10 ~ 30 g，鲜品加倍；或绞汁服。外用适量，捣敷。

| 十字花科 | Brassicaceae | 蔊菜属 | Rorippa

沼生蔊菜

Rorippa palustris (Linnaeus) Besser

| **植物别名** | 风花菜。

| **药 材 名** | 水前草（药用部位：全草。别名：水萝卜、蔊菜、叶香）。

| **形态特征** | 一年生或二年生草本，高（10 ～）20 ～ 50 cm，光滑无毛或稀有单毛。茎直立，单一或分枝，下部常带紫色，具棱。基生叶多数，具柄，叶片羽状深裂或大头羽裂，长圆形至狭长圆形，长 5 ～ 10 cm，宽 1 ～ 3 cm，裂片 3 ～ 7 对，边缘不规则浅裂或呈深波状，先端裂片较大，基部耳状抱茎，有时有缘毛；茎生叶向上渐小，近无柄，叶片羽状深裂或具齿，基部耳状抱茎。总状花序顶生或腋生，果期伸长，花小，多数，黄色或淡黄色，具纤细花梗，长 3 ～ 5 mm；萼片长椭圆形，长 1.2 ～ 2 mm，宽约 0.5 mm；花瓣长倒卵形至楔形，

与萼片等长或稍短于萼片；雄蕊 6，近等长，花丝线状。短角果椭圆形或近圆柱形，有时稍弯曲，长 3 ~ 8 mm，宽 1 ~ 3 mm，果瓣肿胀；种子每室 2 行，多数，褐色，细小，近卵形而扁，一端微凹，表面具细网纹；子叶缘倚胚根。花期 4 ~ 7 月，果期 6 ~ 8 月。

| **生境分布** | 生于潮湿环境或近水处、溪岸、路旁、田边、山坡草地及草场。分布于河北昌黎、抚宁、行唐等。

| **资源情况** | 野生资源一般。药材主要来源于野生。

| **采收加工** | 7 ~ 8 月采收，洗净，切段，晒干。

| **药材性状** | 本品茎表面黄绿色，基部带紫色，具数条棱线；断面髓部类白色。叶多皱缩破碎，完整的基生叶羽状深裂，侧裂片 3 ~ 7 对，裂片宽披针形或条形，边缘具疏齿，表面黄绿色，有长柄；茎生叶稍小，基部耳状抱茎。短角果圆柱形或椭圆形，稍弯曲，长 4 ~ 6 mm，果瓣肿胀，绿褐色；种子近卵圆形而扁，长 0.8 ~ 1 mm，褐色，具细网纹。气微，味辛。

| **功能主治** | 辛、苦，凉。归肝、膀胱经。清热解毒，利水消肿。用于风热感冒，咽喉肿痛，黄疸，淋证，水肿，关节炎，痈肿，烫火伤。

| **用法用量** | 内服煎汤，6 ~ 15 g。外用适量，捣敷。

萝卜

Raphanus sativus L.

| 植物别名 | 菜头、白萝卜、莱菔。

| 药 材 名 | 莱菔子（药用部位：种子。别名：萝卜子、芦菔子）。

| 形态特征 | 一年生或二年生草本，高 20 ~ 100 cm。直根肉质，长圆形、球形或圆锥形，外皮绿色、白色或红色；茎有分枝，无毛，稍具粉霜。基生叶和下部茎生叶大头羽状半裂，长 8 ~ 30 cm，宽 3 ~ 5 cm，顶裂片卵形，侧裂片 4 ~ 6 对，长圆形，有钝齿，疏生粗毛；上部叶长圆形，有锯齿或近全缘。总状花序顶生及腋生；花白色或粉红色，直径 1.5 ~ 2 cm；花梗长 5 ~ 15 mm；萼片长圆形，长 5 ~ 7 mm；花瓣倒卵形，长 1 ~ 1.5 cm，具紫纹，下部有长 5 mm 的爪。长角果圆柱形，长 3 ~ 6 cm，宽 1 ~ 1.2 cm，在相当于种子间处缢缩，

并形成海绵质横隔；先端喙长 1 ~ 1.5 cm；果柄长 1 ~ 1.5 cm；种子 1 ~ 6，卵形，微扁，长约 3 mm，红棕色，有细网纹。花期 4 ~ 5 月，果期 5 ~ 6 月。

| **生境分布** | 生于富含腐殖质、土层深厚、排水良好、疏松透气的砂壤土中。分布于河北阜平、涞源、乐亭等。河北广泛栽培。

| **资源情况** | 野生资源稀少。药材主要来源于栽培。

| **采收加工** | 夏季果实成熟时采割植株，晒干，搓出种子，除去杂质，再晒干。

| **药材性状** | 本品呈椭圆形或近卵圆形而稍扁，长约 3 mm，宽 2 mm。表面红棕色，一侧有数条纵沟，一端有种脐，种脐为褐色圆点状突起，全体均有致密的网纹。质硬，破开后可见黄白色或黄色种仁，有油性。气微，味甘、微辛。

| **功能主治** | 辛、甘，平。归肺、脾、胃经。消食除胀，降气化痰。用于饮食停滞，脘腹胀痛，大便秘结，积滞泻痢，痰壅喘咳。

| **用法用量** | 内服煎汤，5 ~ 12 g。

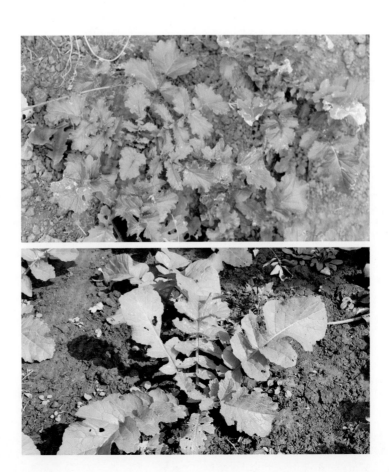

十字花科 Brassicaceae 南芥属 Arabis

垂果南芥 *Arabis pendula* L.

植物别名

唐芥、扁担蒿、野白菜。

药材名

扁担蒿(药用部位:果实)。

形态特征

二年生草本,高 30 ~ 150 cm,全株被硬单毛、杂有二至三叉毛。主根圆锥状,黄白色。茎直立,上部有分枝。茎下部叶长椭圆形至倒卵形,长 3 ~ 10 cm,宽 1.5 ~ 3 cm,先端渐尖,边缘有浅锯齿,基部渐狭而成叶柄,长达 1 cm;茎上部叶狭长椭圆形至披针形,较下部的叶略小,基部呈心形或箭形,抱茎,上面黄绿色至绿色。总状花序顶生或腋生,有花 10 余朵;萼片椭圆形,长 2 ~ 3 mm,背面被有单毛、二至三叉毛及星状毛,花蕾期较密;花瓣白色、匙形,长 3.5 ~ 4.5 mm,宽约 3 mm。长角果线形,长 4 ~ 10 cm,宽 0.1 ~ 0.2 cm,弧曲,下垂;种子每室 1 行,椭圆形,褐色,长 1.5 ~ 2 mm,边缘有环状翅。花期 6 ~ 9 月,果期 7 ~ 10 月。

生境分布

生于海拔 1 500 ~ 3 600 m 的山坡、路旁、

河边草丛中及高山灌木林下和荒漠地区。分布于河北平泉、青龙、蔚县、武安等。

| **资源情况** | 野生资源丰富。药材来源于野生。

| **采收加工** | 秋季采收，晒干。

| **药材性状** | 本品呈长柱形，略扁平，长 4 ~ 10 cm，宽 0.1 ~ 0.2 cm，稍弯曲。表面绿褐色，光滑无毛，先端可见宿存的短柱基，成熟果实易沿两侧腹缝线开裂，或 2 果爿脱落，仅留下假隔膜，种子每室 1 行，或脱落；种子椭圆形而扁，直径 1.5 ~ 2 mm，边缘具环状翅。气微，味辛。

| **功能主治** | 辛，平。清热解毒，消肿。用于疮疡肿毒，阴道炎。

| **用法用量** | 内服煎汤，3 ~ 10 g。外用适量，煎汤熏洗。

十字花科 Brassicaceae 念珠芥属 Neotorularia

蚓果芥
Neotorularia humilis (C. A. Meyer) Hedge & J. Léonard.

| 植物别名 | 长角肉叶荠、无毛蚓果芥、喜湿蚓果芥。

| 药 材 名 | 蚓果芥（药用部位：全草）。

| 形态特征 | 多年生草本，高 5 ～ 30 cm，被二叉毛，并杂有三叉毛，毛的分枝弯曲，有的在叶上以三叉毛为主。茎自基部分枝，有的基部有残存叶柄。基生叶窄卵形，早枯；下部的茎生叶变化较大，叶片宽匙形至窄长卵形，长 5 ～ 30 mm，宽 1 ～ 6 mm，先端钝圆，基部渐窄，近无柄，全缘，或具 2 ～ 3 对明显或不明显的钝齿；中、上部叶条形；最上部数叶常入花序而成苞片。花序呈紧密伞房状，果期伸长；萼片长圆形，长 1.5 ～ 2.5 mm，外轮萼片较内轮的窄，有的在背面先端隆起，内轮的偶在基部略呈囊状，均有膜质边缘；花瓣倒

卵形或宽楔形，白色，长 2 ~ 3 mm，先端近截形或微缺，基部渐窄成爪；子房有毛。长角果筒状，长 8 ~ 20（~ 30）mm，略呈念珠状，两端渐细，直或略曲，或呈 "之" 字形弯曲；花柱短，柱头 2 浅裂；果瓣被二叉毛；果柄长 3 ~ 6 mm；种子长圆形，长约 1 mm，橘红色。花期 4 ~ 6 月。

| 生境分布 | 生于海拔 1 000 ~ 4 200 m 的林下、河滩、草地。分布于河北涿鹿等。

| 资源情况 | 野生资源一般。药材主要来源于野生。

| 采收加工 | 7 月采收，洗净，晒干。

| 药材性状 | 本品皱缩成团或呈长条状，全株各部被柔毛。根细，易折，断面乳白色，粉质。茎草绿色，圆形，易折，断面平整，皮部灰白色。叶皱缩成筒状，湿润展平后叶细小，线状椭圆形，近全缘或具 2 ~ 4 齿，叶面折皱不平，具圆形凹窝。花白色，4 基数；萼片具白色狭膜质边；花瓣先端圆，基部狭缩成爪；雄蕊 6。角果弯曲细长，微似荚状，顶具喙；种子 1 列，淡褐色，椭圆形，长约 1 mm，表面具纵纹。气微，味微涩。

| 功能主治 | 辛、苦，温。解毒，健胃。用于食物中毒，腹痛，消化不良。

| 用法用量 | 内服研末，2 ~ 4 g。

十字花科 Brassicaceae 荠属 Capsella

荠

Capsella bursa-pastoris (L.) Medic.

| 植物别名 |

荠菜、菱角菜、芥。

| 药 材 名 |

荠菜（药用部位：全草。别名：荠、靡草、护生草）、荠菜花（药用部位：花序。别名：地米花、荠花）、荠菜子（药用部位：种子。别名：荠实、荠熟干实）。

| 形态特征 |

一年生或二年生草本，高（7～）10～50 cm，无毛，或有单毛或分叉毛。茎直立，单一或从下部分枝。基生叶丛生，呈莲座状，大头羽状分裂，长可达 12 cm，宽可达 2.5 cm，顶裂片卵形至长圆形，长 5～30 mm，宽 2～20 mm，侧裂片 3～8 对，长圆形至卵形，长 5～15 mm，先端渐尖，浅裂、具不规则粗锯齿或近全缘，叶柄长 5～40 mm；茎生叶窄披针形或披针形，长 5～6.5 mm，宽 2～15 mm，基部箭形，抱茎，边缘有缺刻或锯齿。总状花序顶生及腋生，果期延长达 20 cm；花梗长 3～8 mm；萼片长圆形，长 1.5～2 mm；花瓣白色，卵形，长 2～3 mm，有短爪。短角果倒三角形或倒心状三角形，长 5～8 mm，宽 4～7 mm，扁平，无毛，先端微凹，裂瓣具网脉；花柱长约 0.5 mm；果柄长 5 ~ 15 mm；种子 2 行，长椭圆形，长约 1 mm，浅褐色。花果期 4 ~ 6 月。

| **生境分布** | 生于山坡、田边及路旁。分布于河北宽城、围场等。

| **资源情况** | 野生资源丰富。药材主要来源于野生。

| **采收加工** | 荠菜：春季开花结果时采收，洗净，晒干。
荠菜花：4 ~ 5 月采收，晒干。
荠菜子：6 月果实成熟时，采摘果枝，晒干，揉出种子。

| **药材性状** | 荠菜：本品主根较细，微弯曲，长 2 ~ 6 cm，直径 1.5 ~ 3 mm；表面黄白色，并具须状分枝；质较硬，断面黄白色。茎纤细，长 15 ~ 40 cm，表面黄绿色，分枝。基生叶常脱落；茎生叶互生，抱茎，灰绿色或黄绿色；叶片皱缩，多破碎，完整叶片湿润展平后呈披针形，全缘或具不规则锯齿。茎梢带有白色小花。短角果，呈扁倒三角形，有细柄，淡黄色；种子细小，长椭圆形，长约 0.8 mm，淡褐色。气微，味淡。
荠菜花：本品总状花序轴较细，鲜品绿色，干品黄绿色；小花梗纤细，易断；花小，直径约 2.5 mm，花瓣 4，白色或淡黄棕色，花序轴下部常有小倒三角形的角果，绿色或黄绿色，长 5 ~ 8 mm，宽 4 ~ 6 mm。气微清香，味淡。
荠菜子：本品呈小圆球形或卵圆形，直径约 2 mm。表面黄棕色或棕褐色，一端可见类白色小脐点。种皮薄，易压碎。气微香，味淡。

| **功能主治** | 荠菜：甘、淡，凉。归肝、脾、膀胱经。清热利湿，平肝明目，凉血止血，和胃消滞。用于肾炎性水肿，尿痛，尿血，便血，月经过多，目赤肿痛，小儿乳滞，腹泻，痢疾，乳糜尿，高血压。
荠菜花：甘，凉。归大肠经。凉血止血，清热利湿。用于痢疾，崩漏，尿血，吐血，咯血，小儿乳滞，赤白带下。
荠菜子：甘，平。归肝经。祛风明目。用于目痛，青盲翳障。

| **用法用量** | 荠菜：内服煎汤，15 ~ 30 g，鲜品 60 ~ 120 g；或入丸、散剂。外用适量，捣汁点眼。
荠菜花：内服煎汤，10 ~ 15 g；或研末。
荠菜子：内服煎汤，10 ~ 30 g。

十字花科 Brassicaceae 菘蓝属 Isatis

欧洲菘蓝 *Isatis tinctoria* Linnaeus

| **植物别名** | 板蓝根、大青叶、菘蓝。

| **药 材 名** | 大青叶（药用部位：叶。别名：蓝叶、蓝菜）、板蓝根（药用部位：根。别名：靛青根、蓝靛根）。

| **形态特征** | 二年生草本，高 30 ~ 120 cm。茎直立，茎及基生叶背面带紫红色，上部多分枝，植株被白色柔毛（尤以幼苗为多），稍带白粉霜。基生叶莲座状，长椭圆形至长圆状倒披针形，长 5 ~ 11 cm，宽 2 ~ 3 cm，灰绿色，先端钝圆，边缘有浅齿，具柄；茎生叶长 6 ~ 13 cm，宽 2 ~ 3 cm，基部耳状，多变化，锐尖或钝，半抱茎，叶全缘或有不明显锯齿，叶缘及背面中脉具柔毛。萼片近长圆形，长 1 ~ 1.5 mm；花瓣黄色，宽楔形至宽倒披针形，长 3.5 ~ 4 mm，先端平截，基部

渐狭,具爪。短角果宽楔形,长 1 ~ 1.5 cm,宽 0.3 ~ 0.4 cm,先端平截,基部楔形,无毛,果柄细长;种子长圆形,长 3 ~ 4 mm,淡褐色。花期 4 ~ 5 月,果期 5 ~ 6 月。

| 生境分布 | 生于山地林缘较潮湿的地方。分布于河北滦平、内丘、平泉、涉县等。河北多地有栽培。

| 资源情况 | 野生资源一般。药材主要来源于栽培。

| 采收加工 | 大青叶:夏、秋季分 2 ~ 3 次采收,除去杂质,晒干。
板蓝根:秋季采挖,除去泥沙,晒干。

| 药材性状 | 大青叶:本品多皱缩卷曲,有的破碎。完整叶片展平后呈长椭圆形至长圆状倒披针形,长 5 ~ 11 cm,宽 2 ~ 3 cm;上表面暗灰绿色,有的可见色较深、稍凸起的小点;先端钝,全缘或微波状,基部狭窄,下延至叶柄呈翼状,叶柄长 4 ~ 10 cm,淡棕黄色,质脆。气微,味微酸、苦、涩。

板蓝根:本品呈圆柱形,稍扭曲,长 10 ~ 20 cm,直径 0.5 ~ 1 cm。表面淡灰黄色或淡棕黄色,有纵皱纹、横长皮孔样突起及支根痕。根头略膨大,可见暗绿色或暗棕色轮状排列的叶柄残基和密集的疣状突起。体实,质略软,断面皮部黄白色,木部黄色。气微,味微甜而后苦、涩。

| 功能主治 | 大青叶:苦,寒。归心、胃经。清热解毒,凉血消斑。用于温病高热,神昏,斑疹,痄腮,喉痹,丹毒,痈肿。
板蓝根:苦,寒。归心、胃经。清热解毒,凉血利咽。用于瘟疫时发,发热咽痛,温毒发斑,痄腮,烂喉丹痧,大头瘟疫,丹毒,痈肿。

| 用法用量 | 大青叶:内服煎汤,9 ~ 15 g。
板蓝根:内服煎汤,9 ~ 15 g。